Meinrad Inglin

Gesammelte Werke

In zehn Bänden
Herausgegeben von
Georg Schoeck
Band 5.1

Ammann Verlag

Meinrad Inglin

Schweizerspiegel

Roman

Ammann Verlag

Herausgegeben mit Unterstützung der
Stiftung Landis & Gyr, Zug
Kulturstiftung Pro Helvetia, Zürich
Meinrad Inglin-Stiftung, Zürich

© 1987 by Ammann Verlag AG, Zürich
Alle Rechte vorbehalten
ISBN 3-250-10070-6

Im September 1912 kam der deutsche Kaiser in die Schweiz, um sich die Manöver des dritten Armeekorps anzusehen, für ihn ein unverfängliches Vorhaben, wie es schien, für die bescheidene Republik aber, die er in den zwei Jahrzehnten seiner Regierung einer solchen Beachtung nie gewürdigt hatte, eine Sensation.

An einem regnerischen, herbstlich kühlen Tage traf der hohe Gast mit ansehnlichem Gefolge in Zürich ein und stieg in einem Hause ab, dessen Vergangenheit seinem kaiserlichen Wesen angemessen erscheinen mochte, in der ehemaligen Villa Wesendonck. Die feierlich erregten Willkommensartikel der bürgerlichen Presse, die Begrüßung am Bahnhof durch die obersten Landesbehörden, die Ehrenkompagnie, die Fahrt durch die beflaggten Straßen und der Jubel des Volkes bewirkten einen Empfang, wie er auch einer reichsdeutschen Stadt nicht besser hätte gelingen können. Das militärische Schauspiel war vorbereitet, mit aller Sachlichkeit übrigens, die Manöver wurden reif zur Besichtigung. Die 5. Division bewegte sich als Flügeldivision einer supponierten blauen Armee von Zürichsee her gefechtsmäßig gegen Nordosten und stieß an diesem Tage mit ihren Spitzen auf die 6. Division, die als Flügeldivision einer ebenfalls supponierten, vom Bodensee her anmarschierten roten Armee schon über das Thurknie bei Wil vorgedrungen war. Nur das Wetter ließ zu wünschen übrig. Die Nebelschwaden, die nach mehreren Regentagen auch jetzt wieder über die Stadt hinzogen, und der Gedanke an das schmutzige, nasse Manövergelände, das der Kaiser morgen besuchen sollte, ärgerten jedermann. Aber auch das Wetter zeigte sich noch gefügig, in der Nacht hellte es wider alle Erwartungen auf, und am nächsten Morgen blaute über dem ganzen Land ein unglaubwürdig wolkenloser Himmel.

An diesem Morgen verließen schon in der frühesten Dämmerung ungezählte Neugierige ihre Häuser und fuhren oder wanderten nach Kirchberg im Toggenburg, wo unter den Augen des deutschen Kaisers die Hauptschlacht zu erwarten war. Im Umkreis des hochgelegenen kleinen Dorfes tauchten denn bei Tagesanbruch überall zerstreute Gruppen und Züge von Menschen auf, die nach einigem Zögern die Hügelkuppe südlich des Dorfes bestiegen und ihr den Anschein eines riesigen Ameisenhaufens verliehen, während ringsum auf allen Straßen der lockere Anmarsch weiterdauerte.

In einem der ungeordneten Züge schritten drei Brüder aus Zürich, Severin, Paul und Fred, die Söhne des Brigadekommandanten Oberst Ammann. Sie schritten nicht friedlich nebeneinander, sondern getrennt hintereinander, weil Severin, der älteste, ungeduldig vorwärts drängte, Paul aber unter lässigen Protesten nur widerwillig folgte. Fred, der jüngste, schien im Zweifel, ob er es mit diesem oder jenem halten sollte, jedenfalls ging er in wechselnden Abständen zwischen ihnen und verhinderte auf diese Art wenigstens, daß sie den Zusammenhang gänzlich verloren.

»Wenn wir nicht rechtzeitig oben sind, hat es überhaupt keinen Wert, jetzt schon hinaufzugehen«, rief Severin kühl belehrend, indem er knapp anhielt und die gemütlich Folgenden unwillig musterte. In seinen Kniehosen, der zugeknöpften Jacke, mit dem umgehängten Zeiß und der Ausweiskarte auf dem Hut erweckte er den Eindruck eines etwa dreißigjährigen Offiziers in Zivil, was den wirklichen Verhältnissen nicht entsprach. »Vermutlich ist er schon unterwegs«, fuhr er fort, »der Zürcher Zug ist in Wil eingefahren, das haben wir ja gehört.«

»Wer ›er‹? Wer ist unterwegs?« fragte Paul verstockterweise, obwohl nun schon häufig genug vom Kaiser nicht anders die Rede gewesen war.

»Ach was!« sagte Severin und ging weiter, rief aber mahnend noch einmal zurück: »Wenn wir nicht beisammenbleiben, finden wir einander in diesem Gewimmel nicht mehr. Ihr könnt dann sehen, wer euch orientiert!« Damit schritt er endgültig aus, zielbewußt und aufrecht, ohne die vielen Bummler zu beachten, die bald beratend stehenblieben, bald zu irgendwelchen Infanteriestellungen in die Wiese hinausliefen.

Fred, ein lang aufgeschossener Bursche von sehr jugendlichem, gutmütig heiterm Aussehen, ermunterte Paul. »Komm du, es ist ja wurst!« sagte er lächelnd. »Und wenn wir Papa sehen, drückst du dich einfach!«

»Bitte, du wirst doch nicht glauben, daß ich mich vor Papa fürchte!« erwiderte Paul leise. »Da hätte ich ja zu Hause oder in Deutschland bleiben können. Aber diese Volksversammlung da ... mir scheint, das wird ein zweifelhaftes Vergnügen.« Er drehte sein schmales, blasses Gesicht nach rechts und links, verzog leicht angewidert und etwas ironisch den vollen Mund, winkte dann aber mit der Rechten seinen eigenen Bedenken müde ab und schloß sich dem Bruder an. Er hätte auf Papas Wunsch in diesen Wiederholungskurs einrücken sollen, doch er besaß seinen Auslandsurlaub und war ein paar Tage zu spät heimgekommen; immerhin war er gekommen, wenn auch nur zu einem Besuch, Mama wenigstens konnte zufrieden sein, und Papa, der in diesen Manövern zum erstenmal eine Brigade führte, würde jetzt keine Zeit haben, sich mit ihm zu beschäftigen.

Die Brüder befanden sich vor dem letzten kurzen Anstieg zur Hügelkuppe, als rechts unter ihnen in der ausweichenden Menge ein paar Automobile sichtbar wurden, die auf dem nahen Fahrweg ebenfalls die Höhe erklommen. Das war ein glücklicher Zufall, der Fahrweg endete in ihrer

Nähe oder verengte sich doch zum Fußpfad, keine dreißig Schritte über ihnen, und dort hielt denn auch, vom Publikum freilich zunächst verdeckt, der erste Wagen an. Aber die zudringlichen Leute wurden über die Böschung hinabgedrängt, und das Folgende spielte sich wie auf einer Bühne vor den Augen der Brüder ab. Severin packte plötzlich Freds Oberarm, drückte ihn heftig und starrte hinauf.

Dort oben stieg ein wohlgewachsener uniformierter Mann aus dem Wagen, wandte sich auf dem Trittbrett auffällig lachend noch einmal den übrigen Insassen zu, mit einer witzigen Bemerkung vielleicht, betrat dann den Erdboden und ging festen Schrittes zur Böschung, wo er stehenblieb. Während dieser wenigen Schritte erstarb sein Lachen, der letzte Rest von Heiterkeit wich aus seiner Miene. Vom vollen Schein der Sonne getroffen, die sich aus den östlichen Randnebeln erhoben hatte, blieb er in großartiger Haltung über dem Volke stehen, die behandschuhte Linke auf dem Säbelkorb, in der Rechten leicht, ja anmutig gesenkt den Stab eines Feldmarschalls, die linke Brustseite mit Orden geschmückt, den Kopf mit dem steilen Käppi ein wenig nach rechts gedreht; man erkannte seinen Schnurrbart, dessen forsch aufgerichtete Enden nach den ausgeprägten Backenknochen zielten, seine schönen Augen mit dem stolzen Ernst im Blick, sein ganzes, männlich straffes und selbstbewußtes Gesicht, das berühmteste Gesicht dieser Zeit. Er war es, Wilhelm der Zweite, der deutsche Kaiser.

»Hoch!« schrie das Volk. »Hoch der Kaiser! Hoch Deutschland! Hurra! Hoch!«

Der Auftritt dauerte wenige Sekunden, der Kaiser wandte sich seinen Begleitern zu und verschwand hinter der nachdrängenden Menge, so daß zwischen Pickelhauben und Oberstenkäppis nur für Augenblicke noch seine Kopfbedeckung zu erkennen war, die den Lederhüten unserer Soldaten glich.

Paul war belustigt, er grinste unverhohlen, während Severin begeistert und immer noch aufmerksam verharrte. Fred warf, nachdem er selber dem Eindruck sich arglos mit offenem Munde hingegeben hatte, einen kurzen, forschenden Blick auf die Brüder, wurde unsicher in seinen Gefühlen und sagte, um nur etwas zu sagen, lächelnd: »Ich hätte gedacht, er trüge einen goldenen Helm.«

»Du bist ein Kindskopf!« bemerkte Severin ruhig.

»Oh, bitte, das ist gar nicht so dumm!« fiel Paul ein. »Er *hat* nämlich einen goldenen Helm, und er hätte ihn gewiß gern aufgesetzt.«

»Quatsch!« erwiderte Severin. »Ihr wißt natürlich nicht, was für eine Uniform er trägt. Es ist die Uniform des deutschen Gardeschützenbataillons, und dieses Bataillon bestand früher aus Neuenburgern, vor 1857 nämlich, als der preußische König zugleich Fürst von Neuenburg war. Daß er bei uns ausgerechnet diese Uniform trägt, das ist ein sehr feiner Zug... Aber jetzt müssen wir hinauf, wenn wir noch etwas sehen wollen, vorwärts!«

Sie stiegen weiter, gerieten mit einem Schwarm von Neugierigen an die Seile, die, durch Soldaten bewacht, den Scheitel der Kuppe absperrten, und suchten sich hier im Gedränge einen Platz zu erobern.

Der Kaiser hatte indessen den höchsten Punkt der mäßig gewölbten Kuppe erreicht und blieb in liebenswürdig höflichem Gespräch vor einem ältern, zivilen Manne stehen. Die übrigen Manövergäste innerhalb der Umzäunung kümmerten sich scheinbar nicht um die beiden, in der Tat aber wahrten sie unmerklich einen achtungsvollen Abstand und verfolgten die kleine Szene heimlich mit lächelnden Blicken voller Wohlgefallen. Der Mann in Zivil war der schweizerische Bundespräsident Ludwig Forrer, eine stattliche Gestalt in dunklem Mantel und breitkrempigem Filz, auf dem klugen, von Kinn- und Backenbart weiß umbuschten Gesicht einen Ausdruck besorgter Würde, eine ausgesprochen bürgerliche Gestalt, die zum höchsten deutschen Soldaten den stärksten Gegensatz bildete, ein Republikaner zudem, ein Demokrat, was den Monarchen und erklärten Verächter alles Republikanischen jetzt offenbar nicht abhielt, ihm die artigsten Dinge zu sagen.

In einiger Entfernung stand ein hoher Milizoffizier, Oberst Hoffmann, Bundesrat und Chef des schweizerischen Militärdepartements, der einzige im lockern Kreise, der nicht lächelte, sondern durch seinen Klemmer die zwei Staatsoberhäupter mit einem klaren, sachlichen Blick umspannte. Er wartete auf das Ende des Gespräches, dann trat er vor, zog die Absätze zusammen und begann: »Wenn Eure Majestät nun gestatten, wird unsere Manöverleitung...«

»Ja, nun wollen wir mal sehen, was hier gespielt wird«, unterbrach ihn der Kaiser und ging, ohne ihn weiter zu beachten, zwischen den ausweichenden Gästen hin nach dem südlich abfallenden Hang. Dort vorn befand sich in Gesellschaft von Adjutanten und deutschen Offizieren ein eidgenössischer Oberst, ein mittelgroßer, fester Mann mit einem massigen, mürrisch wirkenden Gesicht, der Manöverleiter, Oberstkorpskommandant Ulrich Wille.

Der Kaiser trat sichtlich wohlgelaunt an den ihm bekannten Schweizer heran. »Also los, Wille!« sagte er. »Wo stehen Ihre Legionen? Ich bin sehr neugierig! Und Sie wissen ja, mir können Sie nichts vormachen!«

Wille begann dem Kaiser den Stand der Übung darzulegen, indem er bald auf die Karte wies, bald in das Gelände hinausdeutete. Vor ihnen lag unter dem blauen Septemberhimmel eine mannigfaltige weite Landschaft mit Hügeln, Wäldern, Schluchten und Wiesentälern, mit leuchtend grünen Flächen, schattigen Gründen und kleinen, flach hinziehenden Nebeln, die in der schräg einfallenden Morgensonne weiß aufschimmerten und verdampften, das Anmarschgelände der blauen Division. Sie selber standen auf dem wichtigsten Punkt der roten Stellung, der sechsten Division, die sich in der Nacht hier auf den Höhen südlich von Kirchberg mit leicht nach Westen und Osten abgebogenen Flügeln, mit der Hauptfront nach Süden, zur Verteidigung eingerichtet hatte. Die Infanterie war eingegraben, da und dort ließ sie ihr Gewehrfeuer spielen, das den vortastenden gegnerischen Patrouillen galt, und über die Schützengräben hinweg donnerten bereits die Kanonen nach den Hauptkräften des Feindes. Der blaue Gegner hatte sich, mit zwei Brigaden in der Front, in einem mächtigen Halbkreis schon bedrohlich nahe an die rote Stellung herangearbeitet; er zeigte Angriffsabsichten und begann eben jetzt von verschiedenen Punkten her mit der artilleristischen Vorbereitung. Prächtige, lehrreiche Bilder von Angriff und Verteidigung waren zu erwarten, oder wären unter gewohnten Umständen zu erwarten gewesen. Die immer noch wachsende Masse der Manöverbummler aber drohte nun alles zu vereiteln; nicht nur den Hügel, auf dem man hier stand, umgaben sie in dichten Scharen, sie hatten auch die benachbarten Höhen besetzt und wimmelten überall durch die Kampfzone, ungezählte neugierige Menschen, die nach Zehntausenden zu berechnen waren. Sie zerstörten die Illusion eines wirklichen Kampfes, die notwendig ist, wenn die Übung nicht zum Gefechtsexerzieren oder gar zur Spielerei werden soll, sie verleideten der Truppe das kriegsgemäße Verhalten und ironisierten durch ihre bloße Gegenwart die eben dargelegte Lage.

Oberst Wille spürte grimmige Lust, die Übung zu unterbrechen, aber jetzt waren ihm außergewöhnliche Rücksichten auferlegt, und so zwang er sich, von den widrigen Umständen abzusehen, um bei der Sache zu bleiben. »Der rote Parteikommandant«, erklärte er, »will alle verfügbaren Reserven an seinem rechten Flügel einsetzen, zur Umfassung des linken blauen Flügels, wie er hofft; er wird mit einem anständigen Gegenstoß zufrieden sein müssen, die Blauen haben dort auch Absichten, denke ich.«

»Wohl alles supponiert, was?« fragte der Kaiser.

Wille ging nicht auf diesen Ton ein, mit dem Wilhelm scherzhafterweise versuchte, die Übung leicht zu nehmen, er wahrte seinen vollen Ernst, setzte seinen bedeutenden militärischen Ruf entschlossen daran und gedachte im übrigen, dem kaiserlichen Fachmann morgen ein Beispiel von Verfolgung und Rückzug aufzutischen, wie man es in Deutschland kaum viel besser würde erleben können. Er wußte, warum der Kaiser gekommen war.

Die andern hohen Herrschaften beobachteten indessen die militärischen Vorgänge oder gaben sich zwanglos einer gewissen Geselligkeit hin. Verschiedene fremde Offiziere ließen sich von Oberst Sonderegger, dem jugendlich schneidigen Stabschef Willes, über die Lage unterrichten. Man erkannte den französischen General Pau und die mächtige Gestalt des schwarzbärtigen Burengenerals Beyer, man sah den österreichischen Feldmarschalleutnant von Dankl im Gespräch mit Oberst von Sprecher, dem großgewachsenen hagern Chef des schweizerischen Generalstabs, und freute sich am Anblick des kaiserlichen Gefolges. Die Herren Generaladjutanten von Plessen und von Lynker, General Hüne, der Graf zu Eulenburg und der Fürst zu Fürstenberg mit ihren Orden, reichen Schnurgarnituren und glänzend beschlagenen Pickelhauben bildeten, angeregt von der guten Stimmung ihres Herrn, eine offensichtlich wohlgelaunte und eindrucksvolle Gruppe. Abseits mit dem Fernglas vor Augen stand General von Moltke.

Die drei Brüder im Gedränge der Zuschauer sahen von alledem nicht eben viel und traten einen Streifzug durch das Manövergelände an. Sie waren eine knappe Stunde planlos unterwegs und wollten schon zum Feldherrnhügel zurückkehren, als sie in geringer Entfernung eine auffällige Bewegung des Publikums bemerkten, das von allen Seiten hastig einem Fahrweg zustrebte. Wie sie hinkamen, erkannten sie zunächst den kaiserlichen Wagen und gleich darauf zu ihrer größten Verblüffung den Kaiser selbst in einem nahen Schützengraben.

Der allerhöchste Feldherr hatte in der ausgesprochenen Absicht, sich die Dinge aus der Nähe anzusehen, mit dem Manöverleiter eine Rundfahrt unternommen und an verschiedenen Punkten anhalten lassen, auch hier also, wo ein mit Füsilieren dicht besetzter Schützengraben an den Fahrweg grenzte. Er war in den Graben hineingestiegen, prüfte jetzt leicht gebeugt über die Brustwehr hinweg das Schußfeld und fragte den nächsten Füsilier wohlwollend heiter nach dem Ziel und der Entfernung dahin. Der deutsche Kaiser in einem schweizerischen Schützengraben zwischen einfachen Milizsoldaten – so etwas hätte sich niemand auszudenken gewagt, es war ein unerwartetes Bild von zwingender Wirkung, das die hohen Begleitoffiziere entzückte und das Publikum zu lautem Beifall hinriß.

Als der Kaiser den Graben verließ, machte Severin, eine nahe Wiederholung des Auftritts erwartend, in hochgestimmter Aufregung den Vorschlag, dem Wagen vorauszulaufen und ihm, sobald man überholt würde, zu folgen.

Paul fand diesen Vorschlag lächerlich. »Überhaupt«, sagte er leise und scherzhaft melancholisch, »das ganze Theater ist deprimierend. Zuerst singt die Presse in beschämender Untertänigkeit das Loblied Wilhelms, und jetzt läuft das Volk zu Tausenden diesem Monarchen nach und jubelt ihm zu... in Deutschland weiß man, wie er über die Republikaner denkt, aber hier fällt man auf ihn herein... mit unserem nationalen Selbstbewußtsein und dem Stolz auf unsere Demokratie ist es, scheint's, nicht mehr weit her...«

»Jetzt hör aber auf, ich bitte dich!« erwiderte Severin

streng. »Und übrigens bist du ja auch da, nicht wahr, du läufst auch mit, das ist sehr konsequent!«

»Ja, das ist ein Fehler«, gab Paul zu. »Ich kehre jetzt um und werde mit dem nächsten Zug heimfahren, ich habe genug.« Er hob lässig grüßend die Rechte, nickte Fred noch zu und ging wirklich fort.

Fred lief ihm nach und suchte ihn zurückzuhalten. »Bleib doch, es ist ja ganz egal, wie du denkst!«

»Ach, es ist weniger wegen der Konsequenz«, sagte Paul abschwächend, »aber ich bin nicht für Volksaufläufe...«

»Jaja, es ist ein elender Rummel!«

In diesem Augenblick, eben als der kaiserliche Wagen auf dem holprigen Wege langsam anfuhr, rief Severin dringend: »Fred, komm! Vorwärts, vorwärts!«

»Laß ihn doch laufen!« riet Paul. »Komm du mit mir, wir wollen aus dem Rummel heraus.«

»Ach was, wir wollen doch beisammen bleiben«, erwiderte Fred ärgerlich, ohne sich zu rühren, und sah mit finsterer Miene zu, wie Paul ihn freundlich nickend verließ und Severin dem Kaiser nachlief.

Paul schlenderte den Weg zurück, kam am südlichen Fuß des Feldherrnhügels vorbei und schlug die Richtung auf Batzenheid ein, in das Thurtal hinab, wobei er zwischen den östlichen Flügeln der beiden Fronten einer auffallenden Reitergruppe begegnete. Zuerst hörte er nur die rasch herantrabenden Pferde und wich in Erwartung einer Kavalleriepatrouille mit dem auch hier recht zahlreichen Publikum gemächlich an den Wegrand aus.

Die Gruppe bestand aber aus fremden Offizieren, die sich in Begleitung schweizerischer Kavalleristen in diesem Abschnitt umsehen wollten. Sie kamen in ihren ungewohnten bunten Uniformen überraschend aus der nahen Kurve geritten, mit dem französischen General Pau an der Spitze, der im Deutsch-Französischen Kriege den rechten Vorderarm verloren hatte. Dieser eindrückliche Zeuge eines bedeutenden geschichtlichen Ereignisses, eine gedrungene Gestalt mit weißem Schnurrbart und energischen Zügen, kam leicht vorgebeugt auf einem prachtvollen Schimmel dahergetrabt.

Paul riß, einer unüberlegten Regung folgend, den Hut vom Kopf und schrie, völlig gegen seine stille Art: »Vive la France!«

Der General hing die Zügel über den waagrecht vorstehenden Armstummel und legte grüßend die Linke an den Mützenrand.

»Vive la France!« wiederholte Paul mit Überzeugung, von den Zuschauern laut und bereitwillig unterstützt, während die Gruppe vorübertrabte und auf dem vielfach geschlungenen Wege hinter der nächsten grünen Böschung verschwand.

Indessen spürte Fred einen bitteren Ärger sowohl über die Brüder, die ihn leichtsinnig verließen, wie über sich selber, weil er sich nicht hatte entschließen können, dem einen oder andern zu folgen. Aber dieser Ärger machte rasch der trotzigen Selbstbesinnung Platz, daß er nicht jeder Laune zu folgen brauche, sondern nach seinem eigenen Gutdünken handeln könne. Es war ja eine Laune, die seine Brüder auseinandertrieb, sie hatte nichts mit dem zu tun, was hier eigentlich in Frage stand, sondern nur mit dem faulen Zauber, der daraus gemacht wurde. Hier handelte es sich doch um ein ernsthaftes Manöver, zwei Divisionen kämpften gegeneinander, und Papa selber führte eine Brigade; man brauchte also nicht mit der Nase in der Luft da herumzulaufen und jede Uniform zu begaffen, man konnte sich an die sachlichen Vorgänge halten, das hatte einen Sinn und war am Ende auch ein Vergnügen.

Er verstand noch nicht sehr viel von diesen sachlichen Vorgängen, die Rekrutenschule erwartete ihn erst im nächsten Frühjahr, aber der Gedanke an Papa ermunterte ihn.

Warum sollte er sich nicht an den Vater halten, der als hoher Fachmann hier mitspielte? Das wollte er nun wirklich tun, er kannte den Abschnitt ungefähr, den die Ammannsche Brigade besetzt hielt, und wollte sich nach ihrem Befehlshaber durchfragen, um von ihm endlich zu erfahren, was hier eigentlich los war. Wann und wo er ihn finden und wie er dabei auf seine Rechnung kommen würde, blieb recht zweifelhaft, die Umstände waren ihm nicht sehr günstig, doch bedachte er nun keine Schwierigkeiten. Die Hände in den Hosensäcken, den Hut auf dem Hinterkopf, einen schweizerischen Militärmarsch vor sich hin pfeifend, ging er quer durch das grüne Gelände auf die Suche nach dem Vater, während irgendwo die Menge wieder hurra, hoch und bravo schrie, da und dort Gewehre knatterten, Kanonen donnerten, Schützenlinien vorgingen, und die Sonne am tiefblauen Himmel über dem ernsten Spiel der Menschen heiter und unbeteiligt in den Mittag stieg.

I

1

»Das ist unser äußerstes Angebot, Herr Oberst. Wir halten es aufrecht bis Samstag mittag, nachher werden wir anderweitige Verfügungen treffen.« Der Präsident der Baugenossenschaft, ein wohlgenährter, sorgfältig gekleideter Mann, verharrte in der leicht vorgebeugten Haltung, in der er diese Worte gesprochen hatte, und blickte den Oberst verbindlich lächelnd an.

Oberst Alfred Ammann schloß seine Ledermappe, rückte mit dem Stuhl etwas vom Tische weg und lächelte ebenfalls. Er wußte so genau wie der Präsident, wie wenig diese Frist zu bedeuten hatte, aber während er sonst in Verhandlungen eine gewisse geschäftliche Taktik anerkannte und ernsthaft darauf einging, stellte er sie jetzt bloß, da ihm die Sache selber zu wichtig war. »Anderweitige Verfügungen...«, antwortete er mit ironischer Nachsicht, »die stehen Ihnen heute schon frei... Es handelt sich für Sie nicht darum, ob Sie überhaupt bauen wollen, sondern ob Sie auf meinem Platze bauen können.«

Der Präsident zuckte freundlich die Achsel und lehnte sich zurück.

»Herr Nationalrat«, begann der Dritte am Tisch, Anwalt der Genossenschaft, ein klug aussehender jüngerer Mann, der von Ammanns Offiziersrang weniger hielt als von seiner politischen Stellung, mit Unrecht übrigens, »so rasch werden Sie kein solches Angebot mehr erhalten... und später... kein Mensch kann sagen, ob sich die Stadt nicht nach einer andern Seite hin ausdehnen wird. Heute wissen Sie noch so genau wie wir, daß ein altes Haus an einem solchen Platze nicht zu retten ist. Ich will Ihnen nicht vorrechnen, was dieser feudale Sitz Sie jährlich kostet, aber wenn man unser Angebot bedenkt, wird kein Mensch glauben, daß Sie sich auf die Dauer so etwas leisten wollen.«

Ammann beachtete weder die Worte des Anwalts, noch den Anwalt selber. Er saß, den gelben Bürolehnstuhl füllend, die Beine nach der Art beleibter Leute bequem auseinandergestellt, die Unterlippe nachdenklich vorgeschoben, in stummer Sammlung da; es schien, als ob er sich im nächsten Augenblick entschließen werde. Er stand aber gelassen auf, griff nach seiner Mappe und reckte sich. Er war ein starkgebauter Mann von mittlerer Größe und unauffälliger Korpulenz, mit glattrasiertem, vollem Gesicht, kurzgeschorenem, dichtem, dunkelgrauem Haar und kräftig glänzenden, klugen Augen. »Schön, meine Herren«, sagte er und nahm damit Abschied, »ich werde Ihnen wieder berichten.«

Er trat auf eine belebte Straße hinaus und hatte kaum die Richtung nach Hause eingeschlagen, als er auch schon gegrüßt wurde. Ein untersetzter, ebenfalls sehr wohlgenährter Mann hielt, die Straße querend, mit dem Rufe »Herr Oberst!« fröhlich gelaunt den Hut in der erhobenen Rechten. Ammann kehrte bei seinem Anblick sogleich sein wahres Wesen heraus, ein heiteres, leutseliges Wesen, das bei aller Intelligenz und männlichen Bestimmtheit am liebsten mit der ganzen Welt im Frieden lebte. Er gab den Gruß ebenso fröhlich zurück, indem er seinen breitkrempigen runden Filz auf burschikose Art weit ausladend zur Seite schwang, dann setzte er seinen Weg aufrecht und strammen Schrittes fort.

In einer stillern Seitenstraße ließ er sich Zeit und bedachte flüchtig seine Lage. Er war entschlossen, den Grundbesitz nun endlich zu verkaufen, aber irgend etwas ging in der Rechnung nicht auf, ein alter, widerstrebender Rest, den keine zahlenmäßige Bestimmung erfaßte. Dieser dunkle

Widerstand, den er blindlings unterdrückt hatte, weil er gegen jede vernünftige Einsicht gerichtet schien, ließ ihn auch jetzt wieder ahnen, daß er mit dem Familiensitz mehr verkaufen werde als einen guten Bauplatz.

Er bog in eine leicht ansteigende, breite, geräuschvolle Straße ein und schlug eine strammere Gangart an, bis er die mäßige Höhe erreicht hatte. Eine mannshohe grüne Taxushecke, durch ein Gitter gegen die Straße hin abgeschlossen und von alten Parkbäumen überragt, unterbrach hier auf einer Länge von achtzig Schritten überraschend die linke Front der Häuser. Durch die Lücken der Baumkronen gewahrte man im Hintergrund die kahle Häuserreihe einer andern Straße. Ein kunstvolles, schmiedeeisernes Gittertor trennte die Hecke in der Mitte und gewährte durch seine schwarzen Ranken und Stäbe einen bescheidenen Blick ins Innere des stillen Gutes. Vom Gitter führten Sandsteinfliesen über einen Rasenstreifen zur kleinen Säulenvorhalle des Hauses, eines Herrenhauses aus dem 18. Jahrhundert, dessen edle Verhältnisse im Licht des späten Nachmittags sich hinter dem erst leicht verfärbten Herbstlaub eben noch erkennen ließen. Das Gut war im Jahre 1765 auf dieser kleinen flachen Höhe angelegt worden, mit freiem Gelände ringsum und mit dem Blick über die Stadt hin, aber vom Ende des folgenden Jahrhunderts an waren geschmacklose Miets- und Geschäftshäuser immer näher herangerückt, und jetzt hatten sie es erreicht, sie standen da, rings um diesen letzten sichtbaren Zeugen einer vornehmen bürgerlichen Kultur herum, geschlossen, anmaßend und überheblich.

Ammann, sein Besitzer, warf einen flüchtigen Blick durch das Tor, das längst nicht mehr geöffnet wurde und dessen Wappen auch nicht sein Wappen war, einen betont gleichgültigen Blick, dann trat er durch eine schmale Seitenpforte und stieß hinter sich das Gittertürchen unbedachtsam hart ins Schloß.

2

»Paul hat geschrieben«, sagte Frau Barbara, als Ammann schon die Tür zum Büro öffnete. »Er kommt in acht Tagen heim.«

»In acht Tagen?!«

»Ja... das schreibt er«, antwortete sie achselzuckend.

Ammann blickte eine Weile mit gerunzelter Stirn auf seine Frau, die sich vor einem offenen Wandschrank etwas zu schaffen machte, als ob die ganze Geschichte sie nichts anginge, dann legte er drinnen seine Mappe ab und trat wieder unter die Tür. »Du hast ihm doch geschrieben, daß...«

»Jaja, er weiß es schon«, unterbrach sie ihn.

»So... ja, wenn dieser junge Herr meint, er könne sich noch einmal drücken, mit seinem Auslandsurlaub...«

»Drücken...!« erwiderte sie und blickte ihren Mann mit einer entschiedenen Kopfbewegung an. »Vielleicht kann er halt nicht früher fort.«

»Ja wahrscheinlich! Wenn man über ein Jahr lang gebummelt hat, ist es besonders schwer, zur rechten Zeit einzurücken. Er hat schon seinen letzten Wiederholungskurs versäumt... jetzt hört das auf!« Er trat in sein Büro und wechselte mit knappen, entschlossenen Bewegungen den Rock.

Er hatte auf Grund fortschrittlicher Anschauungen und mit kluger Einsicht in die veränderte Seelenlage der heranwachsenden Jugend seine vier Kinder nicht allzu streng erzogen, ja er hatte ihnen mehr Freiheiten gewährt, als ihm oft selber angemessen schien. Severin, sein Ältester, war dabei ein selbständiger Mann und frühzeitiger Familienvater geworden, Gertrud hatte von ihrem Mädchenalter an zu Vorwürfen kaum mehr Anlaß gegeben, Fred, der Jüngste, der noch mitten im Studium steckte, war ein lieber Kerl und verdiente alles Vertrauen; mit Paul aber klappte nun etwas nicht. Dieser intelligente, nach dem allgemeinen Urteil ungewöhnlich begabte junge Mann hatte Philologie studiert und sich nach dem Examen für ein Jahr ins Ausland begeben, »zur weiteren Ausbildung«, was niemand allzu wörtlich nahm. Dieses Jahr war abgelaufen, aber statt daß der Herr Sohn inzwischen eine Stelle angenommen oder wenigstens zur rechten Zeit die Rückreise angetreten hätte, trieb er sich noch jetzt beschäftigungslos in München herum. Eine Anstellung stand ihm nun zwar durch die Vermittlung seines Onkels Gaston in Aussicht, aber daß er sich von seiner militärischen Pflicht ohne Grund noch einmal zu drücken suchte, hieß denn doch die väterliche Nachsicht auf eine harte Probe stellen.

Ammann legte ein Blatt vor sich hin, zückte die Feder und bedachte sich mit gesammelter Miene einen Augenblick, dann schrieb er, ohne zu stocken, mit kurzen, kräftigen Zügen: »Der Wiederholungskurs Deines Regiments beginnt am 6. Oktober. Ich erwarte von Dir, daß Du zur rechten Zeit heimkehrst. Mit Gruß Dein Vater.« Er adressierte den Umschlag an Herrn Dr. Paul Ammann, schrieb dick darüber »Expreß« und übergab ihn unverschlossen seiner Frau.

Damit war dieser Zwischenfall für ihn erledigt, er brannte sich eine Zigarre an, entfaltete das ausführliche Schriftstück mit dem Angebot der Genossenschaft und lehnte sich zurück, um die Angelegenheit noch einmal zu bedenken. Sein Blick ruhte auf einem Ölbild, das ihn längst nicht mehr abzulenken vermochte, einer sehr farbigen Darstellung von Bourbakis frierenden Soldaten und ihrer Entwaffnung durch die Schweizer Armee im Winter 1871. Dieses Bild, ein nüchterner Aktenschrank, der überladene Schreibtisch und eine Menge anderer Dinge paßten nach dem Urteil aller Kunstverständigen nicht in diesen Raum mit seiner schönen Stuckdecke, der zarten Landschaft über der Tür und dem prachtvollen alten Ofen. Er gab es zu, aber er hatte noch nie darunter gelitten. Dagegen kam seine Frau in den übrigen Räumen dem Stil des Hauses mit gutem Geschmack entgegen, er zollte ihr dafür alle Anerkennung und bezeugte wenigstens auf diese Art seinen Kunstsinn, den er als Eigentümer eines solchen Hauses denn doch nicht verleugnen durfte. Dieses Zugeständnis an den Geist verflossener Jahrhunderte und jener dunkle Widerstand beim Gedanken an den Hausverkauf hingen mit seiner Pflicht zur Repräsentation zusammen, und das nicht sehr ursprüngliche Gefühl dieser Pflicht war der einzige konservative Rückstand in seinem Wesen. Er war ein Mann seiner Zeit, ein Mann des Fortschritts, der Entwicklung, ein Demokrat vom Scheitel bis zur Sohle, und da ihm für das Haus jetzt ein wirklich anständiger Preis geboten wurde, konnte er wohl auch diesen Rückstand überwinden und mit seiner Familie vorläufig die in Aussicht genommene Mietswohnung beziehen.

Diese Frage beschäftigte ihn vor allem, nachdem er zur Überzeugung gekommen war, daß die gebotene Summe einen angemessenen Preis darstelle und der Verkauf nicht länger hinausgezögert werden dürfe; ein abermaliger Aufschub blieb ein Wagnis, das wußte er so genau wie der vorwitzige junge Anwalt. Ein geeignetes älteres oder neues Haus nun war in der Stadt gegenwärtig nicht zu finden gewesen, und selber ein Haus zu bauen, schien ihm übereilt, bevor sich gewisse Verhältnisse abgeklärt hatten. So bot sich als einfachste Lösung noch immer die Miete einer ihm und seiner Frau bekannten Wohnung, die nächstes Jahr, auf den 1. April 1914, frei wurde, einer sehr geräumigen Fünfzimmerwohnung im Stockmeierschen Haus an der Dufourstraße.

»Barbara!«

Seine Frau kam aus dem Wohnzimmer herüber, beugte

sich leicht über das Schriftstück, das er ihr schweigend hingeschoben hatte, und begann es zu lesen, während er sie mit gelassener Neugier betrachtete. An der Summe blieb sie einen Augenblick hängen, das Folgende überflog sie nur, dann ging sie zum aufgehängten Rock, der wohl gebürstet werden mußte.

»Jaa...«, sagte er gedehnt, »das ist mehr als ich erwartet hatte, offen gestanden. Jetzt heißt es zugreifen.«

»Und dann?« Sie hatte knapp angehalten und stand nun da, den Kopf etwas emporgeworfen, den lebhaften Blick auf ihren Mann gerichtet, sehr von oben herab, wie es schien, mit einer zugleich betrübten und herausfordernden Miene. Dieses beinah schroffe Auftreten, die bündige Frage und der beleidigte Anflug ihrer Miene waren Ammann vertraut; weder er noch die Kinder hatten unter ihrer herben Entschiedenheit jemals ernstlich gelitten. Es war ihre Art, keine mürrische, schlimme oder hochmütige, sondern eine gerade, im Grunde heitere und lebhafte Art. Mit ihren zweiundfünfzig Jahren besaß sie das Temperament eines lebenskräftigen jungen Mädchens, nur konnte sie sich bis zum Äußersten beherrschen, aber freilich auch sprudelnd herausfahren, wenn es nötig war. Jetzt stand sie da vor ihrem Mann, eine dunkelgekleidete, große, vornehme Gestalt mit grauem, ehemals fast schwarzem Haar, mit einem vollen, mütterlichen, um Mund und Augen stolz bestimmten Gesicht von gesunder Farbe, und mit dem Ausdruck leicht gekränkter Würde, der sich bei ihr in solchen Fällen unweigerlich einstellte.

»Ich wäre für die Wohnung bei Stockmeiers«, antwortete er ruhig. »Vorläufig würde uns das doch genügen...«

»Ich habe dir schon gesagt, es ist ein Zimmer zu wenig«, erwiderte sie bedauernd. »Ein Wohnzimmer, ein Salon, ein Büro für dich, ein Schlafzimmer, Freds Zimmer... und wo soll dann Paul schlafen?«

»Paul wird nicht mehr in der Stadt wohnen, wenn er am Graberschen Institut ist.«

»Er ist noch nicht dort.«

»Jaja... da brauchen wir uns keine Sorge zu machen... Gaston hat mir versprochen...«

»Und wenn wir Gäste bekommen? Ein Gastzimmer haben wir dann auch nicht.«

»Ja... wenn du in der Stadt jetzt eine geeignete Sechszimmerwohnung findest... schon recht, aber... ich sehe vorläufig keine andere Lösung.«

Sie schüttelte unwillig den Kopf. »Ich würde am liebsten mit der ganzen Geschichte nichts zu tun haben«, rief sie und ging mit dem Rock so bestimmten Schrittes hinaus, als ob sie nicht mehr wiederzukehren gedächte.

Ammann blieb mit einem nachdenklichen Lächeln sitzen. Sie schien sich mit dem Gedanken an die Mietswohnung ja nun abzufinden, das war die Hauptsache. Zum Verkauf des Hauses hatte sie niemals weder ja noch nein gesagt, und er hatte es auch nicht verlangt. Er wußte, daß sie ähnlich dachte wie er, sie war immer eine sehr vernünftige Frau gewesen, doch er begriff, daß ihr die Trennung von diesem Hause viel schwerer fallen mußte als ihm, und daß sie sich damit so wenig offen einverstanden erklären konnte wie etwa mit dem Tode des Vaters.

Inzwischen bürstete Frau Barbara den Rock, brachte ihn aber nicht zurück, sondern setzte sich damit an eines der Fenster, das noch einen geschlossenen Blick ins Innere des Gartens gewährte, und suchte mit dem Umstand fertig zu werden, daß die seit Jahren schwankende Lage sich jetzt entschied. Sie hatte mit ihrem Sinn für klare Verhältnisse irgendeine Entscheidung schließlich als das Wünschenswerteste bezeichnet. »Wenn man nur endlich wüßte, woran man ist!« das war nach Unterredungen oft genug ihr letzter Schluß gewesen. Jetzt aber war sie dermaßen betroffen, als ob sie im Gegenteil heimlich gewünscht hätte, daß die Lage sich solange wie möglich nicht entscheiden möchte. Der Verkauf brachte nun zwar einen Haufen Geld ein, das sie sehr zu schätzen wußte; sie hatte ihr Leben lang im Wohlstand gelebt und gewisse verächtliche Redensarten über den Wert des Geldes immer mit einem Achselzucken abgetan. Aber die Schönheit dieses Familiensitzes, die unaufdringlich gewachsen und gereift war, die Erinnerungen, die sich für sie wie für jedes ihrer Kinder daran knüpften, das Gefühl der Häuslichkeit, das die zerstreute Familie hier doch immer wieder umschloß, dieses geheimnisvolle alles umfassende »Daheim«, in dem sie wurzelte, konnte dies mit Geld erkauft werden? Sie hatte gegen die Entwicklung der Stadt nichts einzuwenden, so wenig wie gegen den Fortschritt überhaupt, den gesteigerten Verkehr, das zwanzigste Jahrhundert, die Macht der Zeit; sie fand es töricht, sich dagegen zu sperren, und sie galt in ihren Kreisen denn auch als fortschrittliche Frau. Sie hatte ja diese ganze Entwicklung miterlebt, sie hatte an der Seite ihres Mannes gekämpft und gelitten. Aber warum kam man nicht schließlich an ein Ziel? Und warum konnte man sich dieser Entwicklung nicht entziehen, wenn man genug davon hatte? Warum drängten sich diese häßlichen Häuser ausgerechnet um ihr Heim zusammen, warum mußte diese Zeit eine ganze Familie vertreiben, über ein schönes altes Gut rücksichtslos hinwegstampfen und ein nüchternes Allerweltshaus an seine Stelle setzen?

Frau Barbara wurde jetzt, wie sie noch immer allein im schon fast dunklen Zimmer saß und nicht daran dachte, Licht zu machen, von ihrer berühmten Vernunft und Einsicht wohl ein wenig verlassen. Sie blickte mit einer ungewohnten, traurig bittern Miene verloren durch das Fenster in den Garten hinab, der in einem seltsamen Zwielicht lag. Von den beiden Straßen her drang das Licht der grellen Laternen dunkelgoldig durch das gilbende Buchenlaub und lag in gedämpften Flecken auf dem Rasen. Im Hintergrund schufen Gebüsche ein dichtes Dunkel, doch war davor in der Dämmerung noch der Brunnen zu erkennen, und der dünne Silberstrahl schimmerte ein wenig, den der bronzene Faunskopf, unberührt vom nahen Getöse, arglos mit geblähten Backen ins Muschelbecken spie.

3

Professor Gaston Junod trat ins Wohnzimmer, Ammanns Schwager, ein sorgfältig gekleideter, stiller Mann von dreiundfünfzig Jahren mit gepflegtem Spitzbart, zurückgekämmtem weißgrauem Haar und sackigen Fältchen unter den halb geschlossenen Augen. Leise und freundlich begrüßte er die Hausfrau, dann blickte er sich flüchtig um, als ob er etwas suchte, und lobte schließlich die Rosen, die auf dem Tisch über den Rand einer Kristallvase hingen.

Er stammte aus Lausanne, seine Muttersprache war französisch, aber er drückte sich geläufig schweizerdeutsch aus, mit etwas gebrochenem Akzent und leichten Abweichungen ins Schriftdeutsche. Vor sechsundzwanzig Jahren, als Privatdozent für romanische Philologie an der Universität in Zürich, hatte er Ammanns älteste Schwester geheiratet und seither die Stadt nur noch vorübergehend verlassen. Seine Vorlesungen galten im gebildeten Publikum, das einem geistreichen Vertreter der neuern französischen Literatur den Vorzug gab, für langweilig, doch die jungen Romanisten schätzten ihn aus irgendeinem Grunde. In der Ammannschen Familie verkehrte er nur gelegentlich, aber als leidlicher Cellist hatte er bis zur Abreise Pauls regelmäßig an einem Streichquartett in diesem Hause teilgenommen und seither auch mit Severin und Gertrud zusammen Trio gespielt.

»Schön, diese Rosen!« sagte er beiläufig und schon bereit, den Grund seines Besuches zu erklären.

»Ja, nicht wahr, prachtvoll!« antwortete Frau Barbara erfreut und drehte sorgfältig die Vase, so daß er sich noch zur Frage verpflichtet fühlte, ob es eigene seien. »Jaja, freilich«, bestätigte sie lebhaft, »das sind noch eigene. Wir werden nicht mehr lange eigene Rosen haben.«

»So? Ja... soll es denn nun wirklich zum Verkauf kommen?«

»Es scheint!«

»Ach, das ist schade! Ich habe immer noch gehofft, Alfred werde... ja, so ein Haus, auf Abbruch, das tut mir nun wirklich leid...«

Frau Barbara zuckte die Achsel, bat ihn, Platz zu nehmen, und ließ rasch eine Flickarbeit von einem Nebentischchen verschwinden, während er fortfuhr, sein Bedauern auszudrücken; doch plötzlich trat sie näher an ihn heran und sagte vertraulich gedämpft, aber mit tiefer Überzeugung: »Ja, nicht wahr, es ist jammerschade! Jammerschade!«

Er schüttelte bedauernd den Kopf und blickte sich wiederum flüchtig und scheinbar verlegen um, doch eh er ein Wort geäußert hatte, war Frau Barbara schon an der Tür und rief ihren Mann herbei.

»Ah, Gaston, willkommen, willkommen!« rief Ammann beim Eintritt laut und freudig. »So, sieht man dich auch wieder einmal? Das ist schön!«

»Du bleibst doch zum Nachtessen!?« sagte Frau Barbara. »Wir sind allein...«

Professor Junod lehnte mit erhobenen Händen ängstlich ab, dann kam er sogleich auf den Anlaß seines Besuches zu sprechen. »Ich wollte dir nur mitteilen«, begann er, zu seinem Schwager gewandt, »daß Paul sich nicht angemeldet hat. Wir hatten gestern Aufsichtsrat und...«

»So, jetzt nehmt erst einmal Platz!« unterbrach ihn Frau

Barbara. »Trinkst du ein Glas Wein? Oder ein Schnäpschen?«

Professor Junod lehnte wiederum leise, aber entschieden ab und fuhr mit seinem Berichte sogleich fort. Er gehörte dem Aufsichtsrat des Graberschen Institutes an, einer sogenannten Schnellbleiche für künftige Maturanden, wo eine Lehrstelle für Deutsch ausgeschrieben war.

»Nicht angemeldet?« fragte Ammann finster.

»Ja, es sind eine ganze Anzahl Bewerbungen eingelaufen, ich habe sie durchgesehen, aber von Paul war nichts da. Nun, nicht wahr, was wollte ich machen... der Termin ist abgelaufen, die Besetzung ist dringend... ich habe nicht allein zu entscheiden, und ich konnte doch nicht...« Er lächelte fast schüchtern und schüttelte den Kopf.

»Selbstverständlich!« sagte Ammann entschieden. »So... hm... was fällt diesem Herrn eigentlich ein?« Er blickte zornig fragend auf seine Frau, die aber in diesem Augenblick aus dem Wohnzimmer verschwand.

»Es wäre für Paul ja ein ganz netter Anfang gewesen«, fuhr Professor Junod fort, »aber ich weiß nicht, vielleicht hat er etwas anderes im Sinn... diese jungen Leute, mon dieu...«

»Wann ist der Termin abgelaufen?«

»Vorgestern... es stehen jetzt drei Bewerber in der engern Wahl... in der nächsten Sitzung müssen wir beschließen.«

»Und wenn Paul sich nun morgen abend noch anmelden würde... aber es ist ja nun zu spät, natürlich...«

»Oh, man könnte sehen... ich weiß nicht... ich müßte mit den Herren reden...«

»Paul kommt spätestens morgen abend heim«, erklärte nun Ammann bestimmt, »er muß übermorgen in den Wiederholungskurs einrücken. Ich werde dafür sorgen, daß er sich sofort anmeldet.«

»Gut, ja, ich glaube... das wird schon gehen!«

»Schön! Nun höre, Gaston, du bleibst zum Nachtessen da, wir machen eine gute Flasche auf, ich werde gleich...« Er hatte sich, den einsetzenden Protest abwehrend, langsam erhoben, aber zugleich mit ihm erhob sich auch sein Schwager und ergriff seinen Arm, mit der Beteuerung, daß dies ganz ausgeschlossen sei, er bedaure außerordentlich, aber es gehe wirklich nicht.

Ammann ergab sich und bat ihn, wieder Platz zu nehmen, aber Junod nahm nun unerbittlich Abschied. Frau Barbara, von ihrem Mann herbeigerufen, wickelte rasch die Rosen aus der Kristallvase in ein Seidenpapier und drückte sie dem Professor, der sie kaum anzunehmen wagte, mit einem Gruß an seine Frau und der dringenden Einladung zu einem baldigen Besuch energisch in die Hand.

Unter der Haustür wandte sich Professor Junod noch einmal um und nickte mehrmals, dann ging er, den Rosenstrauß in der Rechten, mit einem Ausdruck des Bedauerns langsam und nachdenklich die Straße hinab.

4

Fred, der auch in den Wiederholungskurs einrücken mußte, kam am Abend vorher aus den Ferien zurück, die er bei Onkel Robert auf dem Lande verbracht hatte. Er ließ sich von Mama küssen, beantwortete Fragen und richtete Grüße aus, dann stieg er mit dem Koffer in sein Zimmer hinauf.

»Ich hab' dir alles gerüstet«, rief ihm die Mutter nach. »Der Tornister steht unter dem Stuhl, und Wäsche liegt auf dem Bett. Sieh nach, ob nichts fehlt! Und wenn du baden willst, sag's!«

Er trat in sein Zimmer, das er fünf Wochen lang nicht mehr gesehen hatte, und blieb einen Augenblick stehen, ein großer Bursche mit einem sehr jugendlichen, fast knabenhaften Gesichte, das zu seiner ausgewachsenen Gestalt in einem eher liebenswürdigen als störenden Gegensatze stand, und mit kurzem, schlicht zur Seite gekämmtem braunem Haar. Das Zimmer sah ungewohnt ordentlich aus und duftete nach dem Kampfer, mit dem die sorgliche Mutter das Militärkleid vor Motten geschützt hatte. Der Waffenrock mit den weißen Korporalstreifen auf den Ärmeln hing an einer Stuhllehne neben dem Bett, auf dem Sitz lagen die gebügelten Hosen, und darauf ruhte genau in der Mitte, mit der Bataillonsnummer gegen den Beschauer, das Käppi.

Fred schlitterte den schweren Koffer in die Mitte des Zimmers, setzte sich das Käppi auf, das bei jeder Kopfbewegung noch immer wackelte, und warf es mit einem sauern Lächeln auf die Bettdecke, dann zog er den Tornister am Tragriemen unter dem Stuhl hervor, ließ ihn pendeln und warf ihn ebenfalls weg. Die Mißachtung dieser Dinge wog aber nicht sehr schwer, er war jedenfalls Korporal geworden und hatte gegen seine Einberufung zur Offiziersschule im nächsten Sommer nicht eben viel einzuwenden. Der Militärdienst stand jedem gesunden jungen Schweizer so unweigerlich bevor wie die Steuerpflicht, und was weiter geschah, war Papas Ratschluß; er fühlte sich zwar, nachdem seine erste Neugier in der Rekrutenschule verflogen war, nicht dazu geboren, aber er hegte auch keine entschiedene Abneigung dagegen, und da von seiner Zustimmung außerdem wenig abhing, mochte denn alles so weiterdauern.

Gemächlich begann er den Koffer auszupacken und stieß unter der ersten Wäscheschicht auf ein Buch, das er sogleich in die entfernteste Ecke schmiß. Diese Mißachtung wog schwerer. Es war Osers Taschenausgabe des Schweizerischen Obligationenrechts, die er aus Pflichtbewußtsein in die Ferien mitgenommen, aber nie geöffnet hatte. Während er Kleider und Wäsche gedankenlos auf zwei Stühle türmte, beschlich ihn ein dunkles Unbehagen, das mit dem Beschluß und der Notwendigkeit zusammenhing, seinen Eltern heut abend etwas sehr Unangenehmes zu gestehen. Fred hatte sich nach einem ordentlichen Reifezeugnis zum Studium der Rechte entschlossen, nicht weil er sich dazu gedrängt fühlte, sondern weil man sich vor den Toren der Hochschule notwendigerweise für etwas entscheiden muß. Jetzt war ihm die Juristerei verleidet, er brachte für dieses ausgeklügelte Netz von Gesetzen und Rechten keine Anteilnahme mehr auf, und gegen die Politik hegte er eine heimliche, aber entschiedene Abneigung. Außerdem besaß er jenes flüssige Mundwerk nicht, das vielen seiner Studiengenossen eine erfolgreiche Laufbahn schon jetzt verbürgte, und so schien es ihm nach seinen zwei Semestern denn höchste Zeit, dies fruchtlose Bemühen aufzustecken. Er hatte den heutigen Abend bestimmt, um es Papa mitzuteilen. Morgen früh um neun Uhr würde er sich dann bereits bei seiner Einheit befinden, weit ab vom Sturm des Unwillens, den sein Geständnis im väterlichen Herzen verursachen mochte, und vorläufig sicher vor all den überflüssigen Fragen und Erklärungen, die einem derartigen Ereignis im weitern Familienkreise zu folgen pflegten. Er haßte es, wenn man die Wichtigkeit eines Vorfalles übertrieb, und es brauchte sehr wenig, um in ihm das Gefühl zu erwecken, daß wegen eines Fliegendrecks wieder einmal mit allen Glocken geläutet werde.

Im Koffer blieb eine Blechbüchse zurück, die er nun auch herausnahm und mit einem leisen, zwiespältigen Lächeln öffnete. Sie enthielt einen gebleichten Katzenschädel, den er auf einem Streifzug durch den Wald mit seinem Vetter Christian vor einem Fuchsbau gefunden hatte. Er trat damit vor einen mannshohen doppelten Kasten, dessen obere Hälfte hinter einem Glasfenster all jene merkwürdigen Dinge enthielt, die ein junger Gymnasiast und Liebhaber der Naturkunde zu finden und aufzubewahren pflegt. Hier waren Vogelnester, Mineralien, Versteinerungen, Skelette, Muscheln zur Schau gestellt, und zwei von Mutters kleinen Konfitürengläsern bargen in Spiritus eine Ringelnatter und einen Feuersalamander; in den Schubladen der untern Hälfte ruhten Käfer, Raupen, Schmetterlinge und gepreßte Pflanzen. Er legte das kleine Knochengebilde, dem der Unterkiefer fehlte, neben zwei andere Schädel und blieb mit einem schwankenden Gefühl vor dem offenen Kasten stehen. Er kam sich kindisch vor, und zugleich berührte ihn ein Hauch jener Liebe, mit der er damals diese Dinge zusammengetragen hatte. Seither war die Sammlung unberührt und bis zu dieser Stunde unbereichert geblieben, denn es war wirklich eine belanglose Sammlung, und nie hatte er ihr die Bedeutung beigemessen, die sie jetzt für ihn anzunehmen schien. Er konnte ja nicht einfach die Juristerei aufstekken, er mußte umsatteln, und er wußte durchaus nicht, welches Pferd er reiten sollte außer dem, das einst in anderer Gestalt sein Steckenpferd gewesen war.

Jetzt stand er aber da und erwog mit wachsenden Bedenken den Unterschied zwischen einer knabenhaften Liebhaberei und der Naturwissenschaft. Vielleicht würde er das Studium niemals bewältigen, das die ernsthafte Beschäftigung mit Mineralien, Schmetterlingen oder Pflanzen voraussetzte, und es war ihm fast unmöglich, sich auch nur als Lehrer der Naturkunde an der Mittelschule vorzustellen, geschweige denn als Dozent auf dem Hochschulkatheder. Was aber blieb ihm dann übrig?

Er trat an ein Fenster und blickte entmutigt über den Garten weg auf die von heimkehrenden Arbeitern, Ladentöchtern und Büroleuten geschäftig belebte Straße hinaus. Warum mußte man einen Beruf wählen, wenn man keine Lust dazu hatte? Warum konnte man nicht alles etwas leichter nehmen, bummeln, wenn man bummeln wollte, und auf die Examen pfeifen? Am Ende war es doch gleichgültig, was man vorstellte, und verhungern würde man kaum.

Er spann diese Möglichkeit weiter aus, aber schon nicht mehr ernsthaft; im Grunde war er weit entfernt davon, er besaß alle Vorbedingungen zu einem anständigen Leben und hatte keine Ursache, seinen Eltern Enttäuschungen zu bereiten, auch wenn er augenblicklich ein wenig in der Luft hing. Er wollte es in Teufels Namen mit der Naturwissenschaft versuchen, da es ohne Berufsstudium nun einmal nicht ging, und er blieb dabei, seinen Entschluß den Eltern beim Abendessen mitzuteilen.

Er bestellte sein Bad, zog sich aus und lief im Schlafanzug barfuß über die kühlen Steinfliesen ins dampfende Badezimmer.

Nach einer Weile kam langsam, mit einem gekränkten Ausdruck, Frau Barbara die Treppe herauf. Paul war nicht zurückgekehrt, er hätte längst hier sein müssen, und Papa war darüber so aufgebracht, wie sie ihn selten gesehen hatte. Ihr war unbehaglich zumute.

Als sie am Badezimmer vorbeikam, hörte sie Fred plätschern und blieb auflächelnd einen Augenblick stehen. »In einer Viertelstunde können wir essen, Fred!« rief sie und ging weiter in Freds Zimmer, wo sie mit einem liebevoll verurteilenden Kopfschütteln die Unordnung wahrnahm und sogleich aufzuräumen begann.

Sie war noch da, als Fred aus dem Bade kam. »Ordnung hast du im Rusgrund nicht gelernt!« sagte sie entschieden. »Hast du Papa schon gesehen? Ja, brauchst dich dann nicht zu wundern... er ist wütend.«

»Warum? Was ist los?«

»Paul hätte doch morgen auch einrücken müssen... jetzt ist er nicht heimgekommen. Und Papa hat ihm doch für eine Stelle sorgen wollen... da hat er sich nicht angemeldet. Ich finde, das ist wirklich nicht recht von Paul. Ich weiß nicht, was er im Kopf hat.«

Fred hatte sich mit einem Nagelscherchen auf den Bettrand gesetzt und hörte aufmerksam zu. Er wußte nichts von alledem, und Pauls Versäumnis machte ihm auch keinen besonderen Eindruck, aber er empfand sogleich eine Erleichterung seiner eigenen Lage. Wenn sich Papa in schlechter Laune befand, war es ausgeschlossen, ihm eben jetzt ein Geständnis zu machen. Er brauchte vorläufig nichts zu sagen. »Ach, vom Dienste drückt sich jeder, wenn er kann«, antwortete er leichthin. »Und er hat ja seinen Doktor!«

»Jajaja, mit dem Doktor allein ist es nicht gemacht! Daraufhin gibt ihm niemand auch nur einen Rappen. Es laufen genug Doktoren herum... Aber zieh dich jetzt an, sonst kommst du noch zu spät zum Essen.«

»Ja... so geh du jetzt!« befahl er scherzhaft und drehte sie an den Schultern der Tür zu. »Hinaus!«

»Jaja, wird sich wohl machen!« rief sie heiter, entwand sich ihm und versorgte noch ein Wäschestück.

Er begann mit ihr zu raufen wie ein kleiner Junge und drängte sie allmählich zur Tür. Sie wehrte sich belustigt, kreischte unter seinen Griffen ein wenig auf und teilte ihm Püffe aus, dann schlüpfte sie hinaus und eilte mit einem glücklichen Lachen rasch und leicht die Treppe hinab.

5

Ammann begab sich in die Dufourstraße zu Stockmeier, kurz nachdem ein Regiment seiner Brigade den Wiederholungskurs ohne den Füsilier Paul Ammann angetreten hatte, und die Stelle am Graberschen Institut nach einem freundlich gewährten Aufschub besetzt worden war. Er ging im Zivilleben grundsätzlich zu Fuß, um sich Bewegung zu schaffen, und trat nach einem halbstündigen Gang neben Stockmeiers Lebensmittelgeschäft durch die Haustür, entschlossen, auf Paul keine Rücksicht mehr zu nehmen und die Wohnung im zweiten Stock endgültig zu mieten.

Er wurde von Leo empfangen, dem einzigen Sohn Stockmeiers, einem außerordentlich freundlichen, sorgfältig gekleideten, schon ziemlich fetten Burschen mit vollen Wangen und zurückgekämmtem öligem Haar. »Ich will gleich den Vater rufen, einen Augenblick bitte, Herr Oberst!« sagte Leo lächelnd und verließ die Wohnstube geräuschlos. Nach zwei Minuten schon kehrte er mit dem Bescheid zurück, der Vater werde sogleich kommen. »Darf ich Ihnen etwas anbieten, Herr Oberst?« fragte er eindringlich und erkundigte sich dann, als Ammann dankend ablehnte, nach Fred. »Ich muß in zehn Tagen auch einrücken, mit dem andern Regiment«, erklärte er, immerfort lächelnd. »Wir haben zusammen die Rekrutenschule gemacht und ich hätte mit ihm auch in die Unteroffiziersschule einrücken sollen, aber dann war ich leider geschäftlich verhindert. So sind wir dann auseinandergekommen. Ich hoffe aber, daß ich die Schule im Frühling machen und dann im Sommer in die Aspirantenschule einrücken kann.«

»Soo, das ist recht, das kann Ihnen nichts schaden!« antwortete Ammann wohlwollend und etwas scherzhaft. Er hielt diesen Leo nicht gerade für einen auserwählten Soldaten und zweifelte einigermaßen an seiner Eignung zum Offizier, doch er besaß in diesen Dingen eine weitherzigere Auffassung als gewisse Herren von der Instruktion. Der junge Mann da mochte es immerhin versuchen.

»Ja, ich habe Freude am Militär«, sagte Leo und fuhr dann fort, in einer so liebenswürdig aufdringlichen Art seine Dienstwilligkeit zu bezeugen, daß sein hoher Vorgesetzter ihn schließlich nach andern Dingen fragte.

Indessen erschien sein Vater, und sogleich zog sich Leo mit einem gewinnenden Lächeln und einer leichten Verbeugung diskret zurück.

Stockmeier, ein untersetzter, fester, kurzhalsiger, sehr beweglicher Fünfziger mit einer hübschen Glatze, aber im Nacken mit Haaren bis über den Kragenrand hinaus, erschien ebenfalls lächelnd; sein rundes Gesicht mit der knolligen Nase und den leicht zugekniffenen Augen besaß einen gewitzten, beinahe schlauen Ausdruck, der sich auch diesem Lächeln mitteilte, ohne es in seiner arglosen Freundlichkeit zu entstellen. Wie er in seinen Hausschuhen rasch und federnd auf Ammann zuging, mit einem erfreuten »Soo, grüezi, Herr Oberscht«, rieb er noch verbindlich die Hände, nickte grüßend und streckte ihm die rundliche Rechte hin.

Als er den Zweck von Ammanns Besuch ohne Umschweife erfuhr, nahm sein Lächeln ein wenig ab, ohne ganz zu verschwinden, er hob die Brauen und setzte sich mit einem Ausdruck zuvorkommender Bereitschaft dem Besucher gegenüber.

Ammann selber zeigte eine leutselig heitere Miene, bewahrte aber jene Zurückhaltung, die er im Verkehr mit einfachen Leuten seinem öffentlichen Ansehen und seiner Stellung schuldig war. Stockmeier spürte diese Zurückhaltung genau, fand sie aber angemessen und benahm sich am Ende der friedlichen Verhandlung beinahe untertänig.

Sie wurden einig, der hohe Besucher mietete die Wohnung und nahm leutselig Abschied, Stockmeier öffnete ihm die Türe, half ihm draußen in den Überzieher und begleitete ihn bald zur Rechten, bald zur Linken, wie es sich eben ergab, eifrig und dienstbeflissen auf die Straße hinaus.

Ammann fühlte sich durch dieses Verhalten des Mannes geschmeichelt, doch nur an der Oberfläche. Er kannte diese Art von Bürgern; solange man ihr Vertrauen besaß, von ihnen gewählt wurde und ihre Interessen vertrat, war man ihr großer Mann, aber sobald man ihnen in die Quere kam, sank man unweigerlich in ihrer Achtung und konnte bei allen Verdiensten öffentlich aufgefordert werden, ihnen, schonend umschrieben, den Hobel auszublasen. Dies alles bildete für einen Volksvertreter noch keinen Grund zur Verachtung, man war daran gewöhnt.

Er überschritt die Seefeldstraße, bog in einen vom Verkehr unberührten Weg ein und stieg gemächlich den erst teilweise überbauten Riesbacher Hang hinan, um da oben ein zweites, nicht so wichtiges und dennoch viel schwierigeres Geschäft zu erledigen. Das Haus, dem er zustrebte, war schon von weitem zu sehen, ein nicht sehr geschmackvoller, aber solider und eigenwilliger Bau mit einer Gartenterrasse am Abhang, das Haus seines Schwagers und Divisionskommandanten Boßhart. In diesem Hause hatte er als junger Leutnant seine Frau kennengelernt, die Verbindung mit diesem Hause war für die Anfänge seiner Laufbahn entscheidend gewesen und hatte schließlich auch das Schicksal Gertruds bestimmt, seiner Tochter, die ihrem Gatten Albrecht Hartmann, einem Instruktionsoffizier, hier zum erstenmal begegnet war. Dennoch betrat er dieses Haus nur noch aus triftigen Gründen; er ging lieber nicht zu Boßhart, wenn er es vermeiden konnte. Diesmal handelte es sich um seinen Schwiegersohn Hartmann, der auf Neujahr 1914 das Kommando des Regiments erhalten sollte, das eben jetzt im Wiederholungskurs stand. Er war nicht damit einverstanden, es gab noch andere Lösungen.

Vor dem Hause hielt irgendein Dienstwagen, die Ordonnanz ging rauchend auf und ab, und im Hausgang hingen über den Säbeln zwei Majorsmützen von Artilleristen. Er ließ sich durch das Mädchen sogleich anmelden, betrat den Salon und war darauf gefaßt, eine halbe Stunde lang warten zu müssen. Aber kaum hatte er sich mit einer militärischen Zeitschrift an ein Fenster gesetzt, als der Divisionär durch eine Nebentür eintrat.

Boßhart war größer als Ammann, aber ebenso beleibt, doch stand dieser sozusagen zivile Umfang in keinem schlechten Verhältnis zur ganzen Gestalt, die in ihrer Breite und Mächtigkeit fast bedrückend wirkte. Eine solche Gestalt ist bei einem gutmütigen, freundlichen oder auch nur lässigen Mann erträglich, aber Boßhart erweckte den gegenteiligen Eindruck, er sah hart, unfreundlich und völlig beherrscht aus. Sein Kinn verschwand in einem kurz zugestutzten, grauen Bart, der sich auf den Wangen so undeutlich verlor, daß man nie genau wußte, ob der Mann rasiert war oder nicht. Eine auffallend schmale, hämisch wirkende Nase mit weiten dünnen Nüstern und zwei durchdringend klare, sachlich blickende Augen nahmen seinem Äußern schließlich jede Spur von Humor und Leutseligkeit. Es gab unter den rund zwanzigtausend Männern der Division vermutlich kaum einen, der ihn liebte, er wurde höchstens gefürchtet; dennoch besaß er das Zutrauen der ganzen Division in einem Maße wie keiner seiner Vorgänger.

Dieser Mann, seiner Stellung nach übrigens in jedem andern Lande vom Rang eines aktiven Generals, trat hier nun einem seiner Brigadekommandanten entgegen, der zudem sein Schwager war, aber nicht das geringste Zeichen von Wohlwollen erhellte seine Miene. Er gab Ammanns Gruß zurück und fragte knapp nach seinem Begehren.

»Ich möchte etwas mit dir besprechen, aber nachher«, antwortete Ammann mit einer abwinkenden Handbewegung. »Du hast Artilleristen in Arbeit, wie ich gesehen habe, ich kann warten.«

»Das geht zu lange!« erwiderte Boßhart. »Es handelt sich um die kombinierte Brigadeübung im Unterland. Sie wissen nie, was sie hinter der Infanterie mit ihren Kanonen anstellen wollen. Von einem Zusammenspiel ist noch keine Rede... Also was ist los?« Seine Stimme klang einförmig, hart, klar, und wie immer beim Sprechen flog ihm ungewollt ein bissiger Zug um den Mund.

»Jaa... es ist wegen des Kommandowechsels«, begann

Ammann nach kurzem Zögern in einem mißlaunigen Ton. »Ich kann nicht für Hartmann eintreten... Es wird noch ein anderes Regimentskommando frei, und außerdem werden zwei Betaillonskommandanten befördert, von denen mir der eine, Meister, genau bekannt ist... ich hatte ihn damals schon als Kompagniekommandanten in meinem Bataillon und möchte ihn jetzt für das Regiment haben.«

»Was hast du gegen Hartmann?«

»Nichts Besonderes, aber er ist nicht mein Mann, obwohl er mein Schwiegersohn ist. Außerdem ist er unbeliebt.«

»Bei den Liberalen?«

Ammann schob mit gelassen verurteilender Miene die Unterlippe vor, ohne zu antworten; er kannte Boßharts Sticheleien gegen das Parteiwesen und gewisse andere Erscheinungen des politischen Lebens zu gut, um darauf einzugehen.

»Hartmann kann nicht ewig auf ein Kommando warten«, erklärte Boßhart, ohne sich zu regen, »und Meister kommt vorläufig zum Divisionsstab. Den andern Herrn haben wir untertänigst der betreffenden hohen Kantonsregierung zur Verfügung zu stellen. Befehl von Bern. Nächstens werden die Regierungsräte ihre Truppen selber führen. Sonst noch etwas?«

»Nein!« antwortete Ammann mit militärischer Schärfe, obwohl er über den laufenden Wiederholungskurs und den gleich darauf beginnenden seines andern Regiments noch einiges zu fragen und zu melden hatte. Er nahm Abschied, knapp und kühl wie ein ungerecht behandelter junger Hauptmann.

»Immer derselbe!« dachte er, während er mit erzwungenem Gleichmut das Haus verließ. »Er bringt es nicht fertig, mit seinesgleichen auf eine menschenwürdige Art zu verkehren. Ein unausstehlicher Kerl, und wenn er noch einmal so tüchtig und noch einmal so gerecht wäre!«

Er schlug sich die Angelegenheit samt dem Divisionär aus dem Kopf und dachte auf dem Heimweg an andere unerledigte Dinge, so wie sie ihm eben einfielen, und es war ein ganzer Schwarm. Obwohl er seine Anwaltspraxis aufgegeben hatte, führte er ein sehr tätiges Leben. Parlamentstagungen in Bern, Fraktions- und Kommissionsberatungen, parteipolitische Aktionen, Verwaltungsratssitzungen, Brigadesorgen und taktische Kurse nahmen ihn fortwährend in Anspruch.

Indes er nun an einen seiner Fraktionskollegen dachte, trat ihm aber plötzlich die brutale Gestalt des Divisionärs wieder vor Augen. Jener Kollege hatte eines fröhlichen Abends scherzhafterweise angedeutet, mit einem Divisionär als Schwager sei es leicht, militärisch vorwärtszukommen. Er lächelte bitter bei diesem Gedanken. Als ob Boßhart ihn jemals ernstlich begünstigt hätte! Das Gegenteil wäre leichter zu beweisen gewesen. Nein, der Oberstbrigadier Ammann hatte alles sich selber zu verdanken, seiner eigenen Energie, seiner Intelligenz, seiner Fähigkeit zu klaren Dispositionen, seiner glücklichen Hand und schließlich, warum nicht, auch seinem menschlichen und bürgerlichen Ansehen. Dabei war er kein so ruppiger Kerl geworden, sondern ein menschenfreundlicher, demokratischer Mann geblieben, der seine Untergebenen achtete. Solche Männer hatte die Schweizer Armee nötig. Man konnte die hohen Führerstellen nicht ausschließlich Berufsoffizieren überlassen.

Mit diesem Boßhart hatte es freilich eine eigene Bewandtnis. Er besaß nichts von jenem Instruktorendünkel, in dem sich ein paar jüngere Herren gefielen, er gebärdete sich nicht einmal preußisch, wie Hartmann mit seiner Potsdamer Dienstzeit. Wenn er in diesem Sinne wenigstens ein Preuße gewesen wäre! Aber er war etwas ganz anderes, es ließ sich schwer begreifen was, und er besaß eine unheimliche Autorität. Sicher war nur, daß ihm jedes humane Gefühl abging, nicht zu reden von Leutseligkeit oder gar von Gemütlichkeit, obwohl er auch kein Asket war, sondern im Gegenteil gern gut aß, sogar schwere Mengen und, wenn es darauf ankam, ohne zu wanken den ganzen Divisionsstab unter den Tisch trank.

Ammann konnte diesen Mann nicht verstehen, er hatte ihn nie verstanden. »Er ist ein Unmensch, ein Scheusal!« dachte er und betrat verärgert sein schönes Haus.

6

Paul war endlich heimgekehrt, von der Mutter herzlich empfangen, vom Vater in einem kühlen, vorläufigen Tone kurz begrüßt, und jetzt trat er seit langer Zeit zum erstenmal wieder gemeinsam mit den Eltern zum Mittagessen an. Er war etwas kleiner als Fred, doch ebenso schlank, und glich in der Form seines intelligenten, magern Gesichtes am ehesten der Mutter; nur Severin, der Älteste, besaß Vaters Züge, während Fred mit seinem Knabengesicht überhaupt niemandem glich. Einigermaßen auffallend an Paul war seine müde Haltung, die auch in seiner Miene zum Ausdruck kam, doch konnte man im ersten Augenblick zweifeln, ob diese Müdigkeit echt oder gespielt war; sie hing kaum mit diesem gesunden, geschmeidigen Körper zusammen, war aber freilich echt und wurde nur vielleicht ein wenig unterstrichen. Mit lässigen Bewegungen nahm er am Tische Platz und ließ sich von Mama Suppe in den Teller schöpfen.

»Das ist ja gar nichts, da, noch einen halben Löffel voll!« sagte Frau Barbara liebevoll aufbegehrend, als er ihr den Teller entzog. »Du siehst ja aus, als ob du hättest hungern müssen. Hier wird jetzt wieder gegessen!« Sie sprach lebhaft und viel, und sie war entschlossen, die Spannung zwischen Vater und Sohn während des Essens entladen zu helfen, damit die beiden nicht am Ende unter vier Augen erst recht alles verdarben.

Paul erwartete die Auseinandersetzung ohne Angst, aber mit einem unbehaglichen Gefühl, und auch er wünschte sie eben jetzt herbei. Er hatte sicher damit gerechnet, zu Hause auf diese dicke Luft zu stoßen, sie gehörte zum Bilde des Vaters, in dessen Umgebung er nicht frei atmen zu können meinte. Es war die träge Luft eines engen Raumes, die von satten Bürgern ängstlich vor jedem frischen Zuge bewahrt wurde, die Luft seines Landes. Mama dagegen ragte für ihn über diesen Dunstkreis hinaus ins Menschliche, Mütterliche; er verehrte sie schweigend, er liebte sie, und dankbar spürte er jetzt ihren Beistand.

Ammann aß mit unfreundlicher Miene schweigend seine Suppe und vermied alles, was die Lage vorzeitig hätte entspannen können. Er wollte den eigenmächtigen jungen Herrn gleich nach dem Essen vornehmen und ihm gründlich die Meinung sagen. Dies war ihm nun fast ebenso peinlich wie seinem Sohn, und als seine Frau mit wenigen Worten die faule Sache angriff, ging er wider seinen eigenen Vorsatz darauf ein.

»Wir haben dich übrigens schon längst erwartet«, begann Frau Barbara sehr entschieden. »Du hättest etwas früher heimkommen dürfen... Warum hast du nur so lange gewartet?«

Jetzt blickte Ammann mit streng forschender Miene seinem Sohn zum erstenmal voll ins Gesicht.

Paul machte eine müde Kopfbewegung, hob ein wenig die Achseln und sagte: »Ach...!« Das war alles. Er hätte leicht ein Dutzend glaubwürdiger Entschuldigungen finden können, aber es widerstrebte ihm, sich zu verstellen.

Der Vater antwortete nach kurzem Zögern mit einem

kargen, aber scharfen Verweis und verharrte in seiner geladenen Haltung.

»Wenn du dich wenigstens für die Lehrstelle angemeldet hättest!« fuhr die Mutter fort. »Papa hat sich alle Mühe gegeben...«

Paul blickte die Mutter mit einem Ausdruck an, der ihm eigentümlich war, mit einem gequälten Lächeln, das um Schonung bat und zugleich offenbarte, wie nebensächlich oder gar langweilig ihm diese ganze Geschichte vorkam. »Ich kann doch nicht als Einpauker beginnen«, sagte er leise. »Das ist widerwärtig... diese Schnellbleichen... Ich habe ja nichts gegen eine Anstellung, aber...« Jetzt log er doch, er hatte sehr viel dagegen; im selben Augenblick wurde ihm das bewußt, und er verstummte.

Die Mutter machte noch ein paar flüchtige Bemerkungen über die Notwendigkeit, daß man heutzutage halt schließlich einen Beruf ausüben und seinen Lebensunterhalt verdienen müsse; plötzlich aber gab sie dem Gespräch eine familiäre Wendung und drängte ihrem Manne sowohl wie Paul mit derart vertraulichen Zusprüchen noch einen Bissen vom Fleischgericht auf, als ob die verstimmende Angelegenheit ihre wirklichen Beziehungen gar nicht zu berühren vermöchte.

Indessen war Ammann nicht gewillt, es dabei bewenden zu lassen; er hielt den Trumpf, den er gegen den widerspenstigen jungen Herrn auszuspielen hatte, noch in der Hand. Sofort nach dem Essen erhob er sich und sagte leichthin, als ob ihm das nun eben so einfiele: »Am nächsten Montag beginnt dann übrigens noch ein Wiederholungskurs. Du wirst vom Kreiskommando ein persönliches Aufgebot dazu erhalten.«

»Ich habe doch Auslandsurlaub!« erwiderte Paul ein wenig auffahrend und ziemlich ärgerlich, aber Papa ging nun wortlos in sein Büro.

»Ach weißt du, das kann dir nichts schaden!« sagte die Mutter, während sie ein Fenster öffnete. »Diese vierzehn Tage... das tust du mir zulieb, und nachher ist auch Papa wieder zufrieden.« Als sie seine leidend verzogene Miene und unentschiedene Haltung gewahrte, ging sie rasch auf ihn zu und führte ihn am Arm hinaus. »Komm, wir gehen noch ein wenig in den Garten!«

Auf der Treppe blieb er stehen und sagte leise: »Ich möchte am liebsten gleich wieder abfahren. Ich ersticke hier...«

»Ach was, jetzt bleibst du da!« erwiderte sie bestimmt, drückte seinen Arm an sich und zog ihn weiter. »Solange wir noch hier wohnen, laß ich dich nicht mehr fort. Im Frühling ziehen wir aus. Das Haus ist verkauft. Auf Abbruch!«

Er blieb wiederum stehen. »Verkauft?« fragte er.

»Jaja, ich hab' dir doch geschrieben, daß es dazu kommen werde«, antwortete sie in einem so selbstverständlichen Tone, als ob es sich um das Alltäglichste handelte.

»Das ist nicht schlecht!« sagte er nachdenklich, während er neben ihr in den Garten hinausschlenderte, und gleich darauf begann er bitter zu grinsen. »Das sieht ihm ähnlich! Er hat nie gewußt, was er hier besaß, und daß es so etwas nicht zum zweitenmal gibt.«

Jetzt blieb die Mutter stehen. »Du hast gut reden«, begann sie und schüttelte kräftig abweisend den Kopf. »Du weißt nicht, was uns dies alles gekostet hat, und was Papa dafür angeboten worden ist. Vor zehn, fünfzehn Jahren hat man sich das noch leisten können, aber heute, mitten in einem Geschäftsviertel...« Sie zählte ihm alle Gründe auf, die zum Verkauf geführt hatten, und schien mit Überzeugung ganz auf der Seite ihres Mannes zu stehen.

Paul ließ sich nicht überzeugen, er lächelte ironisch ergeben, aber am Ende sagte er, von einem andern Standpunkt aus allerdings, mit einer lässig abwinkenden Handbewegung: »Ach, schließlich ist es ja egal! Es geht sowieso alles dahin, und es hat keinen Zweck, in dieser Zeit noch etwas zu konservieren. Mir kann es jedenfalls egal sein.« Als die Mutter daraufhin mit enttäuschtem Ausdruck schwieg, nahm er ihren Arm. »Aber deinetwegen tut es mir leid, Mama!« sagte er aufrichtig. »Du hast doch hierher gehört! Für dich wird es nicht so leicht sein...«

»Nein, leicht ist es nicht!« erwiderte sie knapp. »Wir kommen in eine Mietswohnung, vorläufig.«

Sie gingen in der Wärme des klaren Mittags auf dem mittleren Weg über zerstreutes Herbstlaub bis zum spitz auslaufenden Ende des Gartens, wo man durch halbkahles Gesträuch zur Linken den grauen Asphalt der Straße und eilige Arbeiter gewahrte, die nach der Mittagspause in ihre Fabriken zurückkehrten. Aus der Gruppe, die eben daherkam, blickte ein breitschultriger Bursche zu ihnen herein; sie sahen plötzlich durch die Gitterstäbe sein verächtlich spähendes, dunkles Gesicht und hörten auch die häßliche Bemerkung, mit der er sich wieder den übrigen anschloß.

Schweigend kehrten sie um.

7

Frau Barbara ging aus, um Besuche zu machen. Früher hatte sie in einem solchen Fall anspannen lassen und sich in die Equipage gesetzt, doch in den Jahren des zunehmenden Autoverkehrs war das auffällige Gefährt abgeschafft worden; für ein Auto hatte Ammann sich inzwischen noch nicht entschließen können. Sie ging aber gern zu Fuß und fand es in Ordnung.

In der Dufourstraße trat sie neben einem Lebensmittelgeschäft durch die Haustür und wurde in der Stockmeierschen

Wohnung vom Hausherrn mit überaus freundlicher Ehrfurcht begrüßt.

»Ja, also es tut mir außerordentlich leid, Frau Oberst«, sagte Stockmeier, »aber es ist eine Fünfzimmerwohnung, nicht wahr, und ich kann da wirklich nichts machen...«

»So!« sagte Frau Barbara, die mit Stockmeier in dieser Angelegenheit ohne Erfolg telefonisch verkehrt hatte, und blickte bekümmert an ihm vorbei.

»Nicht wahr«, fuhr Stockmeier fort, »das Separatzimmer im ersten Stock hier bewohnt mein Sohn, und... he he he...«

»Jaja, Sie können ihn nicht hinauswerfen, das ist selbstverständlich, aber... Sie haben mir noch von einem mittleren Mansardenzimmer gesprochen...«

»Jaa, Frau Oberst... zu Ihrer Wohnung gehören zwei Mansarden und eh... die mittlere Mansarde ist der größte Raum im Dachstock, ich könnte da nicht ohne weiteres... ja, ich habe doch mit dem Herrn Oberst fest ausgemacht, nicht wahr, für eine Fünfzimmerwohnung mit zwei Mansarden...«

Erst jetzt begriff Frau Barbara Stockmeiers Widerstand; dieser vorsichtige Geschäftsmann war also der Meinung, man versuche für sein Geld noch etwas mehr zu bekommen, als man vertragsmäßig erwarten konnte. Sie hatte nie daran gedacht und sagte ziemlich barsch: »Ich muß ein Zimmer mehr haben und werde Ihnen die Miete dafür besonders bezahlen.«

»Jaa, Frau Oberst, daas ist etwas anderes«, antwortete er geschäftig. Er suchte sich also nicht einmal zu verstellen, und Frau Barbara blickte ihn beleidigt von oben herab an. Nach der bedächtig zögernden Erklärung, daß er die mittlere Mansarde bisher als Lagerraum benutzt habe und sie nicht einfach so hergeben könne, da es ihm überall an Platz fehle, ging er mit Vorbehalten darauf ein, und in wenigen

Minuten hatte Frau Barbara das Mansardenzimmer gemietet. Sie machte sich wieder auf den Weg, kaufte in einem Spielwarengeschäft einen aufrecht stehenden Bären und setzte sich schließlich doch in ein Mietauto, mit dem sie gegen Hottingen hinauf zu ihrer Tochter fuhr.

Das Haus, ein noch ziemlich neuer, herrschaftlicher Bau in etwas undeutlichem Stil, lag erhöht in einem kleinen Garten, durch den man auf einem Seitenpfad zum Haupteingang gelangte. Frau Barbara schritt durch die mit Marmor bekleidete kühle Halle freundlich nickend am Mädchen vorbei, das ihr geöffnet hatte, und wurde mit einem »Endlich!« von ihrer Tochter empfangen, die ihr langsam die Treppe hinab entgegenkam, langsamer, als sie es von Gertrud erwartete. Während sie Hut und Mantel ablegte und vor einem Spiegel flüchtig ihr Haar ordnete, befahl Gertrud dem Mädchen, den Tee anzugießen, dann betraten die Frauen das Wohnzimmer, einen behaglichen weiten Raum mit einem braunroten Perser, der einen bemalten Kachelofen, den Flügel, ein eichenes Büffet und die überall verteilten Blumen willig in seinen herbstlich warmen Ton aufnahm; nur der kleine, weißgedeckte Teetisch in der Ecke vor dem Sofa entzog sich ihm freundlich.

»Seit mehr als einer Woche bist du nicht mehr dagewesen, Mama«, sagte Gertrud mit ernstlichem, halb scherzhaft kindlichem Vorwurf. Sie war so groß wie die Mutter, nur schlanker, biegsamer, aber nicht mager, eine stattliche Gestalt in einem unauffälligen Hauskleid. Ihr dunkelbraunes Haar floß in wenigen Wellen gelockert nach hinten in einen tiefsitzenden Knoten zusammen, ihr Gesicht war anziehend eigenwillig, ihre bräunlichen Augen hatten einen klugen, vertrauenerweckenden Blick.

»Ja, was meinst du, ich kann daheim auch nicht immer weglaufen«, antwortete die Mutter und zählte rasch ein paar Gründe dafür auf, dann fragte sie, gesammelt und eine mehr als oberflächliche Antwort erwartend: »So, wie geht's?«

»Hm!« machte Gertrud und zuckte die Achseln.

Die Mutter blickte sie forschend an, und wohl niemand außer ihr hätte in diesem aufgeschlossenen, jugendlich frischen Frauenantlitz so genau bestätigt gefunden, was sie vom ersten Augenblick des Wiedersehens an gespürt hatte, nämlich, daß es ihrer Tochter ohne ersichtlichen Grund noch immer an all dem Schwung und der Spannung fehlte, die sie sonst zu jeder gesunden Stunde selbstverständlich geäußert hatte. »Du siehst einfach schlecht aus«, sagte sie vorwurfsvoll. »Nach zwei Monaten sollte man sich anders erholt haben.«

»Ach, Mama ... ich habe mich wirklich erholt ...«

»So geh doch mehr an die frische Luft! Reitest du denn nicht mehr?«

Gertrud schüttelte kurz und entschieden den Kopf, so entschieden, als ob sie überhaupt nie mehr zu reiten gedächte.

»Früher hast du den ganzen Sommer durch Tennis gespielt und bist fast jeden Tag ausgeritten ... das hat dir doch so gut getan ... man kann nicht nur immer daheim sitzen, Bücher lesen und Klavier spielen ...«

Das Mädchen kam mit dem Teebrett, Gertrud erhob sich, nahm ihm die Kanne ab und ordnete den Tisch, während Frau Barbara leise ins Nebenzimmer ging und sich über die Kinder beugte, einen Knaben und ein achtwöchiges Mädchen, die in ihren Bettchen schliefen. Dem Knaben legte sie vorsichtig den Bären auf die Bettdecke. Gleich darauf trat Gertrud neben sie, die zwei Frauen blickten sich einen Augenblick lächelnd an und betrachteten dann mit demselben freudig gerührten Ausdruck den kleinen Schläfer, der ruhig atmend auf dem Rücken lag. »Er wird gleich erwachen«, flüsterte Gertrud und zog sich zurück.

Frau Barbara trat zögernd vom Bette weg und schaute flüchtig noch einmal zum Mädchen hinüber, dann blieb sie in einer Ecke des Zimmers vor einem Diwan stehen, den sie hier noch nie bemerkt hatte, hob prüfend seine schwere, goldbestickte Decke und stutzte; unter der Decke erschien Gertruds feines, leinenes Bettzeug. »Wer schläft denn hier?« fragte sie aufblickend.

Gertrud, die schon unter der Tür stand, antwortete unsicher, mit einer Miene, die alles verriet, mit einem müden, hilflos verlegenen Lächeln: »Ich!«

Die Mutter kniff den Mund zusammen und setzte sich mit dem Ausdruck beleidigten Erstaunens an den Teetisch. »Man muß auch nicht gleich zu weit gehen«, sagte sie verurteilend. »Ich habe mit Papa früher manchen Streit gehabt, aber deswegen bin ich ihm nie davongelaufen. Nicht häufiger als Albrecht daheim ist...« Sie schüttelte energisch den Kopf.

Gertrud goß umständlich Tee in die Tassen, während sie langsam die Fassung verlor. »Ich streite ja gar nicht mit ihm«, erwiderte sie tonlos und setzte sich steif auf das Sofa neben die Mutter; ohne daß sie es verhindern konnte, überliefen ihr die feuchten Augen.

Frau Barbara blickte betroffen auf, dann zog sie die Tochter zu sich heran, und Gertrud barg schluchzend das Gesicht an ihrer Schulter.

Die Mutter blieb lange stumm, halb aus Absicht, halb aus Ratlosigkeit. Endlich aber bat sie leise, in dem behutsamen, raunenden Tone, den nur ihre Kinder kannten: »Du, sag' es mir, rede!«

Gertrud konnte über das lang Verschlossene nicht so rasch reden, es schien ihr viel zu schwierig, und so begnügte sie sich damit, Mamas schonende Fragen bald zu verneinen, bald mit wenigen Worten undeutlich zu beantworten.

»Bist du auf jemand eifersüchtig?«

Gertrud schüttelte den Kopf.

»Quält er dich?«

»Jetzt nicht mehr!«

»Hm... ich habe Albrecht immer für einen ritterlichen Mann gehalten.«

»Ja... aber er ist nur ein Mann, immer nur der Mann...«

»Ja, Kind, du hast doch mit offenen Augen geheiratet... ein Berufsoffizier, mein Gott, du warst ja vernarrt in ihn, aber du mußt ihn doch gekannt haben...«

»Ja... aber mich nicht!«

Während die Mutter abermals verstummte, richtete Gertrud sich auf und schaute dann, schlaff zurückgelehnt, mit verschleiertem Blick hoffnungslos vor sich hin.

»Weißt du«, begann Frau Barbara wieder und ergriff Gertruds Rechte, die kraftlos neben ihr auf dem Sofa lag, »manchmal ist man halt selber auch nicht ganz ohne Schuld... aber wenn man sich ausspricht und beide den guten Willen haben, einander zu verstehen, dann, sollte man wahrhaftig meinen...«

»Mama, ich habe alles versucht... aber... er hat so gar keinen innern Kontakt mit mir... ich lebe wie in einer andern Welt, und ich kann ihm das lange begreiflich machen... er versteht es nicht oder will es nicht verstehen... und dann kommt er doch immer und... und verlangt von mir... ohne Rücksicht...« Sie wurde wieder von innen her geschüttelt, legte die Stirn plötzlich noch einmal an Mamas Schulter und schluchzte laut: »... und ich kann doch nicht, ich kann es doch nicht!«

Die Mutter schwieg. Ihr Gesicht, das den stolz beherrschten Ausdruck sonst wie gestempelt trug, schien von allem Bewußtsein verlassen, ein schmerzlicher Gram, der sich allmählich in Zorn verwandelte, entstellte ihre Züge. Das Elend all der brüchigen Ehen, die sie aus eigener Anschauung kennengelernt oder aus Gesprächen erfahren hatte, stieg vor ihr auf, mit all den unaussprechlich beschämenden Folgen, die sich in jedem Fall ergaben, aus stumpfer Duldung, dauerndem Streit oder endlicher Scheidung; sie war ihm überall begegnet, kopfschüttelnd, verurteilend, mit erhobenem Kinn. Daß nun ihre eigene, liebevoll und sorgfältig erzogene Tochter nicht dem selbstverständlichen Glück in die Arme gelaufen sein sollte, sondern diesem Elend, war eine überraschende und furchtbare Enttäuschung, sie fand es kaum glaublich, und es machte sie wütend.

Inzwischen wurde der Tee vor ihnen kalt, und im Zimmer nebenan erwachte der Kleine. Er schlug die Augen auf, lauschte ein wenig, kroch unter der Decke hervor und entdeckte den Bären. »Es Bärli!« sagte er lächelnd, ergriff ihn und kletterte damit aus dem Bett. Freudestrahlend, den unverhofften Fund weit vor sich hingestreckt, um ihn Mama so rasch wie möglich zu zeigen, trippelte er im Hemd ins Wohnzimmer hinüber. Dort aber stutzte er befremdet und senkte das Ärmchen.

Gertrud fuhr auf und lief ihm so rasch entgegen, als ob er ihr wieder entgleiten könnte; sie hob ihn hoch an ihre Brust, legte ihr Gesicht an seine Wange und trug ihn eilig zurück.

8

Paul Ammann rückte mit bitterm Unwillen in den Wiederholungskurs ein. Die Füsiliere des Zuges, dem er zugeteilt wurde, waren Arbeiter, kaufmännische Angestellte, Handwerker; er brachte keine Anteilnahme für sie auf, so wenig wie für die Masse des Volkes, der sie angehörten, er hatte die Fühlung mit dem Volksganzen verloren. Er unterhielt im zivilen Leben Beziehungen zu Malern und Literaten, die diese Fühlung ebenfalls verloren hatten, und verbrachte seine geselligen Stunden in der internationalen Luft der Kaffeehäuser. Trotzdem besaß er einen hohen Begriff von dem, was er in seiner Sprache Volk nannte, aber diesem Begriff lag keine Anschauung zugrunde und dieses Volk hatte nichts zu tun mit dem wirklichen Volke, das aus Fabrikarbeitern, Kaufleuten, Bäckern, Nationalräten, Tramführern, Bauern und vielen andern unkünstlerischen und geistlosen Menschen bestand. Er hatte die Kluft, die ihn von diesem wirklichen Volke trennte, nie als Übel oder gar als Schuld empfunden; jetzt, da man ihn zurückgeholt und dank den Gesetzen seines Landes unter eben dieses Volk gesteckt hatte, litt er darunter.

Er stand in den Tagen der Einzelausbildung fremd und unglücklich zwischen seinen Landsleuten auf einer gemähten Wiese, glitt von Zeit zu Zeit in die Grundstellung, drehte sich, wenn der Korporal Drehungen befahl, wiederholte Gewehrgriff um Gewehrgriff und fühlte sich furchtbar angeödet. Sein Gruppenführer war der Korporal Egli, ein untersetzter, etwas krummbeiniger Mensch mit einem merkwürdigen Altweibergesicht von rosiger Farbe, einer billigen Brille auf der langen Nase und zurückgekämmtem dünnem Haar. Beim Einrücken hatte er noch vernünftig, ja gutmütig mit seinen Leuten gesprochen; jetzt sprühte er vor Energie, eine fremde Willenskraft schien von ihm Besitz genommen und ihn völlig verwandelt zu haben.

Diese fremde Kraft beherrschte ringsum im fahlen Morgenlicht auf den gemähten grünen Wiesen und braunen Stoppelfeldern die übenden Gruppen und Züge, sie war im Bataillon wirksam geworden, ja sie hatte das gesamte Regiment, das gemütlich eingerückt war, in ein straff bewegtes, lebendiges Ganzes verwandelt. Wie man die zerstreuten Bestandteile einer Maschine sammelt, ölt und zusammensetzt, so waren die Eingerückten gesammelt, ausgerüstet und zur

Truppe zusammengefügt worden, und wie man mit einer bestimmten Kraft die Maschine dann antreibt, so war mit dem Einsatz jener Willenskraft auch die Truppe in Betrieb gesetzt worden, in den militärischen Dienstbetrieb. Der Regimentskommandant hatte gleichsam den Strom eingeschaltet, der Strom war in die Bataillonskommandanten und von ihnen in die Hauptleute gefahren, und die Hauptleute hatten ihn an ihre Zugführer und Unteroffiziere weitergeleitet, die ihn nun auf die Mannschaft einwirken ließen. Es gab von jedem Grade gute und weniger gute Empfänger, aber die Kraft dieses Stromes genügte, um jeden abweichenden Eigenwillen auszuschalten und das Ganze in jenen flotten Gang zu bringen, der schließlich die Kriegstüchtigkeit der Truppe zu erneuern und zu steigern hatte. Wer sich von diesem Strome widerstandslos ergreifen ließ und bereitwillig ausführte, was ihm auferlegt war, dem ging alles leicht von der Hand; wer ihm aber widerstrebte und sich vom Gang des Ganzen nur mitschleppen ließ, statt selber zu laufen, der wurde zum Knirschen gebracht wie ein falsch eingesetztes Maschinenteilchen.

»Kopf hoch! Brust heraus!« befahl Korporal Egli. »Noch einmal, Ammann... ach was, das ist doch keine Achtungstellung... he, so reißen Sie sich doch zusammen! Nein, das ist noch gar nichts... weiter üben!«

Nachdem der Hauptmann selber sich ärgerlich mit ihm beschäftigt und für seinen Mangel an Schneid auch den Korporal verantwortlich gemacht hatte, brüllte Egli ihn mit hochrotem Gesichte wütend an: »Ammann, Sie sind ein verdammter Schlappschwanz! Wenn Sie glauben, Sie brauchen sich keine Mühe zu geben, weil Sie der Herr Doktor Ammann sind, so täuschen Sie sich. Nehmen Sie Stellung an! Hier haben Sie nicht mehr Rechte als andere auch, merken Sie sich das!... Lachen Sie nicht so dreckig, oder ich lasse Sie einsperren...!«

Paul preßte die Lippen zusammen, blickte mit emporgezogenen Augenbrauen in die Ferne und haßte den ehrlich entrüsteten kleinen Mann von Herzen.

Die zweite Dienstwoche schien ihm erträglicher, obwohl nun anstrengende Märsche und Übungen die Leistungsfähigkeit der Truppe auf die Probe stellten; die unangenehme Einzelausbildung hatte damit ihr ersehntes Ende gefunden, die Zeit verging rascher, und als auch die große Übung im Regimentsverband vor dem nahen Abbruch stand, begann er erleichtert aufzuatmen.

Er lief in der ausgebrochenen Schützenlinie seiner Kompagnie, die als Reserve zur Feuerunterstützung des Angriffs befohlen war, einen langgestreckten Hügel hinauf, während im Walde links davon zwei Bataillone in Linie bereitgestellt wurden. Am Rand der Höhe warf er sich hin und begann auf Kommando seine blinden Patronen zu verschießen. Vor ihm lag ein zweiter Hügel mit der markierten gegnerischen Stellung und einer schwarzen Zuschauermenge, von der sich in der klaren Morgenluft eine Gruppe höherer Offiziere und zwei Signalisten mit ihren manchmal aufblitzenden Instrumenten deutlich abhoben.

Paul wußte, daß sein Vater der Übung folgte und nachher das Defilieren abnehmen würde; er suchte ihn unter jenen Offizieren und erkannte ihn an seiner umfangreichen Gestalt und dem massigen Haupt mit der dreifach breit galonierten Mütze. Er zog das Gewehr an die Schulter und legte auf den Vater an. Es war eine unwillkürliche, halb spielerische, jedenfalls unbedachte Bewegung, und kaum hatte er Druckpunkt gefaßt, da schämte er sich, schoß anderswohin und lächelte verwundert über seinen eigenen Einfall. »Unsinn!« dachte er, während rechts und links von ihm die Schüsse knatterten und Verschlüsse riegelten. »Ich hasse ihn doch nicht? Er ist allerdings daran schuld, daß ich diese ganze Schweinerei da mitmachen mußte, aber er hat ja schließlich den Dienstzwang nicht selber eingeführt. Er ist überhaupt nichts aus sich selber, er ist nur eine Ausgeburt seiner abgestandenen Welt, über die er nicht hinaussieht, ein eingefleischter Schweizerbürger, den man besser abseits stehen läßt, da man ihn ja doch nicht ändern kann. Nein, ich hasse ihn nicht, er ist mir nur gleichgültig. Aber er sollte mich in Ruhe lassen, ich bin doch auch so anständig, nicht auf ihn zu schießen.«

Er lachte vor sich ins kurze Gras hinein, wälzte den Tornister, der ihm in den Nacken gerutscht war, seitlich auf die Erde und feuerte von Zeit zu Zeit einen Schuß ab, ohne das Gewehr auch nur anzuschlagen. »Vermutlich«, dachte er ironisch grinsend, »würde ich ihn gar nicht getroffen haben. Unsereiner kann mit dem Schießprügel nichts anfangen, wir brauchen eine andere Waffe.«

Indessen hatte sich das Regiment da unten im Waldrand zum Angriff bereitgemacht und stürzte plötzlich unter Sturmsignalen und Hurragebrüll auf das freie Gelände hinaus.

Die Reservekompagnie schoß ununterbrochen, bis die vordersten Linien die halbe Höhe des gegnerischen Hügels erreichten, dann stellte auch sie das Feuer ein und ging mit aufgepflanztem Bajonett ebenfalls auf den Hügel los; ehe sie aber den Hang erreichte, war oben die Stellung eingenommen, die Signalisten bliesen Gefechtsabbruch, die Bajonette wurden in die Scheiden gestoßen, der Feldweibel übernahm die Kompagnie, und die Offiziere gingen zur Kritik. Paul schob das Käppi auf den Hinterkopf, brannte sich eine Zigarette an und schlenderte, das Gewehr an der Laufmündung hinter sich herziehend, zum Sammelplatz, fest entschlossen, sich in Zukunft vor jedem Militärdienst rechtzeitig ins Ausland zu drücken.

Nachdem die Kompagnien auf freiem Felde eine Stunde geruht hatten, marschierten sie zur Sammlung des Bataillons und schließlich des Regiments auf die breite Landstraße, um vor dem Brigadekommandanten zu defilieren und den Rückmarsch nach Zürich anzutreten.

Oberst Ammann hatte statt eines regelrechten Defilierens in Paradeformation freilich nur den Taktschritt in Marschkolonne angeordnet. Er stand mit seinem Adjutanten und einem Generalstabsoffizier am Straßenrande bereit. Eine sichtbare Veränderung war mit ihm vorgegangen, seine Bewegungen waren knapper als im Zivilleben, sein leutselig offenes, breites Gesicht zeigte einen beherrschten Ausdruck, und die kräftig schimmernden Augen verrieten statt der gewohnten Heiterkeit einen zielbewußten Willen. Er hatte den zivilen Menschen, der zur Bequemlichkeit neigte und sich gehen ließ, entschlossen abgestreift und war Soldat geworden.

Der Regimentskommandant, Oberstleutnant Fenner, kam dahergetrabt und meldete seinem Vorgesetzten die anmarschierende Truppe, dann stieg er aus dem Sattel und stellte sich neben Ammann in die Wiese. Fenner, ein großer, hagerer Mann mit einem gebräunten, knochigen Gesicht von mürrischem Aussehen und einem ungestutzten, über die Mundwinkel herabhängenden Schnurrbart, stammte aus einfachen Verhältnissen und war wegen seiner trockenen Sachlichkeit und seiner Geringschätzung aller Äußerlichkeiten bekannt. In seiner persönlichen Ausrüstung befliß er sich der strengsten Ordonnanz und trug eine sogenannte Briefträgermütze. Er galt als tüchtiger Offizier, ausdauernder Bergsteiger und sicherer Schütze. Ammann schätzte ihn hoch, nicht nur weil er ein zuverlässiger Führer, sondern weil er ein Mann aus dem Volke war und sein demokratisch einfaches, gerades Wesen auch als Offizier nie verleugnet hatte. Fenner seinerseits hielt von den Führereigenschaften seines Vorgesetzten nicht besonders viel, doch er achtete ihn als ruhigen, verständigen Mann, der jeder besseren Meinung zugänglich war und sich nicht, wie gewisse Generalstäbler, auf theoretische Ansichten oder persönliche Marotten versteifte.

Die vereinigten Bataillonsspiele zogen vorüber, schwenkten nach links und machten Front zur Straße, der Stab des vordersten Bataillons ritt vorbei, und nun rückte zu den Klängen des Defiliermarsches die lange Kolonne heran, Kompagnie um Kompagnie im Taktschritt, das Gewehr geschultert, das Gesicht dem Inspektor zugewandt.

Oberst Ammann wußte, wo sein Sohn Paul eingeteilt war, er suchte ihn dort in der Kolonne und sah ihn auch. Er sah sein bräunlich bleiches, verschlossenes Gesicht kurz auftauchen und empfand dunkel die Genugtuung, daß dieser rebellische junge Herr nun wieder fest in Reih und Glied gefügt war; er ließ sich dadurch aber keinen Augenblick vom gehobenem Bewußtsein der Aufgabe, die er hier im Namen des Landes erfüllte, zu einem väterlichen Gefühl ablenken. Sein ganzes Wesen befand sich in einem gesteigerten Zustande. Wie jeder fühlende Mensch durch ein eindrückliches Erlebnis über sich selber hinaus gehoben werden oder außer sich geraten kann, so war auch Ammann nicht mehr ganz er selber. Er stand regungslos da und blickte mit einer vor Ernst und Sammlung finstern Miene in die vorüberzuckenden Reihen der ihm zugewandten Gesichter. Vor jeder Fahne aber riß er seinen schweren Körper in die strammste Stellung, legte die rundliche Rechte an den Käppirand und grüßte das Feldzeichen mit einem langen, unerschütterlich gläubigen Blicke.

9

Fred sattelte im Wintersemester auf Naturwissenschaft um, ohne es seinen Eltern vorerst zu gestehen. Er schlug zu Hause nur eine neue Taktik an, er murrte gelegentlich über diese langweilige Juristerei und brachte es soweit, daß der Vater ihn fragte, zu was er denn eigentlich Lust habe. Eines Abends nun, als ihm besondere Umstände einen leichten Rückzug ermöglichten, platzte er bei Tische mit dem Geständnis heraus. An diesem Abend wurden Severin, Gaston Junod und ein Freund Pauls zum Quartettspiel erwartet. Frau Barbara besprach während des Nachtessens mit Paul noch einmal die Bewirtung der Gäste, und um acht Uhr mochte bis zur Ankunft des einen oder andern nicht mehr viel fehlen. Da sagte denn Fred mit seinem kindlich schlauen Lächeln, die erste Geige werde gewiß der Herr Dr. Severin spielen, ein Jurist könne sich doch wohl nicht mit der Bratsche zufriedengeben. »Übrigens, Papa«, fügte er leichthin bei, »wegen dieser Rechtsgelehrsamkeit... ich habe jetzt naturwissenschaftliche Fächer besetzt, die interessieren mich mehr.«

Ammann, der bereits das Abendblatt entfaltet und einen Artikel zu lesen begonnen hatte, ließ die Zeitung sinken und blickte seinen Jüngsten scheinbar verständnislos an. »Ja...«, begann er dann gedehnt und voller Bedenken, schob mit leicht gerunzelter Stirn die Zeitung beiseite und schickte sich bedächtig an, nähere Erklärungen entgegenzunehmen. »Du hast also... Naturwissenschaft...? Hm, wie stellst du dir das in Zukunft vor?«

Fred, dem eben diese Erklärung peinlich und unnütz erschienen, erwiderte, ohne die Fragen richtig zu beantworten, mit verdrießlicher Miene: »Ach, es hat ja keinen Wert, sich mit etwas herumzuschlagen, das einem verleidet ist. Und Naturwissenschaft... ich meine, es sind erst Anfangsgründe, nicht wahr... aber es bleiben einem doch mehr Möglichkeiten offen... vorläufig hören ja noch alle dieselben Vorlesungen, Mediziner, Mathematiker, Landwirte, Apotheker, und ich weiß nicht wer noch...«

In diesem Augenblick ertönte die Klingel. »Da kommt schon einer!« rief Frau Barbara. »Das ist Severin, der kommt immer zuerst.«

»Hm«, machte Ammann, während Fred sich mit betonter Gelassenheit erhob, »ich habe ja prinzipiell nichts dagegen, nur... ich finde, es ist schade um deine zwei Semester... ja, schließlich mußt du selber wissen, was du willst...«

»Jaja!« sagte Fred mit einer erledigenden Handbewegung, schlenderte zur Tür und stieg draußen weit ausholend mit verschmitzter Miene in sein Zimmer hinauf.

»Paul, sieh doch nach, ob es droben warm genug ist, ich will dann nicht schuld sein, wenn ihr frieren müßt«, sagte die Mutter.

Während Paul in den Musiksalon hinaufging, die vier Pulte an die hohe Stehlampe herantrug und die Noten auflegte, begrüßte Frau Barbara ihren ältesten Sohn Severin, der seinen Bratschenkasten behutsam abstellte und den Mantel auszog. »Wie geht's den Kindern?« fragte sie schon nach den ersten flüchtigen Worten.

»Ja...«, begann Severin mit ernster Miene und bedachte sich einen Augenblick um die denkbar genaueste Auskunft zu erteilen, indessen er sorgfältig den spärlichen Schnee vom Mantel schüttelte, den Mantel zusammengelegt dem Dienstmädchen übergab und mit beiden Händen seinen Rockkragen zurechtrückte, »... bis auf den Ueli geht es allen ordentlich. Der Ueli hat sich gestern etwas erkältet und hustet jetzt ziemlich stark. Heut abend hatte er nun ein wenig Fieber, 37,5 als ich wegging. Anna macht ihm Wickel, obwohl ich nicht überzeugt bin, daß dies unbedingt das Richtige ist. Übrigens ist Anna an der ganzen Geschichte selber schuld, sie packt ja die Kinder ein, als ob wir schon mitten im kältesten Winter wären, und will nicht begreifen, daß man sie allmählich an die Kälte gewöhnen muß... Guten Abend, Papa!«

Ammann, der sich mit Freds Geständnis beschäftigt und schließlich den Vorsatz gefaßt hatte, weitere Aufklärungen zu verlangen, saß mit der Zeitung noch am Tische. »'n Abend, Severin!« sagte er in dem gewohnten lauten Tone, in dem er alle Welt zu begrüßen pflegte, und blickte spöttisch wohlwollend zu seinem Ältesten auf.

Von allen drei Brüdern glich Severin dem Vater am meisten, er besaß den selbstgewissen Ausdruck seines Gesichtes, seine lebenskräftigen Augen, nur ohne den heitern Schimmer, eher mit einer gewissen Schärfe im Blick, und dieselbe klare, feste Stimme. Er war seit sieben Jahren mit einem unscheinbaren, braven Wesen verheiratet, hatte fünf mustergültig erzogene Kinder und erweckte den Eindruck eines sehr soliden, gutbürgerlichen Vierzigers, obwohl er erst dreißig Jahre alt war.

»Hast du den Artikel da über den sozialen Ausgleich gelesen?« fragte Ammann, nachdem Severin sich gesetzt hatte, und hielt ihm mit demselben spöttischen Blick, mit dem er ihn begrüßt hatte, die Zeitung hin.

»Jaja, das beginnt nachgerade langweilig zu werden«, antwortete Severin mit einer wegwerfenden Handbewegung, doch sogleich setzte er sich zurecht und begann laut, lebhaft und klar diese Frage von seinem eigenen Standpunkt aus zu erörtern, wie Ammann es erwartet hatte. Er verfocht in sozialpolitischen Dingen mit einem gewissen Ehrgeiz sehr oft seinen eigenen Standpunkt, der sich mit dem der Partei nicht immer deckte, aber die ältern Herren waren noch liberal genug, auch seine Meinung gelten zu lassen. Er hatte zur Genugtuung dieser ältern Garde, die sich um den politischen Nachwuchs einige Sorgen machte, bald nach seinem glänzenden juristischen Staatsexamen die liberale Jugend zu organisieren versucht und war dann später zum Redaktor der jüngsten publizistischen Gründung gewählt worden, des »Ostschweizers«, der die besonderen lokalen und ostschweizerischen Interessen mit mehr sozialpolitischem Verständnis vertreten sollte, als es den Hauptorganen der eidgenössischen Partei möglich war oder gut schien. Er befand sich damit in einer allgemein geachteten, nicht sehr einflußreichen, aber anständig bezahlten Stellung.

»Hört doch auf!« rief Frau Barbara in heiterer Verzweiflung, als Severin fertig war und Ammann zur Entgegnung ansetzte. »Kaum haben sie einander gesehen, da fangen sie schon zu politisieren an! Ich finde, du kommst so selten hierher, Severin, daß man wahrhaftig über etwas Vernünftigeres reden könnte, wenn du schon einmal da bist. Und wollt ihr jetzt nicht wieder regelmäßig Quartett spielen wie früher? Oder Quintett? Gertrud käme gewiß auch gern!«

Ammann fügte sich lächelnd und brach seine Erwiderung mit einem scherzhaften »Und so weiter« ab, während Severin die neue Frage sogleich ernsthaft aufgriff. »Ja, Mama, ich bin sehr einverstanden! Es hat überhaupt keinen Sinn, nur dann und wann zu spielen, dabei kommt nichts heraus. Ich bin immer dafür eingetreten, daß man regelmäßig spielt. Aber man muß sich eben auf die Leute verlassen können. Ich weiß ja nicht, was mit Paul nun los ist, ob er dableibt oder ... was tut er denn überhaupt jetzt?«

Ammann hob ein wenig die Schultern und machte mit der Rechten eine unbestimmte Bewegung.

»Weißt du, Papa«, fuhr Severin fort, »ich muß schon sagen ... ich an deiner Stelle würde mir das nicht gefallen lassen. Paul hat jetzt über ein Jahr lang gebummelt, und er wird bestimmt weiterbummeln, wenn man ihn nicht in den Senkel stellt ...«

»Bitte, Severin, Papa hat sich alle Mühe gegeben, Paul

eine Stelle zu verschaffen«, warf die Mutter ein, während Ammann selber mit einem Anflug von Ärger die Zeitung zusammenfaltete.

»Jaja!« sagte Severin leichthin, als ob er diese Bemühung nicht ernst nähme, stand lässig auf und legte dem Vater, während er langsam dicht an ihm vorbeiging, mit einer nachsichtigen Gebärde die Rechte auf die Schulter. »Wir kennen ja unsern Papa. Er hat immer ein gutes Herz gehabt, auch wenn es nicht nötig gewesen wäre...«

Ammann lachte kurz auf und musterte seinen gestrengen Herrn Sohn, der mit einem Blick auf die Uhr zu einem Fenster hinschlenderte, nun wieder so spöttisch belustigt, daß auch Frau Barbara zu lächeln begann.

»Man hat nicht nötig, sein gutes Herz zu verleugnen, wenn man solche Mustersöhne besitzt, nicht wahr«, sagte Ammann mit aller Ironie. »Übrigens...«, fügte er ernsthaft bei, »ich habe daran gedacht, ob man Paul nicht auf der Redaktion beschäftigen könnte. Du hast ja schon einmal davon gesprochen, einen Volontär einzustellen...«

»Bitte!« antwortete Severin mit einer einladenden Handbewegung auf den Vater, der Mitglied der Redaktionskommission war. »In erster Linie hat ja der hohe Rat zu entscheiden, wenn es sich um einen bezahlten Volontär handeln soll. In zweiter Linie wird das von Pauls Einverständnis abhängen. Ich meinerseits bin sehr einverstanden. Wir könnten nicht nur einen Volontär, sondern einen dritten Redaktor brauchen. Ich würde Paul sofort das Feuilleton abtreten, außerdem müßte er freilich in allen Ressorts mitarbeiten, besonders im Lokalen...«

»Jetzt kommt wieder einer!« rief Frau Barbara.

»Ich will einmal mit Paul darüber reden«, sagte Ammann. »Das wäre gar keine so üble Lösung... Übrigens, das weißt du auch noch nicht: Fred hat umgesattelt. Auf Naturwissenschaft!«

»Soo...? Ach Gott, es weiß ja keiner mehr, was er will. Ich war allerdings nie überzeugt, daß aus Fred ein Jurist werden könnte... aber Naturwissenschaft! Hm! Wundert mich nur, wer ihm das in den Kopf gesetzt hat... Ja, da kommen beide miteinander, glaub' ich... Zeit wär's... ich will machen, daß wir anfangen können... Adieu, Papa! Vielleicht sehen wir uns nachher noch.«

»Gaston!« rief Ammann laut und fröhlich, streckte mit einer willkommen heißenden Gebärde den rechten Arm aus und erhob sich, um seinen Schwager Professor Gaston Junod zu begrüßen, der, noch halbwegs in die Begrüßung der Hausfrau verstrickt, mit kleinen Schritten unter die Türe trat und nicht genau wußte, wohin er sich mit seinem Cello wenden sollte.

Indessen stand draußen, bescheiden abwartend, ein schlanker junger Mann mit sympathischen Augen, dunklen, klugen Augen in auffallend schattigem Grunde, Albin Pfister, Pauls Freund. Als die Reihe an ihn kam, begrüßte er mit einiger Schüchternheit Frau Barbara und den Hausherrn, die ihn ihrerseits freundlich willkommen hießen. Gleich darauf blickte er mit einem offenen, freudigen Lächeln, das seine gesunde weiße Zahnreihe entblößte, Paul entgegen, der ihn rasch unter dem Arm faßte und die Treppe hinaufführte.

Fred kam aus seinem Zimmer in den Musiksalon herüber und begrüßte die Gäste. »Darf man zuhören?« fragte er.

»Bitte, wenn es dir Spaß macht!« antwortete Severin.

Fred setzte sich abseits in den bequemsten Sessel, streckte seine langen Beine aus und verfolgte schmunzelnd die Vorbereitungen zum Quartettspiel, die in ihrer ernsthaften Umständlichkeit ihn immer belustigt und zugleich erwartungsvoll gestimmt hatten. Er verstand nichts von Musik, was er gelegentlich betonte, aber er konnte zwei Stunden lang hingegeben und mausestill zuhören. Er vernahm jetzt, daß die

Spieler mit dem Quartett opus 64 Nr. 5 von Haydn beginnen wollten und freute sich darauf. Lächelnd sah er zu, wie sie die Instrumente stimmten. Paul gab den Ton an und Severin strich ein paarmal energisch über die Bratsche, während Junod, die Linke an der Schnecke seines Cellos, den Kopf mit dem gepflegten weißen Spitzbart horchend ein wenig zur Seite geneigt, die Brauen mit gespanntem Ausdruck hochgezogen, leise den Bogen über die Saiten führte. Albin Pfister wurde mit seiner Geige zuletzt fertig und schien sich dann etwas rasch zufrieden zu geben, aber Severin, der ihm aufmerksam zuhörte, sagte mit nachsichtiger Milde: »Das E ist zu tief.« Endlich waren sie bereit.

Die zweite Geige und die Bratsche setzten piano mit den Achteln des einfachen Begleitmotivs ein, und das Cello antwortete, aber schon nach den ersten drei Takten unterbrach Severin das Spiel, das gewiß von selber in den rechten Fluß gekommen wäre, mit der lauten Bemerkung: »Ja, aber wir wollen das doch miteinander machen... noch einmal, bitte!« Sie fingen zum zweitenmal an, und als die erste Geige einsetzen sollte, gab Severin mit dem Kopf ein Zeichen, was offenbar ganz unnötig war und Paul nur ärgerte. Trotzdem setzte Paul rechtzeitig ein und ließ noch warm beseelt das Thema mit dem innigen Aufschwung erklingen. Aber gleich darauf rief Severin laut »piano, piano«, und schon bei den ersten Triolen unterbrach er das Spiel abermals: »Paul, du drängst fürchterlich. Es ist doch ein moderato, nicht wahr... ja, wollen wir nicht lieber noch einmal von Anfang an...?«

Fred runzelte die Stirn und dachte, während sie noch einmal anfingen: »Severin ist ekelhaft!«

Indessen kam das Spiel etwas in Fluß, und Severin unterbrach es nicht mehr, doch immer wieder verlangte er mit dringlicher Stimme, ein piano, ein crescendo, bis plötzlich Paul noch mitten im ersten Satz nun seinerseits aufhörte

und gereizt erwiderte: »So spiel doch du die erste Geige!«
Severin antwortete sachlich, ohne sich im geringsten aufzuregen: »Ich bin sehr einverstanden, daß du die Führung übernimmst, aber du hast bis jetzt noch kein Wort zu äußern geruht, nicht wahr, und einer muß es halt schließlich tun. Ja, also was wollen wir jetzt... wir können ja meinetwegen bei E weiterfahren... übrigens, bitte, Paul!«

Sie fuhren bei E weiter, führten den Satz zu Ende und begannen gleich mit dem Adagio cantabile, aber sie hatten die innere Fühlung miteinander verloren, das Adagio erblühte nicht, und vor dem Menuett hielt Severin wieder einen Vortrag über das Tempo, in dem es gespielt werden sollte.

Fred erhob sich laut gähnend und schlenderte mit langen, dröhnenden Schritten hinaus.

10

Paul trat vor den Spiegel und kämmte sich das lange wellige Haar über den Kopf zurück, in unbestimmten Gedanken an Papas neuen Vorschlag, der ihn dauernd beschäftigte. »Ich bin ja beinah einverstanden, wenn ich ganz ehrlich sein will«, dachte er, legte den Kamm beiseite und schaute fragend sein Spiegelbild an, zuerst noch, ohne es recht zu gewahren, dann genau und neugierig forschend. Das Gesicht gefiel ihm; es war länglich, doch nicht zu schmal, und hatte ein kräftig entwickeltes Kinn, wurde aber ganz von der Stirne beherrscht, der ausgeprägten, wohlgeformten Stirne des vorwiegend intellektuellen, um nicht zu sagen geistigen Menschen, während der weiche, volle Mund und die etwas tiefliegenden Augen den skeptisch müden Ausdruck besaßen, den er auch in seiner Haltung ein wenig hervorkehrte. »Bist du ein Journalist? Sieht ein Journalist so aus?« fragte er und begann sich über diese offenbar eitle Bespiegelung sogleich selber lustig zu machen, indem er an der Nasenwurzel die Haut runzelte, die Augen zukniff und bleckend die gepflegten Zähne entblößte: es war das lautlose, sarkastisch heitere Grinsen, mit dem er so manches zu verlachen pflegte.

»Na ja... ich werde mich aber doch nur mit dem Feuilleton beschäftigen, vielleicht läßt sich da etwas machen«, dachte er, verlor das Gesicht wieder aus den Augen und trat weg. Er ging aus, ohne Hut und Schirm, nur im Regenmantel, obwohl ein feuchtes Geflock, halb Regen, halb Schnee, schräg zwischen den Häuserfronten herabglitt; auf der Rathausbrücke querte er die Limmat und stieg in die engen Gassen der Altstadt hinauf, wo Albin Pfister mit seiner Mutter den Dachstock eines schmutziggrauen Hauses bewohnte.

In Albins Zimmer, einem niedern Raum mit offenen Bücherregalen, warf sich Paul in einen alten Lehnstuhl und hatte nichts dagegen, daß Albin die schon benutzte Kaffeemaschine noch einmal in Betrieb setzte. Auf die Frage nach seinem Befinden antwortete er achselzuckend, mit einem trüben Lächeln: »Hm... ich wollte, ich wäre in München geblieben. Aber als folgsamer Sohn bin ich heimgekehrt, nicht wahr... und jetzt bin ich lackiert, wie das vorauszusehen war. Erst steckt mich der Herr Oberst unter die Soldaten, und nun kommt selbstverständlich der Beruf dran, für den uns der liebe Gott erschaffen haben soll...«

»Höre, Paul, du solltest doch etwas veröffentlichen... auf mich hin, du darfst es wagen! Und wenn's noch kein Meisterwerk ist, so wird es doch eine sehr, sehr achtbare Legitimation sein, nicht nur den Eltern gegenüber.«

Paul winkte ab und schwieg ein paar Sekunden mit einem bittern Ausdruck. »Was meinst du«, fragte er dann zögernd, »wieviele dichten, bevor sie in einem bürgerlichen Berufe landen? Es gibt tausende allein im deutschen Sprachgebiet... und es gibt tausende von unveröffentlichten Manuskripten, an denen die Verfasser mit Herz und Seele hangen, obwohl niemals ein Hahn danach krähen wird. Es ist vermutlich schlimm für mich, daß mich das bedenklich stimmt...«

Albin schüttelte erheitert den Kopf. »Du hast das gefährliche Alter längst hinter dir. Du bist doch kein Gymnasiast mehr... Ich habe dieselben Zweifel durchgemacht und habe mich bis jetzt der öffentlichen Fron doch nicht unterworfen, obwohl bekanntlich auch noch kein Hahn nach mir kräht. Aber ich werde nicht unterkriechen.«

»Du hast gut reden, dir sitzt keiner auf dem Nacken, du bist unabhängig und kannst tun, was du willst, aber ich...«
Er stockte und spürte beschämt, daß er gerade dies nicht hätte sagen dürfen.

Albin schwieg, mit einer kaum merklichen Vertiefung des traurig-heitern Ausdrucks, der seine ehrlichen Augen umlagerte. Er hatte nicht gut reden, ihm saß mehr auf dem Nacken als dem empfindsamen und übersättigten Sohne wohlhabender Eltern.

Albin Pfister tat das Hoffnungsloseste, was man in dieser nüchtern betriebsamen Welt tun konnte, um den allgemeinen Kampf ums Dasein mit Ehren zu bestehen, er beschränkte sich auf sein inneres Leben, und er dichtete. Er war überzeugt, daß ihm nichts anderes übrig blieb, er hatte sich nicht nur zu einem der üblichen Berufe untauglich erwiesen, er hatte schon unter der Notwendigkeit, nebenbei ein wenig Geld zu verdienen, auf eine scheinbar ganz unangemessene, fast krankhafte Art gelitten. Seit dem Tode seines Vaters, eines bescheidenen Antiquars, lebte er, die verständnislose und dennoch verehrte Mutter als beständigen Vorwurf neben sich, in diesem Dachstock, verzichtete auf Theater, Konzert und Kaffeehausbesuch, sparte sich die Zigaretten vom Munde und tat, was er mußte. Eine fragwürdige Haltung in den Augen der Welt, da kein sichtbarer Erfolg sie öffentlich rechtfertigte! Albin Pfister hatte mit einem schmalen ersten Gedichtband und ein paar Legenden, die in einer Zeitschrift erschienen waren, zu einem solchen Erfolg noch wenig Anlaß gegeben. Er vermied nach außen hin denn auch jede Andeutung seiner besonderen Lage. Von sich und seiner Arbeit sprach er kaum je aus eigenem Antrieb, und jenen sonst achtbaren Leuten, die ihn wohlwollend nach seinem Heimlichsten zu fragen pflegten, wich er entschlossen aus. Ein solcher Mensch hat nicht gut reden.

»Entschuldige, ich schwatze Kohl...« fuhr Paul leise fort und legte sich gequält die Rechte auf die Stirn. »Ich sollte es ja wissen... du hast's viel schwerer...«

Albin winkte unwillig ab.

»Na ja... übrigens, um offen und ehrlich zu sein... was nun mich betrifft... ich habe jetzt das fatale Gefühl, daß ich im Begriffe bin, zu kapitulieren. Ich will jetzt... bitte, halte dich an der Stuhllehne...« Er wandte den Kopf ein wenig beiseite und deckte mit der Hand ironisch beschämt die Augen. »... ich will jetzt Journalist werden.«

Albin erhob sich und begann auf und ab zu gehen. »Du erwartest also, daß ich dir Besinnung predige?« fragte er lächelnd. »Ich fühle mich nicht berufen. Schließlich ist jeder zu seinem eigenen Umweg verdammt. Außerdem kommt es bekanntlich auf das Wie an, nicht auf das Was. Nur, wenn es sein muß... vielleicht daß man als Lehrer noch am anständigsten durchkäme...«

»Jaja, über den Journalismus sind wir einig, nicht wahr... aber ich werde nicht darin untertauchen, ich möchte ihn nur ein wenig beriechen. Höre, Albin! Ich könnte am ›Ostschweizer‹ das Feuilleton übernehmen...« Und nun begann er dem Freunde eifrig seinen Plan zu entwickeln, einen Plan voll guter Einfälle und lobenswerter

Absichten, der nur den einzigen kleinen Fehler hatte, daß er nicht der Redaktionspraxis, sondern dem Kopf eines hochzielenden jungen Mannes entsprang.

Albin hörte mit erzwungener Teilnahme zu, enttäuscht und heimlich bedrückt von diesem Eifer seines Freundes für eine Angelegenheit, über die sie noch gestern einträchtig die Achsel gezuckt hätten. Er sagte am Ende wenig dazu, und nachdem Paul ihn verlassen hatte, suchte er sich einzureden, daß dies alles an ihrem gegenseitigen Verhältnis nichts zu ändern vermöge. Aber die Enttäuschung verließ ihn nicht, und ein anderes, unangenehmes Gefühl gesellte sich rasch hinzu, eine leise Angst, die er bisher nicht wirklich gekannt hatte, die Angst des im Nebel kletternden Bergsteigers, der seinen Kameraden plötzlich eigenwillig einen neuen, ihm nicht erreichbaren Pfad einschlagen sieht.

11

Eine Woche später saß Paul als Redaktionsvolontär an seinem Arbeitstisch.

Der »Ostschweizer« erschien einmal täglich, kurz vor Mittag, im Umfang von sechs bis acht Seiten. Als verantwortliche Redaktoren zeichneten Dr. Severin Ammann und Erwin Schmid. Das Blatt stand unter der Aufsicht einer Redaktionskommission, die gelegentlich einen Leitartikel schickte. In einem Seitengäßchen des Limmatquais befand sich die mit der Herausgabe betraute Druckerei und Verlagsanstalt; der Redaktion hatte man im zweiten Stock desselben Hauses zwei Zimmer mit dem Blick auf die Limmat eingeräumt.

Severin war klug genug, die journalistische Erziehung des Bruders für den Anfang seinem Kollegen zu überlassen, und unter Schmids Augen hatte Paul in einem raucherfüllten, mit Zeitungen, Büchern und Broschüren unordentlich vollgestopften ehemaligen Wohnzimmer seine Tätigkeit denn auch aufgenommen. Mit Vergnügen bemerkte er das scheinbar planlose Durcheinander auf Schmids Arbeitstisch, und schon in den ersten Tagen, während er sich über diese Hilfsmittel des Geistes noch sarkastisch wunderte, bedrängten sich auch auf seinem Tische Leimtopf, Schere, Tintenfaß, Aschenbecher, Schreibpapier und Manuskripte; außerdem lagen unaufgeschnittene Broschüren da, die vielleicht auch er nicht aufschneiden würde, Stöße gelesener Zeitungen, die von Severin über Schmid zu ihm gelangt waren, und Bücher, Besprechungsexemplare, die zu lesen bis jetzt noch niemand Zeit gefunden hatte.

Von Anfang an wurden ihm die Einsendungen für das Feuilleton vorgelegt, in der Mehrzahl dilettantische Bemühungen, deren Wert nur ausnahmsweise dem geringen Honorar entsprach, das die Zeitung dafür bezahlen konnte; er las sie grinsend durch und mußte auf Schmids freundlich heitere Einsprache hin doch dies und jenes in den Setzraum befördern, weil es von einem Mitarbeiter stammte, den man nicht vor den Kopf stoßen durfte. Schmid und Severin warfen manchmal Ausschnitte aus andern Zeitungen vor ihn hin, mit der Aufforderung, sie für das Feuilleton entweder zu kürzen oder »etwas daraus zu machen«, und es stand ihm nicht an, das zu verweigern. Zu seinem Mißvergnügen hatte Schmid auch den neuen Roman schon gewählt, der die laufende Kriminalgeschichte ablösen sollte; er stammte aus der Feder eines ausländischen Vielschreibers und kostete als Zweitdruck fünfzig Franken. Es zeigte sich, daß man für das Feuilleton kein Geld übrig hatte, und Pauls schöner Plan blieb vorläufig dort, wo er entstanden war.

Trotzdem ließ sich Paul noch nicht entmutigen, er schrieb kluge und witzige kleine Betrachtungen über literarische Gegenstände, die seiner Meinung nach brennend aktuell waren, und berichtete gewandt über Theateraufführungen und Konzerte. Dies vermochte ihn aber nach Severins Meinung nicht ernstlich genug zu beschäftigen, und bald wurden aus dem täglichen Zustrom von Nachrichten die unpolitischen seiner Hand anvertraut. Er hatte sie so rasch wie möglich auf ihre sprachliche Richtigkeit hin zu prüfen, allenfalls zu kürzen, gewisse Worte hervorzuheben und die Papierstreifen, auf die eine sparsame Agentur sie zusammengedrängt hatte, zerschnitten und mit Überschriften versehen dem Setzer zu übermitteln. Dabei erlebte er, daß Erwin Schmid seine sachlichen, oft wohl auch umständlichen Titel nachträglich durch auffälligere oder knappere ersetzte und ihm auf diese angenehme Art eine wichtige Lehre erteilte.

Zwischen Paul und Schmid entwickelte sich ein oberflächlich freundschaftliches Verhältnis, das seinen besonderen Grund in ihrer gemeinsamen Abneigung gegen Severin hatte. »Lesen Sie seine Thronrede!« sagte Schmid, als sie am Silvesternachmittag, die fertige Neujahrsnummer vor sich, noch eine müßige Viertelstunde auf der Redaktion verbrachten. »Da zeigt er sich von einer besondern Seite. Sehr lesenswert!«

Paul nahm die Nummer zur Hand und begann Severins Neujahrsbetrachtung zu lesen. Der vier Spalten lange Artikel trug als Überschrift die neue Jahreszahl: 1914. »Warum sollten wir vor der Zukunft bangen?« fragte Severin im ersten Absatz. »Es liegt in unserer Hand, dem Staatsschiff seinen festen Kurs aufzuzwingen und damit den Schleier zu zerreißen, der unser Heute vom Morgen trennt. Mit der bei uns beliebten Schlafkappenpolitik kann dies allerdings nicht geschehen, so wenig wie wir damit der Drosselung des wirtschaftlichen Lebens begegnen konnten, die infolge der gespannten internationalen Lage unser Land so sehr in Mitleidenschaft gezogen hat. Indessen wollen wir nicht verhehlen, daß mit der von uns schon längst verlangten eidgenössischen Verwaltungsreform bereits ein starker Schritt in die Zukunft getan wird. Wir werden endlich ein politisches Departement mit einem ständigen Vorsteher haben und dadurch in die Lage versetzt sein, der Welt gegenüber kontinuierlich und mit ganz anderm Gewicht, als es bisher möglich war, aufzutreten. Nennen wir den Mann noch einmal, dem wir das Steuer in die Hand zu geben wünschen: es ist Bundesrat Hoffmann. Mit scharfem Geist und starkem Willen wird er für die Stellung kämpfen, die die älteste Demokratie der Welt zum mindesten in Europa einzunehmen berechtigt ist.«

Nach einer einläßlichen Betrachtung der außenpolitischen Lage fuhr Severin fort: »... diese blutigen Wirren auf dem Balkan und die damit verbundene politische Kraftprobe der zwei großen europäischen Interessentengruppen haben das Gespenst eines gewaltigen Krieges heraufbeschworen. Der Dreibund hat erreicht, was er erreichen wollte, während die Tripelentente eine empfindliche Niederlage erlitt. Die unmittelbare Folge davon war jene gegenseitige großartige Steigerung der Rüstungen, die der Sozialdemokratie so sehr auf die Nerven geht. Die Großmächte stehen heute bis an die Zähne bewaffnet da; ihre Rüstungsausgaben haben horrende Summen erreicht, die man sich vor wenigen Jahren noch nicht einmal träumen ließ. Das ist für alle Zaghaften und Unentschiedenen ein ungemütlicher Zustand. Die Stellung, die man vielfach auch bei uns dieser Lage gegenüber einnimmt, mag der ehrlichen Sorge um unser Land entspringen, das geben wir gern zu. Und wenn in unserm eigenen Lager, in unsern Parteiorganen, im Tone der Verurteilung, ja des Abscheus davon gesprochen wird, so mag auch dies seinen menschlichen Grund haben. Wir alle wollen ja den Frieden. Aber Gott behüte uns vor einem schlaffen und schläfrigen Frieden. Die Spannung, in der sich die Völker jetzt befinden, ist ein Lebenselement, das dem Aufstieg nur förderlich sein kann. Das eine Beispiel, Deutschlands Macht und Größe, sollte uns doch die Augen öffnen. Eine ungeheuer straffe Organisation und Konzentration hat das deutsche Volk zu einer Kraftentfaltung ohnegleichen geführt. Und wenn es zum Krieg kommen sollte, was wir nicht glauben, – sind nicht Völker durch Kriege groß geworden? Vergessen wir doch die Geschichte nicht! Wir bedauern das Unglück auch, das ein Krieg im Gefolge haben kann, aber wir sind nicht sentimental genug, um gegen notwendige Entscheidungen zu protestieren...«

Paul warf die Zeitung grinsend auf den Tisch.

»Gelesen?« fragte Schmid.

»Ja... merkwürdig! Seit wann gibt es denn solche Demokraten? Die ältern Herren sind doch so friedlich gesinnt! Hm... jaja, die deutsche Zucht... Nur schade, daß Severin nicht unter einem preußischen Feldweibel Dienst machen darf...«

»Ja, wie ist das, macht er überhaupt Dienst?« fragte Schmid. »Ich hab' ihn noch nie in Uniform gesehen... er muß doch mindestens Hauptmann sein?«

»Nein, er hat einen zu dicken Hals, Struma... man sieht's ihm kaum an, aber... er ist untauglich.«

Erwin Schmid war ein dreißigjähriger Mann von mittlerer Größe, mit leicht gewelltem, vollem Haar, das er manchmal gewohnheitsmäßig und etwas nervös nach hinten strich, mit einem blassen, wachen Gesicht und mit magern Händen, die an den Spitzen des Zeige- und des Mittelfingers die jodfarbenen Spuren ungezählter Zigarettenreste trugen, das einzig Unsaubere am ganzen Mann. Seine Stimme schien immer leicht belegt, auf jeden Fall war sie klanglos, dazu sprach er hastig, leise, und oft durch einen kurzen Anfall von Heiserkeit oder Husten behindert, was ihn nicht abhielt, weiterzurauchen. Er war einer jener Journalisten, die über eine Theateraufführung ebenso flüssig zu schreiben wissen wie über eine neue Maschine oder einen Gesetzentwurf, nicht weil sie mehr davon verstehen als andere Sterbliche, sondern weil sie eine Schreibgewandtheit besitzen, die keiner menschlichen oder sachlichen Voraussetzungen mehr zu bedürfen scheint.

Severin hielt von seinem Kollegen nicht viel mehr als ein Baumeister von einem geschickten, etwas flatterhaften Handlanger. Schmid seinerseits hielt Severins Art für laienhaft, trocken und langweilig, er war überzeugt, daß kein Mensch das Blatt lesen würde ohne den interessanten und schmissigen Zug, den er ihm täglich zu verleihen bestrebt war.

Nach Neujahr begann Severin sich mit der Erziehung seines Bruders ernstlicher zu befassen. Eines Nachmittags kam er mit dem feuchten Abzug einer für die folgende Nummer bereits gesetzten Seite aus seinem Büro herüber. Er kam aus einer saubern, musterhaft geordneten Schreibstube, in der alles seinen genau bestimmten Platz hatte, und wich unter der Tür wie gewöhnlich vor dem Rauch, der Schmids Bude erfüllte, ein wenig zurück. »Puh!« machte er angewidert. »Es ist mir unbegreiflich, wie man hier atmen kann... Paul, deine Buchbesprechung da können wir in dieser Form nicht bringen. Der Roman mag ja schlecht sein, aber... der Verfasser ist ein sehr eifriges Parteimitglied. Wir müssen Rücksicht nehmen... Jaja, du kannst nun lachen«, fuhr er im selben ruhigen und festen Tone fort, als Paul höhnisch mitleidig vor sich hin zu lachen begann, »aber du bist im Irrtum, mein Lieber! Die Arbeit dieses Mannes für unsere Sache ist wichtiger als seine Schriftstellerei. Ich verlange nicht, daß du dein Urteil änderst, aber ich muß eine andere Besprechung bringen. Ferner, weil wir bei diesem Thema sind... der Inseratenchef hat reklamiert, die Kinos geben keine Inserate mehr auf, wenn wir jeden Film herunterreißen...«

Jetzt fuhr Paul auf. »Bitte, sieh dir diesen Kitsch doch selber an!« rief er ärgerlich.

»Zugegeben, jedoch... wir sind leider auf die Einnahmen aus dem Inseratenteil angewiesen... sehr bedauerlich! Aber man kann etwas verurteilen, ohne in deinen Ton zu fallen. Herr Schmid, sorgen Sie doch bitte dafür, daß wir künftig...«

Schmid, die rauchende Zigarette in der erhobenen Linken, drehte sich auf seinem Stuhl halbwegs herum, ohne den Stift vom Blatt zu nehmen, das er korrigierte, nickte hastig, mit einem leisen Lächeln, und wandte sich sofort wieder seiner Arbeit zu.

»Und dann möchte ich wirklich, daß im lokalen Teil etwas mehr geschähe«, fuhr Severin fort. »Wir haben ja schon darüber gesprochen, nicht wahr... Wir sollten unbedingt in jedem Stadtteil einen zuverlässigen Gewährsmann haben...«

Schmid legte den Stift weg, drehte sich auf dem Stuhl herum und nahm eine sehr nachlässige Haltung an, hörte aber ernsthaft zu; die Beine weit auseinandergestellt, die Ellbogen auf den Knien, saß er vornübergebeugt da, blickte bald seine Zigarette, bald von unten her Severin an und blies sich immer wieder nachdenklich den Rauch unter die Nase. Paul saß auf der Stuhlkante, den Rücken tief angelehnt, die Beine ausgestreckt, eine spielerisch bewegte Zigarette zwischen den Lippen, durch deren gekräuseltes Rauchsäulchen er den Bruder kühl anblinzelte.

Severin stand in dem grauen Leinenkittel, den er zur Arbeit trug, aufrecht zwischen ihnen und ließ sich durch ihren Mangel an Haltung, der ihm ebenso mißfiel wie der zunehmende Rauch und die herrschende Unordnung, in seinen klaren und bestimmten Ausführungen nicht beirren. »Wenn in der Stadt irgendwas passiert, soll sich Paul gelegentlich auch selber hinbemühen, das kann ihm gar nichts schaden«, fuhr er fort, während er die strengblickenden, klugen, dunklen Augen abwechselnd auf Schmid und seinen Bruder richtete.

Schmid stimmte dann und wann zu, indem er schweigend nickte oder ein bereitwilliges »Jaja«, ein »Kann man machen«, ein »Warum nicht« hören ließ, als ob es sich um das denkbar Einfachste handelte.

Nachdem Severin mit einem kräftigen, die Angelegenheit endgültig beschließenden »Schön!« sich ohne einen Schimmer von Freundlichkeit zurückgezogen hatte, verharrten die beiden regungslos in derselben Haltung und blickten sich mit nachdenklich heiterer Miene belustigt an.

In der Folge wurde im lokalen Teil etwas mehr geleistet, aber Paul versagte als Reporter. Eines Tages zum Beispiel brachte das Blatt eine ausführliche Polizeinachricht vom Einbruch in ein Kleidergeschäft.

»Darüber müssen wir morgen noch etwas bringen«, sagte Schmid. »Bitte, gehen Sie doch rasch hin, und dann machen Sie ein hübsches kleines Artikelchen!«

Paul ging hin, kaufte sich anstandshalber eine Krawatte, stellte seine Fragen und sah sich um, dann kam er mit dem Bescheid zurück, daß die Polizeinachricht schon alles enthalten habe, was geschehen sei.

»Macht nichts, schreiben Sie etwas!« sagte Schmid.

Paul grinste lautlos, doch er war schon erfahren genug, um zu wissen, daß man mit der Feder aus nichts etwas machen kann, und so versuchte er es denn.

»Haben Sie's?« fragte Schmid nach einer halben Stunde.

Aber Paul, der sein mühsam aus den Fingern gesogenes Aufsätzchen eben noch einmal durchlesen hatte, zerknitterte die Blätter entschlossen und warf sie in den Papierkorb. »Ach, es ist Mist!« sagte er ärgerlich.

»Nein, nein, halt, zeigen Sie her!« rief Schmid belustigt, nahm den Knäuel wieder heraus, glättete die Blätter und las sie. »Ja, das ist zu umständlich«, sagte er lächelnd. »Die reinste Moralphilosophie! Hm... schadet nichts!« Er stellte noch ein paar Fragen und erklärte dann freundlich, während er bereits zu schreiben begann: »Schön, ich will's machen.«

Abends las dann Paul im Abzug der ersten Seite erstaunt eine ausführliche Schilderung des Einbruchs, die neben nähern Angaben über die Örtlichkeit das schon Bekannte mit so gewandten neuen Wendungen wiederholte, daß man auch tatsächlich etwas Neues zu lesen glaubte.

So schritt seine journalistische Erziehung munter fort, und er unterzog sich ihr, schwankend zwischen der Hoffnung, schließlich doch seinen eigenen Plan durchsetzen zu können, und der Versuchung, die Feder hohnlächelnd hinzuwerfen.

12

Gertrud Hartmann stand mit ärgerlicher Miene am Telefon. »Aber Mama, ich hab' dir doch gesagt...«

»Und wir machen es jetzt so!« erklärte Frau Barbara mit aller Entschiedenheit. »Severin und Gaston bringen zum Nachtessen ihre Frauen mit, und du kommst mit deinem Mann, nachher könnt ihr musizieren, und wer dann gehen will, kann wieder gehen... übermorgen!«

»Aber Mama, wenn du doch nicht die ganze Gesellschaft zusammenbringst, seh' ich gar nicht ein...«

»Wir haben eine Woche lang darüber gestritten, nicht wahr, und jetzt finden wir halt, daß es so am besten geht.

Wirf mir nicht wieder alles über den Haufen, sonst könnt ihr meinetwegen...«

»Hör' Mama, ich komme rasch hinüber... auf Wiedersehen!« Gertrud hing den Hörer entschlossen an, sah nach den Kindern, die auf der Terrasse an der Sonne schliefen, gab dem Mädchen ihre Anweisungen und machte sich auf den Weg.

Es war Mitte März, vor zwei Tagen hatte es noch geschneit, in den Gärten ruhte unverändert die harte Wintererde, und die Bäume waren kahl wie im Januar; dennoch lag jetzt ein warmer, klarer Frühlingstag über der Stadt, der Schnee war geschmolzen, der leicht erregte See schimmerte bläulich grün, und dahinter in der südlichen Ferne erschien unter dem blauen Himmel die fleckenlos weiße Kette der tiefverschneiten Alpen. »Föhn!« dachte Gertrud, als sie über die Quaibrücke schritt, verzögerte den Gang ein wenig und schaute nach den Bergen; dabei stieß sie fast mit einem Bummler zusammen und schlug sofort wieder ihre gewohnte Gangart an.

Sie wanderte mit ihren ausgiebigen, freien, leicht federnden Schritten weiter dem See entlang. Dieses bloße Schreiten war ihr eine Lust, und der schöne Tag, der den trüben Winter zwar nach allen Erfahrungen nicht beendete, aber endlich den Frühling sichtbar verhieß, machte sie heiter. »Wenn es doch immer so wäre!« dachte sie aufatmend. »Wenn man doch immer so frei und ledig wandern könnte, fort von allem, in die schöne Welt hinaus!« Aber sogleich fielen ihr die Kinder ein, die daheim auf der Terrasse schliefen, und mit den Kindern tauchte der ganze Lebenskreis auf, in den sie verflochten war. Sie würde ihm niemals entrinnen können, die Menschen schleppten ja alle ihren Alltag, ihre Beziehungen, ihren Besitz und ihre Stellung wie Blei an den Füßen mit. Es gab nur eine innere Freiheit, die äußere mußte eine Sehnsucht bleiben und war oft nicht einmal ein ernstlicher Wunsch. Sie wünschte wohl, mit beiden Kindern, eins im rechten, eins im linken Arm, ungebunden fortzuwandern und eine neue Luft zu atmen, aber sie würde doch nicht alles aufgeben können. Den gesicherten Verhältnissen, den Gewohnheiten ihres gepflegten Lebens, dieser Stadt, die sie allen Städten der Welt vorzog, und schließlich den Eltern würde sie wohl niemals davonlaufen wollen.

Ohne anzuhalten schaute sie erfreut den Möwen zu, von denen einige bettelnd über der Quaimauer flatterten oder sich leichtfüßig auf der Mauer niederließen, die Flügel ordneten und aufmerksam herumblickten, während andere hoch über dem Wasser in der klaren Luft mit mühelosem Schwunge kreuzten.

»Wenn ich kein Mensch sein müßte, möchte ich eine Möwe sein, nur um so herrlich fliegen zu können«, dachte sie. »Der Mensch ist und bleibt ein schwerfälliges Wesen, auch wenn er das Leben noch so meistert. Was ist doch Mama für eine überlegene, selbständige Person, aber wie ist sie an alles gebunden und wie quält sie sich jetzt wieder!«

Während sie vom Seeufer abbog, begann sie über Mamas Plan nachzudenken und überlegte, ob es nicht auf eine andere Art ginge. Mama wollte vor der Übersiedlung in die Mietswohnung noch einmal die Ammannsche Verwandtschaft in den alten Räumen versammeln. Die Einladung war bedacht und ausführlich besprochen worden, aber dabei hatte sich gezeigt, daß diese Verwandtschaft kaum mehr unter ein Dach zu bringen war. Die persönlichen Anlagen und Eigenheiten ihrer Mitglieder hatten sich im Lauf der Jahre unmerklich verstärkt. Da war die Verwandtschaft im Rusgrund mit ihrem Oberhaupt Onkel Robert, einem noch halb bäuerischen Landwirt, der auch in einem städtischen Salon den Rock auszog, wenn es ihm paßte, und der mit einem vornehmen, auf Haltung so erpichten Offizier wie

Hartmann nur schwer in Einklang zu bringen war. Ferner hatte der kultivierte, stille Professor Junod mit Onkel Robert gar nichts gemein, so wenig übrigens, wie mit Frau Barbaras Bruder, dem Oberstdivisionär Boßhart, der sich bei geselligen Anlässen höchstens langweilte, wenn er nicht gifteln oder trinken konnte. Eine größere Anzahl guter Flaschen würde zwar die männlichen Gegensätze gegen Mitternacht vielleicht aufzutauen vermögen, aber dann blieben immer noch die Frauen, und außerdem war der Hausfrau das Mittel unsympathisch. Zudem würde Paul sich wahrscheinlich drücken, vielleicht auch Fred, der in Gesellschaften mit merkwürdig feinem Gefühl das Unechte und Gezwungene spürte. Am ehesten konnte noch Severin bestehen; mit seiner Frau hingegen ließ sich wenig anfangen. Papa und Mama selber nahmen eine gewisse humane Mitte ein und wären wohl imstande gewesen, ohne Verstellung nach allen Seiten hin anzuknüpfen, aber offenbar hatten sich nun zu ihrem Ärger die Widerstände stärker erwiesen als ihr guter Wille.

Gertrud war in dieser Beziehung unbedenklicher als die Mutter, sie hätte ohne weiteres die ganze Verwandtschaft eingeladen und mit einem gewissen Trotz den Sieg des gesellig Anständigen über alles persönlich Trennende erwartet; als sie aber im Wohnzimmer neben Mama saß und von neuen Schwierigkeiten erfuhr, verzichtete sie achselzuckend auf eigene Ratschläge.

»Es ist immer dieselbe Geschichte, geh mir weg!« rief Mama mißgelaunt. »Man bringt heute vor lauter Empfindlichkeiten und Rücksichten kein halbes Dutzend Leute mehr zusammen. Übrigens...« Sie fuhr, den Kopf schüttelnd, etwas leiser fort: »... die andern sind nicht allein schuld... mein Bruder wäre gekommen, dafür hätt' ich gesorgt... aber Papa hat etwas gegen ihn, etwas Militärisches, denk' ich, und jetzt... ach, ich mag gar nicht mehr davon reden.

Die Männer sind in dieser Beziehung um kein Haar besser als wir.«

»Ach herrjeh, Mama!« rief Gertrud heiter zustimmend.

»Jetzt, nicht wahr«, fuhr Frau Barbara lebhaft fort, »trommelt halt Paul einfach das Quartett oder Quintett zusammen, und weil es das letztemal ist, daß ihr hier spielen könnt, verbinden wir es mit einem Nachtessen, und dazu bringt jedes seine andere Hälfte mit...«

»So ist die Musik doch auch einmal für etwas gut!« rief Gertrud mit betonter Befriedigung und im kindlichen Tonfall, in den sie der Mutter gegenüber zum Spaß noch manchmal verfiel.

Frau Barbara, die ihrer Tochter schon mehr als einmal geraten hatte, wieder zu reiten und Tennis zu spielen wie früher, statt immer am Klavier zu sitzen und Bücher zu lesen, überhörte die Anspielung geflissentlich. »Vielleicht kann ich dann die Rusgrund-Verwandten am andern oder übernächsten Tag noch einladen«, fuhr sie fort. »Schuldig wären wir's ihnen, Fred fährt ja fast jeden freien Tag hinauf... aber ich weiß es noch nicht, es wird zuletzt wohl eine Hetzerei geben... vorläufig bleibt's beim andern. Und dann bringt Paul auch seinen Freund zum Nachtessen mit, den Herrn Pfister...«

»So? Ja, das scheint ein netter Kerl zu sein, nicht? Ich habe seine Gedichte gelesen und möchte ihn ganz gern näher kennenlernen...«

»Was macht die Madame? Ist ihr das neue Mädchen noch nicht davongelaufen?« ›Madame‹ nannte Frau Barbara ironischerweise die alte Frau Hartmann, Gertruds Schwiegermutter, die mit schwer erträglichen Eigenheiten im Hartmannschen Hause den zweiten Stock bewohnte.

»Ach, was macht sie! Kürzlich hat sie einen Nachmittag lang gejammert, weil die Putzfrau statt am Samstag erst am Montag kommen konnte... und dabei gab es ja natürlich in der ganzen Wohnung kein Stäubchen, das sie nicht schon selber entdeckt und durch das Zimmermädchen hatte wegputzen lassen. Ich geh' lieber gar nicht mehr hinauf, wenn ich nicht muß.«

Sie plauderten noch eine Weile um den Punkt herum, der Gertrud hergeführt hatte. Seit jenem Auftritt im Hartmannschen Hause, wo die Mutter am unrichtigen Ort auf ein Bett gestoßen war, hatten sie über das eheliche Mißverhältnis nicht mehr ernstlich gesprochen. Frau Barbara hatte sich mit Andeutungen begnügen müssen und daraus entnommen, daß zwischen Gertrud und ihrem Mann zwar kein offener Krieg, aber auch kein Frieden herrsche, sondern eine Art von Waffenstillstand. Dies war nach ihrer Meinung »gar nichts« und konnte höchstens zu gegenseitiger Gleichgültigkeit führen, was noch weniger war, während doch nur eine endgültige Versöhnung in Frage kam. Diese Versöhnung wünschte sie leidenschaftlich herbei, sie glaubte fest an ihre Möglichkeit und war entschlossen, die Vermittlung zu übernehmen, wenn die beiden es nicht selber fertig brachten. Der gesellige Abend nun konnte ihr eine Gelegenheit dazu bieten, jedenfalls würde sie die Entzweiten wieder einmal nebeneinander vor sich haben.

Gertrud war sich über diese Absicht Mamas völlig klar, und sie merkte auch, daß Mama aus eigenem Antrieb jetzt nichts mehr davon antönen würde, weil sie es ja überhaupt nicht in Frage gestellt zu haben wünschte. So mußte sie denn selber den heiklen Punkt noch einmal berühren, doch tat sie es erst beim Aufbruch und auch dann nur vorsichtig aus dem Hinterhalt: »Ich komme dann etwas früher, Mama, dann kann ich dir noch ein wenig helfen, gelt!«

»Was, früher! Ich habe Hilfe genug. Ihr kommt beide miteinander auf sieben Uhr!«

»Mama... höre, ich weiß wirklich nicht, was mein Mann dabei...«

»Ich will nichts mehr davon hören, fertig jetzt, adieu!« Frau Barbara schob ihre Tochter kurzerhand auf die Treppe, verhielt sich mit beiden Händen die Ohren und kehrte in die Stube zurück.

Gertrud blieb verdrossen auf der Treppe stehen, dann ging sie zögernd hinab, durchwandelte den Garten, in dem sie jedes Winkelchen kannte und liebte, gab sich dem vertrauten Anblick des Hauses hin, in dem sie aufgewachsen war, und spürte, daß sie noch immer mit ganzer Seele daran hing. Es war ein Stück ihres »Reiches«, ihres ganz persönlichen innern Reiches, zu dem ihr Mann keinen Zutritt fand; bald, wenn das Haus in Schutt und Staub zusammenbrach, würde sie trauern wie um den Verlust eines geliebten Wesens. Was hatte ihr Mann hier zu tun, da es galt, im Kreise der Angehörigen davon Abschied zu nehmen!

Zu Hause verbrachte Gertrud den Rest des Nachmittags mit den Kindern im Freien, beförderte nach Sonnenuntergang die Kleine ins Bett und wechselte im Wohnzimmer dem Knaben die weiße Wolljacke. »Aber Schatz, was bisch du für es Drecksöili, lueg au da!« sagte sie liebevoll scheltend und zeigte ihm die Ärmel, die er sich draußen beschmutzt hatte.

In diesem Augenblick, kurz vor dem Nachtessen, hörte sie die Haustür zufallen und ihren Mann im Erdgeschoß den Gang durchschreiten. Sie würde ihn an seinem lässig taktmäßigen, fest auftretenden Schritte unter Hunderten erkannt haben. Auf der Treppe ließ er, wie sie es erwartete, die Spitze der Säbelscheide zwei-, dreimal gegen die Stufen klopfen, dann schritt er etwas gemächlicher, doch immer noch genau so fest auftretend, zum Garderobenständer; jetzt hing er den Säbel auf und stülpte mit einem leichten

Schlag die Mütze darüber, jetzt stand er vor der Tür, zog sich auf beiden Seiten die Bluse herunter und drehte im engen Kragen kurz den Hals hin und her. Sie sah ihn vor sich, noch eh er eintrat, sie kannte die geringste seiner Bewegungen und wußte voraus, wie er sich nun beim Eintritt verhalten würde.

Er trat ein, ein großer, kräftig schlanker Mann von dreiundvierzig Jahren, in dunkler Reithose, tadellos sitzenden Stiefeln und eng anliegender blauer Uniformbluse, mit einem gesunden, von Luft und Sonne gebräunten Gesicht, dessen Ausdruck in seiner Mischung von sportlicher Derbheit, herrischer Kühle und männlicher Intelligenz nicht nur von guter Abkunft, sondern von wirklicher Rasse zeugte. Mit einem leisen, überlegenen, ironisch forschenden Lächeln näherte er sich gelassen seiner Frau, nickte leicht, als er ihre gleichgültige Miene gewahrte, und lachte dem Albrechtli zu, der ihm entgegenlief.

»Pape, i ha schon en Sumervogel gseh«, plauderte der Kleine lebhaft und schloß sein Fäustchen fest um den Karabiner des Säbeltragriemens, der von Papas linker Hüfte herabhing.

»Soo?« machte Papa teilnehmend und strich ihm über das dunkelblonde Haar, dann fragte er schon etwas gleichgültiger, während er beiseiteblickend die eingegangenen Briefe und Zeitungen musterte: »Ja und dänn? Häsch en gfange?« Ohne sich um die Antwort zu kümmern, nahm er am Tische Platz, ließ den Knaben, der den Tragriemen nicht freigab, auf seinem Knie reiten und entfaltete eine Zeitung.

Gertrud ging schweigend hinaus. Sie suchte immer von neuem, ihren Widerwillen gegen diesen Mann zu unterdrücken und hoffte jedesmal irgendeine freundliche Änderung an ihm wahrzunehmen, aber bei seinem Anblick fühlte sie sich unweigerlich immer wieder abgestoßen. Sie gab sich Mühe, ihn nur von seiner besten Seite zu sehen, weil sie friedlich mit ihm auskommen wollte, aber sie bemerkte mit einer Schärfe, die ihr selber nicht geheuer vorkam, seinen hintersten Fehler, ja sie wurde gegen ihren guten Willen schon durch Nichtigkeiten gereizt, an denen er, wie sie genau wußte, unschuldig war. Das ironisch-überlegene Lächeln, das seine schmalen, kühlen Augen besonders dann umspielte, wenn sie ihre Abneigung nicht zu verbergen wußte, und die beständige unerschütterliche Sicherheit seines Auftretens empörten sie. Nach den peinlichsten Vorfällen benahm er sich so, als ob alles in Ordnung wäre, und nie zeigte er vor ihr die geringste Verlegenheit, auch wenn er unmittelbar Grund dazu hatte. Oft wünschte sie, ihn richtig böse zu sehen, ihn schimpfen und fluchen zu hören, aber er beherrschte sich, und dieser Beherrschung gegenüber war sie machtlos.

Hartmann hatte bei seinem Eintritt auf den ersten Blick erkannt, daß Gertruds »Verstimmung« nicht gewichen war, und infolgedessen hatte auch er die Haltung nicht geändert, die er seiner Frau gegenüber seit Monaten einnahm. Über den eigentlichen Grund dieser Verstimmung war er sich nicht klar. Nach seiner Meinung hing sie mit Gertruds gegenwärtiger Vorliebe für Dinge und Anschauungen zusammen, zu denen er kein Verhältnis gewinnen konnte, für das »Innenleben«, für Musik, schöngeistige Bücher, Gedichte. In einer der selten gewordenen Aussprachen hatte sie erklärt, daß sie ihm nicht entgegen zu kommen vermöge, wenn er so gar keine Beziehung zu ihrem innern Leben finde, und daß der Weg zu ihr nicht über den Körper, sondern über die Seele führe. »Warum versuchst du nicht wenigstens, mich zu verstehen? Du hast keine Ahnung, wie es in mir drin aussieht, du lebst in deinem alten Tramp weiter, und ich kann verhungern neben dir.« Das waren ihre Worte gewesen, ziemlich dunkle und etwas prätentiöse Worte. Er hielt das für eine Laune, für eine Art von persönlicher

Mode. Das einzig Rätselhafte daran schien ihm ihre dauernd und hartnäckig verstimmende Wirkung, im übrigen aber waren Launen eine allgemein weibliche Schwäche, gegen die man mit Vernunft und Logik nichts ausrichten konnte. Schließlich mußte dies alles ein Ende nehmen oder doch seine Vorherrschaft verlieren, und dann würde Gertrud wieder mit ihm ausreiten, an Pferden und Hunden Freude haben, Rennen besuchen und die forsche, frische Frau sein, für die er sie im Grunde hielt. Er war entschlossen, bis dahin auszuharren, sich keine Blöße zu geben, der Sache nicht mehr Gewicht zu verleihen als sie besaß und, die »kritischen Augenblicke« ausgenommen, Gertrud ruhig ihrer Laune zu überlassen.

Beim Nachtessen, während sie sich wie immer mit dem Kleinen beschäftigte, saß er in seiner gewohnten Haltung, die ihm auch zu Hause keine Nachlässigkeit erlaubte, an der obern Schmalseite und richtete bald ein mahnendes Wort an Albrechtli, bald ein höfliches an seine Frau.

Gertrud sah ihn, ohne besonders nach ihm hin zu blicken, sie sah, wie er sich mit der breiten Brust in der eng anliegenden Bluse leicht nach vorn neigte und sorgfältig einen Bissen zum Munde führte, sie sah sein gesundes, sicheres, im Lampenschein rötlich braun schimmerndes Gesicht, das auch jetzt mit keiner Miene die Unerträglichkeit dieser Lage zugestand, und sie blieb kalt wie immer. Heimlich wünschte sie wohl, daß er mit der Demut des Leidenden, die das heillose Zerwürfnis ihn doch gelehrt haben müßte, ihre Hand ergreifen und sagen würde, daß er es nicht länger ertrage und daß er versuchen wolle, sie zu verstehen. Aber sie wußte, daß er höchstens auf eine unverschämt mannhafte Art zärtlich werden konnte, um etwas zu erlangen, was ihm nicht zukam, aber niemals imstande war, mit jenem menschlichen Zugeständnis ihr Inneres anzurufen.

»Iß jetzt, Schatzi, gäll!« mahnte sie den Kleinen, dessen

Gegenwart bei Tisch ihr die gemeinsamen Mahlzeiten allein noch erträglich machte.

Albrechtli löffelte etwas eifriger in seinem Brei, aber da er genug hatte, begann er bald wieder gruchsend hin und her zu rutschen, faßte den Löffel falsch an und schielte zum Papa hinüber.

»Männchen! Stillsitzen und ausessen!« rief Hartmann in einem scherzhaften hochdeutschen Befehlston.

Gertrud fand das lächerlich, und als er ihr gleich darauf mit der Frage »Butter?« höflich die Schale anbot, nahm sie daran Anstoß, daß er nicht das schweizerdeutsche Wort »Anke« brauchte. »Er verfälscht alles, es ist alles gemacht an ihm, seine Haltung, sein Standesbewußtsein, seine Ausdrücke, er ist nicht einmal mehr ein rechter Schweizer.« Daß eben diese Haltung ihr einst Eindruck gemacht hatte, davon wußte sie nichts mehr.

Als er sich vom Tische erhob, klingelte sie dem Mädchen, und als er zur Türe schritt, sagte sie gleichgültig: »Du bist dann auf übermorgen bei Mama zum Nachtessen eingeladen.«

Er hielt an und richtete einen erstaunt fragenden Seitenblick auf seine Frau.

»Wir spielen Quintett, nicht wahr«, erklärte sie, um einen Ton zu heftig. »Severin und Professor Junod bringen ihre Frauen zum Nachtessen mit... und dann kommt noch ein Herr Pfister... nachher spielen wir bis mindestens um elf Uhr.«

»Hm... was habe ich dabei zu tun?« fragte er, unwillig über diese offenbar nur halbe Auskunft, und schüttelte knapp den Kopf.

»Mach ganz wie du willst, es zwingt dich niemand!« antwortete sie achselzuckend und hob den Knaben vom Stuhl.

»Ich würde mich schwerlich zwingen lassen«, erwiderte

er. »Aber das dürfte etwas anders gemeint sein, vermute ich. Wegen der Musik wird Mama mich nicht einladen...«

Das Mädchen kam, um das Geschirr abzuräumen. Hartmann wartete, auf- und abgehend, bis es fertig war, dann trat er vor Gertrud hin, die Hände in den Seitentaschen der Bluse, und erklärte mit spöttischer Ruhe: »Schön, wir werden übermorgen zusammen hinfahren.«

Sie wandte sich schweigend von ihm ab und begann ein paar Dinge vom Eßtisch zu versorgen, während er gelassen hinausging.

13

Frau Barbara wollte ihre Gäste nicht, wie es üblich war, vor dem Essen im Salon einpferchen, um sie dort ohne rechten Anschluß unter gezwungenen Gesprächen auf den Ruf zu Tische wie auf eine Erlösung warten zu lassen, sondern sie hatte von Anfang an die Tür zum Eßzimmer weit geöffnet, auf dem Büffet hinter der festlich gedeckten Tafel für die Herren eine Reihe von Schnäpsen bereitgestellt und Fred mit der Bedienung beauftragt. Fred stand nun verschmitzt lächelnd vor diesen Flaschen und schien die Veranstaltung nicht besonders ernst nehmen zu wollen. Den ersten zwei Herren, die sich von ihm ein Gläschen einschenken ließen, Paul und Albin Pfister, stellte er sich als Barmaid vor und riet ihnen zu unmöglichen Cocktails, dann benutzte er eine Serviette als Schurz und begann den Ruf nachzuahmen, der in Bahnhöfen den Zügen entlang erschallt. »Büffet!« rief er mit verstellter, hoher Stimme und blickte in den Salon hinein, wo sich die kleine Gesellschaft nach den ersten Begrüßungen noch unentschieden durcheinander bewegte.

Oberstleutnant Hartmann trat dort, nachdem er seine Runde beendet hatte, lächelnd wieder zu seinem Schwiegervater. Er trug zur schwarzen Gehhose den dunklen Waffenrock mit den zwei schimmernden Knopfreihen und dem roten Kragen, der mit dem winzigen weißen Saum des darunter verborgenen Leinenkragens seinen gebräunten Hals hoch und eng umschloß. Mit einem leisen, freundlich ironischen Lächeln trat er auf Ammann zu.

Ammann, seit Neujahr sein Vorgesetzter, blickte ihm mit einem ähnlichen Lächeln entgegen, dessen Ironie freilich an Spott grenzte, da ihn sein höherer Grad der Rücksicht enthob, die Hartmann dem Brigadier immerhin schuldete. »Du bist ein eleganter Kerl«, sagte dies Lächeln, »ein Berufssoldat, ein schneidiger Offizier, während ich in deinen Augen nur ein militärischer Laie und heraufgekommener Bürger bin, aber bilde dir ja nicht ein, mein Lieber, daß die militärische Tätigkeit und das Führertalent mit der Eleganz, dem Schneid und dem Beruf zusammenhängen; indessen fühle ich mich durch deinen Hochmut nicht betupft, er läßt mich im Gegenteil völlig kalt, und außerdem bin ich überlegen genug, deine wirklichen guten Eigenschaften anzuerkennen.«

Hartmann las dies alles im Gesicht seines Vorgesetzten und seine eigene Miene enthielt schon die Antwort darauf. »Ich weiß, daß du so über mich denkst«, sagte diese Miene, »und es tut mir leid, daß du ein so dicker, schwerfälliger Kerl bist, daß ich dir den Beruf und manches andere voraushabe, und daß du dich deshalb ein wenig verteidigen mußt, aber ich kann mich nicht ändern, lieber Schwiegerpapa, und im übrigen bin ja auch ich bereit, dich anzuerkennen.«

Während dieser stummen Auseinandersetzung wechselten sie ein paar scherzhafte Worte, und erst als sie auf eine städtische Angelegenheit zu sprechen kamen, begannen sie ernstlich und unbefangen miteinander zu reden.

In ihrer Nähe standen Severin und Professor Junod vor ihren Frauen, die sich nebeneinander auf das Sofa gesetzt hatten. Severin sprach mit seinem belehrenden Tonfall auf Junod ein, der mit schief gesenktem Kopf und emporgezogenen Brauen ungläubig lächelnd Severins breite Füße betrachtete. Die Frauen hörten einen Augenblick zu, dann setzten sie, noch eh er zu Ende war, ihr eigenes Gespräch über irgendeinen häuslichen Gegenstand fort.

Indessen führte Albin Pfister seinen Freund am Arm von den Schnäpsen weg zur nächsten Fensternische. »Wenn ich das vorausgesehen hätte, würdest du mich nicht erwischt haben«, sagte er mißmutig.

»Was, erwischt!« widersprach Paul. »Ich habe dir gesagt, du sollst bitte auch gleich zum Nachtessen kommen...«

»Das ist eine ausgewachsene Soiree, die Damen sind in Toilette, die Herren im Smoking. Ich bin der einzige, der keinen Smoking trägt, und du hättest wissen können, daß ich keinen habe.«

»Du mein Gott, das ist doch alles so furchtbar gleichgültig!« erwiderte Paul gequält, mit einer wegwerfenden Handbewegung.

Albin schwieg trübe lächelnd, er fühlte sich nicht verstanden und fand es daher sinnlos, länger zu streiten; als aber Paul fortfuhr, sich zu verteidigen und diese ganze Veranstaltung als Komödie zu bezeichnen, versuchte er noch einmal, sich begreiflich zu machen. »Gewiß, es ist an und für sich ganz gleichgültig«, sagte er ruhig. »Ein Smoking imponiert mir vielleicht noch weniger als dir. Aber ich bin gewohnt...«

»Gertrud, komm, hilf mir!« rief Paul seiner Schwester zu, die durch das Eßzimmer ging. Er nahm mit einer versöhnlichen Gebärde Albins Arm und erklärte, als Gertrud vor ihm stand: »Albin ist unglücklich, daß er keinen Smoking trägt, und läßt's mich entgelten, weil ich daran schuld bin. Bitte beurteile das Verbrechen!«

Albin empfing von Gertrud sofort wieder den Eindruck,

den er bei der Begrüßung empfangen hatte und den fast alle Menschen kannten, die mit ihr in Berührung kamen, den Eindruck einer frischen, offenen und warmherzigen jungen Frau, der man schon nach dem ersten kräftigen Händedruck Vertrauen und Sympathie unmöglich versagen kann.

»Ich bin nicht unglücklich«, erklärte er lächelnd und blickte in ihre freundlich teilnehmende Miene, »aber man soll sich den Formen einer Gesellschaft, in der man verkehren will, anpassen, sonst bleibt man besser zu Hause...«

»Aber«, warf Paul ein, »es wird dir hier doch kein Mensch übelnehmen, daß du...«

»Ja, gewiß, man wird Rücksicht nehmen, aber das ist es ja eben! Daß man gerade auf den Gast Rücksicht nehmen muß, der nicht zur Familie gehört, das ist für diesen Gast doch einigermaßen peinlich, oder er müßte in gesellschaftlicher Beziehung eine dicke Haut haben; ich habe aber eine dünne, leider, sonst käme ich vermutlich über die Nichtigkeit hinweg. Du hättest es mir beizeiten mitteilen müssen.«

»Das finde ich auch«, sagte Gertrud ernsthaft. »Herr Pfister hat ganz recht.«

Paul, der überzeugt gewesen war, daß Gertrud seinen Freund lachend beruhigen werde, blickte sie mit betontem Erstaunen an, dann verbeugte er sich plötzlich mit einem müde ergebenen Lächeln und schlenderte weg.

»Übrigens«, fuhr Gertrud fort, »in diesem Fall, glaube ich... Sie sind doch hier kein Fremder. Papa, Mama und meine Brüder kennen Sie so gut...«

»Ja... aber wir wollen nicht mehr davon reden, ich bin schon beruhigt, daß mich wenigstens jemand begreift...«

»Paul ist manchmal etwas unberechenbar«, sagte sie heiter verurteilend und wollte noch etwas hinzufügen, als beim Büffet eine laute Bewegung entstand. Fred schlug dort knallend die Absätze zusammen und meldete sich dem Oberstleutnant, der neben Ammann aus dem Salon herüberkam, mit gespannter Miene als Schnapswache an. Gertrud betrachtete ihn lachend.

»Unser neuer Regimentskommandant!« sagte Albin leise und blickte mit einem schwankenden Lächeln auf Hartmann.

»Sind Sie denn auch beim Militär?« fragte Gertrud.

Albin nickte bedauernd. »Übrigens nur als gewöhnlicher Füsilier«, sagte er. »Paul und ich gehören zur selben Kompagnie.«

»Merkwürdig! Ich kann Sie mir nicht bewaffnet vorstellen.«

»Soo...?« sagte er scherzhaft beleidigt.

»Ich meine...« erklärte sie heiter und ein wenig verlegen, »trotzdem Sie...«

Er kam ihr rasch zu Hilfe. »Ja, ich bin gesund und besitze den nötigen Brustumfang. Aber... es ist wirklich kein Vergnügen für mich.«

»Das kann ich mir denken!«

In diesem Augenblick bat Frau Barbara die Gesellschaft zu Tische, nicht allzu freundlich, eher mit der leicht besorgten Miene einer Hausfrau, die bis zuletzt an den Vorbereitungen zum Essen teilgenommen und gewiß noch etwas Ärgerliches erlebt hat. Sie trug ein unauffälliges dunkles Kleid und als einzigen Schmuck eine alte silberne Filigrankette im Halsausschnitt, aber das vornehm Würdige ihrer Erscheinung kam dabei vollkommen zum Ausdruck. Während sie mit kaum merklichen Hinweisen jedem der Gäste seinen Platz andeutete, bat Fred feierlich um seine Entlassung als Schnapswache und machte, nachdem er sich abgemeldet hatte, militärisch rechtsumkehrt. »Mach keine Faxen, Fred!« sagte sie halb unwillig, halb belustigt, und schob ihn zu seinem Stuhl.

»Man muß sich üben«, antwortete Fred, immer mit einer Spitze gegen Hartmann, der als scharfer Drillmeister bekannt war. »Es gibt ja nächstens Krieg, nicht wahr, und wenn wir die Drehungen nicht können, sind wir verloren.«

Diese Bemerkung entfachte sofort ein allgemeines, lebhaftes Gespräch, wie es zu dieser Zeit überall entstand, wo das Wort Krieg fiel. Man lebte im Frühling 1914, die Öffentlichkeit in ganz Europa wurde von der wachsenden Spannung offen oder heimlich ergriffen, und die Presse war voll von Gewitterzeichen. Dabei kam den meisten Menschen der Gedanke an die Möglichkeit eines »großen Weltkrieges« ungeheuerlich, ja verrückt vor. Die bürgerlichen Realpolitiker, die das Unheil fast mit offenen Augen kommen sahen, glaubten an keine Gefahr, sie waren trotz den wirtschaftlichen Nöten noch immer blind vor Stolz auf den Fortschritt und die Sicherheit ihrer Welt. Niemand freilich wäre imstande gewesen, die Katastrophe in ihrem ganzen Ausmaß vorherzusagen oder auch nur zu ahnen. Die Vorstellungen der Menschen vom »Krieg« waren noch durch die Erinnerung an 1870, an den Russisch-Japanischen und den jüngsten Krieg auf dem Balkan beherrscht.

»Ach, jedes zweite oder dritte Jahr einmal, solang ich mich erinnere, redet man davon, daß es Krieg geben werde«, sagte Klara, die Frau des Professors, nachdem schon die verschiedensten Ansichten geäußert worden waren. »Die Männer sind immer gleich Feuer und Flamme, aber... ich sehe nicht ein, warum es ausgerechnet dieses oder nächstes Jahr Krieg geben soll.« Sie war mit der lockeren Fülle ihres angegrauten Haares, den lebhaften Augen und ausgeglichenen Zügen eine noch immer schöne, an Gestalt ebenso stattliche Frau wie ihre Schwägerin, doch weniger herb, lässiger in der Haltung und im ganzen liebenswürdiger.

Ihrer friedlichen Meinung widersprachen sofort drei oder vier Stimmen, wobei Severins laute und klare Belehrung den Sieg davontrug. »Tatsache ist«, sagte Severin, »daß Rußland mit der Mobilisation begonnen hat. Ein Staat wie Rußland aber mobilisiert nicht zu seinem Vergnügen oder nur so probeweise, wie es allerdings behauptet wird, eine Riesenarmee. Und daß Deutschland zuschaut, bis es angegriffen wird, ist auch nicht denkbar.«

»Denkt über den Krieg, wie ihr wollt«, erklärte Frau Barbara, »aber mir will es nicht in den Kopf, daß in unserm Zeitalter noch zivilisierte Völker übereinander herfallen könnten.«

»Aber Mama«, widersprach Severin, »was meinst du denn, warum diese Völker Millionen um Millionen für Kriegsrüstungen ausgeben, und...«

»Die Völker? Ich denke die Regierungen!« warf Paul ein.

»... und warum zum Beispiel Frankreich jetzt die dreijährige Dienstzeit einführt, das zivilisierte Frankreich?« fuhr Severin fort, ohne Pauls Einwurf zu beachten.

In diesem Augenblick begann Professor Junod zu reden, der sich an der einen Schmalseite des Tisches bisher schweigend über seine Suppe gebeugt und sorgfältig Löffel um Löffel zwischen Spitzbart und Schnurrbart hineinbefördert hatte. »Frankreich kann nicht ruhig zusehen, wie man es in Berlin treibt, das ist ganz klar«, sagte er mit seiner trockenen Stimme so ungewohnt laut, daß alle hinsahen. »Frankreich befindet sich in der Verteidigung. Das französische Volk aber wird von sich aus niemals Krieg anfangen.«

»Jaa, Gaston...« rief Ammann von der anderen Schmalseite her zweifelnd und durch Junods Eifer belustigt, »ich weiß nicht... das Volk möchte für 1870 im Grunde doch Revanche haben...«

»Und nachher müssen die Deutschen wieder Revanche haben«, sagte Frau Barbara, ehe Junod antworten konnte, und bewegte entschieden den Kopf hin und her. »Ich finde es einfach unwürdig, daß man sich nicht friedlich verständigen kann.«

»Die Deutschen werden nach einem Kriege kaum in den Fall kommen, Revanche zu verlangen«, bemerkte Hartmann lächelnd.

»Ah voilà!« rief Junod mit einer knappen Handbewegung gegen den Oberstleutnant und schien nun fortan auf jede weitere Bemerkung verzichten zu wollen. Aber im nächsten Augenblick behauptete er, daß die angebliche russische Mobilisation von den Deutschen erfunden worden sei, die einen Vorwand für ihre eigenen militärischen Machenschaften brauchten.

»Aber Gaston!« rief Ammann ernsthaft. »Man gibt es ja in Rußland offen zu, daß mobilisiert wird. Die Verstärkungen der russischen Armee an den Westgrenzen haben nichts mehr mit Manöver zu tun; man baut die rückwärtigen Verbindungen aus, Eisenbahnen werden angelegt und so weiter... nein, nein, Erfindungen sind das nicht.«

»Es läßt sich in der Presse genau verfolgen«, sagte Severin mit einem Achselzucken. »Die ›Germania‹ hat vorgestern wieder klipp und klar erklärt, was jetzt in Rußland geschieht; die Meldung ist auch von unserer Agentur gebracht worden.«

»Übrigens«, fuhr Ammann fort, »was man von diesem Herrn Suchomlinow hört, dem russischen Kriegsminister, klingt deutlich genug. ›Wir sind bereit!‹ erklärt der Kriegsminister, und das russische Heer ist nach seiner Überzeugung ganz einfach unüberwindlich...«

Auf diese Art ging es noch eine Weile fort, aber schließlich kamen zwischen einzelnen Tischnachbarn wieder friedlichere Gegenstände zur Sprache. Ammann gab sich, strahlend vor Zufriedenheit, bei aller Teilnahme an der Unterhaltung doch in behaglicher Breite dem Genuß der guten Dinge hin, und gelegentlich, während er verständnisvoll kauend die mächtigen Kinnladen bewegte, nickte er seiner Frau anerkennend zu. Frau Barbara saß zur Rechten ihres

Mannes, oder vielmehr thronte sie dort, aufrecht, wachsam und immer bereit, das Gespräch zu lenken, dem Aufwartmädchen einen Wink zu geben, einen Gast zu ermuntern. Nichts entging ihr, und was sie besonders zu sehen wünschte, zeigte ihr der hohe, in einen schmalen Goldrahmen gefaßte Wandspiegel, dem sie schräg gegenüber saß. Gertrud, fand sie, brachte ihre Gestalt in dem einfachen blauen Abendkleid mit dem breiten, nicht sehr tiefen Ausschnitt anständig zur Geltung; dieser Ausschnitt entsprach ihren geraden, breiten Schultern, die zum kräftig schlanken, bestimmt ansetzenden Hals beinahe im rechten Winkel standen. So etwas durfte man zeigen. Das Haar trug sie wie immer in mäßig hohen, lockern Wellen, die beide Schläfen frei ließen. Sie sah hübsch aus neben ihrem Mann, der seinerseits jeden Vergleich aushielt, und zwar nicht nur hier. Mama war überzeugt, daß es in der ganzen Stadt Zürich ein so vornehmes, stattliches Paar nicht zum zweitenmal gab, und sie wäre zuversichtlich, ja glücklich gewesen, wenn sie die sichern Anzeichen des Unheils jetzt nicht mit eigenen Augen wahrgenommen hätte. Hartmann benahm sich hier seiner Frau gegenüber so liebenswürdig, wie man es nur wünschen konnte, aber Gertrud schien das kalt zu lassen, sie sprach mit ihm offenbar kein Wort mehr als nötig war. Auf ihrem sympathischen, nicht ganz vollkommenen Gesichte lag, durch ihre angeregte Lebhaftigkeit und das vielfach gespiegelte Licht hervorgerufen, ein lebendiger Glanz, der es schön machte, aber wenn sie ihrem Mann antworten mußte, wich dieser Glanz für Augenblicke einer kühlen Gleichgültigkeit. Sobald sie sich dann wieder mit Albin Pfister unterhielt, ihrem Nachbarn zur Rechten, strahlte sie vor liebenswürdiger Anteilnahme, ja vor Herzlichkeit.

Dies war immerhin kaum auffallend in einer Gesellschaft, die den Mangel an Liebenswürdigkeit zwischen Ehegatten mit der abstumpfenden Gewohnheit des täglichen Umganges aus eigener Erfahrung zu entschuldigen vermochte. Für die Mutter aber war es von schmerzender Deutlichkeit; sie fand Gertruds Benehmen unpassend und grollte beinahe auch diesem jungen Pfister noch, den sie als klugen, bescheidenen, durchaus ehrenhaften Mann kennengelernt hatte.

Der Abschluß befriedigte sie nicht, sie hatte mehr erwartet. Aber der eigentliche Grund ihrer Unzufriedenheit bestand in der Tatsache dieses Abschlusses selbst. Sie hatte gehofft, der gesellige Abend werde ihr darüber hinweghelfen, wie eine Leichenfeier dem Trauernden vom blinden Schmerz zur Einsicht in das allgemeine Gesetzmäßige seines Verlustes hinüberhilft; doch das Gegenteil war der Fall. Niemand erwähnte den Anlaß der Veranstaltung, obwohl jedermann wußte, daß in vierzehn Tagen das Haus erbarmungslos niedergerissen wurde. »Es ist ihnen gleichgültig, sie wissen, was wir dafür gelöst haben«, dachte sie. »Was aber in Wirklichkeit niedergerissen wird und was wir alles verlieren, das wissen sie nicht.«

Sie täuschte sich, es war ihnen nicht gleichgültig; das Bewußtsein, daß man hier in einem dem Untergang geweihten Hause zum Abschied um die gemeinsame Tafel versammelt war, lagerte vielmehr über der ganzen Runde, und am Ende, als Champagner eingeschenkt wurde, kam es denn auch zur Sprache. Professor Junod setzte zu einem kleinen Toast an, in dem er Frau Barbara als die Spenderin des festlichen Mahles ehrte und sie hochleben ließ als die Seele dieses Hauses, das nun wie eine überreife Schale von ihr abfallen werde. »Die Form zerfällt, wie alle Form«, schloß er, »aber der gute Geist, der sie beseelt hat, lebt unverändert weiter in der Herrin, die auch in Zukunft die Hausherrin sein wird.«

Bald nach ihm sagte Hartmann ein paar Worte; im Gegensatz zu Junod, der mit schüchtern verbindlichem Lächeln unter wiederholten leichten Verbeugungen sich während der ganzen Rede an Frau Barbara gewandt hatte, schaute er, ohne seine Haltung zu ändern, mit sachlich ernster Miene ungezwungen vor sich hin. »Das Haus Ammann«, fuhr er nach einer knappen Einleitung fort, »ist mir immer als eine Verkörperung des guten schweizerischen Bürgertums erschienen, zu dem wir schließlich alle gehören. Seine Tugenden haben sich in diesem Hause bewährt, und bewähren sich immer noch. Das Kleinbürgerliche, das ihm gelegentlich anhaftet, ist hier überwunden. Dieses Bürgertum ist heute der sichtbarste Ausdruck der Nation. Manche schweizerische Tradition ist im Absterben. Die Tradition unseres Bürgertums ist im Wachsen begriffen, sie hat die Zukunft für sich. Mehr kann man nicht haben wollen. In diesem Sinne trinke ich auf die Zukunft des Hauses Ammann.«

Frau Barbara spürte eine flüchtige Regung von Stolz, aber im Tiefern blieb sie unberührt. Sie dachte nicht daran, etwas zu verkörpern, sie hielt sich an die unmittelbare Wirklichkeit, in der sie lebte, und schaute diese Wirklichkeit viel nüchterner an als die fabelnden Männer. Das Gerede von zerfallender Form, von Zukunft und wachsender Tradition lenkte ihren Blick nicht vorwärts, sondern zurück, und statt von heiterer Zuversicht war sie von der trüben Ahnung erfüllt, daß hier eher etwas ende, eine Ammannsche Epoche sozusagen, eine glänzende Epoche, deren Fortsetzung auf jeden Fall problematisch geworden war. »Redet ihr nur, aber verkauft sind wir halt doch!« dachte sie.

Dagegen geriet Ammann selber in eine sehr gehobene Stimmung. Er konnte in diesem Augenblick seine Hochachtung vor Hartmann nicht verbergen. »Albrecht!« rief er schallend, mit strahlender Miene, schwenkte ihm weit ausladend das schäumend volle Glas entgegen und trank es auf einen Zug aus. Gleich darauf begann er zu reden, während ihm der Schwiegersohn das Glas wieder füllte. »Wir wollen in dieser Stunde nicht nur an uns denken, meine Lieben«, rief er mit heiterer Überzeugung, »sondern an die Gesamtheit des Vaterlandes. Wir dürfen mit uns zufrieden sein, es ist wahr, und wir sind stolz darauf, aber wir wollen nicht vergessen, wem wir alle unser Wohlergehen und unsere Sicherheit zu verdanken haben. Von der Zukunft des Vaterlandes, die ihrerseits in der allgemeinen Zukunft beschlossen liegt, hängt auch die unsere ab. Die allgemeine Zukunft aber würde uns wohl ebenso staunenswert vorkommen wie unsern Vätern oder Großvätern die Gegenwart. Die Entwicklung geht weiter, und mag es auch gelegentlich zu vorübergehendem Stillstand kommen, ein Rückfall ist nicht mehr denkbar, der Fortschritt ist unaufhaltsam, der Weg liegt vor allen Völkern offen. Im Glauben und Vertrauen auf diese Zukunft wollen wir unsere Gläser leeren!«

Die Gesellschaft griff zu den Champagnerkelchen. Nur Frau Barbara regte sich nicht; mit niedergeschlagenen Augen saß sie aufrecht da und zögerte. Die meisten bemerkten es und stutzten. Sie zögerte einen Augenblick, dann, während fast alle schon tranken, erhob sie das Glas langsam, mit verschlossener Miene, und nippte daran.

Nach dem Ende des Mahles regte sich ein gewisser Widerstand gegen die Teilung der Gesellschaft. »Ach, ihr braucht jetzt nicht gleich wegzulaufen, ihr werdet noch genug musizieren können!« sagte Frau Barbara. Da auch Severin dieser Meinung war, mußten sich die Spieler noch ein wenig gedulden. Fred aber fand es sinnlos, hier die Zeit zu verplaudern, da doch das Quintett beisammen und die Instrumente zur Stelle waren, er begann Gertrud heimliche Winke zu geben, stieß Paul in die Seite und entfernte sich schließlich zuerst. Mit einiger List gelang es dann auch Paul, Gertrud und Albin, unauffällig in den Musiksalon zu entweichen.

Gertrud begann in einer Anwandlung von Übermut auf dem glänzenden, glatten Parkett zu tanzen.

»Hast du schon so etwas gehört?« fragte Paul grinsend und faßte Albin am Arm. »Der Fortschritt ist unaufhaltsam... ein Rückfall ist nicht mehr denkbar... und dann die Zukunft, die Zukunft! Unglaublich! Überhaupt... ich achte ja Mama sehr hoch, nicht wahr, aber... ein solcher Abend ist doch eine üble Geschichte.«

»Ich weiß nicht... ich habe es ganz hübsch gefunden«, antwortete Albin, während er mit lächelnden Augen den spielerisch leichten Bewegungen Gertruds folgte.

Paul blickte ihn spöttisch erstaunt an, dann schlenderte er achselzuckend von ihm weg, um seinen Geigenkasten zu öffnen.

Gertrud tanzte zum Flügel hin, setzte sich und schlug ein paar Akkorde an, dann drehte sie sich auf dem Stuhl herum, legte die Hände in den Schoß und fragte betrübt: »Aber was machen wir jetzt, wenn die andern nicht kommen?«

»Ich lotse sie schon noch herauf, nur keine Angst!« erklärte Fred, der dienstfertig die Pulte gestellt hatte.

»Wir könnten ja inzwischen das Largo aus dem Bach-Konzert da spielen«, sagte Paul. Er hatte das Konzert in d-moll für zwei Violinen und Klavier hervorgeholt und legte die Stimmen auf. »Albin und ich kennen den Satz, und du spielst ihn vom Blatt, wenn du ihn nicht kennst.«

Gertrud blätterte ihre Stimme durch und war einverstanden, die Geiger stimmten ihre Instrumente, dann spielten sie das Largo, sorgfältig, andächtig, mit aller Ehrfurcht vor dem erlauchten Namen. Als sie es beendet hatten, allargando und mit großem Ton, drehte Gertrud sich langsam herum und blickte die zwei Geiger an. »Das ist wundervoll!« sagte sie leise.

Paul nickte ironisch zustimmend.

»Und wie das hier klingt!« sagte Albin. »Wir haben es

ohne Begleitung auf meiner Bude gespielt, erinnerst du dich? Das ist ein Unterschied!«

»Ja ... in vierzehn Tagen werden hier andere Töne erklingen«, antwortete er bitter. »Es wird prasseln, splittern, krachen ...«

»Ach Gott!« unterbrach ihn Gertrud unwillig.

»Und in einem Jahr«, fuhr Paul mit grimmiger Genugtuung fort, »werden an dieser Stelle vielleicht ein paar Engroskrämer einander übers Ohr hauen ... vielleicht wird man auch Strohhüte fabrizieren, oder es werden hier Maschinen kreischen, es wird nach Schweiß und Öl stinken ... kurz, es lebe der Fortschritt! Abbasso la musica!«

»Ach was, ihr zieht nicht in die Wüste!«

»Zum Stockmeier! Dort wird es anders tönen, wenn wir überhaupt noch spielen sollten, was ich bezweifle ...«

»Dann wird bei mir gespielt!« rief Gertrud aufwallend. »Überhaupt ...« Sie zögerte einen Augenblick, ein zartes Rot glühte auf ihren Wangen, dann erklärte sie entschlossen: »Nächstesmal spielen wir bei mir. Und zwar kommst du zuerst einmal mit Herrn Pfister, dann wollen wir doch dies ganze Konzert probieren, ihr könnt es ein wenig üben! Sind Sie einverstanden, Herr Pfister?«

»Sehr gern!« antwortete Albin. »Wenn Sie nicht zu große Hoffnungen auf mich setzen. Ich bin ein Pfuscher.«

Sie hielt den Kopf schief und schielte ihn von der Seite her ungläubig an. »Ich habe Sie soeben gehört«, sagte sie leise. »Das war nicht gepfuscht.«

In diesem Augenblick stieß Fred die Tür auf und verkündete triumphierend: »Sie kommen!«

Severin und Professor Junod traten ein, holten sogleich ihre Instrumente und setzten sich vor die Pulte, auf denen die Stimmen zum Klavier-Quintett von Schumann bereit lagen. Alle kannten das Werk, jeder hatte seine Stimme geübt, und die ersten zwei Sätze gelangen denn auch. Severin, der sich eben noch über politische Fragen ereifert hatte, war zum Glück nicht recht dabei und verzichtete auf Kritik. Fred war zufrieden. In den letzten zwei Sätzen begann es zu hapern, da und dort wurden Mißklänge laut, doch brachten sie alles zu einem guten Ende. Es war Mitternacht.

Severin erhob sich und entspannte den Bogen, Professor Junod stand auch auf. In diesem Augenblick kam Fred vom Notenschrank her und legte eine aufgeschlagene Stimme vor jeden der vier Streicher hin. »Spielt das da noch!« bat er. Es war ein Streichquartett von Mozart, das »Jagdquartett«, das er sich gemerkt hatte. »Ach, es ist zu spät, Fred!« sagte Severin unwillig. »Wir können sie da unten nicht so lange warten lassen.« Fred widersprach und wurde sogleich von Gertrud unterstützt, die über die wartende Gesellschaft nicht im geringsten beunruhigt schien. Professor Junod zog bedauernd die Brauen hoch und sah nach der Uhr. Schließlich einigten sie sich auf Pauls Vorschlag, wenigstens den langsamen Satz noch zu spielen.

Sie rückten mehr gegen die Mitte, Gertrud schloß den Flügel und nahm in einer Ecke Platz. Fred, der den Leuchterschein, in dem sie bis jetzt gespielt hatten, nicht angenehm fand, stellte trotz Severins Bemerkung, man möge doch keine Geschichten mehr machen, die Stehlampe zwischen die Pulte. Während die Spieler ihre Instrumente stimmten, ging er zum Schalter. Einen Augenblick stand noch alles im hellsten Lichte, weiße Möbel aus dem Zeitalter Louis XVI. mit geraden zierlichen Beinen, der kunstreiche, von einem Meister der Dynastie Pfau gebaute Ofen mit den Geßner-Idyllen in zartem Blau und Weiß, die gelbe Seide der Wände, auf der sich in ovalen Rähmchen Schattenrisse von Komponisten abhoben, die unaufdringlich schöne Stuckdecke, dieser ganze wohlgestaltete Raum, in dem ein verehrungswürdiger, von der Umwelt schon überwundener Geist bis heute lebendig geblieben war. Fred drehte das Licht ab, schlich mit scherzhaft übertriebener Vorsicht auf den Fußspitzen zu seinem Stuhl und ließ sich lautlos nieder.

Die Spieler rückten die Stühle zurecht, strichen das aufgeschlagene Notenheft glatt, räusperten sich und saßen nun schweigend da, ein paar gespannte, stille Sekunden lang, die Fred immer besonders genoß. Die hohe Stehlampe mit dem großen goldgelben Schirm strahlte inmitten des dämmernden Salons einen warmen Strom von Licht auf die Gruppe hinab, die Notenblätter leuchteten, die braunen Instrumente schimmerten, auf den andächtig gesammelten Gesichtern lag gedämpft derselbe lebendige Schein, und als die vier Streicher langsam den Bogen hoben, schien es unmöglich, daß nun etwas anderes ertönen könnte als reinste Musik.

Die Anfangsfigur erklang, ein leises, schmerzliches Aufatmen und ergebenes Hinsinken, ein paar Noten nur, die doch das ganze Adagio im Kern zu enthalten scheinen; die erste Geige erweiterte sie zum Thema und sang sie schon heimlich verklärt zum Grundton zurück.

In diesem Augenblick trat Frau Barbara ein. Sie kam aus einer lärmigen Unterhaltung über den schweizerischen Generalstab, die von den zwei Männern unter dem Einfluß des Weines in einem merkwürdigen Wechsel von unnachgiebiger Überzeugung und lauter Fröhlichkeit geführt wurde, während die verlassenen, müde plaudernden Frauen wiederholt mit unterdrücktem Gähnen nach der Uhr geblickt hatten. Sie war über das lange Ausbleiben der Musikanten entrüstet. Mit grollender Miene trat sie ein, entschlossen, dem eigenmächtigen Gebaren ein Ende zu machen.

Gertrud beugte sich erschrocken vor, hob wie zur Abwehr die verschlungenen Hände vor die Brust und schaute Mama flehend an. Fred runzelte mit einem bösen Ausdruck die Stirn.

Frau Barbara warf den ersten Blick auf Gertrud, den zweiten auf Fred, dann stutzte sie, sah nach den Spielern hin und stand, ihren Groll beherrschend, mit gekränkter Miene da. Die Anfangsfigur erklang jetzt wehmütig, aufatmend in der Oktave, und gleich darauf begann das allen Schmerz verklärende Singen der ersten Geige.

Frau Barbara setzte sich auf den nächsten Stuhl. Eine Weile saß sie noch sehr aufrecht, aber ihre Miene entspannte sich, und als die Geige das Thema wieder aufnahm, neigte sie mit gesenktem Blick ein wenig den Kopf.

Beruhigt spielten die Streicher den Satz zu Ende, mit aller Hingabe an seine unbeschreibliche Innigkeit und im mehr oder weniger deutlichen Bewußtsein, daß die Seele des Meisters hier zum letztenmal in einem Raume sang, der ihr bei aller Unvollkommenheit der Musikanten doch eine bescheidene Heimat gewesen war.

II

1

Fred erwachte in der neuen Wohnung an der Dufourstraße zur gewohnten Zeit mit schwerem Kopf und einem faden Geschmack im Munde. Sogleich trat ihm das wüste Bild einer Studentenkneipe vor Augen, an der er teilgenommen hatte. »Es ist gewiß schon Mittag«, dachte er, blinzelte argwöhnisch in die graue Helle des Zimmers und tastete nach der Taschenuhr. Der Zeiger stand auf sieben. Erschrocken hielt er die Uhr ans Ohr, denn entweder war sie stehengeblieben oder es mußte sieben Uhr abends sein. Die Uhr tickte regelmäßig. Er begann angestrengt darüber nachzudenken, ob es Morgen oder Abend sei, bis er die ihm schon wohlbekannten Geräusche des Milchwagens und den Pfiff des kursmäßig von der nahen Schifflände abgehenden Dampfers hörte. Es war sieben Uhr morgens. Er wunderte sich, daß er trotz seinem Bierdusel so früh erwacht war, aber plötzlich fiel ihm der Grund ein, und in diesem Augenblick wurde ihm alles klar. Es war die Abschiedskneipe gewesen, an der er aus lauter Freude über den Schluß des Wintersemesters, eines unerquicklichen, sehr zweifelhaften Semesters, sich beinahe betrunken und dabei doch den Entschluß nicht aufgegeben hatte, am nächsten Morgen früh aufs Land zu fahren. Dieser Entschluß hatte ihn geweckt, und der Gedanke an die unmittelbar bevorstehenden Ferientage beim Onkel Robert im Rusgrund durchfuhr ihn jetzt aufheiternd wie ein unverhoffter Sonnenstrahl. Schmunzelnd sprang er aus dem Bett, und eine gute Stunde darauf, nachdem er gebadet und gefrühstückt hatte, stieg er am Stadelhofer Bahnhof schon völlig frisch und unternehmungslustig in den Zug.

Auf der ganzen Fahrt dachte er nur noch daran, ob ihn Christian wohl am Bahnhof erwarte und ob im Rusgrund alles beim alten geblieben sei. Er sah sich mit dem Vetter beim Haus vorfahren, die Laufhündin Fineli trabte wedelnd um das Gefährt, Martha und Lisi kamen herbeigelaufen, vor dem Haus hing Wäsche, der Knecht Bärädi sah neugierig vom Stall herüber, und die Sonne schien, wie sie in der Stadt nicht scheinen konnte. Gegen das Ende der Fahrt erkannte er eine alte Eiche wieder, die nicht mehr weit vom Bahnhof entfernt war, und als das Stationsgebäude selber in Sicht kam, entdeckte er, den Kopf unter dem offenen Fenster, Christians Einspänner. Den Vetter sah er dort neben einem großgewachsenen Mann, den er erst in der Nähe als Christians älteren Bruder Karl erkannte. Er stieg aus und schüttelte beiden kräftig die Hand.

»So, wieder ein Semester erledigt?« fragte Karl, während Christian sich um Freds Koffer bekümmerte.

Karl erwartete einen in wenigen Minuten fälligen Zug, um in die Stadt zu fahren. Er war ein dreißigjähriger, großer, grobschlächtig gebauter Mann in soliden Schuhen, mit einem weißen Kragen über dem farbig gestreiften Hemd und einer peinlich geknüpften bunten Krawatte. Er hatte dem Bauerngewerbe den Rücken gekehrt, weil es »keine Aussichten« bot, und sich nach einem kaufmännischen Examen allmählich »in den Handel hineingearbeitet«. Dabei war er eifrig bestrebt, seine allgemeine Bildung zu fördern, er besuchte Hochschulkurse, lernte Sprachen und verfolgte in den Zeitungen aufmerksam den Lauf der Welt. Er wollte vorwärtskommen. Seine Beziehungen, besonders die verwandtschaftlichen zum Nationalrat und Brigadekommandanten Ammann, nützte er anständig, aber entschlossen aus, er besaß einflußreiche Freunde unter den liberalen Parteigenossen und war Offizier, Hauptmann in einem Landbataillon, das er in zwei, drei Jahren zu befehlen hoffte.

Fred war sich nicht ganz klar, wie er ihn zu beurteilen hatte, er schätzte ihn als ehrlichen und anständigen Menschen, fand aber seinen Bildungseifer und seine Strebsamkeit unsympathisch. Im Verkehr mit ihm beschränkte er sich auf einen freundlich ironischen Ton, den Karl ebenfalls ironisch beantwortete, obwohl er vor dem gesellschaftlich gebildeten Stadtbürger, dem Akademiker, dem Sohne seines einflußreichen Onkels im Grunde eine naive Hochachtung hegte.

»Ja, unsereiner muß an die Arbeit, wenn andere Leute in die Ferien fahren«, sagte Karl, wobei er über diese Tatsache nicht eben unglücklich aussah.

»Dafür bringst du es auch zu etwas!« erwiderte Fred mit geheuchelter Achtung.

»Jaja, schon recht, du wirst ja auch nicht im Rusgrund hängen bleiben.«

»Das wär' mir noch lang nicht das Letzte. Ich habe genug von der Stadt.«

»In den Ferien! Wir werden uns aber am Ende doch häufiger in der Stadt treffen als auf dem Lande... Im Sommer rückst du in die Aspirantenschule ein, nicht?«

»Es scheint!«

»Das wird ein anderer Betrieb als in den Wiederholungskursen, du wirst schon sehen. Wenn Hartmann Schulkommandant ist...« In diesem Augenblick fuhr der Zug ein, aber Karl schien ihn gar nicht zu beachten, er sprach ruhig weiter, indessen ein paar Fahrgäste aus- und einstiegen, dann streckte er plötzlich seine breite Rechte aus, drückte Fred sehr bestimmt und kräftig die Hand, nickte Christian flüchtig zu und bestieg ohne Hast ein Abteil, dessen Tür der Zugführer bereits geschlossen hatte.

Fred und Christian gingen zum Einspänner und fuhren sogleich los, eben als sich der Zug nach der entgegengesetzten Richtung ebenfalls in Bewegung setzte. Karl stand am

Fenster und winkte maßvoll mit der flach erhobenen Hand, Fred winkte auch, aber ausgelassen, indem er aufstand und den Arm schwenkte, dann verloren sie einander aus den Augen.

Die Straße zog sich außerhalb der Ortschaft zwischen Wiesen und jungbelaubten Obstbäumen gegen einen langgestreckten, oben bewaldeten Höhenzug hin, den sie in einer weit ausgreifenden Schleife gemächlich erklomm. Die zwei Vettern saßen bequem zurückgelehnt nebeneinander; den Koffer hatte Christian hinten aufgeschnallt, und über den Bock hinweg lenkte er »Sepp«, einen braunen Wallach, der hier auf ebener Strecke einen stampfenden Trab angeschlagen hatte. Zu beiden Seiten der Straße waren Arbeiter damit beschäftigt, hohe Stangen aufzustellen. Fred erfuhr, daß die Straße auf ein Schützenfest hin mit Wimpeln versehen werde, und als sie den Fuß der Höhe erreichten, bemerkte er, daß auch am nahen Schießstand Leute an der Arbeit waren.

»Wir müssen den Stand erweitern«, erklärte Christian, »es ist ein kantonales Fest, wir würden da mit unsern zehn Scheiben bei weitem nicht auskommen.«

»Jaso, da bist du natürlich auch beteiligt«, sagte Fred lächelnd.

»Ja, es hat jeder etwas übernehmen müssen. Wir haben hier noch nie ein Kantonales durchgeführt, und das gibt mehr zu tun, als man sich vorstellt. Die Komitees sind schon lang an der Arbeit. Ich habe zwar vorläufig noch nicht viel zu tun, ich bin beim Schießkomitee, aber... es gibt doch Sitzungen, und... schließlich muß alles klappen.«

»Wie manches Komitee gibt es denn da? Ich habe keine Ahnung, wie so etwas zustande kommt.«

»Ja... an der Spitze steht das Organisationskomitee, nicht wahr... und dann gibt es also ein Schießkomitee, das den Plan aufstellen, das eigentliche Schießen durchführen und die Abrechnung machen muß... dann ein Baukomitee, das jetzt eben an der Arbeit ist... hinter dem Stand wird noch eine Festhütte für etwa dreitausend Personen gebaut, damit fangen sie nächstens auch an... die Budenstadt kommt auf beide Straßenseiten. Dann gibt es noch ein Komitee für die Sammlung von Ehrengaben, ein Dekorations-, ein Empfangs- und ein Pressekomitee, ein Wirtschafts- und ein Unterhaltungskomitee, ein Finanzkomitee, ein Komitee für den Sanitätsdienst, für Unterkunft, Polizeiaufsicht, Verkehr...«

»Hör auf!«

»Jaja, das muß so organisiert sein, sonst geht's schief. Wir rechnen mit einer Beteiligung von viertausend Schützen, bei einer Plansumme von zweihunderttausend Franken. Das Fest dauert zehn Tage...«

Fred hörte aufmerksam zu, wunderte sich, stellte Fragen und zeigte Anteilnahme, die ihm eben noch fern gelegen hatte. Ein Schützenfest war für ihn bis jetzt höchstens ein patriotischer Rummel gewesen wie alle derartigen Anlässe, ein Ausdruck jener plebejischen Betriebsamkeit, die von intellektuellen und höher gebildeten städtischen Kreisen als »schweizerische Festseuche« verurteilt und verspottet wurde. Jetzt, da er Christian ernsthaft und einsichtig davon reden hörte, begann auch er das kommende Fest unmerklich für eine große und wichtige Aufgabe zu halten.

Christian war ein einfacher und tüchtiger junger Mann, der mit seinem Vater zusammen die Landwirtschaft betrieb. Obwohl er, von den Schulen abgesehen, nie eine andere als bäuerliche Tätigkeit ausgeübt hatte, unterschied er sich doch von den ganz ursprünglichen Bauern der Landkantone, er war im sozialen Sinne geweckter, im Auffassen rascher und im Denken beweglicher, er war loser in der Erde verwurzelt als jene und stand schon auf der Schwelle zum Bürgertum. Seinesgleichen gab es unter kleinen Handwerkern, Arbeitern und im Umkreis der Städte auch unter Bauern zu Tausenden; sie fielen nicht auf und traten persönlich nur wenig hervor, aber sie bildeten eine für die Zukunft des Volkes entscheidende Schicht, sie stellten eine von der Erde nicht mehr gebundene und von Vorurteilen noch nicht ernstlich gehemmte Kraft dar, mit der alles möglich schien. Die tüchtigsten Handwerker, Aufseher, Vorarbeiter, die zuverlässigsten Eisenbahner, die brauchbarsten Soldaten und Unteroffiziere stammten aus der jungen Generation dieser Mittelschicht, wie denn übrigens auch Christian als einer der fähigsten Korporale seiner Kompagnie galt. Er war ein wenig kleiner als Fred, doch stämmiger, ein gesunder, kräftig gebauter Bursche mit krausem dunkelblondem Haar, gleichmäßig blickenden Augen und leicht hervortretenden Backenknochen. Seinem Wesen nach schien er nicht eben heiter, er besaß einen ernsten, manchmal fast mürrischen Ausdruck und lachte selten laut, obwohl er sich über nichts zu beklagen hatte und allerdings auch kaum jemals klagte. Im Wagen neben Fred taute er nun etwas auf oder er verbarg doch die verhältnismäßig gute Laune nicht, die ihn im Grunde erfüllte.

Als sie plaudernd die halbe Höhe erreicht hatten, stand der Wallach plötzlich still. »Hü!« rief Christian, schüttelte das Leitseil und griff nach der Geißel, aber Fred hielt ihn zurück. »Laß ihn doch ein bißchen stehen!« bat er. Er fand es lustig, daß Sepp aus eigenem Ermessen hier anhielt.

»Er probiert nur etwas, der faule Hagel, er hat schon ganz andere Fuder da hinaufgezogen«, sagte Christian, doch fügte er sich und zog die Bremse an, worauf Sepp befriedigt den Kopf senkte und aufwarf.

Sie saßen im Schatten der Berglehne, nahe am Waldrand, während die auslaufenden Hänge unter ihnen und das weite Land zu ihrer Rechten im klaren Licht der Frühlingssonne lagen.

»Weißt du, mir ist sauwohl, trotzdem ich gestern beinah einen Klapf hatte«, gestand Fred und blickte seinen kurz und trocken auflachenden Vetter vergnügt an. Christian war für ihn die Hauptperson im Rusgrund. Das Schlichte, Anständige und Echte an ihm war ihm sympathisch, in seiner Nähe pfiff er auf das städtische Gehaben, und sein geringster Freundschaftsbeweis ging ihm näher als die lauteste Kameradschaftsbezeugung seiner Studiengenossen.

»Hü!« rief Christian nach einer Weile und löste die Bremse, worauf Sepp sich mit einem Ruck ins Geschirr legte und sogleich rüstig ausschritt. Vor der etwas steileren Strecke durch den Wald aber stiegen die Vettern aus und gingen neben dem Wagen bis auf die Höhe, wo sie von der breiten Straße bald in einen leicht abfallenden Fahrweg einbogen. Auf diesem noch morgenfeuchten, von hohen Böschungen gesäumten Weg, über dem die Tannäste sich oft von beiden Seiten her zusammenschlossen, begann der Gaul zu traben. »Jetzt will er heim«, sagte Christian und drehte die Bremse fester an.

Es war denn auch die letzte Strecke, es war der Heimweg. Als sie zum Waldrand hinausfuhren, öffnete sich wie ein großer grüner Mutterschoß eine weite Mulde vor ihnen, und mitten darin eingebettet, von Bäumen halb verdeckt, lagen Haus und Stall. Fred stieß vor Übermut einen Laut aus, der ein Jauchzer sein sollte, aber nur ein heiserer Schrei war; er konnte gar nicht jauchzen. Christian lächelte über die freudige Erregung seines Vetters still vor sich hin, doch Fred bemerkte es nicht; während sie in die Mulde hineinfuhren, saß er, die Hände vergessen zwischen den Knien, mit kindlich strahlendem Gesicht aufrecht und schweigend da.

In der Nähe des Gehöftes war vorerst kein anderes Lebewesen zu entdecken als ein Huhn, das sich von seiner Schar zu weit entfernt hatte und beim Nahen des Einspänners wackelnd davonrannte. Gleich darauf aber meldete sich drüben beim Stall mit kräftiger Stimme Plutus, ein Appenzeller Sennenhund, und als sie vor dem mächtigen Riegelhaus anhielten, kam wirklich Fineli dahergetrabt, eine weiß und gelb gefleckte Schweizer Laufhündin. Fineli begrüßte ihren Herrn mit ein paar Trillern, dann schwieg sie und musterte aufmerksam den Gast; sobald aber Fred sie anrief, erkannte sie ihn und schwang freudig die Rute.

Tante Marie, die Hausfrau, kam zum Empfang herab und hieß den Gast willkommen, mit dem freundlich offenen Lächeln, mit dem sie ihn immer empfangen hatte, das aber nach seiner Erfahrung rasch und endgültig wieder hinter einer bald herben, wachen, bald mütterlich besorgten Miene zu verschwinden pflegte. Es war eine etwas untersetzte, noch kaum recht ergraute Frau, die nicht eben viel vorstellte, aber »Haare auf den Zähnen« hatte und ziemlich scharf, doch gerecht und ohne Launen regierte.

Unter einem offenen Fenster des ersten Stockes stand gerötet und lachend Lisi, ihre jüngere Tochter, und winkte scherzhaft ausgelassen mit einer Küchenschürze.

»Jaja! Gib du auf die Suppe acht!« rief die Frau, während sie Fred zur Haustür begleitete.

Im dritten Stock beugte sich die etwas blassere Martha über eine Fensterbrüstung und schaute unbemerkt mit einem stillen Lächeln auf den Vetter hinab.

Nachdem Fred die Hausinsassen kurz begrüßt und in seinem Zimmer auf Tante Maries Verlangen seine Kleider aus dem Koffer genommen hatte, damit sie keine Falten bekämen, begab er sich schmunzelnd zum Mittagessen in die große Stube. Hier richtete er seine Grüße aus und beantwortete eine Menge Fragen, bis Lisi die Suppenschüssel hereintrug und die Familie sich um den Tisch versammelte. Der Augenblick kam, wo das Gespräch plötzlich verstummte und alle Tischgenossen mit gesammelter Miene ein wenig den Kopf senkten, ein kurzer, stiller Augenblick, dem Fred sich ernsthaft fügte, obwohl er wußte, daß sie diesen Brauch nur der Frau zuliebe noch beibehielten. Dann aber wurde das Gespräch sofort wieder lebhaft aufgenommen, und Fred mußte nach allen Seiten hin alle möglichen Auskünfte erteilen. Man wollte wissen, wie es bei der Zügleten zugegangen sei, ob es ihnen in der neuen Wohnung gefalle, was mit den Möbeln geschehen sei, was Mama zum Verkauf gesagt habe, ob sie auf das Schützenfest hin wohl einmal alle zusammen hieher kämen, und dergleichen mehr.

»Hast du den Karl am Bahnhof noch gesehen?« fragte Onkel Robert, der durch seine mächtige Gestalt, seine Haltung und die Art seines Essens den Tisch durchaus beherrschte. Er saß in Hemdärmeln an der obern Schmalseite und ließ sich in seiner Beschäftigung, die ihn sehr in Anspruch nahm, nicht ernstlich stören. Ab und zu warf er eine Frage hin oder hörte mit halbem Ohr auf eine Antwort, sonst aber hantierte er, unaufhörlich kauend, mit Messer und Gabel, und wenn er etwa einen besonders großen, energisch angestochenen Fleischbrocken zwischen die Zähne gesteckt hatte, legte er die Unterarme so auf die Tischkante, daß Messer und Gabel aus seinen klobigen Fäusten in die Luft ragten, indessen er den Brocken mit nach innen gewandtem Blicke prüfend zerkaute. Dazu schnaufte er hörbar durch die Nase, wie ihm denn das ganze Tischvergnügen eine gewisse Mühe zu bereiten schien. Sein großes rotes Gesicht mit den buschigen blonden Brauen und dem außerordentlich kräftigen Kinn glich in den Hauptzügen dem seines Bruders Alfred, aber es befand sich hier gleichsam noch im Rohzustand und strotzte vor Gesundheit. Ein richtiger Bauer, der täglich selber Hand anlegte, war freilich auch Onkel Robert nicht mehr, er fuhr als Viehhändler im Land herum, war Mitglied des Kantonsrats und warb vor Wahlen unter der Bauernschaft für die Liste derselben fortschrittlichen Partei, der auch sein Bruder angehörte.

Fred bejahte die Frage nach Karl eifrig, was den Vater Ammann sichtlich befriedigte.

»Er bekommt in der Stadt jetzt eine sehr gute Stelle«, bemerkte Frau Marie mit offener Genugtuung.

»Weißt du«, rief Lisi lebhaft, »wenn Karl in der Stadt wohnt, kommen wir dann auch mehr nach Zürich.«

»Und im letzten Wiederholungskurs... habt ihr einander nie gesehen?« fragte Onkel Robert.

»Doch, ich hab ihn gesehen, aber er mich nicht«, antwortete Fred. »So ein Hauptmann hoch zu Roß«, fügte er scherzhaft verächtlich bei, »sieht sich nach dem Gewürm fremder Korporale überhaupt gar nicht um, nicht wahr!«

»Hähää!« machte der Alte heiser und strahlend vor Vergnügen.

»Du kommst doch jetzt auch in die Offiziersschule, nicht?« fragte Tante Marie. »Ja... wie lange ist es schon her, daß Karl die Offiziersschule gemacht hat!«

Das Gespräch drehte sich weiter um Karl, die ganze Familie war stolz auf ihn. Fred mußte ein wenig Achtung heucheln, um sie nicht zu verletzen, er kannte ihre Gesinnung und konnte sich sehr gut in ihre Lage hineindenken. Für sie war der Rusgrund kein Paradies, sondern ein abgelegenes Bauerngut mit einigen Kartoffeläckern, etwas Wald und Grasland für fünfzehn bis zwanzig Kühe, deren Milchertrag sich beim besten Willen nicht mehr steigern ließ. Zwar waren sie wohlhabend, da sie immer tätig und sparsam gelebt und außerdem ordentlich am Viehhandel verdient hatten, aber dies Leben war karg und einförmig, es führte nirgendshin und ließ sich auch nicht abschütteln. Dabei gewahrten sie ringsum auf allen Gebieten gewaltigen Fortschritt, großartige Möglichkeiten und wachsenden Reichtum, eine blühende Stadt lag ihnen vor der Nase, und zu den guten Kreisen dieser Stadt gehörte ihre eigene Verwandtschaft.

Fred fand es begreiflich, daß sie unter solchen Umständen ihren Blick nicht genügsam auf der eigenen, ewig gleichen Scholle ruhen ließen, sondern vom Leben der Zeit gefesselt wurden. Er hütete sich aber, seine eigene Meinung über diese Zeit preiszugeben, sie hätten ihn kaum verstanden, und außerdem konnte er nicht darauf schwören. Sicher war nur, daß er selber das fortschrittliche städtische Leben als »faulen Zauber« empfand, während ihn dies ländliche Dasein und Beharren unbegreiflich anzog; daß er mit seiner paradiesischen Faulenzerei auf etwas merkwürdige Art an diesem Dasein teilzunehmen pflegte, gestand er gern zu.

Nach dem Essen zog er sogleich die Kniehosen an und ging hinaus, um sich ein wenig umzuschauen und mit der Zurückhaltung des Genießers allmählich von dieser geliebten Welt Besitz zu ergreifen. Er unterhielt sich mit dem Stallknecht Bärädi, einem jungen Urschweizer aus dem Muotatal, dessen richtiger Name Bernhardin Schelbert war, begrüßte den Appenzeller Plutus, der immer dicker wurde, und versuchte umsonst, sich einem alten Kater in Erinnerung zu rufen; er schlenderte durch den Stall, zu den Schweinen, zum Hühnervolk, und erst nach dem Vieruhrkaffee, den wieder die ganze Familie gemeinsam einnahm, schlug er die Richtung auf das nahe Tobel ein. Dieses Tobel, eine tiefe, dicht bewaldete Bachschlucht, die den Rusgrund gegen Osten begrenzte, hatte Fred schon dutzendmal durchstreift, ohne es ganz zu ergründen, es barg undurchdringliche Dickichte, Teiche, kleine Wasserfälle, Fuchsbaue, weiche Moosböden, Farnhaine, Bruchhalden, merkwürdige Felsgebilde und noch manches Unerforschte.

Als er kurz vor dem Nachtessen zurückkehrte, war er breits mit einer Neuigkeit für Christian geladen, er hatte einen Dachsbau mit frisch ausgeworfener Erde entdeckt; zu seiner Enttäuschung erfuhr er dann bei Tische, daß Christian, der im Herbst jeweilen das Jagdpatent löste, nicht nur diesen Bau kannte, sondern sogar den Dachs selber schon gesehen hatte.

Er ging frühzeitig zu Bett, er war müde, und die zwei Basen, die gewöhnlich erst abends »etwas von ihm hatten«, mußten sich bis zum nächsten Abend gedulden. Eine Weile lag er noch wach im breiten Bauernbett und freute sich, daß er wieder da war. Man hatte ihm das Gastzimmer mit dem Blick gegen Osten überlassen und das zweite Bett daraus entfernt, es war eine sehr geräumige Kammer, die mit ihrem naturbraunen Getäfer jeden schönen Morgen stundenlang goldhell und warm in der Sonne lag. Ihm gegenüber an der Wand hing das Brustbild seines Großvaters Johann Gottlieb Ammann. Das offenbar schlecht gemalte Gesicht sah etwas leer aus, verriet aber doch eine gewisse brutale Lebenskraft und eine äußere Ähnlichkeit mit Onkel Robert. Papa glich ihm kaum; vielleicht hatte er ähnliche Augen, aber die Augen des Johann Gottlieb waren dem Maler vermutlich mißlungen, sie starrten mit einem eher tierischen als menschlichen Blicke dunkel unter den Brauen hervor.

Fred wußte von seinem Großvater nur, daß er aus einem Dorf des Zürcher Oberlandes stammte, eine schöne, wohlhabende junge Witwe geheiratet und gleich darauf den Rusgrund erworben hatte. Hier also waren seine Kinder zur Welt gekommen, vier Söhne und drei Töchter, soviel er sich erinnerte; von den Töchtern lebte nur noch Tante Klara, von den Söhnen war einer früh gestorben, ein anderer nach Amerika ausgewandert. Papa und Onkel Robert bildeten also auf diesem Stammbaum die zwei starken Seitenäste, die den Fortbestand des Geschlechtes Ammann aus dem Rusgrund gesichert hatten.

»Merkwürdig, es sind doch zwei so ganz verschiedene Menschen«, dachte Fred. »Sie müssen nicht viel Gemeinsames mitbekommen haben, jeder hat früh seine eigene Richtung eingeschlagen und der Abstand ist noch größer geworden. Onkel Robert hat eine Unterwaldnerin geheiratet, die ihr eigenes Blut mitbrachte, und aus dieser Verbindung sind wieder völlig andere Menschen hervorgegangen, die sich voneinander abermals unterscheiden und ihre eigenen Richtungen einschlagen. Und erst auf unserer Seite! Papa ist nach dem Studium in der Stadt geblieben und hat eine Tochter aus vornehmen städtischen Kreisen geheiratet, die von ganz anderer Seite herkam als er. Was hat wohl Mama noch alles mitbringen müssen, daß wir faulen Äpfel, Paul und ich, so weit entfernt vom großväterlichen Baumstamm niederfallen konnten. Ist das nun ein Gewinn oder ein Verlust? Zwar gleichen ja auch wir einander gar nicht, Paul hat ausschließlich geistige Interessen, während ich... weiß der Teufel! Gertrud gleicht der Mama, ihre Kinder haben bestimmt kein Ammannsches Blut mehr, und mit Lisi und Martha hat sie schon gar nichts gemein, obwohl das ihre Kusinen sind. Aber Severin ist wieder ein Ammann, wenn auch ein städtischer; ob er wohl noch einen großväterlichen Zug besitzt? Oder vielleicht gibt es gar keine Züge, die unverändert durchgehen, alles wandelt sich fortwährend von Mensch zu Mensch. Es sind ja tausend Variationen möglich... oder vielmehr unbegrenzt viele... oder doch nicht unbegrenzt? Wird aus unserm Blute wieder einmal ein Typ wie der Großvater entstehen? Wenn man ausrechnen könnte, daß... ach Quatsch, man kann die Menschen nicht ausrechnen, das fehlte noch, da würden diese verdammten Mathematiker... sie würden sagen, daß in der dritten oder vierten Generation notwendigerweise... das wären Severins Kinder, meine Neffen und Nichten... es ist lächerlich, daß mein Bruder mich zum Onkel macht... man kann sich nicht wehren...«

Er merkte, daß sich seine Gedanken zu verwirren begannen und daß er jetzt schlafen könnte, aber irgend etwas schien ihm so wichtig, daß er es sich vor dem Einschlafen noch rasch klarmachen wollte, er wußte nur nicht mehr genau was, und strengte sich an, um es zu finden. »Die Variationen«, dachte er schläfrig, »sind also unbegrenzt... man kann sich nicht dagegen wehren... aber wieso denn... ja, richtig, unbegrenzt, aber wie ein unbegrenztes Netz... ich bin ein Knötchen in diesem Netz... doch so einfach ist das nicht mit den Gesetzen, meine Herren Wissenschaftler... wenn ihr ausgerechnet habt, an welchem Punkt des Netzes ich mich notwendigerweise befinden muß... Punkt 2465 AH³... werde ich euch vordemonstrieren... ich werde zurückturnen bis zu Christian, eine Bauerstochter heiraten und eine große rückläufige Bewegung... bis zum Großvater zurück... Prost Johann Gottlieb, deine schöne Witwe soll leben... gestatte mir, dein Enkel... wir stellen jetzt alles auf den Kopf...«

Bei diesem Unsinn mußte er lachen, öffnete blinzelnd noch einmal die Lider und merkte, daß er das Licht nicht gelöscht hatte. Er drehte es ab, blickte in der Dunkelheit ironisch nach dem Bilde hin, auf dem nur mehr das verschwommene Rund des Gesichtes zu erkennen war, und glaubte zu sehen, wie der alte Johann Gottlieb im Schutze der Dämmerung jetzt auch zu lachen begann. »Lach du nur!« dachte er belustigt, drückte den Kopf ins Kissen und sank schmunzelnd in einen tiefen, traumlosen Schlaf.

2

Frau Marie blickte kurz vor dem Nachtessen durch ein Küchenfenster ihrem Gast entgegen, der mit lässig hängenden Armen und schweren, wiegenden Schritten wie ein Bauer auf das Haus zukam, ungekämmt, ohne Hut, ohne Kragen, mit aufgekrempelten Hemdärmeln, beschmutzten Strümpfen und dreckigen Schuhen. »Wie der wieder aussieht!«

dachte sie erschrocken und begann sich Vorwürfe zu machen.

»Fred«, sagte sie, als er die Treppe heraufkam, »um Gottes willen, wie siehst du aus! Nein, so darfst du dich wirklich nicht vernachlässigen... wenn Mama dich sähe, wir müßten uns ja schämen! Gib doch etwas mehr acht und tramp nicht in jeden Dreck hinein!«

Fred blickte scheinbar erstaunt auf die besorgte kleine Frau hinab, ließ sie ruhig ausreden und erwiderte dann, mit einem unschuldigen Blick auf seine Schuhe und Strümpfe: »Hm, es hat am Morgen geregnet, nicht wahr... Christian sieht genau so aus...«

»Das ist nicht dasselbe! Christian muß arbeiten und kann nicht besser aussehen... aber für dich schickt sich das nicht...«

»Wieso nicht? Was sich für Christian schickt...«

»Ach, das weißt du selber auch! Mama hat dich nicht so gut erzogen, damit du jetzt...«

»Hör auf, Tante, mach keine Geschichten! Dreck hin, Dreck her, mir ist wohl dabei, und du mußt jetzt wieder in die Küche, sonst brennen dir die Erdäpfel an!« Damit legte er den Arm um ihre Schultern und schob die wohlwollend Aufbegehrende mit sanfter Gewalt in die Küche zurück.

Fred hatte sich in den wenigen Wochen seit seiner Auskunft im Rusgrund wirklich verändert, und es war ein Zufall, daß Tante Marie es erst heute bemerkte. Er hatte die Sorge um sein Äußeres aufgegeben, unterschied sich nicht mehr allzusehr von den übrigen Bewohnern und nahm an verschiedenen Arbeiten teil. Dabei hatte er ohne jede Absicht seinen Vetter nachzuahmen begonnen. Er nahm lange, ruhige Schritte, wobei er sich infolge seiner Größe zu wiegen begann, und wurde wortkarg, was ihm ohnehin nahe lag.

Gleichmütig, mit einem stummen Nicken, kam er jetzt

auch zum Nachtessen, setzte sich breitspurig hin und war bereit, gelegentlich ein Wort über das Wetter zu sagen; aber Christian, der nachmittags im Dorf gewesen war, meldete eine Neuigkeit, die sofort eine ungewohnt lebhafte Unterhaltung zur Folge hatte, und außerdem lag ein Brief von Mama neben seinem Teller. »Dein Vater hält dann am offiziellen Tag die Festrede«, sagte Christian. »Ich hab' es heute vernommen.«

Fred blickte ihn nur kurz und forschend an.

»Soso?« sagte Onkel Robert lebhaft. »Jää, reden kann er, das muß man ihm lassen...«

»Uh, dann kommt ihr doch einmal alle zusammen hieher!« rief Lisi.

»Habt ihr keine eigenen Redner, daß ihr sie müßt von Zürich kommen lassen?« fragte Fred.

»Bei einem Kantonalen hält am offiziellen Tag immer ein Regierungsrat oder ein Nationalrat die Rede«, erklärte Christian. »Das ist immer so gewesen. Und dann ist er ja auch Ehrenmitglied des Kantonalverbandes... und als Bürger unserer Gemeinde, nicht wahr... er ist da wirklich als erster in Betracht gekommen.«

»Man könnte gar keinen Geeignetern finden«, bemerkte Onkel Robert mit Überzeugung. »So, das freut mich, daß er zugesagt hat...«

Das nahende Schützenfest wurde weiterbesprochen, die Mädchen machten Pläne, und Christian erzählte vom Stand der Vorarbeiten.

Fred hörte nur mit halbem Ohr zu; er wurde beim Gedanken an den Brief, den er in den Hosensack gesteckt und dabei zerknüllt hatte, von trüben Ahnungen erfüllt. Nach dem Essen schlenderte er in den aufheiternden Abend hinaus und wunderte sich, wie hell es noch war. Er hatte während des verflossenen Regenwetters gar nicht bemerkt, daß die Tage so rasch zunahmen. Zerstreut ging er den Fahrweg hinauf und gedachte den Brief bei der Abzweigung eines gewissen schmalen Pfades zu öffnen, aber als er dort ankam, folgte er zuerst noch ein wenig diesem hübschen kleinen Pfade durch die Wiesen und stellte fest, daß in den letzten Tagen das Gras doch stark gewachsen war. Er gelangte zu einem Graben, an dem Christian und der Knecht im Nachwinter gearbeitet hatten, und sah mit Befriedigung, daß er den Zweck erfüllte. Das Grundwasser, das nach einer Regenzeit an dieser Stelle sonst immer durchgesickert und in die Wiese hineingeflossen war, sammelte sich jetzt in diesem Graben und fand weiter unten einen natürlichen Abfluß. Er kehrte um und schlenderte dem Stall zu, wo Bärädi auf einer Handorgel übte. Während er mit trübem Lächeln auf die Wiederholung einer Figur hörte, zu der sich der richtige Baß nicht finden wollte, öffnete er nachlässig den Brief.

»Mein Lieber«, schrieb Mama, »ich möchte Dich nur rasch daran erinnern, daß Du vor dem Beginn des Sommersemesters noch zum Schneider mußt. Bitte, komm nicht wieder erst am letzten Tage heim, gelt! Dein Aufgebot zur Offiziersschule ist gekommen, ich schicke es Dir nicht nach, weil ich Dich nämlich allernächstens erwarte, Schatz. (Daß Du dann mitten aus dem Semester heraus einrücken mußt, finde ich nicht grad vorteilhaft). Nach meiner Berechnung bist Du jetzt auch mit den Hemden und Socken zu Ende, mehr hast Du ja nicht mitnehmen wollen. Also! Gestern war Tante Klara hier und hat sich nach Dir erkundigt...«

Fred steckte den Brief wieder in den Hosensack; die paar Familiennachrichten sparte er sich auf. Mit dem finstern Ausdruck, den sein Gesicht während des Lesens angenommen hatte, ging er noch ein paar Schritte und blieb dann vor der im Grase liegenden Hündin stehen, die ihn mit der Rute wedelnd begrüßte; zerstreut sah er zu, wie sie, den Kopf seitlich zur Erde gedreht, mit den Zähnen einen Knochen bearbeitete.

Indessen kamen die Mädchen vom Hause herüber. Lisi schlich sich von hinten an ihn heran und legte ihm die Hände über die Augen. Er rührte sich zunächst nicht, aber dann griff er plötzlich zurück, so daß sie kreischend auswich. »Fred, du machst ein Gesicht wie sieben Tag Regenwetter«, rief sie, kam wieder heran und faßte ihn unter dem Arm. »Hast du schlimme Nachrichten bekommen?« Nun trat auch Martha rasch auf ihn zu und faßte ihn unter dem andern Arm, was sie aus eigenem Antrieb, ohne Lisis Beispiel, niemals getan hätte.

»Ach ... heim sollt ich wieder!« antwortete er verdrossen. »Saublöd!«

Die Mädchen suchten ihn aufzuheitern, und als sie vor dem Stall zum Knechte kamen, der beim Nahen der Gruppe seinen geläufigsten Ländler angestimmt hatte, begann sich Lisi am vetterlichen Arm zu wiegen. Lisi war ein impulsives, bei jeder Gelegenheit hell auflachendes, lebenslustiges Geschöpf von ansehnlicher Größe, mit einem hübschen, rötlich glühenden Gesichtchen und braunblonden Haaren, die sich häufig in Unordnung befanden und ihr dann ein fröhlich wildes Aussehen verliehen. Neben dieser vollblütigen Schwester entwickelte Martha in Freds Gegenwart auch ihrerseits eine gewisse Lebhaftigkeit, die oft rührend wirkte, da sie nicht einem natürlichen Temperament entsprang, sondern ihrem instinktiven Wunsch, den Vetter mit denselben Mitteln an sich zu ziehen wie Lisi. Ihre bescheidene persönliche Anziehungskraft und ihr besonderer Reiz beruhten aber auf dem Gegenteil. Sie war eine schlanke, stille Gestalt mit braunem, immer sehr ordentlich getragenem Haar und einem länglichen, dunkeläugigen, etwas blassen Gesicht, das am häufigsten einen mütterlich ernsten Ausdruck zeigte, wie sie denn unter gewohnten Umständen auch ein häuslich braves und arbeitsames Wesen an den Tag legte.

Außer diesen Eigenschaften hatte weder Martha noch Lisi einem Städter gegenüber viel einzusetzen. Sie waren keine Bauernmädchen mehr, deren Ursprünglichkeit den Mangel an Bildung aufwiegt, sie hatten ein welsches Institut besucht, französisch gelernt und an Tanzkursen teilgenommen, sie trugen zum Ausgang Kleider nach der Mode, Stökkelschuhe und seidene Strümpfe, und wenn sie von der Zukunft träumten, fiel ihnen kein Bauernhof ein, sondern die Stadt. In diesen Anfängen waren sie steckengeblieben. Ihre geistigen Bedürfnisse gingen nicht über das Allgemeinste hinaus, das die Öffentlichkeit ihnen bot. Sie gehörten zu jener Volksmasse, über die man in höher gebildeten Kreisen die Nase rümpfte, und ein Intellektueller wie ihr Vetter Paul, der die Menschen ausschließlich nach dem Grad ihrer geistigen Kultur beurteilte, wußte nichts mit ihnen anzufangen; nach seiner Meinung waren sie langweilige Provinzgänse. Fred urteilte anders und hatte sein natürliches Wohlgefallen an ihnen.

»Kommt, wir gehen auf die Heubühne!« rief Lisi, begeistert von diesem Einfall. »Es sind neue Bretter drauf, es ist schön glatt, wie gemacht zum Tanzen.«

»Ach nein, Lisi!« widersprach Martha. »Ihr fallt noch herunter!«

Aber Lisi ließ sich nicht abhalten und schob den Vetter, der ihr gutmütig folgte, auf die fest anliegende, mächtige Heuleiter.

Martha zauderte mit bekümmerter Miene einen Augenblick, dann stieg sie hinter den beiden auch hinauf.

Die anderthalb Meter breite Brücke lag unter dem Dachfirst, in der Längsrichtung des Gadens. Auf der einen Seite war der Heustock bereits verschwunden, und hier gähnte jetzt eine dunkle Tiefe; auf der andern Seite aber lag noch soviel Heu, daß man es wagen durfte, hinabzuspringen.

Lisi tanzte mit Fred auf der Brücke hin, aber Fred war

nicht zum Tanzen aufgelegt und trieb nur Unsinn, er hielt sich die Tänzerin scherzhaft weit vom Leibe und hüpfte mit krummen Beinen wie ein Frosch tolpatschig um sie herum, als ob er sein Lebtag noch nie getanzt hätte.

»He nein, Fred, tu doch nicht so dumm!« rief Lisi. »Hast du gehört? Wenn du nicht recht tanzen willst, werf ich dich ins Heu hinunter!«

»Oder ich dich!« erwiderte Fred und packte sie an.

Lisi kniff ihn so kräftig in beide Arme, daß er sie fahren ließ, und rannte, von ihm verfolgt, die Brücke entlang, sprang aber plötzlich mit einem fröhlichen Schrei auf den Heustock hinunter. Fred sprang sogleich hinter ihr her, und gleich darauf wagte auch Martha den Sprung.

Lisi aber glitt, eh Fred sie fassen konnte, vom Heu hinab und rannte zur Leiter, auf der sie knapp vor dem hitzig werdenden Verfolger die Brücke wieder erreichte.

Martha glitt vom Stock hinab und blieb unten. »Tut doch nicht wie Kinder!« rief sie. »Ihr fallt sicher noch herunter!«

Aber die Jagd ging weiter, Lisi rannte bis zur Mitte der Brücke, dann sprang sie abermals hinab, und Fred ließ nicht auf sich warten. Als Kinder hatten sie das unzählige Male wiederholt und beim Sprung entzückt aufschreiend eine grauslich wohlige Beklemmung erlebt. Es war auch jetzt noch ein Vergnügen, man spürte im Fallen einen merkwürdigen, kitzligen Druck in der Zwerchfellgegend und plumpste nach der fröhlich bangen Spannung so tief ins Heu hinein, daß man ordentlich Mühe hatte, sich wieder hinauszuarbeiten. Lisi blieb nun jedenfalls stecken, bis der Vetter bei ihr war, ob sie sich nun ergeben wollte oder nicht. Unter seinen strafenden Griffen wieherte sie zuerst wie eine junge Stute, dann gab sie die Abwehr auf, begann zu wimmern und schien bereit, alles auf sich zu nehmen.

Fred drückte sie tief ins Heu hinein, schnaufte sich aus und hielt die Erschöpfte nieder. So verharrten sie eine Weile, das Heu knisterte leise, und der trockene Staub, den sie aufgewirbelt hatten, drang ihnen in die Nase. Auf einmal spürte Fred auf seinem Kopfe Lisis Hand, die über sein Haar zurückfuhr und mit sanftem Druck auf seinem Rücken verweilte.

Martha stand atemlos lauschend unten in der Dunkelheit. »Lisi!« rief sie gedämpft. Als sie keine Antwort erhielt, ging sie zu der Stelle, über der das Heu knisterte, aber der Stock war zu hoch, man konnte weder hinaufklettern noch etwas sehen. Da lief sie aufgeregt zum hintern Tor hinaus und dem Hause zu, als ob sie dort Hilfe zu holen gedächte, aber auf halbem Weg begann sie zu zögern und änderte plötzlich die Richtung. Sie bog nach Westen ab, in die Wiese hinein, die von der Abendröte über dem nahen Bergwald schon kein Licht mehr empfing, und schlich mit feuchten Augen durch die Dämmerung; es schien ihr gleichgültig, daß sie dabei das schönste Gras zertrat.

Am nächsten Morgen unternahm Fred schon früh eine letzte Forschungsreise durch das Rustobel hinab. In den oberen Teilen hielt er sich nicht auf, aber weiter unten, wo er selten gewesen war, drang er nur langsam und neugierig spähend vorwärts. Das Tobel wurde breiter, die Hänge waren weniger steil, aber noch ebenso dicht bewachsen, und wo sich Lichtungen öffneten, hatte man wieder reihenweise junge Tännchen angepflanzt. Manchmal kam ein schmaler Pfad von der Wiese herab, lief dem Bach entlang und verlor sich. In der Nähe von Bauernhöfen gab es am Hang oft häßliche nackte Stellen, die von allem möglichen Kehricht übersät waren. Eine solche Ablage umging Fred oben auf der Wiese und bemerkte dabei, daß er nicht mehr weit von einem Weiler entfernt war, dessen Hausdächer man auf beiden Seiten des Tobels zwischen den Obstbäumen gewahrte. Er stieg wieder hinab, folgte dem Bach noch eine Weile und wollte dann gemächlich umkehren; da entdeckte er eine von Kindern angelegte, aber verlotterte kleine Wassermühle. Am Rade fehlten zwei Schaufeln, eine der Seitenstützen, auf denen sich die Achse gedreht hatte, war zerbrochen, und das Kanälchen, das dem Rad vom Bach her Wasser zugeleitet, ließ sich im versandeten Geröll nur noch erraten. Der Schaden war aber nicht unheilbar. Fred stellte vor allem eine neue Seitenstütze her, legte die Achse wieder auf und trieb das Rad mit dem Finger an; es drehte sich. Jetzt mußte kanalisiert werden, und zwar so, daß das Wasser am Ende genau auf die Radschaufeln hinabfiel. Vorsichtig reinigte und verdichtete er die noch vorhandene Fallschwelle, dann grub er nach rückwärts den alten Kanal wieder auf und öffnete ihn schließlich mit großer Spannung gegen den Bach hin. Das Wasser strömte in das Kanalbett, floß rasch zur Schwelle, fiel hinab – das Rad drehte sich. Fred sah strahlend zu, das Rad drehte sich unter dem Fall und hörte nicht auf, sich zu drehen. Er betrachtete es lange und aus verschiedenen Entfernungen, dann begann er den Kanal auszubauen und befestigte die nachgiebigen Kiesdämme mit großen würfelförmigen Steinen, die er weit herum zusammensuchte.

Endlich mußte er umkehren, man war im Rusgrund pünktlich mit dem Mittagessen, und er wollte nicht am letzten Tage noch zu spät kommen. Statt nun aber den bequemen Fußweg durch die Wiese hinauf einzuschlagen, kehrte er durch das Tobel zurück. »So, Schluß, es ist zu Ende!« dachte er, und dieser Gedanke, den er am Morgen noch gewaltsam unterschlagen hatte, ließ ihn nicht mehr los. Weiter oben, an einem der steilen Hänge, glitt er aus und hielt sich, um schneller vorwärtszukommen, von nun an mehr an das Bachufer, wobei er unbekümmert durch das

Wasser watete, wenn ihm hohes Geröll den Weg versperrte. Am Horizont seiner Vorstellungen tauchte die Stadt auf mit ihrer Hatz und ihrem Lärm, mit Hörsälen, Laboratorien, achselzuckenden Professoren und studentischem Komment, mit ihrer geschniegelten Gesellschaft und mit der Kaserne, dieser öden Drillanstalt, wo er bald wieder den Hampelmann spielen mußte. »Hol's der Teufel! Warum bleib ich nicht einfach hier?«

Er sprang in diesem Augenblick von einem Block auf den nächsten hinüber, glitt aus, stürzte heftig hin und spürte im rechten Fuß einen so rasenden Schmerz, als ob man ihm mit einem Messer das Gelenk durchstieße. »Verflucht, oh verflucht!« stöhnte er laut, mit verkniffener Miene, und blieb regungslos liegen, die Stirn eiskalt umhaucht. Nach ein paar bangen Minuten erholte er sich ein wenig und versuchte vorsichtig, seine unbequeme Lage zu ändern, aber kaum bewegte er den Fuß, ja noch eh er ihn bewegte, beim bloßen Versuch, spürte er denselben Schmerz im Gelenk, einen unverschämt plötzlichen, stechenden Schmerz. Er blieb nun eine Weile liegen, so wie er eben lag, und begann sich mit dem Gedanken abzufinden, daß er den Fuß verstaucht, ausgerenkt oder gebrochen hatte. »Soso... aha... na ja!« sagte er kleinlaut.

Indessen begann der Fuß offenbar anzuschwellen und einen immer heftiger spannenden Druck auf den Schuh auszuüben. »Ich muß den Schuh ausziehen«, dachte Fred, und versuchte es, aber nur einmal. »Verdammt, verdammt, ich kann doch nicht hier liegenbleiben!« Er begann zu rufen. »Heh! Heh!... Uuui! Heh... Hilfe!« Sowie er »Hilfe« rief, kam ihm das lächerlich vor, er schämte sich, er hatte sein Lebtag noch nie um Hilfe gerufen. Und man schrie doch wegen eines schmerzenden Fußes nicht um Hilfe! »Heh... heh da!« rief er noch ein paarmal, doch war nun offenbar niemand da oben auf den Wiesen, und im Rusgrundhaus konnte man ihn unmöglich hören. »Quatsch!« sagte er ärgerlich. Es war ihm klar, daß er allein hier fortkommen mußte.

Er biß die Zähne zusammen und begann sogleich mit wütender Miene auf den drei heilen Gliedern aus dem Geröll zu kriechen, wobei er das rechte Bein wie einen toten Gegenstand hinter sich her zog und dem heftigen Schmerz, den er bei jedem Anstoßen des Fußes empfand, die ganze erzürnte Kraft seiner Verachtung entgegensetzte. Auf diese Art schleppte er sich im Verlauf einer halben Stunde schräg den Hang hinauf und setzte sich oben erschöpft auf die Böschung. Nach kurzer Rast dachte er an den Brief, den er Mama schreiben mußte. »Liebe Mama, Deiner Aufforderung kann ich leider nicht Folge leisten, ich bleibe vorläufig im Rusgrund.« So gedachte er anzufangen; dann wollte er ein paar allgemeine Gründe dafür anführen, ferner sein ungeheures Bedauern ausdrücken, daß er vermutlich weder das Semester noch die Offiziersschule besuchen könne, und erst ganz am Schluß so nebenbei den Unfall erwähnen. Schmunzelnd legte er sich das zurecht, dann fällte er mit dem Taschenmesser in mühsamer Arbeit die zwei jungen Eschenstämmchen, die er sich beim Hinaufkriechen zum Ziel gesetzt hatte, und benutzte sie auf dem Heimweg als Krücken, wobei ihn die Achselhöhlen bald mehr zu schmerzen begannen als der nun ruhig hängende Fuß.

Er kam vor das Haus, sehr müde, und wurde zuerst von Christian entdeckt.

»Was hast du angestellt?« fragte Christian besorgt.

»Ich bin ein wenig ausgeglitscht... nicht der Rede wert.«

»Häng dich mir da an den Rücken! Ich trag dich die Treppe hinauf...«

»Ja, eigentlich könnte ich selber...« antwortete er zögernd, doch er konnte nicht mehr selber, er war erschöpft, und da sich Christian ohne viel Worte bereitstellte, machte auch er keine Umstände, schlang ihm von hinten die Arme um die Schultern und ließ sich tragen.

Im Hause selbst aber entstand eine ziemliche Aufregung, die Mädchen empfingen ihn mit Schreckensrufen, die in eine Flut von Fragen und Mitleidsbeteuerungen übergingen, die Hausfrau rief Jesus, Maria und Josef an, schickte Christian sogleich mit dem Wagen ins Dorf zum Arzt und erteilte den Töchtern unwirsche Befehle. »Aech, macht doch keine Geschichten!« rief Fred, ernstlich geärgert, und noch als er geborgen in seiner Kammer lag, verwahrte er sich gegen die verschiedenen, seiner Ansicht nach übertriebenen Maßnahmen, die Tante Marie für nötig hielt.

Nach zwei Stunden wurde ihm von einem ältern freundlichen Landarzt der Fuß wieder eingerenkt, was er leicht erbleichend, aber lautlos ertrug. Darauf lag er denn als Patient am hellen Nachmittag in seinem buntgeblümten breiten Bett, das rechte Bein auf etwas erhöhtem Lager, den immer noch anschwellenden Fuß in einem Verband mit essigsaurer Tonerde, und begann das Ereignis zu bedenken, eher neugierig als mißmutig, wie einen listigen kleinen Zufall, der die Weiche plötzlich anders stellt als die unentrinnbaren Mächte der Eltern, des Vaterlandes und der Hochschule es haben wollten. »Man muß nur ein bißchen den Fuß verrenken«, dachte er belustigt, »dann fällt alles um, was uns lenkt. Was gäbe es für ein Geschrei, wenn ich ohne diesen nichtigen Anlaß fünf Wochen aus meiner Karriere streichen würde! Am Fleisch und Bein hängt alles!« In der Frühe des zweiten Tages, als die Rusgrundsonne hinter den waldigen Hängen heraufkam und seine Kammer erfüllte, stellte er schmunzelnd fest, daß er an diesem Tage unbedingt unter allen Umständen wieder in Zürich sein mußte.

Am nächsten Morgen erfuhr er zu seiner Überraschung freilich, daß vor einem kranken Fuß denn doch nicht alles umgefallen war. Mama nämlich, die seinen Brief gar nicht erst beantwortete, kam, von Gertrud und dem Hausarzt begleitet, in einem geräumigen Mietauto, einem Sechsplätzer, ganz einfach hierher gefahren. Er wurde sorgfältig in die Stadt zurück befördert und nach einer Röntgenaufnahme des Fußes wieder in sein eigenes Bett gesteckt. Indessen fand er sich damit ab. Gertrud hatte bei der Heimfahrt versprochen, ihn zu ihrer neuesten Hausmusik im Wagen abzuholen, sobald der Arzt es erlauben würde, außerdem mußte man ihn auch hier in Ruhe lassen, und die Übersiedlung änderte nichts an der belustigenden Tatsache, daß ein geschwollener Fuß sich stärker erwies als die Notwendigkeit der akademischen Bildung und der Ruf des Vaterlandes.

3

Gertrud hatte bald das Streichquartett, bald die zwei Geiger zum Spiel ins Hartmannsche Haus geladen und war dabei mit Albin Pfister freundschaftlich vertraut geworden; dieser Mensch »interessierte« sie desto mehr, je näher sie ihn kennenlernte, und sie dachte in ihrer gesellschaftlichen Unbefangenheit gar nicht daran, aus konventionellen oder anderen Gründen sich den Umgang mit ihm zu versagen. Ihren Bekannten gegenüber gestand sie denn auch unbedenklich, dieser Pfister sei ein »heillos sympathischer und flotter Kerl«. Sie wußte nicht oder noch nicht, was sie zu verschweigen gehabt hätte.

Eines Abends, nachdem die zwei Geiger zum Schluß ein Duo gespielt hatten, fragte sie Albin, an ein früheres Gespräch anknüpfend, plötzlich leise und lebhaft: »Haben Sie mir das Verzeichnis mitgebracht?«

Albin bewegte mit einem ratlosen Lächeln langsam den Kopf, indes seine Hände mit dem Violinbogen zu spielen begannen, den er eben entspannt hatte. »Überlegt habe ich es mir lange«, sagte er, »aber... ich kann Ihnen nicht so viel Bücher aufschreiben, wie ich gerne möchte, Sie würden niemals alles lesen... und eine Auswahl zu treffen, ist furchtbar schwierig...«

»Ich will aber alles lesen!« rief Gertrud und erhob sich. »Schreiben Sie alles auf, was Sie...«

»Gertrud, mach dir doch keine Illusionen!« sagte Paul mit einer müden Handbewegung, während er seine Geige, ein altes französisches Instrument, sorgfältig einhüllte. »Du würdest das unmöglich verdauen...«

»Ach was!« rief Gertrud betrübt und ärgerlich zugleich.

»Das möchte ich nicht behaupten«, sagte Albin lächelnd, »aber... Sie haben mich gebeten, von Pauls und meinem eigenen Maßstab auszugehen. Dieser Maßstab beruht aber auf einer jahrelangen intensiven Lektüre, die durchaus nicht planmäßig vor sich gegangen ist, sondern scheinbar willkürlich, in Wirklichkeit aber, wie ich überzeugt bin, nach einem geheimen persönlichen Gesetz... ja, nach einem Gesetz, dem, grob gesagt, im Materiellen ungefähr das Gesetz unsrer Ernährung entspricht...«

»Jawohl!« rief Paul, dem dieser Gedanke gefiel. »Genau so! Und nun stell dir vor: du bist klein und hungrig und verlangst jetzt dieselben Speisen und Getränke, die uns während zehn Jahren groß und satt gemacht haben. All das verlangst du auf einmal und hoffst uns dadurch einzuholen...«

»Mein Gott, wie kompliziert!« erwiderte Gertrud unwillig. »Man will ein paar Bücher lesen und...«

»Ein paar Bücher... das ist wieder etwas anderes. Lies aber bitte das Hauptwerk von Schopenhauer, den ganzen Nietzsche, die gesammelten oder meinetwegen ausgewählten Werke von Dostojewski, Tolstoi, Ibsen, Strindberg, Flaubert, Zola und so weiter. Lies das alles ohne die besondere innere Bereitschaft, die jeder einzelne dieser Autoren verlangt, um verstanden oder erlebt zu werden, und du wirst dich am Ende übergeben müssen...«

»So hab ich's also endgültig verpaßt und bleibe eine dumme Kuh«, antwortete sie gereizt.

»Nein, so kommen wir nirgends hin«, sagte Albin entschieden. »Und du übertreibst, Paul. Frau Hartmann hat auch Voraussetzungen, nur andere als wir, und...« Er wandte sich an Gertrud. »... Sie kennen Ibsen, Zola und haben auch von den Russen dies und jenes gelesen... ich werde Ihnen doch ein Verzeichnis machen, wenn Sie mir einen Blick in Ihren Bücherschrank gestatten wollen...«

»Ja, bitte kommen Sie!« Ohne Paul weiter zu beachten, ging sie Albin voran in den kleinen Salon. Hier ließ sie sich auf den nächsten Stuhl fallen. »Ach, Paul macht mich immer ganz mutlos«, sagte sie finster. »Ich mag nicht mehr von solchen Dingen reden, wenn er dabei ist...«

»Ja, Paul ist ein Skeptiker. Es gibt Dinge, die ich jetzt auch nicht mehr ohne weiteres mit ihm bereden möchte...«

»Nicht wahr?« sagte sie lebhaft. »Mir ist manches... ich will nicht sagen heilig, aber doch so wichtig, daß ich seine Glossen darüber einfach taktlos finde und in Zukunft überhaupt nichts mehr sagen werde... Ja, also das sind die paar Bücher, die ich besonders gern habe... die im Wohnzimmer haben Sie ja schon gesehen...«

Albin stand vor einem kleinen nußbraunen Schrank mit Glastüren und warf nach kurzer Musterung einen erstaunlichen Blick auf Gertrud, den sie neugierig lächelnd auffing. »Baudelaire, Mallarmé, Maeterlinck...?« fragte er und fuhr dann mit wachsendem Erstaunen fort: »Rilke, George, Hofmannsthal... Ja, aber... davon haben Sie mir nie etwas gesagt! Ich dachte immer, Sie... ja...«

»Jaja, ich sei so eine durchschnittliche Romanratte«, ergänzte sie, erhob sich rasch und trat neben ihn. »Sehen Sie, hier...«

»Nein, gewiß nicht! Aber Sie stellten sich so ahnungslos... Ja, das ist ein wundervolles Buch!«

»Warum soll ich davon schwatzen! Ich habe auch mein Refugium...«

»Hm... wir sind den Frauen gegenüber Pedanten, wenn wir glauben, sie brauchten ebenso lange Umwege wie wir, um zu solchen Büchern...« Er brach plötzlich ab, zog einen schmalen Band heraus und sagte beschämt lächelnd: »Aber das gehört nicht hieher, leider!« Auf dem hellgrauen Kartondeckel stand schwarz gedruckt: Albin Pfister, Sonette.

»Für mich gehört es hieher!« erwiderte sie, nahm ihm das Buch weg und schob es wieder hinein. »Kennen Sie das hier?« fragte sie rasch und hielt ihm einen andern Band vor Augen. »Diese Gedichte hab' ich furchtbar gern...«

Sie standen neben einander zwischen den geöffneten Glastüren, unterhielten sich über die Bücher und fanden immer wieder etwas, das sie beide als bedeutsam oder besonders schön empfunden hatten. Ihre Gesichter waren gerötet vor Wärme und Lebhaftigkeit und ihre Augen strahlten dasselbe freudige Verständnis aus. Albin begann mit wachsendem Eifer davon zu sprechen, welche Haltung dieser neuen Dichtung zugrunde liege, worin ihr Neues bestehe, warum man sie nicht mit den literarischen Erscheinungen der Dekadenz verwechseln dürfe, und wie sie im Begriff sei, den Naturalismus zu überwinden.

An alle diese Erörterungen erinnerte sich Gertrud später nicht mehr, ihr prägte sich nur ein, wie Albin aus sich heraustrat, wie eine klar bestimmte männliche Begeisterung aus seinen ehrlichen Augen leuchtete, wie sein ganzes bescheidenes Wesen etwas kräftig Überzeugendes annahm, und wie sie selber dabei die merkwürdige, durchaus körperliche Empfindung hatte, den Boden des Salons unter ihren Füßen zu verlieren, wie sie sich dann plötzlich gegen diesen Mann zu wehren begann und dem Gespräch ein unerwartetes, kühles Ende bereitete, das sie lange nachher noch beschämend und unverständlich fand. Auch Albin wußte später kaum mehr, was er alles gesagt hatte. Er sah in der Erinnerung an diese Stunde nur Gertruds kräftig schlanke Gestalt, wie sie gleich groß, frei und grad zu seiner Rechten stand, wie sie sich auf ein Knie niederließ, um ein Buch vom untersten Brett zu nehmen, und mühelos neben ihm wieder auffuhr, wie sie zurücktretend sich schief herabbückte, um einen Titel zu lesen, und dabei auf eine ganz besondere Art den Nacken bog, er sah ihren leicht über eine Buchseite gebeugten Kopf und das locker den Scheitel überfließende Haar, er sah ihr nahes, lebhaft glühendes Gesicht und immer wieder die Vertrauen und Liebe erweckenden Augen, die erst am Ende erschrocken zu wissen schienen, was über alle Worte hinaus zwischen ihnen vorging.

Als sie in das Wohnzimmer zurückkehrten, lehnte Hartmann am Flügel, die Rechte mit einer flüchtig gefalteten Zeitung neben sich auf die Kante gestützt, im straffen Gesicht einen Ausdruck verhaltenen Zornes, den Gertrud genau kannte. Er stand vor seinem ungleichen Schwager Paul, der mit ernster Miene sehr bequem in einem ledernen Klubstuhl saß, warf den Eintretenden einen kurzen Blick zu und beantwortete dann irgendeine Frage; mit der Begrüßung Albins übereilte er sich nicht. Gertrud bezog seinen Ausdruck, ja seine bloße Gegenwart zuerst unwillkürlich auf sich und Albin, erkannte aber an der Art seines Blickes sogleich, daß ihn etwas anderes beschäftigte.

Paul begann seine Schwester spöttisch zu mustern, während Albin und der Hausherr mit einem knappen Händedruck sich höflich begrüßten.

»Was ist los?« fragte Gertrud mit gemachtem Erstaunen.

»In Österreich ist ein Ehepaar erschossen worden«, antwortete Paul achselzuckend. »Zufällig waren es kaiserliche Hoheiten.«

Hartmann streifte Paul mit einem verächtlichen Blick und gab seiner Frau mit einem Hinweis auf die Nachricht das Zeitungsblatt.

»Mein Gott, das ist ja furchtbar!« sagte Gertrud leise. »Der Thronfolger...«

»Ein Zufall wäre noch viel abscheulicher«, sagte Hartmann mit schrägem Blick auf Paul. »Wenn man sich vorstellt, daß irgendein Schuft zufällig einen Erzherzog erschießt... unerträglich ist nur das eigentlich Sinnlose... aber hier handelt es sich um ein politisches Attentat, das ist klar!«

»Furchtbar!« wiederholte Gertrud, während sie das Blatt an Albin weitergab. »Ein neunzehnjähriger Lyzeumsschüler... wie kommt der dazu...«

»Steht in der Meldung«, antwortete Hartmann. »Unter dem Einfluß der oppositionellen bosnischen Politik. Es beruht dort alles auf gewissen nationalen Gegensätzen...«

»Sarajevo, ist das...?«

»Die Hauptstadt von Bosnien. In der Meldung eines andern Blattes werden bereits die Serben verdächtigt...«

Paul erhob sich gemächlich und trat zu Albin. »So... wollen wir...?«

Albin zuckte und begann Abschied zu nehmen.

»Also wie steht's mit dem Quartett?« fragte Gertrud, während sie die beiden in den Garten hinab begleitete. »Wollt ihr hieher kommen, oder...?«

»Ach, ich weiß nicht... Junod hat etwas gemunkelt, daß wir bei ihm spielen sollen«, antwortete Paul. »Das wird ja natürlich furchtbar kompliziert, aber... wir wollen vorläufig lieber nichts verabreden...«

»Hat's jetzt nicht gedonnert?« fragte Gertrud und hielt auf dem Gartenweg an.

»Wo? Es ist ja eine ganz klare Nacht! Irgendein Auto oder ein Tramwagen...«

»Ja wahrhaftig... man sieht die Sterne... man ist wie geblendet, wenn man aus dem Licht kommt... ja, gut' Nacht, Paul, ich lasse Papa und Mama grüßen... gut' Nacht, Herr Pfister!«

Albin, der seit der Begrüßung Hartmanns kein Wort mehr gesprochen hatte, erkannte in der Dämmerung ihre Hand nicht und zögerte eine Sekunde, dann wünschte er etwas undeutlich gute Nacht und folgte eilig seinem Freunde.

Gertrud blieb zwischen den jungen Blautannen, die den Weg säumten, mit gespannter Miene einen Augenblick stehen, dann kehrte sie rasch in die Wohnstube zurück. Ihren Mann hörte sie in seinem Arbeitszimmer auf und ab gehen. Leise trat sie in die verdunkelte Kinderstube, wo sie ihr Lager eingerichtet hatte. Es war bald halb zwölf Uhr, die Kinder, die gegen zehn Uhr wach gewesen waren, schliefen ruhig. Mit derselben gespannten Miene wie im Garten, nur um einen Zug gequälter, blieb sie vor dem Bette stehen, tat ein paar ziellose Schritte und blieb wiederum stehen, raffte aber endlich, als ob alles Nachdenken ja doch zu keinem vernünftigen Schlusse führen könnte, ein paar Gegenstände auf dem Toilettentisch zusammen und begab sich damit in das gemeinsame Schlafzimmer.

Eine Viertelstunde darauf trat Hartmann ein und begann nach einem kurzen, forschenden Blick auf seine Frau sogleich die Uniformbluse aufzuknöpfen. »Es ist schwer, mit deinem Bruder ein vernünftiges Gespräch zu führen«, sagte er so ruhig und selbstverständlich, als ob er nicht wochenlang allein in diesem Zimmer geschlafen hätte. »Er hat mir gegenüber so eine Art von Ressentiment... ich weiß nie, was hinter seinen Worten steckt... und dieser Mord ist doch wirklich kein Anlaß zu Journalistenwitzen.«

»Ja... er ist oft merkwürdig«, antwortete sie, ohne genau zu erfassen, was in Frage stand. Mit einer Hand hielt sie noch immer den Saum des Linnens, das sie bei seinem Eintritt bis unter das Kinn hinaufgezogen hatte. Sie vermied seinen Blick, schaute zur Decke empor, von einem tiefen, dunklen Ernst erfüllt, und erkannte nur an seiner unverfänglichen Bemerkung und am Ton seiner Stimme, wie sehr er bemüht war, ihr jede Verlegenheit zu ersparen. Dankbar ging sie darauf ein.

Es wurde eine der unruhigsten und verworrensten Nächte, die sie seit langem erlebt hatte. Sie fand keinen rechten Schlaf, mußte zweimal hinaus, um die Kinder zu beruhigen, und wurde im Halbschlummer von Träumen geplagt, die sie nach dem Aufwachen noch ängstigten. Ihre Unterhaltung mit Albin vor dem Bücherschrank und das Ereignis in Sarajevo vermischten sich darin auf die unsinnigste Art, aber mit einer so heillosen Entschiedenheit, daß sie künftig das Wort Sarajevo nie mehr hören konnte, ohne an Albin zu denken. Schon beim ersten Versuch, einen Fetzen dieser Traumfolge festzuhalten, erschrak sie, weil der Mörder durchaus nicht der junge Lyzeumsschüler war, sondern Albin Pfister, der lächelnd mit einem Ordonnanzrevolver auf sie zielte und gleich darauf den Erzherzog erschoß. Der Erschossene wurde eilig weggetragen, war aber nicht mehr der Erzherzog, sondern irgendein Mann in Uniform.

Am Morgen, nachdem Hartmann weggefahren war, stand sie in den Unterkleidern mit offenem Haar und übernächtigen Augen trostlos vor dem Spiegel und kam sich so elend und verwüstet vor wie nie in ihrem Leben.

4

Die Beschäftigung mit den Kindern und die übrigen Pflichten des Tages verhalfen Gertrud immer wieder zu einem notdürftigen äußern Gleichgewicht, aber sie spürte, daß sie einem Zustand entgegentrieb, in dem sie sich nicht mehr würde beherrschen können. Dieser Gedanke erschreckte sie mehr als alles andere, und das Bedürfnis, sich auszusprechen, wuchs derart, daß sie stundenlang suchte und überlegte, wem sie sich anvertrauen könnte. Sie merkte erst jetzt, wie oberflächlich sie nach der Bekanntschaft mit Hartmann fast alle ihre Freundschaften begründet hatte. In dieser Not schrieb sie an Susi Brunner, eine Freundin aus ihrer Mädchenzeit, die seit drei Jahren mit einem Angestellten in Bern verheiratet war. Susi lebte in ihrer Erinnerung als kleine, frische Gestalt von wachem, anschmiegsamem Wesen und einer gewissen vertrauensseligen Offenheit, die zu erwidern man gern bereit war.

Schon drei Tage nach der Einladung holte Gertrud die junge Frau im Hauptbahnhof ab und fuhr mit ihr nach Hause. Ihr erster Eindruck war zwiespältig, aber sie bemühte sich, kein Urteil zu fällen, bevor sie ihr ruhig gegenübersitzen würde. Nach dem Sturm des Wiedersehens während der Heimfahrt ließ sie Susi für eine Viertelstunde allein und erwartete sie dann in der Wohnstube zum Tee. Sie hatte sich eben überzeugt, daß die Kleinen noch schliefen, und die Tür zum Kinderzimmer sorgfältig geschlossen, als Susi eintrat.

Gertrud bemerkte zuerst, daß sie das Kleid gewechselt hatte, aber in diesem formlosen grünen Umhang noch ebenso unvorteilhaft aussah wie im Reisekleid. Sie war dikker geworden und schien infolgedessen noch kleiner als sonst, auch ihr früher etwas spitzmausiges Gesicht war voller und unbestimmter, doch in ihren Bewegungen und in den fröhlich zudringlichen Augen äußerte sich ihr Wesen noch auf die alte lebhafte Art.

Mit einem freudig aufleuchtenden Lächeln trat sie rasch herein, griff mit beiden Händen Gertruds linken Oberarm, schmiegte sich an und begann sogleich im Ton eines erregten kleinen Mädchens hemmungslos zu plaudern. »Ach Trudi, ich kann dir gar nicht sagen, wie mich das freut, daß wir uns endlich, endlich wiedersehen. Ich habe ja entsetzlich viel an dich gedacht und wäre schon lange gern gekommen, wenn du nur ein Zeichen getan hättest. Aber ich mußte ja denken, du habest mich ganz vergessen, und ich getraute mir nicht, dich zu uns einzuladen; wir hatten ja zuerst auch nur ein paar Zimmer. Aber jetzt sind wir umgezogen, du, es ist eine ganz entzückende Wohnung und wir können sehr gut ein Gastzimmer einrichten, du mußt unbedingt diesen Sommer noch kommen...«

»Wollen wir nicht zuerst Tee trinken?« fragte Gertrud lächelnd, legte den Arm um ihre Mitte und führte sie zum kleinen Tisch.

Susi folgte kichernd, drehte sich aber plötzlich wieder der Freundin zu und sagte verzweifelt: »Weißt du, ich habe furchtbar zugenommen, es ist entsetzlich, ich weiß gar nicht was machen. Nach dem Heiri ging es noch, aber nach dem Hansli bin ich einfach immer dicker geworden, da und da und da, ach überall, du siehst es ja...« Sie zupfte mit trübseliger Miene über all den betreffenden Körperstellen so drollig an ihrem Kleid, daß Gertrud laut auflachen mußte.

»Ach ja, du lachst mich nun auch noch aus«, sagte sie traurig, fuhr aber Gertrud plötzlich scherzhaft heftig an: »Was machst denn auch du? Dir sieht man ja gar nichts an, du bist immer noch...«

»Ho je, Susi, das meinst du nur! Aber komm jetzt, wir wollen uns doch setzen... so... wieviel Zucker nimmst du? Zwei, gern. Nein, nein, ich bin auch schwerer geworden.

Aber ich habe immer etwas Sport getrieben, weißt du. Übrigens... was hat das zu bedeuten! Etwas schwerer oder leichter... darauf kommt es doch nicht an.«

»Ja, du hast gut reden, aber wenn du so wärest wie ich... die Männer sehen ja so darauf, es ist abscheulich. Meiner behauptet zwar immer, ich sei gar nicht dick, aber ich merke doch ganz genau... ach Gott, Trudi, ich habe dir ja noch so viel zu sagen... und auf deinen bin ich furchtbar gespannt, ich kenne ihn ja noch gar nicht. Er ist Oberstleutnant, gelt? Ich habe eigentlich ein wenig Angst vor ihm. Meiner ist ja nur Angestellter, aber er verdient doch schön, und weißt du, er kann halt lieb sein, wenn er will, ja jeh! Aber es ist nicht mehr wie am Anfang... die Leidenschaft verfliegt bei den Männern. Wenn er abends ausgegangen ist und dann so heimkommt, und ich bin noch wach und hab' ihn erwartet, und er dann... weißt du... hast du das mit deinem nicht auch schon erlebt, daß er dann...« Sie fiel jetzt in einen gedämpften, hastigen Ton, beugte sich vor und schaute vertraulich lauernd zu ihrer Freundin auf.

Gertrud blickte ernüchtert ins Leere und wußte schon jetzt, daß sie niemals imstande sein würde, sich Susi anzuvertrauen. »Und ich habe sie für eine ganze Woche eingeladen!« dachte sie bestürzt. »Wie werde ich das gute Geschöpf wieder los?«

Im weiteren Verlauf des Nachmittags stellte sie sich auf eine bestimmte, etwas gönnerhafte Haltung ein, die ihr erlaubte, Anteilnahme an Susis Geständnissen zu verraten, ohne sich zu vergeben oder sie gar erwidern zu müssen.

Abends, als sie im Begriffe war, Susi ihrem Manne vorzustellen, ertappte sie sich auf einer Regung, die sie sogleich entschlossen bekämpfte: Sie schämte sich dieser Freundin. Sie sah voraus, daß Hartmann das schlampige, schwatzhafte Weibchen kühl verachten, aber ihm dennoch zuvorkommend und freundlich begegnen werde. »Er soll sie nicht verachten, er hat kein Recht dazu, es ist lauter Dünkel und Überheblichkeit«, dachte sie und behandelte dann Susi bei Tische mit Absicht besonders freundschaftlich; aber zugleich wunderte und ärgerte sie sich, wie affektiert sich dies einst so natürliche Wesen vor Hartmanns Augen benahm. Nach dem Essen fing sie einen kurzen, ironischen Seitenblick ihres Mannes auf, den sie genau verstand. »Ach was, es geht dich gar nichts an!« dachte sie trotzend und fuhr in der Folge fort, Susi gegen ihr eigenes Gefühl mit aller Herzlichkeit zu behandeln.

Indessen trat ein häusliches Ereignis ein, das ihr sonst wenig zu schaffen machte, unter den Umständen aber, mit denen es zusammentraf, ihre Geduld auf die letzte Probe stellte. Herr und Frau Frey von Wurzach, Verwandte ihres Mannes, die ein Gut auf dem Lande bewohnten, meldeten sich zu einem kurzen Aufenthalt im Hartmannschen Hause an und wollten noch rechtzeitig zum Abendessen eintreffen. Gertrud mußte sie notgedrungen bei der Schwiegermama im oberen Stock unterbringen, aber sie kannte die damit verbundenen Schwierigkeiten zu gut, um vor der Heimkehr ihres Mannes auch nur einen Finger zu rühren. Fast gleichzeitig empfing sie die Einladung »zu einer kleinen musikalischen Soiree« auf diesen Abend bei Professor Junod. Ihr erster und einziger Gedanke dabei war, daß sie dort mit Albin Pfister zusammentreffen werde. Sie begann sogleich aufgeregt zu überlegen, ob sie der Einladung folgen solle oder nicht, sah aber voraus, daß diese Überlegung zu keinem vernünftigen Schlusse führen konnte, und stellte in nervöser Hilflosigkeit alles auf die Laune des letzten Augenblicks ab.

Hartmann, der seine Verwandten schon in der Stadt getroffen hatte, kam kurz vor dem Nachtessen mit ihnen angefahren. Gertrud führte die Gäste vorläufig ins Wohnzimmer und nahm sogleich ihren Mann beiseite. »Es ist dann noch nichts bereit!« sagte sie ziemlich heftig, als ob Hartmann daran schuld wäre. »Ich kann Susi nicht hinauswerfen, nicht wahr, und mit Mama kannst du meinetwegen selber reden.«

»Aber ich bitte dich! Willy sagte mir doch, daß er sich bei dir angemeldet hat.«

»Ach, ich mag nicht mit Mama streiten... und überhaupt, ich hab' mich schon genug geärgert.«

»Schön, dann werden wir beide zusammen nach dem Essen die Sache bei Mama in Ordnung bringen!« erwiderte er mit unbewegter Miene in einem kalt abschließenden Ton und wandte sich ab.

»Nein, nein, jetzt, jetzt muß sie in Ordnung gebracht werden! Nach dem Essen kannst du bei Mama nichts anfangen, sie läßt dich gar nicht herein... und nachher hab' ich auch keine Zeit mehr...«

»Wieso keine Zeit mehr?«

»Weil ich ausgehe.«

»Hm, erlaubst du... das ist kein sehr geeigneter Abend, um auszugehen... das verschiebst du doch besser!«

»Ich kann es nicht verschieben, es handelt sich nicht um mich allein...«

»Aha, Musik also? Hm!« Er blickte sie von der Seite her verächtlich forschend an.

Sie kehrte ihm mit einer entschiedenen Wendung schweigend den Rücken zu und lief weg. Einen Augenblick vorher hätte sie noch nicht zu sagen vermocht, wie sie den heutigen Abend verbringen werde; sie hatte ohne jede Überlegung geantwortet.

Hartmann schaute ihr einen Augenblick finster nach, wobei seine rotbraunen Kinnbacken über dem Uniformkragen in eine leise mahlende Bewegung gerieten, dann ging er rasch entschlossen zu Mama hinauf.

Die alte Frau Hartmann bewohnte mit zwei Dienstboten

den oberen Stock und führte ein peinlich geregeltes, von tausend eingebildeten Plagen heimgesuchtes Dasein. Sie begann den Tag um acht Uhr mit merkwürdigen Turnübungen und einem darauf folgenden warmen Bad, dann kehrte sie ins Bett zurück und nahm das Frühstück ein, bis Fräulein Keller, eine wohlgenährte fröhliche Person mit einem goldenen Klemmer im rosigen Gesicht, zur Massage aus der Stadt eintraf. Gegen zehn Uhr erhob sie sich, und etwa eine Stunde darauf, nachdem sie von der Masseuse noch frisiert worden war, erschien sie in der häuslichen Öffentlichkeit. Von diesem Augenblick an bis zur Nachmittagsstunde, in der sie sich zur Ruhe hinlegte, erlebte sie fast nichts als Ärger und Sorgen, besonders im Hinblick auf Küche und Mittagessen. Vor dem Tee begann sie »Ordnung zu machen«, eine Beschäftigung, die sich auf den hintersten Knopf erstreckte, und zum Tee selber empfing sie dann gelegentlich ihren Sohn oder die Schwiegertochter mit einem der Kinder. (Mit beiden Kindern zugleich durfte Gertrud nie erscheinen, da sich der Knabe sonst angeblich der Aufsicht entzog und fürchterliche Dinge anstellte.) Häufig fuhr sie darauf in die Stadt, um dies und jenes einzukaufen, wobei sie durch ihr umständliches Nörgeln und ihre Unentschlossenheit sich jedem Ladenmädchen unvergeßlich einprägte. Sogleich nach dem Nachtessen erschien Fräulein Keller wieder, der Massage folgten ausgedehnte Waschungen, und um zehn Uhr endlich begab die geplagte Frau sich seufzend zur Ruhe.

Als ihr Sohn eintrat, kam sie aus der Küche gelaufen, eine weißhaarige, noch immer sehr stattliche Erscheinung mit großen, anklagenden Augen in einem abgenutzten, leichenblaß gepuderten Gesichte. »Albrecht!?« rief sie mit erhobenen Händen, flehend und fragend zugleich, erschrocken über seinen Eintritt zu dieser ungewohnten Stunde.

»Guten Abend, Mama!« grüßte Hartmann. »Wie geht's dir?«

»Ach, Albrecht, quäl mich nicht lange!« rief sie. »Sag mir lieber, was dich herführt!«

»Nichts von Bedeutung! Willy und Mathild sind da und lassen dich grüßen.«

»Albrecht, ich kann sie nicht empfangen, mein Gott... es ist ja viel zu spät, das weißt du doch... du machst ihnen das begreiflich, gelt, sei so gut! Und ich kann auch nicht hinunterkommen...«

Hartmann, der Mama jederzeit mit Geduld und Höflichkeit behandelte, nickte beruhigend. »Das sollst du auch gar nicht«, sagte er. »Ich wollte dich nur bitten, uns das Gastzimmer zur Verfügung zu stellen...«

»Albrecht!!«

»Du wirst nicht das geringste damit zu tun haben, Mama, das kann ich dir versichern...«

»Nichts damit zu tun haben! Mein Gott, Albrecht, du hast ja keine Ahnung, was ein Haushalt ist. Und ich habe doch nur zwei Mädchen...!«

»Was soll ich machen, Mama? Unser Gastzimmer ist besetzt, Gertrud hat eine Freundin eingeladen. Soll ich Willy und Mathild wieder fortschicken?«

»Warum muß denn Gertrud eine Freundin einladen! Sie weiß doch...«

Hartmann entgegnete nun nichts mehr, er blickte Mama nur mit betrübter Miene an und wartete geduldig auf ihre Zusage. Als die Frau dies merkte, rang sie die Hände, bat ihn, einen Augenblick zu warten, und kehrte hastig in die Küche zurück. Hartmann hörte sie verzweifelt klagen, weil in ihrer Abwesenheit die Köchin den Salat angerichtet hatte. »Ich habe Ihnen doch deutlich gesagt, Sie sollen warten!« rief sie. »Jetzt haben Sie's verpfuscht...«

Als sie wieder herauskam, mit der Absicht, den Sohn in die Wohnstube zu führen, um ihm dort die Schwierigkeiten klarzumachen, trat Hartmann den Rückzug an. »Also danke, Mama!« sagte er rasch. »Ich werde es so anordnen, und du wirst gar nichts davon merken. Auf Wiedersehen!« Er nickte mit freundlicher Miene und zog schnell die Korridortüre hinter sich zu.

»Albrecht! Ihr richtet mich zugrunde!« rief sie ihm nach.

Er traf die neuen Gäste im Eßzimmer und wurde von seinem Vetter Willy sogleich in ein Gespräch über militärische Dinge verwickelt, im Augenblick, als von der andern Seite her Gertrud und Susi eintraten.

Gertrud stellte zuerst die Frauen einander vor. Susi streckte mit freudig bereitem, etwas schwärmerischen Lächeln rasch und ahnungslos die Hand aus, erlebte aber zu ihrem unaussprechlichen Ärger, daß die junge Frau auf diese herzhafte Art nicht einging.

Frau Mathilde war eine sehr aufrechte, schlanke Gestalt mit einem regelmäßigen Gesicht von strenger, offenbar bewußter Schönheit und mit prachtvollen, mild leuchtenden Schultern im flaumigen Rahmen einer weit zurückgeschobenen Boa. Ohne Susi mehr als die schlaffen Finger und ein kühles Nicken zu gönnen, wandte sie sich mit einer Bemerkung über den Reitunfall eines bekannten Offiziers an Gertrud, wobei sie mit der erhobenen, leicht aus dem Handgelenk fallenden Rechten lässig das eine Ende der Boa liebkoste. »Ich finde es bedauerlich«, sagte sie. »Aber er hätte dieses Pferd niemals reiten dürfen, und man hat ihn ja auch vorher gewarnt.«

Gertrud empfand das Verhalten Mathildes als eine Beleidigung ihrer Freundin und war empört, aber zugleich ärgerte sie sich über Susis plebejische Zudringlichkeit. »Ach, das kann schließlich jedem passieren«, erwiderte sie gereizt und wandte sich ab, um etwas zu flüchtig auch Susi und Herrn Frey einander vorzustellen.

Hauptmann Frey von Wurzach, ein mittelgroßer, kräftig gebauter Mann mit hohem, schmalem Schädel, spärlichem, in der Mitte gescheiteltem Haar und einer langen, steil abfallenden Nase gebärdete sich auch im Zivil durchaus als Offizier. Sein Rock war eng in die Taille geschnitten; er trug ihn zugeknöpft, hatte die Hände flach in die Seitentaschen geschoben und hielt sich äußerst gerade. Der hohe, steife Kragen erlaubte ihm nicht, den Hals frei hin und her zu drehen; wenn er sich im Gespräch nach rechts oder links zu wenden hatte, drehte er zugleich mit dem Kopf auch den Oberkörper herum. Vor Susi nahm er die Hände aus den Taschen, führte mit zusammengerückten Absätzen eine sehr knappe Verbeugung aus und sagte mit einem Lächeln, das Gertrud arrogant fand, völlig unbeteiligt: »Sehr angenehm!«

»Du kannst Willy gratulieren, Gertrud, er kommt zum Generalstab«, bemerkte Hartmann mit der unentschiedenen, leicht ironischen Miene, die seine wahre Meinung weder recht verbarg noch preisgab.

»Na ja, dem entgeht man nicht«, sagte Willy auf Gertruds kühl anerkennende Kopfbewegung überlegen lächelnd. Er hatte eine hohe, etwas näselnde Stimme, einen gemacht schneidigen Tonfall und die Gewohnheit, seine Mundart, die ihm nicht genügte, fortwährend mit hochdeutschen Brocken zu vermengen.

Nachdem die kleine Gesellschaft sich zum Essen hingesetzt hatte, nahm das Gespräch bald die unvermeidliche Wendung zum österreichisch-serbischen Konflikt, der als Folge des Attentats von Sarajevo alle Welt beschäftigte. »Serbien soll ja mobilisieren«, sagte Frey. »Lächerlich!«

»Nicht ganz lächerlich!« wandte Hartmann ein. »Ein Volk, das derart provoziert wird wie jetzt die Serben... ob verdient oder nicht, ist eine andere Frage... hat sich vorzusehen. Man liest ja täglich von österreichischen Ausschreitungen gegen Serben; kein Wunder, wenn ihnen die Galle überläuft.«

»Na ja, aber die Serben sind doch eine Schweinebande! Ich bin fest überzeugt, daß sie alle mit den Attentätern unter einer Decke stecken. Und diese Mordbengel hatten ja eingestandenermaßen beschlossen, daß sie als Serben für ihr Land sterben wollten. Ausgezeichneter Heldentod, wenn solche Kanaillen für ihr dreckiges Wanzenparadies am Galgen baumeln!«

Hartmann lachte laut, fing zugleich einen erbitterten Blick Gertruds auf und beeilte sich, seinem Vetter zu antworten. Gertrud konnte ihre gereizte Stimmung schon nicht mehr verbergen, und die Gäste merkten es.

Das Essen war kaum zu Ende, als Frau Hartmann Gertrud dringend zu sich bitten ließ. Gertrud schickte das Kindermädchen hinauf und ging in ihr Zimmer, wo sie hastig eine unnötige, in diesem Augenblick sinnlose Beschäftigung mit den verschiedensten Dingen begann. Sie ordnete die Kinderkleidchen, die schon geordnet waren, legte für Albrechtli ein frisches Hemd bereit und rückte die Gegenstände auf dem Toilettentisch zurecht, bis jemand anklopfte.

Susi trat ein und kam mit erschrocken fragendem Blick rasch auf sie zu. »Gertrud, was ist mit dir? Mein Gott, du warst beim Essen so... Was hast du? Red doch, du bist ja ganz...«

Gertrud lief hinaus, ohne zu antworten. Im Eßzimmer, das Hartmann mit den Gästen bereits verlassen hatte, wurde sie vom Kindermädchen eingeholt. Frau Hartmann, meldete das Mädchen, habe oben im Gastzimmer die Bettwäsche auswechseln wollen, inzwischen sei aber Fräulein Keller gekommen, und das Zimmermädchen wisse nicht, wo sich der Schlüssel zum Wäscheschrank befinde, jetzt seien die Betten noch nicht angezogen...

»Nehmen Sie von unserer Wäsche!« sagte Gertrud, ergriff eine Schale mit einem kleinem Gebäck und trug sie hastig ins Wohnzimmer hinüber.

In diesem Augenblick öffnete Hartmann vom Gang her die Tür, ärgerlich, flüchtig, auf der Suche nach seiner Frau, während ihm Willy vom obern Stock herab mit schnarrender Stimme etwas zurief. »Du bekümmerst dich also um nichts mehr?« fragte Hartmann leise, im kalt drohenden Ton einer letzten Frage.

»Macht was ihr wollt, macht was ihr wollt!« schrie Gertrud.

»Schrei nicht!« zischte Hartmann und schloß eintretend rasch die Tür.

Gertrud zitterte, ihr Gesicht nahm den Ausdruck krampfhaften Weinens an. Sie fühlte, daß sie die Herrschaft über sich verloren hatte und nahe daran war, sinnlos loszuschreien. Hochatmend lief sie ins Kinderzimmer.

Hartmann folgte ihr sofort.

»Was willst du?« fuhr sie ihn an, wobei sie der schlafenden Kinder wegen die Stimme unwillkürlich dämpfte, und blickte ihm mit einem Haß in die Augen, der ihm über alle Worte und Vermutungen hinaus zum erstenmal etwas von ihrem wirklichen Zustande verriet.

»Ich habe mit dir zu reden, bitte setz dich!« antwortete er, und im nächsten Augenblick, als sie weglaufen wollte, packte er ihr Handgelenk.

»Laß mich!« fauchte sie und versuchte ihm die Hand zu entreißen, das Gesicht entstellt vor Wut.

Beherrscht, entschlossen, mit steinharter Miene stieß er sie vor sich her zum Diwan und ließ sie erst los, als sie den Widerstand aufgab und sich hinwarf. Er riegelte beide Türen ab, sah nach den Kindern, die im Schatten des abgedunkelten Lichtes lagen, und begann, während er sich ihr langsam näherte, in unterdrücktem Ton, aber zuerst noch jeden Satz heftig ausstoßend: »Jetzt wird Schluß gemacht. Mehr lasse ich mir nicht gefallen. Ich habe dir monatelang zugesehen, ohne ein Wort zu sagen, du hättest Zeit gehabt,

Vernunft anzunehmen. Ich war auf Launen gefaßt und ich hätte noch länger gewartet. Aber daß du schließlich Skandal machen würdest, das habe ich nicht erwartet. Es ist abscheulich, wie du dich bei Tische benommen hast, und es war vorhin im höchsten Grade rücksichtslos, mich so anzuschreien, daß Willy und die Mädchen es hören konnten. Ich will keinen Skandal, verstehst du! Was zwischen uns vorfällt, bleibt unter uns. Das ist das Wenigste, was ich von dir verlangen kann, aber das verlange ich. Über Willy und Mathild magst du denken wie du willst, aber wenn sie unsere Gäste sind, hast du sie als Gäste zu behandeln. Eine Schande, wie du uns bloßgestellt hast! So etwas ist mir vollkommen unbegreiflich...«

Gertrud verbarg das Gesicht im Arm und schluchzte vor Mitleid mit sich selber. Hartmann war nie ein sanfter Gatte gewesen, aber daß er ihr auch auf diese lieblose Art Gewalt antun könnte, hatte sie nicht erwartet. Sie fühlte sich grenzenlos entwürdigt und hörte nicht auf seine Vorwürfe. Plötzlich aber begann er von »diesem Herrn Pfister« zu sprechen. Ihre erste Regung war, aufzufahren und ihm jedes weitere Wort zu verbieten. In diese zarteste Beziehung einzudringen hatte er kein Recht, es war ein roher Übergriff in das Reich ihrer Seele, ihrer einzigen Heimat in der Fremde dieser Ehe. Aber sie war kaum imstande, sich auch nur zu regen, und begann unter seinen erbarmungslosen Worten den Atem anzuhalten wie unter Stockhieben auf ausgesucht empfindsame Stellen.

»Ich wollte noch nicht darüber reden, aber einmal muß es heraus«, fuhr er fort. Er sprach noch immer in gedämpftem Ton, aber ruhiger, bestimmter, vom Bestreben erfüllt, ihr jetzt ein für allemal knapp und klar seine Meinung zu sagen. »Du hast Beziehungen zu diesem jungen Mann... wenn man ihm Mann sagen darf. Wie weit diese Beziehungen gehen, kann ich nicht wissen, ich habe keine Beweise.

Aber so etwas sieht und spürt man. Man kann's euch von den Augen ablesen. Merke dir nun bitte folgendes: Wenn dieser Herr sich hier noch einmal zeigen sollte, werde ich ihn hinausohrfeigen. Diese Beziehungen haben aufzuhören. Ich werde sie unter keinen Umständen länger dulden. Und es wird auch nicht weitergemogelt. Ich will eine vollständig klare Situation haben. Bist du dazu nicht bereit, so bleibt dir logischerweise nur übrig, die Scheidung zu verlangen. Dann kommt es zu einem Skandal, über den ganz Zürich reden wird. Die Schuld daran wirst du allein zu tragen haben, denn mir kannst du nicht das geringste vorwerfen, was dich vor Gericht rechtfertigen würde. Du wirst dich auf jeden Fall im Unrecht befinden, auch vor der Öffentlichkeit. Alle anständigen Leute werden auf meiner Seite stehen, deine Eltern mit eingeschlossen. Auf deiner Seite wird nur dieser blasse Jüngling stehen, ein Dichterling, soviel ich weiß, ein armer Schlucker. Ich bin überzeugt, daß auf die Dauer für dich dabei nichts herauskommen würde als eine Blamage. Damit bin ich fertig. Ich werde nicht mehr davon anfangen, außer wenn du selber es wünschest.« Mit einem letzten erzürnten Blick wandte er sich von ihr ab und ging ruhig hinaus.

Gertrud richtete sich mit geröteten Augen und verwirrtem Ausdruck langsam auf, horchte eine Weile und erhob sich plötzlich, um die Tür, durch die er das Zimmer verlassen hatte, abzuriegeln. An der Tür blieb sie, rasch und aufgeregt atmend, einen Augenblick stehen, um abermals zu horchen, dann überzeugte sie sich, daß auch an der andern Tür der Riegel vorgeschoben war. »Ich bin fertig mit diesem Mann«, dachte sie. »Ich werde nie, nie mehr etwas mit ihm zu tun haben. Daß er derart roh und rücksichtslos sein könnte, hätte ich nicht erwartet ... oder doch, ich habe es geahnt, ich habe gewußt, daß es so enden werde ... Und jetzt wälzt er alle Schuld auf mich. Das ist unerhört, sogar wenn er einen Grund dazu hätte... aber er hat keinen Grund, er ist grauenhaft ungerecht, er unterschiebt mir irgendetwas und stößt mich weg, ohne auch nur danach zu fragen... Beziehungen zu Albin? Aber was habe ich denn getan? Ich habe nichts getan... Und selbst wenn Albin mich lieben würde... aber was weiß ich denn, was weiß ich? Er hat nie ein Wort gesagt, er hat nur...« Ohne genau zu bedenken, was er denn eigentlich getan habe, erinnerte sie sich jetzt an die paar Augenblicke, in denen sie seine reine, scheu zurückgehaltene Liebe gespürt hatte; aber es widerstrebte ihr sofort, mit dem Verstand daran zu rühren wie an etwas Meßbarem. »Nein, das soll er mir nicht beschmutzen! Das steht turmhoch über alldem, was hier geschehen ist, und Albin selber steht turmhoch über ihm. Ein Dichterling, ein armer Schlucker! Wie brutal er mir das hingeworfen hat! Ja, er ist brutal, er hat mich behandelt, wie man kein Dienstmädchen behandeln würde. Und dazu spricht er noch von Scheidung!«

Bei diesem Gedanken wurde ihr schwach und kalt. Weder vor noch während ihrer Bekanntschaft mit Albin hatte sie jemals an diese Möglichkeit gedacht, wie sie denn überhaupt nichts mehr auf irgendwelche Folgen hin bedacht, sondern aus lauter Angst vor der Zukunft nur noch von einem Tag in den andern hinübergelebt hatte.

Sie setzte sich auf den Diwan, aber im nächsten Augenblick erhob sie sich aufgeregt wieder. »Ich kann nicht hier bleiben, sonst werde ich verrückt... es muß etwas geschehen... Ach, was soll ich tun, was soll ich tun?« Ihr nächster Gedanke war, Mama aufzusuchen und ihr alles zu bekennen, aber sie sagte sich sogleich, daß Mama für das Verzweifelte ihrer Lage kein Verständnis hätte. »Sie würde mir nur Vorwürfe machen und gar nicht begreifen, wie furchtbar es für mich ist... und wenn ich sagte, daß Albin... sie würde es niemals begreifen... sie kennt Albin nicht, und wenn sie ihn dann mit diesem Menschen vergliche, den sie ja für einen Edelmann hält... nein! Albin ist ja tausendmal mehr wert als dieser Mensch, der mir den Umgang mit ihm verbieten will... Verbieten! Als ob ich seine Leibeigene wäre! Niemals! Überhaupt... ich wollte zu Junods fahren, und er soll mich nicht daran hindern... er weiß, daß ich Albin treffen will, und wenn ich jetzt hierbleibe... diese Genugtuung soll er nicht haben... ja, ich muß Albin treffen, das ist das einzige, was ich jetzt tun kann...«

Zu welchem besondern Zweck sie ihn jetzt treffen und was sie ihm sagen wollte, war ihr durchaus unklar, aber sie klammerte sich zuletzt an diesen Gedanken wie der Ertrinkende an den nächsten festen Gegenstand, der die Flut überragt, gleichgültig, ob er dadurch gerettet werde oder nicht.

5

Hastig begann sie Kleid und Haare in Ordnung zu bringen, wusch sich die Augen, klingelte dem Mädchen und ließ einen Taxi bestellen. Sie benutzte die erste Gelegenheit, das Haus unbemerkt zu verlassen, und wartete in der Dämmerung des Gartens auf den Wagen. Auf der ganzen Fahrt wurde sie alsdann von der dunklen Vorstellung begleitet, daß ihr eine entscheidende Stunde bevorstehe, die all das Gemeine, Erniedrigende tilgen werde; erst vor dem ihr wohlbekannten Hauseingang erwachte sie zum nüchternen Bewußtsein, daß sie sich vorläufig nicht zu Albin, sondern in Gesellschaft begab, wo sie Haltung bewahren und eine unbefangene Miene zeigen mußte.

Sie wurde von Tante Klara, der Frau des Professors, im Hausgang empfangen und leise in die Wohnstube geführt. Aus dem Salon herüber drang der etwas rauh gespielte letzte Satz eines Streichquartetts. »Wie nett, daß du doch noch gekommen bist!« sagte Frau Klara langsam und blickte sie freundlich an.

»Ja, es ging wirklich nicht früher«, erwiderte Gertrud. »Willy und Mathild Frey übernachten bei uns, und dabei war das Gastzimmer schon besetzt... es ist noch eine Freundin bei mir... ich hatte entsetzliche Scherereien, ich bin noch ganz konfus...«

»Ach, du Armes... ja, das kann man sich denken... komm sitz erst ein wenig ab!«

Gertrud war nahe daran, dieser gütig heitern, in menschlichen Dingen erfahrenen und verständnisvollen Frau unvermittelt alles zu gestehen. Aber in diesem Augenblick fragte Frau Klara neugierig nach dem Ehepaar Frey von Wurzach; sie mußte antworten, und der Augenblick kam nicht wieder.

Sie gingen in den Salon hinüber, wo Gertrud bei den Pulten rasch die vier Streicher begrüßte, den Professor, Albin, ihre Brüder Severin und Paul. Ohne sich in ein Gespräch einzulassen, trat sie zurück und stand plötzlich vor Fred, der sich mit der Hilfe eines Stockes schmunzelnd vom Sofa erhob. »Was, du bist auch da?« fragte sie erstaunt. »Wie geht's mit dem Fuß?«

»Oh, ganz ordentlich... ich muß auf höheren Befehl noch die Krücke da brauchen, aber... es geht auch ohne.«

Gertrud setzte sich in das andere Ende des Sofas, zur Rechten der Hausfrau, die auf einem Stuhle Platz nahm, und erkundigte sich bei Fred nach den Eltern.

Als die Streicher unmittelbar vor dem Beginn eines neuen Quartetts noch einmal leise die Stimmung der Saiten prüften, bemerkte sie, daß Albin, mit dem Kinn die Geige haltend, sie von unten her kurz und forschend anblickte. Sie spürte sogleich, daß sie errötete, wandte den Blick ab und schaute nicht mehr hin. Während des Spieles saß sie mit geschlossenen Augen da, in einer Beklommenheit des Herzens, die sie vorerst nur undeutlich zur Besinnung kommen ließ, was und wie gespielt wurde. Die gewohnte Umgebung aber, die wechselnden Sätze einer bekannten und geliebten Musik, der Zwang, in den Pausen zu plaudern, und alle diese vertrauten Gesichter entrückten sie doch ihrem wirren Zustand ein wenig.

Als sie aber nach dem Abschied mit Albin und den Brüdern auf die beleuchtete Straße hinaustrat, stürzte sofort wieder die ganze heillose Wirklichkeit auf sie ein.

Sie drückte den Brüdern flüchtig die Hand, beteuerte noch einmal, daß sie zu Fuß nach Hause gehen wolle und wurde von atemhemmendem Herzklopfen befallen, weil sich jetzt sogleich entscheiden mußte, ob Albin sie begleiten oder verlassen werde. Indessen nahm sie von ihm nicht Abschied, sondern blickte ihn an, ohne sich zu gestehen, daß sie ihn damit zur Begleitung geradezu aufforderte. Der eben noch Unentschiedene bat denn auch wirklich darum. Um ihre Erregung zu verbergen, begann sie, nachdem sie freundlich dankend angenommen hatte, sofort von gleichgültigen Dingen zu reden.

Albin war nach dem unvermittelten Ende jenes Gespräches vor dem Bücherschrank und dem darauffolgenden Abschied, bei dem, wie er meinte, Gertrud ihm die Hand verweigert hatte, zur Überzeugung gekommen, daß die junge Frau sich jede mehr als freundschaftlich-gesellige Annäherung verbitten werde. Er hatte es selbstverständlich gefunden und sich trotz seinem absichtslosen Verhalten geschämt, daß er zu weit aus sich herausgegangen war. Mit dem unbedingten Anstand des völlig lautern Menschen und mit seinem besonderen Stolze hatte er beschlossen, das zweifellose Recht Hartmanns auf die ungeteilte Liebe seiner Frau mit keinem Gedanken anzutasten, die Frau selbst unmerklich zu meiden und mit seinen Gefühlen allein fertig zu werden. Während er jetzt, den Geigenkasten unter dem linken Arm, neben ihr dahinschritt, erlebte er die zwiespältigsten Empfindungen; ihre Gegenwart berückte ihn unweigerlich und gaukelte ihm das aufwachende Verlangen wieder als verheißungsvoll und berechtigt vor, obwohl er wußte, daß es hoffnungslos war. Er brannte und es tat weh; aber statt das Feuer zu fliehen, blieb er ihm nahe. Während ihn diese bittersüße Erkenntnis keinen Augenblick verließ, unterhielt er, um seine Befangenheit zu verbergen, mit allem Eifer das von Gertrud begonnene, harmlos nichtige Gespräch.

Sie hatte für den Heimweg die stilleren Straßen gewählt und bog jetzt in einen menschenleeren Weg ein, der sich bei spärlicher Beleuchtung lang auf gleicher Höhe hinzog und zwischen Villen hindurch immer wieder einen Blick hinab auf die Lichter der nächtlichen Stadt gewährte. Dieser Weg kreuzte die Straße, an der sie wohnte; es war nicht mehr weit dahin. »Ach Gott, er kommt mir mit keinem Wort entgegen«, dachte sie verzweifelnd, während sie in mattem Tone davon sprach, wie schön es hier am Abend sei, wenn die Stadt da unten im Zwielicht liege.

»Ja, nicht wahr?« antwortete er. »Das habe ich oft erlebt. Wenn die Häuserformen so langsam zurücktreten... jedes neue Licht vertieft die Dunkelheit... und der See hat dann manchmal ganz merkwürdige Färbungen...«

»Ja.«

»Überhaupt, es gibt hier ringsum wundervolle Aussichtspunkte... und die Stadt hat bei jeder Tageszeit ihren besonderen Reiz. Haben Sie schon gesehen, wie sie erwacht, am frühen Morgen?«

»Ja.«

»Ich hab' es kürzlich gesehen. Sie trat zuerst etwas grau und nüchtern aus der Dämmerung heraus... aber dann lag sie im hellen Licht eine Weile so herrlich still und frisch da unten... das erste Geräusch kam von einem einfahrenden Zug, der mit seinen Lichtern sonderbar übernächtig wirkte... aber fast genau mit der Sonne wurde es laut...

Tram, Milchwagen, Hundegebell, allerlei hörte man jetzt, aber gut unterscheidbar, noch nicht als dumpfes Brausen wie untertags... und die Dächer, die höhern Mauern und die Türme strahlten hellgoldig... schön!«

Sie antwortete nicht, aber bei jedem Schritte zögerte sie etwas mehr, und schließlich blieb sie stehen.

Albin verstummte und blickte sie höflich fragend an.

»Ach, ich dachte... ich bin gleich zu Hause...« Sie begann wieder zu gehen. »Ja... könnten wir nicht einmal nachmittags zusammen musizieren? Ich habe mit Paul manchmal Sonaten gespielt, und wenn Sie Lust hätten...?«

»Ich hätte, offen gestanden, wohl Lust«, begann er verlegen, »aber... ich kann ja viel zu wenig... es wäre für Sie kein Genuß...« Da sie schwieg, fuhr er fort, sich zu entschuldigen.

»Ist das der einzige Grund?« fragte sie kleinlaut.

»Nein!« antwortete er nach kurzem Zögern, und sowie er das gestanden hatte, entschloß er sich, des Versteckspielens müde, die Wahrheit zu gestehen, wie sie auch wirken möge. Während er aber bis zu diesem Augenblick mit freundlich schüchterner Miene ruhig, klar und folgerichtig gesprochen hatte, brachte er sein Bekenntnis jetzt nur stoßweise und ohne rechten Zusammenhang heraus, wobei er sich nicht an seine Begleiterin wandte, sondern mit angestrengter Sammlung ein aufgeregtes Selbstgespräch zu führen schien. »Nein, der Hauptgrund... der einzige wirkliche Grund ist der, daß ich... Ich bin es Ihnen und Ihrem Manne schuldig, mich zurückzuziehen... und ich tue es auch wegen mir, weil es keinen Sinn hat, mich einem Erlebnis auszusetzen, das mich... ich meine, ich habe ja dies Erlebnis nicht gesucht, ich habe nur auf einmal gemerkt, daß es so ist, daß ich also... daß ich Sie lieb habe...«

Gertrud spürte, wie ihr Körper von einer heißen Welle durchflutet wurde, die ein gleichsam überstürztes Glücksgefühl war und sie zugleich in die ärgste Beklommenheit versetzte. Mit glühendem Gesichte begann sie, rasch und stoßweise durch die geöffneten Lippen atmend, den Schritt so zu beschleunigen, als ob sie ihrem Begleiter davonlaufen wollte. Albin faßte es als Zeichen des Erschreckens und der Mißbilligung auf, aber er blieb an ihrer Seite und versuchte ihr eindringlich klar zu machen, daß er dies alles nur zu seiner Rechtfertigung gestehe und sie in keiner Weise damit zu belästigen wünsche. Erst vor dem Hause, als sie nicht anhielt, sondern, den Schritt wieder mäßigend, die Straße hinab neben ihm weiterging, erkannte er ihre Bereitwilligkeit, ihn anzuhören.

»Ich habe nie daran gedacht, daß mein Gefühl erwidert werden könnte... oder doch nicht im Ernst... das heißt, ich habe nie damit gerechnet«, fuhr er fort, schwer bemüht, seine Lage möglichst genau darzustellen, und zugleich verlegen vor Scham über ein so ungewohntes Bekenntnis. »Ich weiß nur, daß Sie mir sehr freundschaftlich gesinnt sind, sonst weiß ich nichts Bestimmtes. Aber angenommen, daß Sie mehr für mich empfinden als Freundschaft... wo könnte das hinführen? In Ihren Kreisen bin ich eine unglückliche Figur, ein Sonderling ohne Besitz und Einkommen... Sie würden mir gegenüber gewisse bürgerliche Hemmungen niemals verlieren... obwohl Sie nach meiner Meinung weit über dem Durchschnitt stehen. Außerdem... ich würde es mit meinem Gewissen nicht vereinbaren können, mich zwischen Sie und Ihren Mann zu drängen. Es käme nichts Ganzes dabei heraus und... ich habe auch meinen Stolz, ich würde verzichten, wenn ich etwas Halbes vor mir sähe. Ich wäre in jedem Fall Ihnen gegenüber nur der Bettler... und Liebe darf kein Almosen sein... Entschuldigen Sie, daß ich mich so ausdrücke, als ob... als ob überhaupt jemals eine Möglichkeit bestanden hätte... aber ich möchte, daß Sie sich über meinen Rückzug ganz klar sind. Ich will jetzt gehen... es hat keinen Zweck, länger darüber zu reden. Gut' Nacht!« Er streckte zögernd seine Rechte aus. »Und noch einmal, bitte entschuldigen Sie diese...«

Mit mühsam beherrschter Miene blickte sie ihn an, ergriff seine Hand und drückte sie fest, worauf er, verstummend, sich sogleich abwandte, aber nicht den geraden Heimweg auf der weithin sichtbaren Straße einschlug, sondern wie auf der Flucht vor ihrem Blick im nächsten Seitenweg verschwand.

Gertrud kehrte langsam um, von unüberwindlicher Müdigkeit befallen, so langsam, als ob sie hier geduldig auf jemand wartete. »Alles aus!« dachte sie. »Er hat recht, er kann nicht anders handeln... Liebe darf kein Almosen sein... ach Gott, hätte ich ihn doch nicht... warum mußte ich ihn herausfordern! Jetzt ist für mich alles zu Ende... was noch kommt, hat ja keinen Sinn mehr... wozu gehe ich in dieses Haus zurück?« Sie hielt an, nicht wie man freiwillig anhält, sondern allmählich, schleppend, wie aus Erschöpfung, und jetzt, zum ersten und einzigen Mal in ihrem Leben, kam ihr der Gedanke, zu sterben. Aber sogleich erschrak sie davor, wie sie vor dem Gedanken an die Scheidung erschrocken war. Sie dachte an ihre Eltern, an die Kinder, an ihre geliebte Welt, an die schönern Tage ihres Lebens, und wußte, daß sie es niemals freiwillig tun würde. »Nein, nein, es wäre grauenhaft, ich will weiterleben, mag auch alles noch so trüb und sinnlos sein!« dachte sie tief beunruhigt und stieg von der Straße rasch die Stufen zum Garten hinauf.

6

»Es ist ein Unsinn, ich habe keine Ahnung von einem Schützenfest«, sagte Paul gequält. Er stand in lässiger Haltung vor seinem Bruder und blätterte angewidert ein paar Drucksachen auf, Schießplan, Festschrift, Programme.

»Ich habe dir schon gesagt«, erwiderte Severin und unterbrach seine Arbeit ärgerlich zum zweitenmal, »wir müssen einen Bericht über das Kantonalschützenfest bringen, und wir haben keinen eigenen Berichterstatter dort...«

In diesem Augenblick kam Schmid mit ein paar Papierstreifen eilig aus der Rauchkammer herüber. »Der Text des Ultimatums!« sagte er lächelnd.

»Endlich!« rief Severin in einem Ton, als ob Schmid an der Verzögerung schuld wäre, nahm die Papiere entgegen und begann sie sogleich zu lesen.

»Scharfer Tabak für eine Wiener Note, in Belgrad werden sie einen schönen Schnupfen bekommen.« Mit diesen Worten verschwand Schmid so eilig wie er eingetreten war.

Paul kehrte ebenfalls in die Nebenstube zurück, schmiß die Drucksachen auf einen Haufen anderer Broschüren und setzte sich vor das Manuskript eines von Severin angenommenen Feuilletonromans, zu dem er ein kurzes Vorwort schreiben wollte. Er befand sich in seiner bittersten Stimmung, das heißt, er fühlte sich auf unerträgliche Weise angeödet, und war schon halbwegs entschlossen, weder dies Vorwort zu schreiben, noch das Schützenfest zu besuchen. Während er mit Überwindung weiterlas, kam unerwartet Severin herüber und lief zum Telefonkasten, den er aus seinem Büro hieher verbannt hatte.

Severin läutete die Agentur an und bat um die mündliche Wiederholung einer undeutlich geschriebenen Stelle des Notentextes. »Wenn Sie uns schlechte Abzüge schicken, so ist das nicht unsere Schuld«, sagte er trocken verweisend, nachdem er die Antwort stenographiert hatte. »Wir haben hier keine Zeit, Rätsel zu lösen. Und hören Sie! Wenn Sie im Verlauf dieser Stunde noch Auslandnachrichten bekommen, so telefonieren Sie doch bitte sofort, nicht wahr!« Er hatte kaum den Hörer angehängt, als er auf Pauls Tisch das Manuskript bemerkte und mit einem zornig erstaunten Ausdruck stehenblieb. »Das ist doch eine verfluchte Schlamperei!« sagte er heftig, ohne seine Haltung zu ändern. »Der Roman sollte längst im Satz sein. Wenn du keine Einleitung zustande bringst, so laß es bleiben!« Damit trat er entrüstet ab.

Schmid sah sich lächelnd nach seinem jungen Kollegen um.

Paul zerdrückte seine Zigarette im Aschenbecher, ohne eine Miene zu verziehen, dann nahm er ein Blatt Papier vom Block und begann entschlossen zu schreiben: »Die bekannte hochverehrte Autorin unseres neuen Romans schildert die Schweiz im Chaletstil. Es geht so recht behaglich, so recht sauber, so recht freundlich zu. Wir zweifeln nicht, daß unsere Leser sich angeheimelt fühlen werden. Das Kleine bleibt klein, das Große auch. Die Vergangenheit wird anhand von Spinnrädern, Schulbüchern und Großmuttermärchen wachgerufen. Sie erwärmt das Herz. Die Gestalten lieben einander und ihr Ländchen. Ein inniges, sinniges, trautes Beisammensein. Vaterländchen! Heimatchen! Schweizlein!« Mit einem sauren Grinsen erhob er sich und begann rauchend durch den engen Raum zu gehen. »Was meinen Sie, Herr Schmid, könnte man sich in München oder Berlin als freier Journalist einigermaßen durchschlagen?«

Schmid blickte freundlich auf, dann kratzte er sich in den Haaren. »Hm... schwierige Sache, am Anfang wenigstens. Man müßte schon mit ganz gerissenen Dingen kommen... Versuchen Sie lieber zuerst, von hier aus Verbindungen anzuknüpfen. Wenn man Sie nicht kennt, werden Sie nicht so rasch ankommen. Übrigens ist die Luft dort faul, warten Sie ab!«

Paul setzte sich von neuem hin und erwog, was er schon dutzendmal erwogen hatte, ob er nicht doch ohne Papas Geld im Ausland leben könnte, dann warf er sein Vorwort in den Papierkorb und trug den Roman in die Setzerei.

Am Sonntag darauf, zu Hause beim Frühstück, fragte ihn Fred scherzhaft, ob er zum Schützenfest mitkomme.

»Zum Kantonal-Schützenfest? Ja, fährst du denn hin? Du, das ist ja ausgezeichnet! Du könntest mir für den ›Ostschweizer‹ einen Bericht schreiben, du bekommst...«

»Ich? Du bist ja verrückt!«

»Warum nicht? Du verstehst offenbar etwas davon und könntest...«

»Quatsch! Ich fahre in den Rusgrund. Am Schützenfest liegt mir eigentlich nichts... aber komm' mit, dann sehen wir uns den Rummel zusammen an!«

»Hm... ich werde dazu genotzüchtigt, weißt du... wenn ich nicht hingehe, schmeißt mich Severin bei der nächsten Gelegenheit hinaus, und dann hab ich Papa wieder auf dem Buckel. Auf die Dauer werde ich allerdings lieber im Ausland Hobelspäne fressen als zum schweizerischen Festberichterstatter versimpeln.«

»Und ich würde bald lieber Hobelspäne fressen als weiterstudieren. Du kannst wenigstens froh sein, daß du fertig bist. Ich habe nicht das Gefühl, daß ich jemals fertig werde...«

»Ach! Man kann ein Jahr lang froh sein, und dann geht eine neue Schweinerei los... Aber du wirst dich doch irgendwie durchschlängeln können?«

»Du hast eine Ahnung! Als Jurist oder Philologe kann man sich schlängeln, bei uns nicht.«

»Aber Naturwissenschaft wäre doch immerhin...«

»Ja, was? Ha! Zuerst kommt eine Wüste, auf der nur Formeln wachsen... es ist zum Verdursten... und nachher spezialisiert man sich auf die Erforschung eines Fliegendrecks. Ich behaupte ja nicht, besonders viel Talent zu haben, aber entweder bin ich ein dummer Löli, oder dann...«

»Nein, nein, weißt du... ich könnte dasselbe von mir sagen. Aber es liegt nicht an uns. Es ist ja alles faul... wir sind nicht die Einzigen, die das riechen. Wir sitzen jetzt da so schön bequem beim Morgenessen, nicht wahr... Porzellan, Silberbesteck, Bedienung, warmer Kaffee, Röllchenbutter, frische Gipfel... nichts zu maulen! Mama ist in der Kirche, es lebe die Christenpflicht! Papa ist noch im Nest, hoch die Freiheit! Und jetzt fahren wir also zum Schützenfest. Wir leben im Paradies, mein Lieber! Aber dieses Paradies stinkt zum Himmel, und wer eine etwas feinere Nase hat, der hält es nicht mehr aus. So liegt die Sache.«

Fred rollte die Serviette zusammen, steckte sie in den Ring und erhob sich lächelnd, ohne zu antworten. Er kannte Pauls Ansicht in dieser Beziehung und hörte sie nicht ungern, sie rechtfertigte auch ihn, doch er traute ihr nur halb und war geneigt, allenfalls ein Teilchen der Schuld, mit der man in Literatenkreisen die Zeit belud, auf sich zu nehmen.

»Wir müssen gehen, du! Ich hole noch schnell den Koffer... ich bleibe ein paar Tage im Rusgrund.«

Als die zwei unzufriedenen Brüder sich dem Bahnhof näherten, drang ihnen der rauschende Marsch einer Blechmusik entgegen, die auf dem freien Platz neben dem Gebäude spielte. Die Julisonne strahlte schon mittägliche Wärme aus dem wolkenlosen Himmel. Der Bahnhof war von aufgeräumt plaudernden und lachenden Schützen dicht besetzt.

»Ein prächtiger Morgen!« höhnte Paul. »Es ist ja vorauszusehen, was sich weiter entwickeln wird. Radau, Schweiß und Blechmusik. Wenn du einverstanden bist, nehmen wir Zweite.«

Ein langer Zug fuhr ein, und die Masse der Schützen ging über ein freies Geleise hinweg zerstreut auf die Wagen los. Die Brüder bestiegen ganz hinten ein leeres Abteil zweiter Klasse, aber sie hatten sich kaum niedergelassen, als vom Nachbarwagen her lärmender Andrang einsetzte und ein beleibter Mann die Schiebetür aufriß. »Oha, Zweite!« sagte der Mann wohlgelaunt in tiefem Baß und blieb zögernd stehen, aber die Nachdrängenden schoben ihn vorwärts, besetzten das Abteil unbedenklich und legten ihre Gewehre der Länge nach, den Sitzraum überbrückend, auf die Netzstangen. Neben Paul nahm ein magerer, spitznasiger Sportsmann in Kniehosen Platz, neben Fred ein mürrisch blickender, einfacher Mann mit buschigem Schnurrbart, zwei offenbar ernstlich beflissene Schützen, die auf der ganzen Fahrt ruhig über den Sektionswettkampf sprachen und nur manchmal leise lächelnd nach einem übermütigen Burschen hinsahen, der mit lauten Späßen die Gesellschaft unterhielt. Eine Weile hörte man den dicken Herrn mit dem Baß gutmütig auf die Eisenbahner schimpfen, die zu wenig Drittklaßwagen bereitgestellt hatten, dann ging dort das Gespräch auf die Weltlage über, und der Bassist behauptete, Österreich könne den Krieg gegen Serbien unmöglich eröffnen, wenn Rußland nicht neutral bleibe. Indessen wurde die vordere Tür heftig auf- und zugeschoben, eine trockene Stimme rief: »Alle Billets gefälligst!« Die Schützen griffen nach ihren Fahrkarten, aber es war der Spaßvogel, der gerufen hatte. Ein fröhlicher Lärm entstand, der von keiner Rücksicht auf allfällig mitfahrende Zweitklaßgäste mehr beherrscht wurde.

Bei der Ankunft am Festort dröhnte ein zu schnell gespielter Marsch der Ortsmusik durch die offenen Fenster des Wagens, auf der Bahnhofstraße standen die Vereine mit ihren Fahnen zum Zuge geordnet, und vor der Wartehalle hob sich eine große bunte Gruppe von der Masse des Publikums ab.

Fred zog Paul inmitten der aussteigenden Schützen am Ärmel zu dieser Gruppe hin und erklärte dem widerwillig Folgenden, was »dieser ganze Zauber« zu bedeuten habe. »Das Orrrganisations-Komitee des letzten Kantonalschützenfestes«, sagte er mit großen Augen scherzhaft wichtig, »überbringt dem Organisations-Komitee des gegenwärtigen Festes die Kantonalfahne. Aber der Hauptakt spielt, glaub' ich, auf dem Ortsplatz. Hier wird nur abgeholt. Die Herren im schwarzen Wichs mit den Rosetten sind Komiteemitglieder... es gibt übrigens ein paar hundert Komitees... und die Mädels in den Trachten sind Ehrendamen. Lisi ist auch darunter, soviel ich weiß... dort, dort, zu äußerst rechts, siehst du sie?«

Während beim schneidigen Schmettern der Blechmusik die feierlich aussehenden Herren der beiden Komitees sich begrüßten, die Ehrendamen den Ankömmlingen Wein in silbernen Bechern kredenzten und der Fähnrich mit der Hilfe eines Befrackten die Stangen der Kantonalfahne zusammenschraubte, versuchten die Brüder, näher heranzukommen, aber sie wurden abgedrängt und begaben sich auf den Weg zur nahen Ortschaft.

Die Straße dahin war beflaggt und wurde zwischen den ersten Häusern von einem bunten Triumphbogen überbrückt, auf dessen efeuumrankten Kartonschild ein gereimter Spruch die Schützen »von nah und fern« willkommen hieß. Die Brüder schritten eben unter dem Bogen durch, als der Zug vom Bahnhof her sich in Bewegung setzte, und da sie die Dorfstraße von wartenden Zuschauern gesäumt sahen, traten sie schon hier beiseite. Während in der Nähe eine Kanone Schuß um Schuß zu lösen begann, rückte die festliche Kolonne, von blau und weiß gewandeten Halbartenträgern eröffnet, mit Marschmusik heran. Dröhnend zogen die Bläser vorbei, die Ehrendamen tauchten auf, fest im Schritt, mit einem fröhlich verlegenen Lächeln, und hinter ihnen schwang ein von der Ehrenwache begleiteter mächtiger Fähnrich das kantonale Banner in der unbewegten Sonntagsluft mit ernster Miene hin und her. Neugierig schmunzelnd blickte Fred seiner Base entgegen, und plötzlich sah Lisi auch ihn; mit einer impulsiven Bewegung hob sie, den Becher schüttelnd, die Rechte und rief unbedenklich laut »Salü Fred«, indes ihr ohnehin gerötetes lachendes Gesicht unter der Rundhaube noch mehr erglühte und ihre Beine unter dem schwarzseidenen, von einer bunten Schürze bedeckten Rock aus dem Schritt gerieten. Die übrigen Ehrendamen blickten lächelnd nach dem Gegrüßten hin. Fred schaute der Gruppe nach und sah belustigt, wie Lisi, an der Schnürjacke nestelnd, den Schritt wieder suchte, auf irgendwelche Bemerkungen antwortete und sich auf einmal stramm ausschreitend in die Brust warf. Neue Gruppen, neue Banner folgten, und mit angehängtem Gewehr zog die Masse der Zürcher Schützen vorbei.

Immer mehr Zuschauer begannen den Zug zu begleiten. Fred schob den Bruder schlendernd am Arm neben sich her und fragte spöttisch, ob er nicht bald für seinen Bericht Notizen machen wolle. Paul antwortete nur mit einem hämischen Grinsen. Auf dem von Giebelhäusern umstellten, mäßig großen Platze war der feierliche Akt der Fahnenübergabe schon im Gang, aber die Brüder blieben im Gedränge stecken und sahen nicht viel davon. Jemand hielt eine Rede, aus der nur einzelne Brocken verständlich waren. Der nächste Redner jedoch begann unerwartet so laut und energisch, daß die Leute überall lächelnd die Hälse reckten, um den stimmgewaltigen Mann nicht nur zu hören, sondern wenn möglich auch zu sehen. Der Redner versicherte nach einem kurzen lokalhistorischen Rückblick, es sei für die hiesige Schützengesellschaft sowie für die ganze Gemeinde eine hohe Ehre, das Fest durchführen zu dürfen. Jeder Schütze, jeder Einwohner sei sich dieser Ehre bewußt und werde alles daran setzen, das ihm erwiesene Vertrauen zu rechtfertigen. In diesem Sinne nehme er das kantonale Banner entgegen und gelobe im Namen seiner Gesellschaft, es bis zum nächsten Kantonalfest in treuer Obhut zu halten. Die Rede fand kurzen, kräftigen Applaus, die Musik blies einen Marsch, Vereinspräsidenten riefen nach ihren Leuten, die Menge geriet in Bewegung.

»Jetzt ziehen sie auf den Schießplatz, zum Bankett in der Festhütte«, erklärte Fred. »Sehr wichtig für dich! Ich meinerseits würde lieber hier im ›Löwen‹ essen.«

Paul nickte schweigend, mit einer Miene, als ob ihm jetzt schon alles einerlei sei, und so betraten die Brüder das nahe Gasthaus, wo sie in der voll besetzten Stube mit Not an einem kleinen Winkeltische Platz fanden und erst nach geduldigem Warten von einer Kellnerin hastig bedient wurden. Fortwährend erschienen neue Gäste, blieben eine Weile beratend unter der Türe stehen und entfernten sich wieder. Fred machte, mit einem Auge zwinkernd, den Bruder auf eine Gruppe von Schützen aufmerksam, die offenbar vom Festplatz kamen und ihr Programm geschossen hatten. Sie versperrten mit angehängtem Gewehr den Eingang, indes der vorderste, ein in mittleren Jahren stehender, dem Anschein nach sehr selbstbewußter Mann mit dunklem Schnurrbart, bereits in die Stube getreten war, ohne den Hut abzunehmen; auf dem Hute trug er einen Lorbeerkranz, und da er sich mit gespielt herausfordernder Miene etwas zu lang nach einem Platz umsah, schien es, als ob er hier prahlerisch allen Gästen sein bekränztes Haupt vorführe.

Paul nahm zu Freds Vergnügen diesen Auftritt ernst und grinste unverschämt nach dem Manne hin. Fred aber sah dem Schützen an, daß er sich des humoristisch Fragwürdigen seines Auftretens bewußt war und es scherzhafterweise eben deshalb ein wenig übertrieb.

»Einfach unglaublich!« sagte Paul lächelnd, nachdem der Mann abgetreten war. »Ich habe mir ja die ganze Geschichte schon kraß genug vorgestellt, aber...« Er schüttelte den Kopf.

»Ach, das ist nicht so schlimm!« erwiderte Fred und begann dem Bruder zu widersprechen, nicht aus Anteilnahme am Fest, sondern um sich an Pauls heiterem Entsetzen zu weiden.

»Nicht so schlimm! Mein Lieber! Weißt du noch, was es zu bedeuten hatte, wenn bei den antiken Wettkämpfen einem Sieger der grüne Lorbeer gereicht wurde? Und heutzutag brüsten sich alljährlich Hunderte oder wahrscheinlich Tausende von Schweizern mit diesem künstlichen Lorbeerkranz, der als Massenartikel in Fabriken hergestellt wird! Oder vergleiche den alten römischen Triumphbogen, der dem größten und würdigsten Mann errichtet wurde, mit dem für jedermann hingestellten lächerlichen Gerüst da draußen! Das sind Einzelheiten, aber daran läßt sich die Erbärmlichkeit dieser ganzen festlichen Machenschaft ermessen.«

»Ja, wenn du mit solchen Vergleichen kommst... das hier ist doch etwas ganz anderes... der Lorbeerkranz ist geschmacklos, zugegeben, aber was den Triumphbogen betrifft... das ist eine Dekoration wie jede andere.«

»Eben ja! Es ist alles zur Dekoration geworden, alles ist entwertet und für den Massengebrauch zugeschnitten...«

»Aber die Hauptsache ist doch das Schießen!«

»Und die Festrede, der Hurrapatriotismus, der Bechertrunk, die Ehrenmeldung... Übrigens die Ehre, das ist auch so ein Punkt, mein Lieber. Einst war Ehre mehr wert als ein Bändel im Knopfloch oder eine Karte auf dem Hut, Ehre war etwas Hohes, Seltenes, aber dafür auch wirklich Vorhandenes, und geehrt wurde nicht jeder zweite Füdlibürger. Hier aber gibt es Ehrendamen, Ehrenbecher, Ehrenzeichen... Ehrenmeldungen, Ehrenweine... weißt du nicht noch mehr? Ha! Die Ehre ist billig geworden.«

»Du betrachtest das alles von der falschen Seite«, wandte Fred ein, während er schmunzelnd ein Stück Fleisch zerkaute.

»Wieso? Ich bin durchaus nicht der einzige, der ein solches Schützenfest für eine grenzenlose Banalität hält. Aber das eigentlich Bedenkliche daran ist, daß man es als Höhepunkt des nationalen Lebens inszeniert. Allerdings...« Er machte, hinterhältig lächelnd, mit Schultern und Armen eine schwankende Bewegung. »... angeblich tritt ja hier dieses sogenannte nationale Leben am sichtbarsten zutage... es wird schon so sein, und das ist nicht mehr nur bedenklich, es ist...« Er hielt einen Augenblick inne, schien aber plötzlich dieser ganzen Erörterung überdrüssig zu werden und schloß, ohne den Satz zu beenden, mit seinem gewohnten müden Lächeln und einer gleichgültig erledigenden Handbewegung: »Ach... es ist ja überhaupt hoffnungslos!«

Fred wiegte kurz den Kopf, halb zustimmend, halb zweifelnd. Die Einwände gegen das Fest schienen ihm nicht unbegründet, obwohl er es einigermaßen bedenklich fand, daß Paul mit seiner Meinung recht haben sollte gegen die Tausende, die das Fest begingen. Das Gefühl der Hoffnungslosigkeit aber vermochte er nicht zu teilen. Ihm schien, Paul urteile immer von den Zuständen aus und verkenne die Menschen, wenn er sie ihnen gleichsetze, oder ziehe sie gar nicht in Betracht, während zwischen den Menschen und den Zuständen doch tausend Vorbehalte möglich waren. Indessen gab er den Widerspruch auf, den er tiefer zu führen und richtig vorzubringen doch nicht hoffen konnte; es lag ihm auch wenig daran.

Sie tranken nach dem Essen einen schwarzen Kaffee, unterhielten sich über die Verwandten im Rusgrund, von denen Paul nur den Onkel Robert seiner bärenhaften Vitalität wegen bemerkenswert fand, und brachen endlich mit ironischer Neugier zum Festplatz auf.

7

Vom Bahnhof, wo ein Zürcher Zug eingefahren war, kamen kurz hintereinander mehrere Wagen dahergerasselt, deren lange Sitzbänke mit Schützen dicht besetzt waren, aber eine zahlreiche Menge von Schützen und Festbummlern zog auch zu Fuß hinaus, und vom Orte selber befand sich familienweise die halbe Einwohnerschaft unterwegs. Die Straße, dieselbe, auf der Christian seinen Vetter Fred in die Ferien gefahren, war nach je fünfzig Schritten mit einer bunten Reihe dreieckiger Wimpel überspannt, von denen der Nachtwind einige über den Draht geworfen hatte. In ihrer mäßigen Breite vermochte sie den Verkehr nicht ganz zu fassen, so daß die den Fahrzeugen ausweichenden Fußgänger und die eiligeren Schützen Seitenpfade in die Wiese zu treten begannen. Fred, dem diese Schändung des Rasens mißfiel, blieb mit dem Bruder absichtlich auf der Straße, aber nachdem sie ein paar Minuten lang geduldig hinter einer breiten kleinen Frau hergeschlendert waren, die mit der Rechten einen Kinderwagen schob, an der Linken ein kleines Mädchen führte, schlug Paul plötzlich mit ärgerlicher Miene doch einen Seitenpfad ein, und Fred folgte ihm unwillig. Von der Straße wälzte sich eine graue Staubschlange träge nach rechts in die Wiese hinaus, die Luft flimmerte in der hochsommerlichen Hitze, und vom Schießstand her knatterten wie trockene Peitschenschläge die Schüsse, die am gegenüberliegenden Hang ein ununterbrochenes brausendes Echo weckten. Zum Staub und zur Hitze gesellte sich bald der wirre Lärm der Budenstadt, der auf dem Festplatz selber dermaßen anschwoll, daß man nicht einmal das nahe Geknatter der Schüsse mehr hörte.

Lächelnd schritten die Brüder an den ersten Bretterständen vorbei, wo man Zigaretten, Türkenhonig, Magenbrot, Appenzeller Fladen und dergleichen kaufen konnte, verweilten einen Augenblick vor einem Karussell und ließen sich dann mit der gestauten Menge langsam zwischen den Buden weitertreiben. Aus einer umfangreichen Tunnelbahn drang hastig und gequetscht die Ouvertüre zu »Dichter und Bauer«, in die eine fünfköpfige Blechkapelle vom gegenüberliegenden Zirkus kräftig hineinmusizierte. Das benachbarte Unternehmen stellte einen Glaskasten aus, worin eine halbnackte wächserne Mannsfigur mit regelmäßigen Bewegungen eine hingesunkene Frau erstach, während der Direktor auf dem Podium nebenan das Publikum brüllend darauf aufmerksam machte, daß es hier Gelegenheit habe, einer Dame durch den Leib zu sehen. Vor einem Zelthaus mit der Überschrift »Exotische Schau« rührte ein schwitzender Neger zähnebleckend eine dumpfe Trommel, neben ihm turnte ein Affe herum, und an der Kasse saß eine üppige Mulattin. Fred drängte sich hin, sah dem Affen zu und verlor den Bruder aus den Augen. Paul suchte ihn von der Seite her zu erreichen und geriet dabei vor eine Bude, aus der ihn eine hochblonde Dame anrief. »Schießt der Herr e mal?« rief sie energisch, indes sie hastig ein Luftgewehr spannte und vor einen Schießlustigen hinstellte. Paul ging rasch vorbei, machte sich dem Bruder bemerkbar und wartete ihm dann vor einem Bretterstand, wo ein Schütze im Kreis seiner lachenden Kameraden Bälle nach hölzernen Köpfen warf. Fred folgte, sah sich aber noch einmal nach dem Affen um und stolperte über einen eingerammten

Seilpflock, dann schloß er sich vergnügt dem Bruder wieder an.

Sie kamen am Ende der Budenstadt auf den freien Platz zwischen Festhütte und Schießstand. Dieser Platz war zum größten Teil von Schützen belebt, die sich von den Festbummlern deutlich unterschieden, obwohl die meisten ihre Gewehre eingestellt hatten. Sie wechselten, Resultate überzählend und einander vorweisend, lachend, unternehmungslustig oder schimpfend zwischen Stand und Hütte hin und her, einige in grauen Überhemden, viele ohne Kragen, während manche, Schatten und Ruhe suchend, sich ohne Rock dem Stand entlang in den Rasen gelagert hatten. Die Brüder beschlossen, nun sogleich zum Mittelpunkt des Festes vorzudringen, und betraten den Schießstand, ein älteres, mit einem Türmchen versehenes Holzgebäude, das durch zwei neu angebaute niedere Flügel erweitert worden war. Sie hatten als bloße Zuschauer beim Eintritt eine Karte zu lösen, die Fred hinter das Hutband steckte, während Paul sie in der Tasche verschwinden ließ. Im Innern des Standes, wo die Schüsse nicht mehr das draußen hörbare trockene Geknatter, sondern ein hallendes Krachen hervorriefen, standen die Schützen dicht gedrängt hinter den Gewehrrechen; zwischen ihren Köpfen hindurch gewahrte man in der Entfernung von dreihundert Metern die lange Reihe der beweglichen Scheiben, auf denen da und dort Zeigerkellen erschienen, doch von den Schießenden selber war hinter der geschlossenen Menge nur wenig zu sehen.

Die Brüder suchten eine Lücke und schritten den Stand nach beiden Seiten hin ab, wobei sie fortwährend ausweichen mußten oder beiseite geschoben wurden. Im rechten Flügel stießen sie auf ihren Vetter Christian, der, eine grüne Rosette am Rockaufschlag, zur Wand der Wartenden hinausdrängte und einem der Büros zustrebte, die sich hinter Verschlägen an der Rückseite des Raumes befanden.

»Einen Augenblick!« sagte Christian, nachdem er kaum recht genickt hatte, und verschwand hinter einer Tür, um nach einiger Zeit wieder zu erscheinen und seine städtischen Vettern kurz zu begrüßen. »Ich habe noch Schießaufsicht, aber in einer halben Stunde werde ich abgelöst«, erklärte er sehr ernsthaft, mit beschäftigter Miene. »Wollen wir uns in der Festhütte treffen?« In diesem Augenblick wandten sich in der Nähe, beim Gewehrrechen, ein paar Schützen um und riefen: »Schießkomitee! Schießkomitee!«

»Also in einer halben Stunde beim Eingang der Festhütte!« sagte Christian hastig und schob sich, dem Rufe folgend, eilig durch die Reihen.

Paul blickte in diesem Gedränge, Lärm und fortwährenden Krachen kopfschüttelnd den Bruder an, als ob ihm das alles unfaßbar wäre, und winkte mit der Rechten müde ab, aber auch Fred fand kein Vergnügen mehr an diesem Aufenthalt.

Sie verließen den Stand, bummelten noch ein wenig und setzten sich zur verabredeten Zeit mit ihrem Vetter endlich in der Festhütte an einen der langen, mit weißem Papier bespannten Tische. Fred bestellte eine Flasche Wein. Durch den hohen Hüttenraum, der gegen dreitausend Personen fassen mochte, dröhnte von der Bühne herab Rossinis Ouvertüre zum »Wilhelm Tell«; das Gastkonzert der städtischen Kapelle war in vollem Gang. In den Pausen verursachte der Lärm der zahlreichen Gäste ein betäubendes Summen. Es war brütend heiß.

»Paul ist nämlich als Pressevertreter da«, erklärte Fred. »Es kommt alles in die Zeitung, was da läuft.«

Paul warf seinem Bruder schweigend einen kurzen, spaßhaft geringschätzigen Blick zu, während Christian mit einem leisen, vorsichtigen Lächeln Paul ansah, den er mehr aus dem Familienklatsch als aus eigener Erfahrung kannte.

»Das ist ja übrigens ein höllischer Betrieb«, fuhr Fred fort. »Also wie lange dauert das Fest?«

»Zehn Tage«, antwortete Christian, während er wieder eine sachlich ernste Miene annahm. »Es hat am Freitag begonnen. Aber ein solcher Betrieb ist natürlich nicht an jedem Tag.«

»Ja, aber geschossen wird doch zehn Tage lang von morgens bis abends auf alle sechzig Scheiben?«

Christian nickte.

»Wieviele Sektionen sind eigentlich angemeldet?«

»Hundertdreißig und rund vierhundertvierzig Gruppen, zusammen etwa viertausend Mann. Dazu kommen noch die Einzelschützen, die nicht angemeldet sind.«

»Und wie hoch ist die Plansumme?«

»Zweihunderttausend Franken.«

»Zwei-hundert-tausend? Die Plansumme«, erklärte Fred, zu Paul gewandt, »ist nämlich der voraussichtliche Umsatz beim Schießen, abgesehen vom ganzen übrigen Betrieb. Mach dir einen Begriff davon!«

Christian lächelte, weil Fred offenbar bestrebt war, seinem Bruder das Fest so großartig wie möglich darzustellen.

»Und wieviel Schützenfeste werden jährlich in der Schweiz abgehalten?« fragte Fred weiter. Er ging zu seinem Vergnügen jetzt wirklich darauf aus, Pauls Entsetzen über das schweizerische Festleben auf die Spitze zu treiben, wobei seine eigene Stellung dazu unentschieden blieb.

»Das kann ich jetzt kaum so genau sagen«, antwortete Christian, der den Hintergrund dieses Fragespiels nicht zu erkennen vermochte. »In der ganzen Schweiz werden jedes Jahr etwa fünf oder sechs solche Kantonal-Schützenfeste abgehalten. Aber daneben gibt es jährlich noch Dutzende von kleineren Schützenfesten, vielleicht vierzig bis fünfzig...«

»Tatsächlich?« fragte nun Paul selber.

»Das ist bei weitem nicht alles!« rief Fred. »Zu den Schützenfesten kommen bekanntlich noch Sängerfeste, Turnfeste,

Musikfeste, Schwingfeste ... außerdem gibt's fast jedes Jahr irgendein eidgenössisches Fest, wo es noch ganz anders großartig zugeht.«

»Ja, es ist unglaublich, ganz unglaublich«, sagte Paul leise und ernsthaft. »Dagegen ist nicht aufzukommen. Es ist überwältigend.«

Während nun Fred vom Ausmaß der eidgenössischen Feste zu reden begann, gewahrte Paul eine wachsende Zahl von Schützen, die den Lorbeerkranz auf dem Hute trugen, und seine Miene erhellte sich zu spöttischer Anteilnahme. Einer dieser Schützen, der offenbar leicht betrunken war, versuchte unter dem Gelächter und den Zurufen seiner Kameraden, die ihn durch die Hütte begleiteten, unversehens eine Kellnerin zu umarmen, was ihm nur halb gelang; jetzt bummelte er weiter und kam in der Nähe vorbei, ein etwas ungeschlachter Mann in mittleren Jahren, das Gewehr unordentlich nach hinten gehängt, auf dem zurückgeschobenen Strohhut den dichtbelaubten Lorbeerkranz, dessen eine blauweiße Schleife ihm verdreht auf den Nacken herabfiel; breitspurig bummelte er vorüber und sang oder gröhlte vielmehr »Heil dir, Helvetia, Hast noch der Söhne ja ...«, mit einem grimmigen Ausdruck seines dicknasigen Gesichtes, als ob er jeden herausfordern wollte, der seine vaterländische Kundgebung etwa nicht ernst zu nehmen geneigt wäre.

Fred hatte kaum ein paar vermutlich übertriebene Bemerkungen über die Höhe des Alkoholkonsums bei derartigen Festen an diesen Auftritt geknüpft, als er über zwei Tische hinweg den Onkel Robert in Begleitung Karls, Marthas und einiger ihm unbekannter Männer entdeckte. Sogleich erhob er sich und rief sie, seinen langen Arm reckend, zu Pauls Ärger laut herbei.

Das robuste, rötliche Gesicht seines Onkels leuchtete beim Anblick seiner Neffen erfreut auf, zugleich ließ er sich zum Spaß ein wenig in die Knie fallen, als ob er einen

Sprung tun wollte, und kam rasch heran. Martha folgte ihm mit einem fröhlich innigen Ausdruck, der ihr stilles Gesicht schön machte. Die Gesellschaft drängte sich grüßend und plaudernd an dem schon zur Hälfte besetzten Tisch zusammen, während gleichzeitig an allen Eingängen der Hütte ein auffallender Andrang einsetzte. Man vernahm, daß ein Gewitter im Anzug sei, es wurde auch merkbar dunkler, und schon in einer der nächsten Konzertpausen übertönte ein nahes Donnern den Hüttenlärm.

Paul war von quälendem Unbehagen erfüllt, und während er lächeln, reden, antworten mußte, spürte er zum hundertsten Male, daß er mit diesen Leuten nichts gemein hatte und an alldem, was sie beschäftigte, niemals ernsthaft würde teilnehmen können. Er benützte ein lautes Gelächter, um Fred mitzuteilen, daß er sich drücken und in die Stadt zurückfahren werde.

»Ach was, wart nur!« antwortete Fred. »Wir gehen nachher miteinander zum Bahnhof.«

Paul schüttelte mit einer flüchtigen Grimasse den Kopf.

»So wart doch wenigstens, bis das Gewitter vorbei ist!« erwiderte Fred und blickte ihn lächelnd an. Er verstand den Bruder sehr wohl, ja er vermochte ihm sein wachsendes Befremden gegenüber dem Festrummel, der nun durch dies Zusammentreffen fordernd auch nach ihnen griff, fast genau nachzufühlen. Zugleich wurde er sich bewußt, wie leicht und ungezwungen er selber mit diesen von Paul verschmähten Leuten verkehren konnte, und in diesem Augenblick fühlte er sich dem sonst bewunderten Bruder zum erstenmal überlegen. Mochte Pauls empfindsame Ausschließlichkeit auch ein geistiger Vorzug sein, oder umgekehrt der Geist zu dieser Ausschließlichkeit führen, das Volk besaß jedenfalls ein natürliches Anrecht, sich so ungeistig und trivial zu betragen wie ihm zumute war. Ob er, Fred, es mit diesem oder jenem halten möchte, das zu entscheiden fühlte er sich unfähig, er stand seinem eigenen Gefühle nach in der Mitte zwischen diesen zwei Erscheinungen, die für immer getrennt zu sein schienen und die er doch beide begriff.

Indessen fuhren ein paar stürmische feuchte Windstöße in die auf zwei Seiten offene Hütte hinein, und die ersten Regenschauer trieben den Rest des bummelnden Volkes unter Dach. Das nun herrschende Gedränge, in dem die numerierten Aufwärterinnen sich mit verzweifelter Miene Bahn zu schaffen suchten, der heftig auf das Hüttendach rauschende Gewitterregen, die Klänge der unbeirrt weiterkonzertierenden Kapelle und der verworrene Lärm der Menge selber steigerten das festliche Treiben zu einem ungeheuren, sinnlosen Tumult. Paul fühlte sich dem in keiner Weise mehr gewachsen, und das gewohnte, ironisch abwehrende Lächeln erstarb ihm auf den Lippen. Befremdet, ja beängstigt sah er, wie dagegen seine Tischgenossen sich all dessen nicht bewußt zu sein schienen, sondern mitspielten wie selbstlose Gestalten in einem furchtbaren Traum, den er allein mit wachen Sinnen zu träumen verdammt war.

Nachdem er sich endlich von der Gesellschaft getrennt hatte und durch den Schmutz des zertretenen Rasens mit dem hinausdrängenden Volk auf die Straße geraten war, wo die schon wieder glühende Sonne sich in den Regenlachen spiegelte, trat er mit abweisender Miene sogleich den Rückweg zum Bahnhof an. Hier mußte er sich eine ziemliche Weile gedulden, und als der Zug einfuhr, blieb ihm nichts anderes übrig, als inmitten von wohlgelaunt heimkehrenden Schützen und Festbummlern Platz zu nehmen. Er fühlte sich niedergeschlagen vom Andrang dieses Tages, den er unbeteiligt mit heiterm Spott zu ertragen gehofft hatte, und in diesem Zustande begann ihm sein eigenes Dasein fragwürdig zu erscheinen. Mochte dieses Dasein auch seine eigene innere Rechtfertigung besitzen, was half ihm das gegen jene

Übermacht, die es ausschloß und vor der es so nichtig wurde wie ein Menschenleben im Bergsturz!

Während der Fahrt stahl er sich freilich in seine gewohnte Haltung zurück, in jene Haltung eben, die halb aus Not, halb aus Einsicht, jedenfalls aber mit vollem Bewußtsein auf den Anschluß an das den Tag beherrschende Volk verzichtet. Er teilte sie mit vielen Intellektuellen aller europäischen Länder, und er war geneigt, sie zu übertreiben, wie mancher schaffende Künstler, der seiner Einsamkeit eine befremdend grundlose Eigenwelt abtrotzte.

Nach seiner Ankunft in Zürich schlug er durch den noch taghellen, von heimkehrenden Ausflüglern belebten Sonntagabend sogleich mürrisch verschlossen den Weg nach Hause ein. Vor dem Gebäude einer großen Tageszeitung aber wurde er zu seiner Verwunderung von einer Menschenmasse aufgehalten, die, an ihren Rändern unruhig gelockert, im Innern fest geschlossen, nach Tausenden zählen mochte. Er erinnerte sich, daß die Zeitung auf diesen Abend ein Extrablatt angekündigt hatte, die Ereignisse der letzten Tage fielen ihm ein, die nach der überwältigenden Gewöhnlichkeit des europäischen Alltags endlich das Ungewöhnliche erwarten ließen, und die Lust danach ergriff auch ihn. Er mischte sich unter die Menge, in der die merkwürdigsten Gerüchte von Mund zu Mund liefen, und wurde von einer plötzlich einsetzenden Strömung einem Ausgang des Gebäudes zugedrängt, wo die ersten Zeitungsverkäufer erschienen waren. Noch eh er hingelangte, fuhren ihm schon fetzenweise Nachrichten entgegen, die alle Erwartungen oder Befürchtungen zu erfüllen versprachen. Indes gedachte er an dieser Gier der Masse nach Sensationen nicht teilzunehmen und wandte sich mit dem eroberten Blatt in der Tasche gelassen heimwärts, um es freilich an der nächsten ruhigen Straßenecke dennoch aufzuschlagen.

Etwas großartig Spannendes und zugleich schon unheimlich Entschiedenes drang aus der bedruckten Seite auf ihn ein, der Anfang eines noch gar nicht übersehbaren Geschehens, das auf vernunftwidrige oder doch beängstigend dunkle Art alle Völker zu ergreifen drohte. Die gewaltsame Auseinandersetzung zwischen Österreich und Serbien stand unmittelbar bevor, die diplomatischen Beziehungen waren abgebrochen, die österreichische Gesandtschaft hatte Belgrad verlassen, die serbische Armee wurde mobilisiert. Aus Petersburg kam die unverhüllte Erklärung, Rußland fühle sich durch die Maßnahmen der Wiener Regierung provoziert und sei nicht mehr imstande, eine gleichgültige Haltung zu bewahren. In allen Hauptstädten wuchs sich die Spannung zu einer fieberhaften Bereitschaft aus, überall reisten Monarchen, Minister, Diplomaten heim auf ihre Posten, und die europäische Presse betonte wie aus einem Mund die schwere Bedrohung der internationalen Lage.

Paul, der mit seinem Urteil diesen Anzeichen der nahenden Katastrophe so unzulänglich gegenüberstand wie jedermann, faltete das Blatt zusammen und ging erregt mit beschleunigten Schritten weiter. Er hatte heimlich nie befürchtet, daß etwa der Sturm ausbrechen, sondern im Gegenteil, daß er sich verziehen könnte, wie er denn meinte, daß in Europa seit Jahrzehnten alles Verheißungsvolle, groß Begonnene und Elementare immer wieder im Sande verlaufen sei. Jetzt endlich schien etwas Mächtiges wirksam zu werden, das die Menschen nicht mehr ihren blöden Zwecken vorspannen konnten.

In der Nähe des Hauses sah er sich zwischen leicht- und hellgekleideten Passanten plötzlich der auffallend gewichtigen schwarzen Gestalt seines Vaters gegenüber.

»Ah, Paul... eh... hast du etwa das Extrablatt?« fragte Ammann flüchtig und schon bereit, weiterzugehen. »Aha, schön, danke! Wollte es eben auch holen.« Er kehrte um und fragte leichthin, während er das Blatt aufschlug und, stehen bleibend, einen ersten Blick hineinwarf: »Und wie ist die Lage?«

»Ach...«, sagte Paul unbestimmt, mit einem Achselzukken, und blieb scheinbar gelangweilt ebenfalls stehen.

Ammann begann, ohne eine Antwort zu erwarten, die hervorstechenden Nachrichten zu lesen, dann setzte er sich, immerfort lesend, mit einem Ausdruck steigender Sorge an Pauls Seite langsam wieder in Bewegung.

Paul beobachtete ihn unbemerkt, er sah, wie er die dicke Unterlippe vorschob und die Stirn runzelte, wie in seinen leuchtkräftigen Augen ein leises Erschrecken aufglomm und wie er schließlich mit einer nachdenklichen Verdüsterung seines satten, selbstzufriedenen Gesichtes einen Augenblick vor der Haustür stehen blieb. »Riechst du, wie es brenzelt«? dachte er. »Es ist euere Welt, die zu brennen anfängt und hoffentlich einstürzen wird, euere zivilisierte, sichere, fortschrittliche Welt! Löscht jetzt, wenn ihr könnt!« Er schloß die Tür auf, ließ den Vater eintreten und folgte ihm, von einer unvernünftigen wilden Genugtuung erfüllt.

8

Nachdem das festliche Treiben dieses Tages um die abendliche Essenszeit einen kurzen Unterbruch erfahren hatte, setzte es beim Anbruch der Dunkelheit im strahlenden Flitterglanz der Budenstadt wieder ein und erreichte einen neuen Höhepunkt in der Festhütte, wo die Vereine des Orts mit wechselnden Darbietungen die Bühne betraten. Fred saß in Gesellschaft an einem der langen Tische und hörte dem Gespräch zu, das zwischen Christian und anderen Schützen im Gange war.

»Nein, heute wurde nicht besonders gut geschossen, wenigstens in den Hauptstichen«, erklärte Christian. »Das höchste Resultat in der ›Kunst‹ hat immer noch Brunner mit 443 Punkten. In der ›Meisterschaft‹ steht vorläufig Otter mit 23 Nummern an der Spitze.«

»Das sind schöne Resultate!« erwiderte sein Nachbar, ein großer, magerer Mann mit einem herben Gesicht von bäuerlichem Schnitt und verständigem Aussehen, ein Wagner namens Eckert. »Am letzten Kantonalen stand Eggmann in der ›Kunst‹ mit 450,5 Punkten im ersten Rang. Und auf mehr als 23 Nummern hat's in der ›Meisterschaft‹ doch keiner gebracht.«

»Ja... aber die Gefährlichsten fangen erst an. Reich, Meister, Fenner, Tobler und andere waren noch gar nicht da. Und Ihr«, fügte er mit einem Lächeln bei, »habt's auch noch nicht gewagt.«

»Papapapa... ich komme nicht mehr in Frage. Wenn ich's auf 20 Nummern bringe, bin ich wohl zufrieden. Aber an dir ist es jetzt! Wenn einer schon am ersten Tag in der Serie 24 Nummern schießt, dann...«

»Jaja, liegend wär's zu machen, aber in allen drei Stellungen... das ist eine andere Sache.«

»Ach, er hat daheim ja schon wochenlang Zielübungen gemacht«, warf hier Lisi vorlaut ein.

»Das ist ganz in Ordnung!« erklärte Eckert entschieden, mit einem scherzhaft verweisenden Beiklang. »Wer nicht übt, bringt's zu nichts. Unsere Meisterschützen machen täglich Zielübungen...«

Bei diesen letzten Worten dämpfte er die Stimme, denn jetzt wurde es in der Hütte dunkel, und auf der Bühne erschien im schwankenden Rot des bengalischen Lichtes die Winkelriedszene, ein vom Turnverein gestelltes »lebendes Bild«. Der Held lag, von einer Anzahl kniender und stehender Eidgenossen umgeben, mit einem an die Brust gedrückten Bündel feindlicher Speere sterbend in den Armen eines jungen Kriegers. Die regungslose mehlweiße Gruppe verdämmerte, starker Beifall setzte ein, der Vorhang fiel und das Licht wurde wieder angedreht, während sich im Zuschauerraum schon die Mitglieder des Männerchors erhoben, die nun drei Lieder vorzutragen hatten.

»Ein verrücktes Resultat«, begann Christian wieder, »hat am Samstag Stähli im Schnellstich geschossen, 78 Punkte, und unmittelbar vorher das Maximum in der Gruppe.«

»Schon gehört!« antwortete Eckert. »Der Stähli ist ein ganz hervorragender Schütze! Wie steht's übrigens bis jetzt mit den Gruppen und Sektionen?«

»Vier sehr gute Resultate hat eine Tessiner Gruppe von Bellinzona. Von den Sektionen kann man noch nicht viel sagen. Neumünster, Winterthur und Zürcher Stadtschützen haben allerdings bis jetzt fast nur Kranzresultate.«

Fred hörte aufmerksam zu, obwohl ihm die genannten Punktzahlen keinen Begriff vom Wert der Resultate vermitteln konnten; er hatte im Militärdienst wohl schießen und treffen gelernt, doch auf den ausgeklügelten Plan eines Schützenfestes verstand er sich nicht. Er sah aber ein, daß die Schützen selber das Fest anders beurteilten als die Bummler, und daß sie hier nicht zur Belustigung erschienen, sondern zum Wettkampf, der eine ernstliche Anspannung erforderte und erstrebenswerte Folgen haben mußte. Der gute Schütze wurde ja berühmt, und dieser Ruhm konnte sich nicht auf ein bloßes Vergnügen beziehen, sondern nur auf gewisse gesteigerte Fähigkeiten, die ihren Träger vor seinen Volksgenossen auszeichneten, auf seine sichere Hand also, sein scharfes Auge, seine Geduld und Selbstbeherrschung. Jede Ortschaft, jede Gemeinde vermerkte es mit Genugtuung, wenn einer ihrer Angehörigen oder ihre Gruppe, ihre Sektion, einen so offenen, allgemeinen Wettkampf siegreich bestand, und aus dem Bewußtsein des ganzen Volkes war die Tatsache nicht zu tilgen, daß die Schweiz die besten Schützen der Welt besaß.

Nach den Liedern des Männerchors erhob sich Christian gemächlich, nickte der Tischgesellschaft zu und wollte gehen.

»He he!« widersprach Eckert. »Was ist mit dir? Grad so ohne weiteres läuft man jetzt nicht fort!«

Dasselbe wurde Christian noch von anderen Bekannten zugerufen, so daß er schließlich gestand, er wolle morgen früh mit dem Schießen beginnen. »Wenn man nicht richtig ausgeschlafen hat«, sagte er, »dann braucht man gar nicht erst ein Gewehr in die Hand zu nehmen.«

Während Eckert halb zustimmend, halb bedauernd den Kopf wiegte und die übrigen laut widersprachen, griff auch Fred nach dem Hut und erklärte schmunzelnd, er gedenke morgen ebenfalls zu schießen und werde jetzt mit Christian heimgehen. Da stand Martha auf. »Ach, dann komm' ich auch grad mit, die Mutter ist so allein zu Hause«, sagte sie unverfänglich, mit kaum merkbarem Erröten. Nach erneuten Protesten und nutzlosen Verhandlungen trennte sich die kleine Gesellschaft. Lisi und der Vater blieben mit ihren Bekannten in der Hütte, Christian, Fred und Martha wanderten durch die besternte warme Nacht dem Rusgrund zu.

Am nächsten Morgen betrat Fred wirklich in aller Frühe mit Christian den Schießstand, und wenn er vorerst auch nicht selber ein Gewehr in die Hand zu nehmen gedachte, so wollte er doch die Schützen an der Arbeit sehen. Das Feuer war um sechs Uhr eröffnet worden, die Schüsse dröhnten schon auf der ganzen Front. Christian strich neugierig den Gewehrrechen entlang und machte Fred bald auf einen festen, rotnackigen Mann aufmerksam, der im Begriffe war, auf einer Stichscheibe ein hohes Resultat zu erzielen. Die Stichscheiben, erfuhr Fred, besaßen ein in hundert Kreise eingeteiltes rundes Trefferfeld von einem Meter Durchmesser. Auf diese Scheiben schoß man die »Kunst« mit fünf, das »Glück« mit zwei und den »Nachdoppel« mit beliebig vielen Schüssen. Die Prämien wurden gesondert in jeder Kategorie durch die Rangordnung bestimmt. Der Warnerknabe nun, der durch einen Druck auf den Läutknopf dem Zeiger den erfolgten Schuß zu melden hatte, stempelte diesem Schützen soeben unter »Kunst« die Punktzahl 92 ins Büchlein. Es war der vierte Schuß, die drei vorhergehenden zählten 87, 96, 83. Der Schütze zielte wieder. Er lag auf die Ellbogen gestützt, den Hut über dem rechten Ohr, das Gewehr im Anschlag, und zielte wohl eine halbe Minute lang, dann legte er, ohne den Schuß gelöst zu haben, atemholend das Gewehr nieder, um es nach kurzer Ruhe abermals anzuschlagen. Dasselbe wiederholte er noch zweimal, dann wandte er sich, den Kopf schüttelnd, nach einem Kameraden um, und Fred sah sein robustes, vor Anspannung gerötetes Gesicht, das zu lächeln versuchte und es nicht fertig brachte. Der Kamerad beruhigte ihn mit betonter Gelassenheit: »Wart nur, Köbi, du hast Zeit genug!« Der Schütze wandte sich wieder der Scheibe zu, zielte aber noch nicht, sondern senkte wartend und wie erschöpft den Kopf.

»Er hat Fieber«, flüsterte Christian seinem belustigten Vetter zu. »Wenn ihm dieser letzte Schuß noch gelingt, dann hat er ein Bombenresultat, er könnte in den ersten Rang kommen. Das weiß er, und darum tanzt ihm jetzt schon alles vor den Augen. Es gelingt ihm nicht, du wirst sehen! Das kommt sehr oft vor.«

Inzwischen sammelten sich hinter dem Schützen immer mehr Neugierige an, jeder Hinzutretende suchte zu ergründen, was hier vorging, und blieb, wenn er es erfahren hatte, gespannt in der Nähe stehen. Fred, der seinen Platz am Gewehrrechen mit einiger Mühe behauptete, blickte bald auf den nach Selbstbeherrschung ringenden Schützen, bald auf dessen Nachbarn zur Rechten, den er für einen Regierungsrat oder sonst einen hohen Beamten hielt. Dieser ergraute, eindrucksvolle Mann schoß mit seinem Privatgewehr, einem Stutzer, in sehr gerader Haltung erhobenen Hauptes kniend den »Nachdoppel«, er löste einen Schuß nach dem andern, blies nach jedem mit gespitzten Lippen sorgfältig den Rauch aus dem Lauf und schielte dabei durch seinen schiefen Klemmer nach der Scheibe, wo die Kelle einen mittelmäßigen Treffer zeigte, dann schob er eine neue Patrone ins Lager, schlug den Stutzer feierlich an, zielte wieder und schoß, alles mit einer unvergleichlich würdigen Ruhe, die zum Fieber seines ringenden Nachbarn im stärksten Gegensatze stand. Noch weiter rechts bemerkte Fred einen liegenden jüngern Mann, der heftig den Gewehrverschluß zurückriß, mit einem grimmigen Ausdruck seines scharfgeschnittenen Gesichtes nach der Scheibe starrte und plötzlich, den Verschluß mit Wucht zustoßend, ehrlich erzürnt ausrief: »Lueg, jetzt isch der Stärnechaib wieder z'höch!« Im selben Augenblick krachte vor Fred endlich der fünfte Schuß dies Fiebermannes, eine kurze Bewegung ging durch die Schar der Zuschauer, dann blickten alle gespannt und still auf die Scheibe. Die Zeigerkelle erschien eine Hand breit neben dem Schwarzen, der Schuß zählte 61 Punkte und war nicht geradezu schlecht, drückte aber doch das gesamte Ergebnis auf eine kaum mehr auffällige Punktzahl herab. »Schade!« sagte der Kamerad bedauernd. Die Zuschauer entfernten sich schweigend. Der Schütze, noch immer rot im Gesicht, unterzeichnete das Resultat, dann winkte er, alle Schuld sich selber zuschiebend, mit der Rechten verächtlich ab und trat zurück. Er hatte das bescheidene Glück, das da endlich auf ihn zugekommen war, aus mangelnder Beherrschung mit dem letzten schwächlichen Zugriff verscherzt und tauchte in der Masse der unbekannten Schützen namenlos wieder unter.

Fred ging, da er Christian nirgends mehr erblickte, langsam durch den Stand, wobei ihm auffiel, wie viele bejahrte und gesetzte Männer sich unter den Schützen befanden, welch soliden Eindruck auch die jüngern erweckten, was für prächtige Köpfe hier auftauchten und wie ansteckend ernst, sachlich, gesammelt fast alle Gesichter erschienen. Fred fühlte sich wirklich angesteckt, ja schon verlockt, seine eigene Tüchtigkeit auf die Probe zu stellen und den Versuch mit der Waffe zu wagen; jedenfalls begann er, statt mit belustigter Neugier ziellos herumzuschweifen, nun auch eine beschäftigte Miene zur Schau zu tragen. Er wollte hier doch lieber nicht als Außenseiter gelten. In diesem Zustand begegnete er dreimal einem Schützen, dessen Anblick ihn sonst erheitert hätte; jetzt verbot er sich geradezu, ihn wunderlich zu finden. Dieser Mann, eine hohe, kahlköpfige Gestalt im grauen Überhemd, hatte sich eine Schießbrille in die Stirn geschoben und wanderte, die Hände auf dem Rücken, den Kopf ein wenig gesenkt, in tiefes Sinnen versunken immerzu auf und ab, wobei er den im Wege stehenden Schützen auswich, ohne sie eines Blickes zu würdigen und ohne auch nur einen Augenblick seinen regelmäßigen Gang zu unterbrechen.

Im äußersten rechten Flügel entdeckte Fred plötzlich seinen Vetter, wie er stehend die Waffe anschlug und zu zielen begann. Sogleich trat er hinter den Gewehrrechen, beugte sich gespannt über den Warnerknaben und sah im Büchlein, daß Christian eine Meisterschaftsserie begonnen und in sechs Schüssen drei Nummern geschossen hatte. »Erst drei Nummern!« dachte er enttäuscht und bedauernd. »Das genügt ja nicht, er muß doch stehend mindestens sechs bis sieben Nummern haben.« In dieser Serie, die man dreimal schießen durfte, wurden je zehn Schüsse stehend, kniend und liegend verlangt. Wem in diesen dreißig Schüssen fünfundzwanzig Treffer in ein Rund von 37 Zentimeter Durchmesser gelangen, fünfundzwanzig Nummern eben, dem wurde der Meistertitel verliehen. Dies hatte Fred von seinem Vetter erfahren, aber erst jetzt trat ihm das Schwierige, ja scheinbar Hoffnungslose des Unternehmens vor Augen. Das Nummernfeld war ja nicht größer als ein Strohhut, und wer wollte denn auf 300 Meter Entfernung unter solchen Bedingungen fünfundzwanzigmal einen Strohhut treffen!

Er trat etwas zur Seite und beobachtete mit herzlicher Anteilnahme, wie nun auch Christian, Atem holend, das Zielen unterbrach, aber gleich darauf das Gewehr wieder anschlug, indem er es leicht emporwarf, als ob er in die Luft schießen wollte, wie er den Kolben fest an die Schulter zog und den linken Ellbogen auf die Hüfte stützte, wie er mit den Füßen suchend noch einmal den sichersten Halt ermittelte und endlich zu zielen begann, mit einem so finster gespannten Ausdruck seines ohnehin mürrischen Gesichtes, wie Fred ihn noch nie an ihm wahrgenommen hatte. Der Schuß fiel und traf die Nummer, aber die letzten drei Schüsse fehlten sie wieder. Christian unterzeichnete das Resultat und trat mit seiner gewohnten gleichmütigen Miene, die durch keinen Zug den Mißerfolg verriet, zu seinem neugierig wartenden Vetter. »Willst du nicht auch schießen?« fragte er. »Du kannst beim Büchser ein Gewehr mieten.«

»Ja, ich habe daran gedacht«, antwortete Fred, als ob weiter nichts dabei wäre; als aber Christian sich sogleich anschickte, ihm bei den erforderlichen Schritten zu helfen, überkam ihn schon eine leichte Erregung. Er mietete ein Ordonnanzgewehr, kaufte Patronen und bestellte ein Schießbüchlein mit Marken für die »Kunst«, das »Glück« und die Übungsscheibe »Kehr«. Etwas verwundert stellte er fest, daß ihn dieser bescheidene Anfang rund zwanzig Franken kostete, und daß bei diesem patriotischen Wettkampf also wohl nicht nur die Ehre, sondern auch der für manchen Schützen beträchtliche Einsatz erregend im Spiel stehen müsse. Er stellte das Gewehr dort, wo er schießen wollte, in den Rechen.

Er mußte eine Viertelstunde warten, um an die Reihe zu

kommen, und während dieser Viertelstunde nahm seine Erregung langsam zu. »Was für ein Blödsinn!« sagte er sich. »So werde ich nichts treffen, das ist doch klar. Warum rege ich mich eigentlich auf? Die ganze Geschichte ist ja nicht der Rede wert.« Dies suchte er sich einzureden, aber der dunkle Antrieb seines scheinbar harmlosen Unternehmens verlor den Stachel nicht. Im Grunde beherrschte ihn doch der merkwürdige Ehrgeiz, im Hinblick auf die Tüchtigkeit der Sinne und die Herrschaft über sich selber es wenigstens in bescheidenem Maße diesen einfachen Männern gleichzutun und ein Probestück zu wagen, das in intellektuellen Kreisen mißachtet, vom Volk aber naiverweise geschätzt wurde.

Endlich konnte er antreten. Mit gespielter Gelassenheit warf er das Büchlein dem Warnerknaben aufs Pult, verlangte »Kehr« und legte sich auf die Matratze. Er machte das Gewehr zum Schuß fertig, schlug es an und schmunzelte bei allem Ernst nun doch über die wunderlich erregende Lage, in die er sich da begeben hatte. Sorgfältig suchte er, durch den Visiereinschnitt äugend, das schwankende Korn unter dem runden Schwarz der Scheibe festzuhalten, aber eben das erwies sich als besonders schwierig, das Korn wollte nicht stillstehen, und schließlich drückte er aufs Geratewohl ab. Es geriet nicht wohl, der Schuß saß nicht einmal im Schwarzen, geschweige denn in der Nummer. Er nahm sich ernstlich zusammen, zielte genauer und drückte den zweiten Schuß im richtigen Augenblick ab, aber beim Abdrücken zog er die Waffe unmerklich ein wenig nach unten, er »verzog« den Schuß und fehlte das Schwarze abermals. Beharrlich versuchte er es von neuem, doch erst der fünfte Schuß gelang ihm ruhig und genau; er traf das Schwarze, aber noch nicht die Nummer, während der nächste Schuß, der ihm mißlungen schien, zu seiner Erheiterung mitten in der Nummer saß. Die folgenden zwei Schüsse ergaben Treffer am linken Rand des Schwarzen, worauf er den Zielpunkt etwas nach rechts verlegte und endlich eine verdiente Nummer schoß. Auf denselben Zielpunkt löste er den letzten Schuß, mit dem er zu seiner Verwunderung das Schwarze wieder fehlte; er hatte scheinbar genau gezielt und ruhig abgedrückt, aber das Auge mußte einer der dutzend optischen Täuschungen erlegen sein, die durch den Wechsel des Lichtes bewirkt werden, und so hatte er denn, einen bekannten Fehler begehend, den Schuß »versehen«.

Er stand auf, trat gleichmütig zurück und löste eine zweite Marke für die Kehrscheibe. Nach einer halben Stunde lag er wieder auf der Matratze und traf in zehn Schüssen viermal die Nummer, dann vertauschte er den eingehegten kleinen Platz mit einem andern im rechten Flügel, vor den Stichscheiben, und meldete dem Warner mit mürrischer Miene: »Kunst«. Fred schoß die »Kunst«, der Einsatz betrug sieben Franken, sechzig Prozent der hier konkurrierenden Schützen erhielten Prämien von hundert Franken an abwärts bis zu vier Franken, und als Auszeichnung winkte der Lorbeerkranz. Er schoß, als ob er von frühester Jugend an nichts anderes getan hätte, zuerst die »Kunst« und gleich darauf das »Glück«, aber seine entschlossene Haltung half ihm wenig, es gab hier nichts zu erlisten, ja es gab auf der Stufe seines Könnens nicht einmal Glück; das geringste Versagen der Hand, des Auges, die leiseste Erlahmung des Willens kamen im Ergebnis unweigerlich an den Tag; das Schießen war die genaueste Selbstprüfung, hier ging es so nüchtern und unbestechlich zu, wie man es von einer nationalen Angelegenheit nur wünschen mochte. Fred hatte in der »Kunst« einen guten, zwei mäßige und zwei schlechte Treffer, er zählte sie nicht einmal zusammen, es konnte nichts dabei herauskommen; auch das »Glück« war ihm mißlungen.

Er gab das Gewehr zurück und fühlte sich schon versucht, dieser ganzen Schießerei den Rücken zu kehren und seiner Wege zu gehen, als er Christian traf, der ihn auf ungewohnt anteilnehmende, fast besorgte Art fragte, wie es ihm nun ergangen sei.

»Ach...«, antwortete Fred grämlich, »alls verluegt, verzoge, verzitteret und vercheibet!« Aber sogleich begann er über seine eigenen Ausdrücke zu lachen, winkte mit der Rechten ab und erkundigte sich nach Christians Ergebnissen.

»Ja, meine erste Serie ist auch verpfuscht«, sagte Christian leichthin und schlug vor, nun zum Mittagessen in die Festhütte zu gehen. Gleich darauf dröhnte denn auch in der Nähe als Signal zur Mittagspause ein Kanonenschuß, die Scheiben wurden eingezogen, Schützen und Warnerknaben verließen den Stand, und draußen auf der leuchtend grünen Wiese erschien der geschlossene Zug der Zeiger in ihren roten Blusen und Mützen.

Erst in der Hütte erfuhr Fred nach einigem Drängen, daß sein Vetter die erste Serie immerhin mit neunzehn Nummern beendet, die zweite aber stehend mit sieben und kniend mit neun Nummern so hoffnungsvoll wie nur möglich begonnen hatte. Neidlos bewundernd las er die im Büchlein eingestempelten Treffer, seine Anteilnahme wuchs wieder, und nachdem er auf Christians Verlangen den Hergang der eigenen Bemühung genau erzählt hatte, erschien ihm seine Niederlage nur noch als verdiente und lehrreiche Erfahrung.

Nach der Mittagspause entdeckte Fred im linken Flügel des Standes den Oberstleutnant Fenner, Christians Regimentskommandanten, der kniend schoß.

»Fenner!« bestätigte Christian. »Er hat stehend die Meisterschaft mit acht Nummern angefangen, jetzt, kniend, ist er bei der fünften Nummer.«

Fenner trug einen dunklen, stark benutzten Anzug, einen

alten schwarzen Hut und grobe Schuhe. Nichts an seinem Äußern verriet den Offizier, er trat auch im zivilen Leben mit jener Einfachheit auf, deren hartnäckige Betonung unter den Offizieren der Ammannschen Brigade ein gewisses vergnügtes Aufsehen hervorzurufen pflegte. Jetzt kniete er dort und zielte. Er schien das Gewehr nicht einfach so erhoben, sondern wütend angepackt zu haben, er hielt es wie in einem Schraubstock fest, die behaarte Rechte am Kolbenhals, die linke am Magazin, den Rücken gewölbt, die Schultern eingezogen, in einer offensichtlichen äußersten Anspannung, als ob er nicht nur mit dem Auge, sondern mit dem ganzen Körper zielte und mit aller Kraft sich selber abzuschnellen gedächte. Fred sah ihn von rechts, seine regungslose, zornig wirkende Braue, den hervortretenden gebräunten Backenknochen, die unordentlich an den Daumen gedrückte Schnurrbarthälfte, die sich zu sträuben schien, diese ganze, zur Unbeweglichkeit gezwungene, geduckt lauernde Gestalt, und er preßte unwillkürlich die Zähne zusammen. Der Schuß fiel, Fenner entspannte sich gelassen, legte eine neue Patrone ins Magazin und blickte auf die Scheibe, wo eine Nummer gezeigt wurde, dann begann er mit derselben gespannten Kraft und Sammlung wieder zu zielen.

Links von ihm hatte ein dunkelhaariger, schmächtiger Bursche den »Schnellstich« begonnen, der mit acht Schüssen auf eine Minute beschränkt war. Nach jedem Schuß riß er, ohne das Gewehr aus dem Anschlag zu nehmen, in der höchsten Eile den Verschluß zurück, um ihn ebenso eilig wieder einzustoßen, und während die ausgeworfene Hülse noch wegflog, zielte er schon wieder. An seiner Seite stand ein Mitglied des Schießkomitees mit der Uhr in der Hand.

Fred wunderte sich, was dabei herauskommen werde, ging mit Christian hinüber und betrachtete bald diesen eiligen Burschen, bald den Oberstleutnant, den das Schnellfeuer in seiner Nähe nicht im geringsten zu stören schien.

Nach dem Ablauf der Minute wurde die Scheibe gewechselt, die Zeigerkelle erschien achtmal, und Fred stellte fest, daß ein einziger Schuß das Schwarze gefehlt hatte. »Weißt du«, sagte er leise und nickte anerkennend, »es wird durchwegs doch verdammt gut geschossen. Wenn man sich eine Kompagnie oder auch nur einen Zug solcher Schützen im Gefecht vorstellt... da möchte ich nicht zum bösen Feind gehören.«

»Ja... das hier ist mehr oder weniger eine Auslese, aber... es gibt doch in jedem Zug eine Anzahl solcher Schützen«, erwiderte Christian ernsthaft.

»Meinst du, daß in einem Kriegsfall etwas darauf ankäme? Es ist ja ein abscheulicher Gedanke, auf Menschen zu schießen, aber wenn man sich verteidigen müßte... ein Dutzend guter Schützen könnte doch eine ganze vorrückende Kompagnie erledigen.«

»Unbedingt! Man würde zwar vermutlich im Krieg nicht so ruhig schießen können wie hier und selber auch angepfiffen werden, aber in gewissen Fällen käme es doch wahrscheinlich auf die bessern und ruhigern Schützen an. Wenn wir früh genug mit genügend Leuten so an der Grenze lägen, in guten Deckungen und am rechten Ort, dann, glaub' ich, würden wir keine Maus durchlassen.«

»Ja, das glaub' ich nun wirklich auch! Allerdings... im Vergleich mit den Nachbarstaaten haben wir kein großartiges Heer...«

»Jaja, aber die würden auch nicht fünfstöckig daherkommen. Sie könnten nicht mehr Leute einsetzen, als in einem Abschnitt Platz haben... und für unsere Grenzen hätten wir Mannen genug.«

»Ja, und sonst... he, du weißt doch, was der deutsche Kaiser vor zwei Jahren bei den Manövern hier für eine Antwort bekommen hat?«

Christian wußte es nicht, und Fred erzählte die Anekdote.

Der Kaiser habe im Schützengraben einen schießenden Füsilier angesprochen und nebenbei bemerkt, die Schweizer seien ja freilich gute Schützen, aber im Kriegsfall werde ein Gegner mindestens mit einer doppelt so großen Anzahl aufrücken; was sie dann wohl tun würden? Der Füsilier habe geantwortet: »Dann würden wir zweimal schießen.«

Christian lachte kurz auf. »Jaja... hoffentlich kommt's nicht dazu«, sagte er und blickte gespannt nach der Scheibe, auf die Fenner in diesem Augenblick einen Schuß abgefeuert hatte. »Wieder eine Nummer!« rief er gedämpft, als die rote Kelle ins Schwarze flog, dann nickte er bedeutsam und schlenderte weg.

Fred wandte seine Aufmerksamkeit von neuem dem Oberstleutnant zu, der mit unveränderter Anspannung diesen Teil seiner Serie zu Ende schoß. Er begriff jetzt, daß hervorragende Resultate eine Zucht des Willens voraussetzten, von der sich Laien kaum eine Vorstellung machten, daß jeder einzelne Schuß dabei von entscheidender Wichtigkeit war und immer wieder denselben Aufwand von Kraft, Geduld und Selbstbeherrschung erforderte, einen Aufwand, den jedenfalls das tägliche Leben nur selten verlangte.

Sogleich nach dem zehnten Schuß stand Fenner auf, trat zum Warnerpult und blickte mit einer beiläufigen Kopfbewegung, doch mit drohender Miene, nach der Scheibe zurück, wo abermals die rote Kelle erschien, dann unterschrieb er sein ungewöhnliches Resultat von zehn Nummern. »Bravo! Bravo!« sagten die Schützen. Fenners hartes Gesicht trug einen Schimmer ironischer Zufriedenheit, doch er schien den Beifall kaum zu beachten und unter den Zuschauern keinen Bekannten zu besitzen, er musterte sie nur mit einem kurzen, beinah spöttischen Blick seiner nüchternen kleinen Augen, stellte das Gewehr schweigend in den Rechen und begann, die Arme verschränkt, die Rechte am linken Schnurrbartzipfel, die Schießenden zu beobachten, als ob nichts geschehen wäre.

»Herrgott, ist das ein trockener Patron!« dachte Fred. »Ein ungemütlicher Kerl! Aber im Kriegsfall, als Regimentskommandant... mit so einem wäre man auf jeden Fall nicht lackiert.«

Er bummelte durch den Stand und blieb neugierig bei einer Gruppe von Schützen stehen, in der ein untersetzter, fester Mann von strammer Haltung laut schimpfte und fluchte, während er mit dem Handrücken auf eine Seite seines Schießbüchleins klopfte; bei diesem Schuß, erklärte der Aufgeregte, sei es nicht mit rechten Dingen zugegangen, er habe ihn genau so abgegeben wie den vorhergehenden, und da werde ihm nun »so en Saucheib« gezeigt, den er gar nicht geschossen habe, das sei ihm denn doch noch nirgends passiert, er wisse auch, wann er gefehlt habe und wann nicht.

Fred ging lächelnd weiter. Er wußte wohl genug, daß es auch unter den Schützen Lärmer und Aufschneider gab, doch er machte den Fehler nun nicht mehr, ihrem lauten Wesen mehr Gewicht beizulegen als den Stillen und Bescheidenen, wie er denn überhaupt vom Schützenfest eine andere Ansicht gewonnen hatte.

Im rechten Flügel fiel ihm wieder eine kleine Ansammlung von Schützen auf, die einen Gewehrrechen belagerten, er trat hinzu und erkannte freudig aufgeregt seinen Vetter, der liegend mit vier Nummern den letzten Teil seiner Meisterserie begonnen hatte. Sogleich drängte er sich vor, bis er Christians ganze Rückseite bequem überblicken konnte, die gespreizten, fest an die Matte geschmiegten kräftigen Beine in den abgetragenen schwarzen Hosenröhren, die gestrickten grauen Socken, die darunter zum Vorschein kamen, die schweren Schuhe, den tanngrünen, an den Schultern straff gespannten Jagdrock, den von dunkelblondem, leicht gekräuseltem Haare dicht bewachsenen runden Kopf und die wulstigen kleinen Ohren.

Hinter dem angehenden jungen Meisterschützen häuften sich die Zuschauer, die nach jedem Nummerntreffer in gedämpftem Ton anerkennende Bemerkungen tauschten oder einander bedeutsam anblickten und gespannt auf den nächsten Schuß warteten.

Christian schoß ruhig und gleichmäßig in einer Art von hypnotischer Sammlung, die jeden Gedanken an seine Zuschauer, an die nahende Entscheidung oder die Bedeutung der Meisterschaft ausschloß und einzig darauf gerichtet war, den Schuß ohne Zielversehen sorgfältig abzudrücken. Nach der siebenten Nummer aber hörte er plötzlich, wie hinter ihm laut gefragt wurde »wieviel muß er noch?«, wie ein paar nähere Stimmen antworteten »noch zwei!«, und wie jemand unwillig in unterdrücktem Tone Ruhe verlangte. In diesem Augenblick erwachte er gleichsam und wußte, daß er im Begriffe war, die heißbegehrte kantonale Meisterschaft zu erringen, daß ihm nur noch zwei Nummern fehlten, und daß hinter seinem Rücken ein dichtgedrängter Haufe von Schützen stand, die ihm gespannt zuschauten. Er runzelte die Stirn und suchte diese Vorstellungen zu verscheuchen, aber sowie er wieder zu zielen begann, merkte er, daß er schon unruhig geworden war. Trotzdem zielte er nicht länger als sonst und gab den Schuß auch scheinbar richtig ab, blickte aber nicht mehr so gleichgültig wie bisher auf die Scheibe nach dem Resultat aus, sondern ängstlich, zweifelnd, erregt. Die weiße Kelle erschien, zum erstenmal nach sieben roten Kellen, und wirkte auf ihn wie ein Schlag in die Herzgegend; er hatte die Nummer gefehlt.

Die meisten Zuschauer warfen einander schweigend mit bedenklicher Miene kurze Blicke zu, jemand sagte »oha!«, und nur wenige äußerten ein paar Worte; unter diesen wenigen war ein grauhaariger, griesgrämig blickender Mann, der seine Schadenfreude nicht verbergen konnte, eine überflüssige Bemerkung machte und dann mit offenem Mund und einem spöttisch zugekniffenen Auge lautlos vor sich hin lachte. Fred blickte ihn wütend an und verspürte eine grimmige Lust, ihm die Faust ins Gesicht zu hauen.

Indessen hatte Christian das Gewehr wieder angeschlagen, doch er wußte jetzt, daß ihm für die zwei fehlenden Nummern nur mehr zwei Patronen zur Verfügung standen und daß somit alles von diesen beiden letzten Schüssen abhing. Die Luft flimmerte ein wenig vor seinem zielenden Auge, und dies von der Sonne oder vom erhitzten Gewehrlauf herrührende Flimmern, das ihn bisher nicht ernstlich gestört hatte, verwischte ihm jetzt den Umriß des runden Schwarzen. Er schloß die Augen und wartete ein wenig, dann zielte er wieder und löste den Schuß; im selben Augenblick wußte er, daß beim Abdrücken das Korn um Haaresbreite zu weit rechts gestanden hatte. »Gefehlt!« dachte er erzürnt, entmutigt, riß den Verschluß zurück und wagte kaum nach der Scheibe hinzusehen. Da erschien doch die rote Kelle, nicht so entschieden auf die Mitte geworfen wie sonst, sondern vom Weißen her zögernd in den rechten Rand des Schwarzen hineinschleichend; die Nummer war knapp getroffen. »Donnerwetter, das ist gnädig abgelaufen!« dachte er, völlig aufgeheitert, und legte mit einem schüchternen, verwunderten Lächeln die letzte Patrone ins Magazin. Er war überzeugt, daß er die Nummer gefehlt hätte, ohne jenes Körnchen Glück, das auch der tüchtigste Schütze bei letzten Entscheidungen nicht entbehren möchte. Dies gab ihm seine Zuversicht zurück. Mit einer entschlossenen Bewegung zog er das Gewehr an die Schulter, rückte sich mit den Beinen in die bequemste Lage und schaute einen Augenblick ins Grüne hinaus, dann begann er zu zielen und verschob mit dem Zeigefinger den Abzug behutsam zum Druckpunkt.

Auf die Zuschauer hatte nach dem Fehlschuß der beinah noch einmal mißlungene Treffer eine gegenteilige Wirkung ausgeübt und die Spannung noch erhöht. Jeder dieser Schützen glaubte den Zustand zu kennen, in dem Christian sich jetzt befand, und wußte aus Erfahrung, daß beim geringsten Fieber gerade dieser entscheidende letzte Schuß am häufigsten mißlang. Sie drängten sich enger zusammen, die vordern wurden gegen den Gewehrrechen gepreßt und die hintern stellten sich auf die Zehen, während die nächsten mit unverwandtem Blick das anfängliche leise Schwanken der Laufmündung beobachteten, um daran den Fiebergrad des Schützen abzulesen, und festzustellen, ob im Augenblick der Schußabgabe das Korn gezittert, seitlich ausgeschlagen oder völlig geruht habe.

Fred, der eingeklemmt am Gewehrrechen stand, teilte nicht nur die allgemeine Spannung, sondern erlebte sie gesteigert auf eine intimere, persönlichere Art, ja er empfand sie fast eifersüchtig als sein Vorrecht und musterte bald diesen, bald jenen Drängenden mit einem verächtlichen Blick. Der Fehlschuß hatte ihn den Zuschauern gegenüber in eine gereizte Stimmung versetzt, während seine Anteilnahme an Christians Endkampf sich in das herzlichste Mitgefühl verwandelte. Er schaute dem Vetter zu, wie er nun das Gewehr zum letzten Schuß anschlug, und flehte die fehlende Nummer inständig herbei, ja er richtete diesen Wunsch mit gesammelter Kraft dermaßen eindringlich auf den Zielenden, als ob er ihn damit beeinflussen könnte. »Triff, Christian, triff!« dachte er angestrengt. »Du mußt die Nummer unbedingt treffen, du mußt, du mußt!«

In diesem Augenblick krachte der Schuß, zu früh für Freds Gefühl, und auch für die übrigen Zuschauer einigermaßen unerwartet, weil alle damit gerechnet hatten, Christian werde sich jetzt nicht übereilen, sondern das Zielen noch einmal unterbrechen. Fred hielt den Atem an und wartete mit beklemmender Angst und höchster Spannung auf das Erscheinen der Zeigerkelle. Rings um ihn herrschte eine lautlose Stille, in der sowohl er wie die übrigen Zuschauer das fortgesetzte Knattern der Schüsse nicht mehr zu hören schienen. Christian selber richtete sich halbwegs auf und blickte regungslos nach der Scheibe.

Die rote Kelle fuhr hoch und tauchte entschlossen ins Schwarze hinein, der Schuß saß mitten in der Nummer. Die Zuschauer brachen in dröhnende Bravorufe aus, die im ganzen Stand Aufsehen erregten. Viele Schützen eilten erst jetzt lächelnd oder fragend herbei, und ein paar Augenblicke schien überall das Gewehrfeuer zu stocken. Der lauteste Schreier war Fred, er schrie seine Bravos so ungehemmt hinaus, daß viele Schützen sich belustigt nach ihm umwandten.

Indessen war Christian aufgestanden und schrieb mit der kräftigen braunen Rechten, die ein wenig zitterte, ungeschickt seinen Namen unter das Resultat. Mit einem bescheidenen, glücklichen Lächeln trat er in den Stand zurück.

9

Die internationale Lage in den letzten Julitagen, wie sie von den Menschen unseres Kontinents empfunden wurde, wäre höchstens mit dem noch verhüllten Anbruch einer Naturkatastrophe von unvorstellbarem Ausmaß zu vergleichen, mit einer nie gesehenen Verdüsterung des Himmels und einem andauernden unterirdischen Donnern. Am Horizont zuckten die ersten Blitze, und es war zu befürchten, daß sich der geschwärzte Himmel in Feuern entladen und der grollende Erdteil wanken werde, aber noch fehlten sichere Anzeichen, und vor allem fehlte jede vernünftige Erklärung dieser furchtbaren Möglichkeit. Am 28. Juli wurde aus Wien gemeldet, daß in der Donaumonarchie der Kriegszustand eingetreten sei und ein Teil des Heeres gegen Serbien marschiere, am nächsten Tag erschien die Kriegserklärung, und wenige Stunden später erfuhr man die Mobilisation von Armeekorps in den angrenzenden Gebieten Rußlands; aus den übrigen Ländern aber stob ein Schwarm von Gerüchten und zweifelhaften Nachrichten auf, die nicht den geringsten Schluß erlaubten. Die Presse, die sonst jedes Wimperzucken einer Majestät und jedes neue Lüftchen in den internationalen Beziehungen eilig angezeigt hatte, war jetzt vom wirklichen Geschehen wie abgeschnitten, während die Minister, Botschafter, Diplomaten und verantwortlichen Männer aller Staaten kaum mehr Zeit zum Schlafe fanden und der länderverbindende Draht vom nahenden Strom der Ereignisse ununterbrochen fieberte.

Der schweizerische Bundesrat streckte wie jede andere Regierung alle möglichen Fühler aus, um von diesen Ereignissen nicht überrumpelt zu werden, und traf zugleich die ersten Vorbereitungen, um ihnen im Ernstfall begegnen zu können. Er stellte Verbindungen her mit den Führern der Armee und des Wirtschaftslebens, die ihrerseits wieder durch Besprechungen und Instruktionen das allfällig Notwendige vorbereiteten. Von einer dieser Besprechungen in Bern kehrte am Abend des 29. Juli der Brigadekommandant und Nationalrat Ammann nach Zürich zurück und begab sich in gehobener, ernster Stimmung sogleich nach Hause.

Als er die unterste Treppe betreten wollte, kam ihm von oben herab Stockmeier entgegen, worauf er abwartend auswich, um ihn vorbeizulassen. Sowie aber Stockmeier seinen Mieter erkannte, hielt auch er an. »Ah, Herr Oberst!« rief er, erfreut auflächelnd, und kehrte eilig über die paar Stufen zurück. »Bitte, bitte! Hahaha...« Einen Augenblick zögerten beide mit einladender Miene, obwohl sie bequem aneinander vorbeigekommen wären, dann stieg Ammann hinauf.

»Sie kommen aus der Bundeshauptstadt, Herr Oberst«,

sagte Stockmeier immer noch lächelnd, aber mit offener Neugier.

»Ja... man hat etwa da und dort eine Sitzung«, antwortete Ammann gelassen und leichthin.

»Was sagt man nun eigentlich in Bern zur Lage?« fragte Stockmeier, wobei er seine Stimme dämpfte und mit ernstlich besorgter Miene ein wenig den Kopf vorstieß.

Ammann bewegte unbestimmt die Rechte.

»Es ist ja eine ganz unglaubliche Situation«, fuhr Stockmeier mit emporgezogenen Brauen lebhaft fort. »In Bern wird man sich doch gewiß schwere Gedanken machen. So etwas ist ja überhaupt noch nicht dagewesen. Ich denke, der Bundesrat wird da... wird da auf der Hut sein müssen...« Während er dies und anderes ziemlich aufgeregt vorbrachte, blickte er Ammann mit einem ergebenen und zugleich fragenden Ausdruck eindringlich an, er warb geradezu um eine vertrauliche Mitteilung.

Ammann zog sich, während er antwortete, unmerklich zurück. Die Dinge, die ihn erfüllten, waren ihm zu wichtig, um sie kurzerhand diesem Mann und damit einer Stammtischrunde preiszugeben. »Man sieht auch in Bern noch nicht alles durch die schwarze Brille, aber äh...« Er nickte ernsthaft, während er bereits die nächste Treppe betrat. »... man sieht sich vor, selbstverständlich.«

»Das kann man sich doch denken, das kann man sich denken...«

»Ich persönlich bin der Ansicht, daß noch kein Grund zu einer ernstlichen Beunruhigung vorliegt...«

»So? So? Ja, nicht wahr... das wird sich ja sehr bald entscheiden. Aber man muß ja wirklich hoffen, daß es nicht zum Äußersten kommt... Eh, wie ist das, Herr Oberst, Sie halten doch morgen am Kantonalschützenfest die offizielle Rede, das ist doch morgen, nicht wahr?«

Ammann blieb auf der fünften Stufe noch einmal stehen.

»Ja, das blüht mir auch noch, ich werde nicht darum herumkommen«, erwiderte er spaßhaft betrübt und setzte den Fuß zögernd auf die nächste Stufe.

Stockmeier, der bei seinem kurzen Hals den Kopf nicht recht zurücklegen konnte, lehnte sich mit seiner ganzen rundlichen Gestalt breitspurig ein wenig nach hinten, um den langsam Hinaufsteigenden nicht aus den Augen zu verlieren, und rief, während sich auf seinem friedlich schlauen Gesichte wieder ein strahlendes Lächeln ausbreitete: »Das ist ganz in Ordnung, Herr Oberst, ganz in Ordnung! Wir werden ja auch dabei sein, nicht wahr, so etwas läßt man sich nicht entgehen, hahahaha.« Er schien jetzt, während er mit einer schwungvollen Bewegung den Hut von der Glatze hob, beinahe hintenüber zu fallen, dann eilte er, freundlich weiterlachend und ein paar Bemerkungen ausstoßend, die der Oberst schon nicht mehr verstehen konnte, plötzlich mit erstaunlicher Behendigkeit die Treppe hinab.

Ammann und seine Frau begrüßten sich auf ihre gewohnte Art mit jener zurückhaltenden, scheinbar spröden Freundlichkeit, die nicht auf einem Mangel an Zuneigung beruht, sondern im Gegenteil auf einem vollkommenen Einverständnis, auf einer unausgesprochenen Vertraulichkeit des Herzens, die keiner Beweise mehr bedarf. »Ich habe im Speisewagen etwas Weniges gegessen«, erklärte er auf ihre Frage. »Wenn du nichts bereit hast...«

»Doch, doch, ich hab' alles warmgestellt, ich bring es gleich herein«, erwiderte sie entschieden und eilte in die Küche.

Ammann musterte in seinem Büro flüchtig die während seiner Abwesenheit eingetroffenen Briefe und Drucksachen, dann zog er den langschößigen schwarzen Rock aus, schlüpfte in eine bequeme graue Hausjacke und ging zum gedeckten Tisch in die Wohnstube hinüber, wobei er sich kräftig räusperte, die Nase putzte, mit beiden Händen die

Jacke zurechtrückte, mit dem Zeigefinger den Kragen lokkerte, den dicken Hals hin und her bewegte und sich wippend in die Knie fallen ließ, kurz, alle jene kleinen Bewegungen machte, die zu seiner häuslichen Behaglichkeit notwendig waren.

Frau Barbara lehnte sich, sobald er zu essen begann, in seiner Nähe freundlich abwartend an den Heizkörper. Sie hatte die Entwicklung der Ereignisse in der Presse verfolgt und stand, wie jedermann, unter dem Eindruck des drohenden Unheils, aber sie begriff nicht, wieso dies alles nun scheinbar unabhängig vom menschlichen Willen vor sich gehen mußte, und war empört bei dem Gedanken, daß die Regierungen sich nicht unter allen Umständen zum Frieden bekennen wollten.

Ammann begann, ohne gefragt zu werden, indem er aufblickend nachdenklich nickte: »Eine dunkle Geschichte! Jeder Generalkonsul in Bern behauptet, daß sein Land nur gezwungen in den Krieg eintreten würde, aber... man hat das Gefühl, bei dieser allgemeinen Nervosität brauche es sehr wenig mehr. Der Bundesrat stellt sich jetzt allerdings zuversichtlich ein, und... ich glaube tatsächlich auch, es kommt nicht zum Äußersten... aber!?« Er hob die Rechte und hielt den Kopf schief, dann blickte er plötzlich mit einem forschenden Lächeln auf seine Frau und sagte in einem leisen, entschiedenen Tone: »Wenn's in der Nachbarschaft losgehen sollte, dann wird bei uns sofort mobilisiert, soviel ist sicher.«

Frau Barbara unterbrach ihn nie, wenn er etwas zu erzählen begann, sie verriet ihre Meinung immer erst am Schluß und blickte ihn auch jetzt nur stumm abwartend an. Da surrte die Hausglocke. Ammann blickte fragend auf, während die Frau mit leicht betroffener Miene einen Augenblick verharrte und dann, unwillig über die Störung, hinauseilte.

Severin kam, er trat gelassen ein, begrüßte seinen Vater

und setzte sich ihm sogleich gegenüber an den Tisch. »Etwas Neues aus Bern?« fragte er gleichgültig, als ob ihm nicht viel daran läge.

Ammann hatte beim Eintritt seines Ältesten eine ironisch abwartende Miene angenommen und gab jetzt eine ausweichende Antwort, während Frau Barbara plötzlich eine unwirsche Geschäftigkeit entfaltete und auf ihre harmlose Art beleidigt schien, daß sie nun nicht mehr allein und als erste die Neuigkeiten aus Bern erfahren sollte.

Severin wartete unter allgemeinen Redensarten über die Lage eine gemessene Frist, ohne die geringste Ungeduld zu verraten, auf irgendwelche Mitteilungen. Als diese Frist verstrichen war, nahm er an, daß Papa überhaupt nichts Wichtiges erfahren habe und nur in nebensächlichen Dingen nach Bern gereist sei. »Schön!« sagte er abschließend und gab damit zu verstehen, daß er nun zu seiner eigenen Angelegenheit übergehen werde. Er zog einen gelben Umschlag aus der Rocktasche, entnahm ihm ein Manuskript und legte es vor sich hin. »Da ist ein Artikel, über den ich deine Meinung hören möchte, bevor ich ihn abdrucke«, begann er. »Ich hab' ihn auf Umwegen bekommen. Der Verfasser ist ein ehemaliger Schweizer Offizier, der seit Jahren im Ausland lebt... Bitte, iß nur ruhig weiter, ich lese ihn vor, wenn du gestattest!« rief er, als Ammann, ein Stück Brot zerkauend, bereitwillig die Hand ausstreckte.

»Vor zwei Jahren«, las Severin, »als der deutsche Kaiser die schweizerischen Manöver besuchte, erschien in einer französischen Zeitung eine wenig beachtete Notiz, die diesen Besuch mit heute wieder sehr aktuell gewordenen Dingen in Zusammenhang brachte...«

Ammann hörte zuerst gelassen zu, aber im Laufe der Vorlesung nahm sein Gesicht einen unwilligen Ausdruck an und seine Augen bekamen jenen starken dunklen Glanz, der über die gutmütig heitere Natur und schwerfällige Gestalt hinweg seine ursprüngliche Intelligenz und Willenskraft noch immer verriet.

Der Verfasser des Artikels behauptete, in den Plänen des deutschen Generalstabes für einen allfälligen Krieg mit Frankreich sei der Durchmarsch einer Armee durch die Schweiz vorgesehen. Der französische Generalstab habe dies erfahren, und man müsse damit rechnen, daß eine französische Armee zur Sicherung des rechten Flügels so früh wie möglich durch die Schweiz marschieren und das Rheinknie bei Basel besetzen werde. Jene Behauptung stützte er durch verschiedene, in Frankreich umlaufende Gerüchte und durch die Erwägung, daß die Deutschen bei einem Angriff auf den französisch-belgischen Festungsgürtel stärkere Widerstände erwarteten als beim Angriff durch die Schweiz, der ja überdies für den spätern Verlauf des Krieges ganz offenbare strategische Vorteile biete. Die Annahme, daß die Franzosen mit allen Mitteln versuchen würden, dies zu verhindern, liege deshalb auf der Hand.

»Und das willst du veröffentlichen?« fragte Ammann scharf, erhob sich und nahm Severin das Manuskript weg.

»Bitte sehr, ich habe gesagt, daß ich vorerst deine Meinung darüber hören möchte«, erwiderte Severin vollkommen ruhig. »Im übrigen aber bin ich der Ansicht, daß die Öffentlichkeit ein Recht darauf hat, zu erfahren, in welche Lage wir unter Umständen geraten können.«

»Verdammter Blödsinn!« rief Ammann und blickte seinen Sohn zornig an. »Die Öffentlichkeit! Die Öffentlichkeit! Jetzt handelt es sich vor allem darum, das Volk zu beruhigen. Du hast offenbar keine Ahnung, was für eine Schweinerei entstehen kann, wenn die Leute den Kopf verlieren. Oder weißt du vielleicht, was für Beträge bereits in den letzten Tagen unsinnigerweise bei den Banken abgehoben worden sind und was im Ernstfall noch zu befürchten ist, welche Gefahren für die Lebensmittelversorgung entstehen könnten, was eine Panik für Wirkungen auf das Ausland haben müßte...? Überhaupt...« Er winkte ab und schritt erregt zu einer Fensternische.

»Du traust dem Volke ja sehr wenig zu«, bemerkte Severin trocken. »Außerdem finde ich, daß gewisse offizielle Aufklärungen notwendig wären, wenn man solche Befürchtungen hegt. Man treibt aber in Bern offenbar Geheimniskrämerei...«

»Unsinn! Es ist doch ganz klar, daß man jetzt nicht alles an die große Glocke hängt. Im übrigen ist der Bundesrat weder blind noch taub, und was die augenblickliche Lage betrifft, so hat er durchaus noch keinen Anlaß, ins Feuerhorn zu blasen. Ich habe persönlich mit Hoffmann gesprochen, und ich kann nur sagen, daß in den offiziellen Kreisen auch jetzt noch eine optimistische Stimmung herrscht. Du wirst das morgen bitte als neueste Meldung bringen! Alles andere hat vorderhand keinen Sinn.«

»Ja... ich bin sehr bereit, bitte! Aber wir sind damit von der Sache abgekommen, nicht wahr. Du willst also, daß dieser Artikel nicht veröffentlicht wird. Schön! Es bleibt mir somit nichts anderes übrig, als ihn dir auszuhändigen. Ich habe das Original, das ich sofort zurückschicken werde, wohlweislich abschreiben lassen. Das hier ist die Abschrift. Ich möchte ausdrücklich bemerken, daß ich sie hiemit zu deiner Verfügung stelle. Ich meinerseits bin der Ansicht, daß diese Sache durchaus nicht aus der Luft gegriffen ist. Du wirst doch zugeben müssen, daß die Umgehung des Festungsgürtels den Deutschen enorme Vorteile bieten, und daß anderseits eine Besetzung des Rheinknies bei Basel für die Franzosen von höchster Wichtigkeit sein würde? Ob dies auf diplomatischem oder gewaltsamem Weg zustande käme und wie es mit dem internationalen Recht in Einklang zu bringen wäre, ist eine Frage für sich. Die militärische Möglichkeit besteht aber jedenfalls, das wirst du doch zugeben müssen?«

Ammann schwieg.

Severin blickte ihn eine Weile vorwurfsvoll fragend an, dann beschied er sich. »Jaja!« sagte er und legte seufzend ein Bein auf das andere. Aber im nächsten Augenblick nahm er das Bein wieder herab, zog den Stuhl näher an den Tisch heran und begann entschlossen, wenn auch gleichgültiger als bisher, von einer neuen Angelegenheit zu reden. »Noch etwas!« sagte er leise. »Ich möchte gern deine Festrede bringen, und zwar schon morgen, wenn du gestattest. Kannst du mir eine Abschrift geben?«

»Ausgeschlossen, ich habe erst ein paar Notizen gemacht und werde noch bis Mitternacht daran arbeiten müssen«, erwiderte Ammann bedauernd, obwohl dies nicht ganz der Wahrheit entsprach. Er hatte seine Rede geschrieben und auswendig gelernt, wollte aber unter dem Eindruck seines Berner Aufenthalts jetzt freilich manches ändern und einiges hinzufügen. »Du hast ja übrigens außer ein paar Resultaten noch gar nichts über das Fest gebracht?« fuhr er fragend fort. »Ein Bericht oder eine kurze Schilderung wäre doch ... es ist immerhin ein Kantonalschützenfest ... ich habe etwas darüber erwartet.«

Severin nickte zustimmend. »Ich bin ganz deiner Meinung«, sagte er und schaute ihn aufmunternd an, damit er sich nur völlig ausspreche.

Ammann verzichtete auf weitere Bemerkungen und blickte seinerseits Severin mit einer einladenden Handbewegung fragend an.

»Ja, also die Sache ist sehr einfach«, begann Severin in etwas erhöhtem Ton. »Es ist mir recht, daß du selber diesen Punkt berührst. Es handelt sich um Paul, und ich muß jetzt leider einmal sagen, wie es steht.« Er erzählte nun sachlich und genau, wie Paul als Berichterstatter versagt habe, wie wenig Verlaß auch sonst auf ihn sei und wie sehr ihm das für den anständigen Journalisten entscheidende Gefühl der

Verantwortung fehle. »Er ist vom typischen Hochmut der Literaten besessen, die sich über alles erhaben dünken und alles belächeln, auch wenn sie keinen blassen Dunst davon haben«, schloß er schneidend. »Ich bedaure sehr, aber es ist nichts mit ihm anzufangen.«

»So werde ich ihm den Kopf zurechtsetzen!« rief Ammann erzürnt. »Dieser Herr wird mich morgen begleiten, und ich werde dafür sorgen, daß er seinen Bericht schreibt.« Er stapfte noch eine Weile in der Stube herum, während Severin, der die angekündigte Maßregelung völlig nutzlos fand, sich seufzend erhob und Abschied nahm.

»Wenn morgen, im Verlauf des Nachmittags, wichtige Nachrichten kommen sollten«, sagte Ammann, »dann läute mir bitte an, nicht wahr! Du weißt, wo ich bin. Und das mit Paul... das werde ich in Ordnung bringen.«

»Schön! Adieu Papa! Adieu Mama!«

Nachdem Severin die Stube verlassen hatte, machte sich Frau Barbara mit leisen, harmlosen Worten an ihren Mann heran und erreichte in kurzer Zeit, daß er seinen Beschluß zwar nicht zurücknahm, mit der Durchführung aber sie beauftragte. »Laß mich nur machen, Paul ist morgen am Schützenfest«, sagte sie entschieden, und ihre Miene drückte ein so vollkommenes Einverständnis mit ihm aus, daß er sich zufrieden gab.

»Äh, und wie ist das... kommst du auch mit?« fragte er besänftigt.

»Ach, fällt mir nicht ein!« warf sie ohne Bedenken hin, worauf er lächelnd in sein Büro ging.

Er schlug das Manuskript seiner Rede auf und strich nach kurzer Überlegung einen Ausfall gegen die Sozialisten, der unter den gegenwärtigen Umständen schlecht angebracht war; man konnte jetzt nicht einen Teil der Arbeiterschaft vor den Kopf stoßen, mit deren Hilfe man vielleicht schon in den nächsten Tagen notwendig rechnen mußte. Nachdem er den Riß geflickt und die Rede noch einmal gelesen hatte, fand er, daß der vaterländische Geist darin schwungvoller zum Ausdruck kommen, daß nun aber weniger die Freiheit als die Einigkeit betont werden müsse. Er legte ein leeres Blatt neben das Manuskript, machte den Füllfederhalter bereit und runzelte die Stirn; doch das Denken und Schreiben gelang ihm nicht so mühelos wie sonst, er merkte erst jetzt, wie sehr ihn dieser Tag zerstreut und ermüdet hatte. Trotzdem schrieb er ein paar Sätze hin, strich sie aber bald wieder aus, da sie ihm zu allgemein, zu wenig kernig erschienen. Um nicht am Ende in Phrasen zu verfallen, was nach seiner Überzeugung übrigens nie geschah, griff er zu einem Hilfsmittel, das schon ungezählten Schützenfestreden zugute gekommen war, zum »Fähnlein der sieben Aufrechten« von Gottfried Keller. Er schlug die Erzählung im Bande der »Zürcher Novellen« auf, begann darin zu blättern, dann zu lesen, und spürte wieder das innigste Einverständnis mit dem Geiste, der ihm hier verklärt entgegentrat. Er merkte sich verschiedene Stellen, die er als Kernworte »unseres Altmeisters Gottfried Keller« geradezu anführen wollte, doch fand er die Energie nun nicht mehr, seine Rede noch einmal abzuschreiben. Indessen las er weiter und folgte den sieben Aufrechten zum eidgenössischen Schützenfest nach Aarau, angewärmt und mählich eingelullt von dieser Luft aus dem vergangenen Jahrhundert, das seine geistige Heimat war. Sein Kopf neigte sich unmerklich, seine Unterlippe hing vergessen herab, sein Kinn bettete sich in die Schwarte, die es, vom Kragen gestützt, wulstig umgab, und mit diesem friedlich erschlafften Gesichte schlief er über seinem Altmeister leise schnarchend ein.

10

Onkel Robert, Fred und Christian brachen am offiziellen Tag zum Bankett in die Festhütte auf. Als sie in dem vierplätzigen kleinen Gefährt kurz vor Mittag die Straße gegen den Schießstand hinabfuhren, sahen sie vom Dorfe her den Festzug schon im Anmarsch. In das Kreischen und Knirschen der Räder mischten sich aus der Ebene herauf die Marschklänge der Ortsmusik, das Knattern der Gewehre und die Kanonenschüsse, die zur Begrüßung abgefeuert wurden. Kurz vor der Ankunft des Zuges hielt Christian bei einem kleinen Gehöft, wo er Roß und Wagen einstellen konnte. Sein Vater ging, ohne auf ihn zu warten, mit Fred auf den Festplatz. Es war ein bewölkter, warmer Tag, die Wimpel und Fahnen hingen schlaff an ihren Stangen, die Wiesen, Bäume und Dächer waren feucht vom Regen, der im Verlaufe des Morgens gefallen war, doch auf dem Platze selber herrschte eine so laute, fröhlich-geschäftige Stimmung, daß man das trübe Wetter darüber vergaß.

Die Spitze des Zuges, blauweiße Halbartenträger und die kräftig blasende Musik, schwenkte am Eingang zum Festplatz ab, und an ihr vorbei marschierten, vom Organisationskomitee begleitet, in Zylindern und langschössigen schwarzen Röcken der offizielle Redner und die eingeladenen Ehrengäste, die man am Bahnhof abgeholt hatte. Nationalrat Ammann schritt zwischen dem Gemeindepräsidenten und einem Vertreter der Regierung mit feierlich heiterer Miene stramm heran. Der Zug, der ähnlich zusammengesetzt war wie am Sonntag bei der Fahnenübergabe, verstopfte einen Augenblick den Hütteneingang und löste sich dann auf.

Onkel Robert ging ruhig mitten durch das ärgste Gedränge in die Hütte hinein, um seinen Bruder zu begrüßen. Fred zögerte noch und blickte nach Christian aus; da faßte ihn jemand sachte am Arm, er drehte sich um und sah Paul vor sich. »Was, du bist auch wieder da?« rief er überrascht. Paul bestätigte diese merkwürdige Tatsache durch ein stummes Grinsen. »Papa hat es erzwungen, und er will auch erzwingen, daß ich den Bericht schreibe«, erklärte er. »Sag, ist das nicht unglaublich kurzsichtig von ihm? Es ist doch klar, daß er so nichts erreicht! Ich habe mir die Sache von seinem Standpunkt aus überlegt. Er handelt so dumm und so plump wie nur möglich. Überhaupt, weißt du... ich habe jetzt angefangen, Papa zu beobachten, und ich werde ihn heute vermutlich in seiner ganzen Glorie zu sehen bekommen.«

Fred hörte mit einem halb spöttisch heiteren Lächeln zu, und dieses Lächeln verriet, was er dachte, nämlich: »Da hast du dir ja etwas Nettes ausgedacht!«

»Komm, wir gehen hinein!« drängte Paul. »Ich muß einen Platz in seiner Nähe haben.«

»Ja... ich wollte hier noch auf Christian warten«, entgegnete Fred zögernd, »aber...«

In diesem Augenblick dröhnte beim Stand der Kanonenschuß, der die Mittagspause ankündigte, und das Knattern der Gewehrschüsse, das wieder ununterbrochen den ganzen Morgen gedauert hatte, hörte sogleich auf. Den Schützen war ihre Arbeit offenbar wichtiger gewesen als der Anblick des Festzuges; sie verließen den Stand erst jetzt, gingen in eifrigen Gesprächen über Erfolge oder Mißerfolge zum Mittagessen und schienen die Bedeutung des Tages nicht zu beachten.

Da betraten auch Paul und Fred die Hütte. Beim Tisch der Ehrengäste blieben sie in der Nähe des Onkels, der mit Papa sprach, abwartend stehen.

Onkel Robert war größer und stärker gebaut als Oberst Ammann, doch stand er jetzt in einer leicht geduckten, fast schüchtern wirkenden Haltung vor ihm, als ob er seine mächtige Gestalt absichtlich verkleinern wollte, und brachte seine Worte in bescheidenem Tone vor oder hörte beifällig nickend mit einem harmlos bewundernden Ausdruck seines robusten roten Gesichtes aufmerksam zu. Ammann bewahrte vor dem Bruder durchaus die eindrückliche Haltung, die er in der Öffentlichkeit einzunehmen gewohnt war, ja er schien sie sogar ein wenig zu übertreiben, weniger durch sein strammes Dastehen als durch eine gewisse, großartig überlegene Leutseligkeit. Dabei hatte er einen sehr entschiedenen Ton angeschlagen, wie er zwischen Brüdern nicht eben üblich ist, begleitete seine Worte mit gewichtigen Kopfbewegungen und verhielt sich jedenfalls der Achtung entsprechend, die ihm da entgegengebracht wurde. Diese äußern Züge, die das Verhältnis der beiden Männer zueinander leise kennzeichneten, waren aber viel zu unauffällig, als daß etwa ein Freund oder Bekannter sie besonders wahrgenommen und die Unterhaltung daraufhin beobachtet hätte. Nur ein rücksichtsloser, ja übelwollender Betrachter konnte auf den Einfall kommen, daß Ammann es nötig habe, sich vor der wuchtigen Erscheinung seines Bruders ein wenig aufzuspielen.

Paul kam auf diesen Einfall. Er stand dicht hinter Fred und sagte leise, den Blick unverwandt auf Papa gerichtet: »Du mußt zugeben, daß er jetzt geschwollen aussieht. Er spielt sich auf, das ist klar, er gibt sich einen Anstrich. Das tut man nur, wenn man es nötig hat. Onkel Robert ist ja ein naiver Bär, aber er ist echt bis auf die Knochen, er kann gar nichts anderes darstellen als was er ist. Papa kann es, und er spielt jetzt den sichern Mann. Schon das gibt ihm eine problematische Nuance...«

»...das heißt, du hast dir bereits eine bestimmte Vorstellung von ihm gebildet, die du jetzt anzuwenden suchst«, unterbrach ihn Fred.

»Keine bestimmte, nein... aber ich sehe jetzt manches

wieder, was ich früher nicht beachtet hatte. Erinnerst du dich an den Abschiedsfraß im alten Hause? Wie Papa dort mit Hartmann verkehrte, das fällt mir erst jetzt auf. Hartmann hat ja in seinem Auftreten auch etwas Unsympathisches, aber es ist, glaub' ich, eine begründete Haltung, er ist unzweideutig Soldat, Offizier, genau so wie Onkel Robert ein Bauer ist. Auch wenn sie abgesetzt und kaltgestellt würden, bliebe der eine Soldat, der andere Bauer; sie sind echt, sie leben durch sich selber, durch ihr bestimmtes Wesen. Papa aber lebt durch seine bürgerliche Umgebung, die ebenso fragwürdig ist wie er. Wirf ihn aus Amt und Würden, was bleibt dann? Ein Bürger? Aber was ist das?«

Fred, der dem Bruder über die Schulter hinweg zugehört hatte, wandte sich ihm jetzt mit heiter verurteilender Miene angriffig zu: »Aber was sind dann erst wir, du und ich? Gar nichts, wenn du mit solchen Maßstäben kommst!«

»Ja, mein Lieber, wir sind die Söhne dieses Vaters«, erwiderte Paul nachdenklich lächelnd. »Aber wir haben seine Epoche hinter uns, und wir gestehen unsere Fragwürdigkeit ein, wodurch sie erst erträglich wird. Das ist ein großer Unterschied...«

Lisi, die Ehrenjungfer, kam in ihrer Tracht eilig auf die beiden zugeschritten, begrüßte Fred lachend mit ihrem gewohnten Ungestüm und gab dann mit einem neugierig spöttischen Anflug etwas zurückhaltend auch Paul die Hand, um sich sogleich lebhaft wieder an Fred zu wenden: »Wo sitzt ihr? Habt ihr schon Plätze?«

»Wir stehen noch, wie du siehst, aber... dort kommt Christian... ja warum, willst du an unsern Tisch?«

»Nein, ich muß doch zu den Ehrengästen«, erwiderte sie aufgeregt.

»Jaso, natürlich... He, hallo, Christian!«

Christian kam langsam durch den Mittelgang und blickte mit finsterm Gesichte suchend umher, bis er Fred bemerkte, dann schritt er gelassen herbei, begrüßte Paul, fragte nach dem Vater und wandte sich dem nächsten leeren Tische zu. Lisi nahm, die erhobene Rechte schwenkend, mit einer koketten Wendung Abschied. Paul setzte sich zu äußerst links neben Fred, so daß er ohne Rücksicht auf andere mit ihm plaudern konnte, und Christian belegte für seinen Vater, der sich eben von Ammann trennte, einen Platz zu seiner Rechten. Sie saßen, die Bühne vor Augen, in einer Reihe nebeneinander nah beim Tisch der Ehrengäste.

Inzwischen hatte die Hütte sich locker angefüllt, der summende Lärm der vielen Stimmen wurde vom Eröffnungsmarsch der Ortsmusik übertönt, und von der linken Seite her, wo sich die Wirtschaftsräume befanden, kamen die Kellnerinnen mit gefüllten Suppentellern gelaufen. Das Bankett begann.

Ammann saß inmitten der Ehrengäste auf dem hartkantigen Brett der flüchtig gezimmerten Holzbank, das alle Sitzbewegungen auf der ganzen Länge getreulich anzeigte, doch er hätte jeden Vorzug, das wohltätige Angebot eines Kissens etwa, weit von sich gewiesen. Dies war ein Volksfest, ein Fest von gleichberechtigten freien Schweizer Bürgern, und es stand keinem an, auch einem Nationalrat nicht, bequemer und weicher zu sitzen als andere. Er hatte schon Dutzende solcher Feste miterlebt und fühlte sich innig angesprochen von der besonderen Luft, die ihn hier wieder umgab. Diese langhalsigen Flaschen roter und weißer Ehrenweine, die er gleich bei der Ankunft mit scherzhaft bedenklicher Miene gemustert hatte, die muntern Gesichter seiner Tischgenossen, die ihre Hochachtung vor ihm in die heiterste Laune zu kleiden wußten, diese strammen Ehrenjungfern, die vielen Wimpel und Schweizerwappen, die stattliche Reihe der ausgehängten Vereinsfahnen, das festliche Getöse ringsum und endlich die Begrüßungsansprache des Festpräsidenten erfüllten ihn mit einem stolzen Behagen. Als seine Rede fällig war, begab er sich auf die Bühne und schritt sogleich stramm zur Rampe.

Lauter Beifall empfing ihn. Er stand nun dort, den linken Fuß leicht vorgesetzt, das Haupt erhoben, eine weiße Rosette am Rockaufschlag, und wartete gespannt ein paar Sekunden, bis sich das brausende Leben zu seinen Füßen beruhigte, dann schleuderte er mit zwei energischen Kopfbewegungen seinen wohlbedachten Anruf über die Menge hin: »Schweizerschützen! Eidgenossen!« Wer diesem festen Mann etwa einen machtvoll schallenden Ton zugetraut hatte, sah sich jetzt getäuscht, seine Stimme, angenehm klar im Alltagsleben, klang unerwartet hochgeschraubt, fast schneidend, und etwas dünn im Verhältnis zur Anstrengung, obwohl sie durchdrang.

Ammann drückte in einer kurzen Einleitung seine »Freude und hohe Genugtuung« aus, als Bürger dieser Gemeinde zu den »von nah und fern herbeigeeilten Schützen und Schützenfreunden« sprechen zu dürfen, dann kam er zum Thema: »Ich hatte kürzlich zum zweitenmal Gelegenheit, die Schweizerische Landesausstellung in Bern zu besuchen. Ich habe sie mir gründlich angesehen, und sie hat mich mit einem Stolz auf Schweizer Art und Arbeit erfüllt, wie ich ihn noch selten so stark empfunden habe. Tausende von Besuchern haben dasselbe erlebt. Aus allen Gauen unseres lieben Schweizerlandes liegen dort die Zeugnisse beisammen, was unser Volk geleistet hat und zu leisten imstande ist. Wir dürfen heute ruhig behaupten, daß unser kleines Land auf keinem Gebiete mehr hinter unsern großen Nachbarländern zurücksteht. Am ungeheuren Aufschwung der zivilisierten Welt in den letzten dreißig Jahren haben auch wir mitgearbeitet, und wenn wir heute den Triumph des Fortschritts erleben, so dürfen wir bei aller Bescheidenheit uns auch ein wenig darin sonnen.«

»Bravo! Bravo!« tönte es da und dort aus der Menge,

nicht sehr laut, aber ehrlich überzeugt. Paul hob verzweifelt die Augen, Fred lächelte nachsichtig, Onkel Robert nickte seinem Bruder zu, und Christian aß mit aufmerksamer Miene ruhig weiter.

»Allein, liebe Schützen, angesichts jener imposanten Schau habe ich mich auch nach ihren Voraussetzungen befragt«, fuhr Ammann angeregt fort. »Nicht nur der Fleiß und die Kunstfertigkeit unseres Volkes waren dazu notwendig, sondern vor allem ein geordnetes, kraftvolles Staatswesen. Nur in einem solchen Staatswesen kann sich die Tüchtigkeit des Volkes entfalten, und nur ein kraftvoller Staat kann nach außen und nach innen die Freiheit und den Frieden garantieren. Diese Garantie mußte gleichzeitig mit dem kulturellen Aufschwung neu geschaffen werden. Sie ist geschaffen worden, und zwar, Schweizer Schützen, mit eurer Hilfe und aus eurem wehrhaften Geist heraus. Sie ist geschaffen worden mit unserer Armee.«

Weit verbreiteter, gedämpfter Beifall unterbrach hier den Redner, der indes mit einiger Ungeduld ein anderes Ziel anzusteuern schien und sogleich fortfuhr: »Wenn wir uns also heute rühmen dürfen, in jeder Beziehung auf der Höhe der europäischen Kultur zu stehen, so wollen wir nie vergessen, was uns dazu verholfen hat. Es ist sowohl der Geist und die Tüchtigkeit des Volkes, wie die Ordnung und Kraft des Staates, es ist, mit einem Wort – das Vaterland! Vaterland! Ein Wort nur, aber dies Wort drückt eine Welt aus. Was wir soeben damit bezeichneten, erschöpft den Gehalt dieses Wortes nicht. Es spricht nicht nur zu unserem Verstande, es spricht zu unserem Herzen, es spricht zu unserem Wesen, und es enthält unsere ganze ehrwürdige Vergangenheit. Seit jenen glorreichen Tagen, da unsere Vorahnen bei Morgarten, bei Laupen, bei Sempach Gut und Blut einsetzten und uns damit ein Beispiel gaben, das noch heute unsere Herzen höher schlagen läßt...«

Jetzt hatte Ammann den väterländischen Geist im Segel, jenen Geist, der um die Mitte des vorigen Jahrhunderts als junger, frischer Wind dem alten Bunde neues Leben einblies, und er fuhr auf dem breiten Strom der Rede durch das Land, als ob es noch immer das gelobte Land wäre. Endlich aber kam er im Anschluß an eine Bemerkung über den Untergang der alten Eidgenossenschaft auf die gegenwärtige Weltlage zu sprechen: »Auch heute wieder ziehen drohende Gewitterwolken über Europa herauf. Österreich hat Serbien den Krieg erklärt, Rußland droht einzugreifen, eine ungeheure Spannung bemächtigt sich aller Völker. Wir wissen noch nicht, was Deutschland, was Frankreich und Italien tun werden, wir wissen nicht, ob der Krieg auf den Osten beschränkt bleiben oder auch an unsern Grenzen entbrennen wird. Immerhin ist heute noch kein Grund vorhanden, den Kopf zu verlieren. Die Aussichten auf Erhaltung des Friedens bestehen fort. Ich hatte noch gestern Gelegenheit, mit maßgebenden Kreisen in Bern Fühlung zu nehmen, und ich habe den bestimmten Eindruck gewonnen, daß man dort zuversichtlich an eine friedliche Wendung der Dinge glaubt. Trotzdem hat der Bundesrat die notwendigen Vorkehrungen getroffen, um im Ernstfall bereit zu sein. Er erwartet, daß auch das Volk bereit sei und treu zu ihm stehe, und zwar das ganze Volk. Die Interessen des einzelnen und die sozialen Gegensätze haben sich in Zeiten der Not den Interessen der Gesamtheit unterzuordnen. Nur wenn ein einiges Volk ruhig und entschlossen hinter dem Bundesrat steht, nur dann werden wir der Gefahr gewachsen sein, und nur dann werden wir unserem alten Wahrzeichen die Treue halten, dem weißen Kreuz im roten Feld.«

Diese besonders wuchtig vorgebrachten Worte lösten den stärksten Beifall aus. Der Redner schwieg einen Augenblick, dann setzte er mit einem etwas breiteren, schwingenden Tonfall zum Finale an: »Hundert Jahre sind verflossen, seit das gesamte Europa von Kriegswirren zerrüttet wurde. In diesen hundert Jahren ist eine unerhörte Entwicklung vor sich gegangen. Die Segnungen der Kultur und des Fortschritts sind bis in die letzten Winkel eingedrungen. Auch ein Krieg wird sie nie mehr daraus verjagen. Der gewaltige Aufschwung der zivilisierten Welt, von dem wir am Anfang gesprochen haben, kann nicht rückgängig gemacht werden. Die Völker sind mündig geworden, und in einem Kriege wird nicht mehr das blinde Schicksal walten wie in historischen Zeiten, sondern der menschliche Wille! Eidgenossen! An uns vor allem ist es, im Ernstfall nicht nur unser Land zu schützen, sondern auch den Glauben an den Fortschritt der Menschheit zu hegen und unentwegt der kulturellen Errungenschaften eingedenk zu bleiben, auf daß unser Land mit reiner Stirn vor die Zukunft treten kann. ›Schau vorwärts, Werner!‹ Dieser Spruch der Stauffacherin gilt heute mehr denn je. Ich fordere Sie auf, auf die Zukunft unseres Vaterlandes ein dreimal donnerndes Hoch auszubringen. Unser Vaterland, unser liebes Schweizerland, es lebe hoch!«

»Hoch! Hoch! Hoch!« dröhnte es durch den Hüttenraum. »Extra hoch!« schrie eine gellende junge Stimme, man wußte nicht, zum Spaß oder aus Begeisterung, während durch Händeklatschen und Bravorufe ein mächtig anschwellender Beifall entfesselt wurde.

Ammann stieg rasch von der Bühne herab und suchte zwischen Bekannten und Ehrengästen hindurch, die ihn beglückwünschten, seinen Platz zu gewinnen. Er hatte den Tisch noch nicht erreicht, als ihm mit strahlender Miene Stockmeier entgegentrat. »Herr Oberst, das ist eine großartige Rede gewesen«, rief Stockmeier und bot ihm die Hand an, wobei er aus lauter Überzeugung die Finger spreizte, »eine ganz großartige Rede, das... also... das kann ich Ihnen sagen... so etwas...« Er begann vor Begeisterung zu stammeln, während Ammann seine Hand ergriff und ihm leutselig zunickte.

Da begann die Musik das Vaterlandslied zu spielen, das Stimmengetöse ordnete sich rasch zum Gesang, an allen Tischen erhoben sich die Menschen. Ammann tat keinen Schritt mehr. Wie auf ein Stichwort wandte er sich, wo er eben stand, dem Volke zu und stimmte kräftig ein, regungslos, mit gehobener Brust und gerundeten Lippen. Stockmeier folgte dem Beispiel sofort und stand nun neben dem Oberst wie ein Bruder von kleinerem Maß, aber vom selben Schnitt; die Anstrengung des Singens trübte seine begeisterte Miene ein wenig, seine Stirn zeigte Falten bis in die Glatze hinauf, und wenn er Atem holte, nahm seine ganze bewegliche Gestalt daran teil. »Rufst du, mein Vaterland, / Sieh uns mit Herz und Hand / All dir geweiht!« sangen die beiden einträchtig schleppend mit dem Massenchor hinter der Musik her. Ammanns Augen wurden feucht vor Rührung.

Paul und Fred hatten sich ebenfalls erhoben. Paul stand da wie jemand, der auf freiem Felde, wo es keine Zuflucht gibt, von einem heftigen Platzregen überfallen wird und leicht geduckt mit einem nervösen Lächeln das Unvermeidliche über sich ergehen läßt. Fred stand dieser mächtig anschwellenden patriotischen Stimmung hilflos gegenüber. Obwohl er schon das Pathos der Rede peinlich gefunden hatte und nun diese Kundgebung für übertrieben hielt, war er gerührt, schämte sich aber dessen und wagte es nicht zu zeigen. Er schwieg zuerst, dann begann er unversehens mit einem spöttisch-trotzigen Ausdruck gröhlend mitzusingen und ließ sich am Ende des Liedes wie erschöpft auf die Bank zurückfallen, um plötzlich spaßhaft herausfordernd Paul anzublicken.

Paul, der diesem Benehmen nicht viel anderes entnehmen konnte, als daß dem Bruder ebenso zumute sei wie ihm, sagte mit schmerzlicher Miene und einer müde erledigenden Handbewegung leise: »Da hast du es! Höhepunkt des nationalen Lebens! Es ist einfach unmöglich.«

Fred schwieg.

»Dieses nationale Leben«, fuhr Paul nach einer Weile fort, »hat ja seinen Sättigungsgrad schon längst erreicht, und was davon zwangsläufig immer wieder zum Vorschein kommt, ist so schal und abgestanden, daß kein geistig lebendiger Mensch mehr ohne Selbstverleugnung daran teilnehmen kann – womit noch gar nichts gegen das Vaterland gesagt ist. Übrigens...« fügte er noch leiser hinzu, »dieses Vaterland, das ist das Land des Vaters, verstehst du?«

»Ja... wenn er nur etwas weniger davon schwatzte!« entgegnete Fred.

»Mein Lieber, das gehört zu ihm, das ist einer seiner fragwürdigen Züge. Von Natur aus ist er ein harmloser, gutmütiger Kerl, nicht wahr, ziemlich intelligent, sogar ehrlich... meinetwegen auch tüchtig. Aber er ist bestimmt nicht dazu geschaffen, vor dem Volk pathetische Reden zu halten. Nichts ist lächerlicher, als wenn so ein gut genährter, biederer Bürger pathetisch wird. Pathos, starrer Ernst, finstere Entschlossenheit... mein Gott, das alles ist doch heute nicht mehr erträglich. Es ist ganz einfach falsch, es entspricht der wirklichen Lage nicht...«

Fred war damit einverstanden, aber er schwieg nun beharrlich.

Paul sprach mit einem wachen, gespannten Ausdruck leise weiter. Nachdem er sich aus seiner müden Gleichgültigkeit nun einmal aufgerafft hatte und die ihm versagte Umwelt wenigstens zu erkennen suchte, bedrängte ihn eine Fülle von ketzerischen Einsichten. »Und was hat Papa mit dem Heldenzeitalter zu tun?« fragte er. »Gar nichts, das ist klar. Dennoch beruft er sich darauf, ja er prunkt damit, als ob er daran teilgenommen hätte. Oder etwas besonders Interessantes: Wie kommt er dazu, militärisch Karriere zu machen? Er ist seinem ganzen Wesen nach ein ausgesprochener Zivilist. Dennoch wird er Brigadekommandant! Bei alledem stimmt etwas nicht, mein Lieber... bei ihm so wenig wie bei seinesgleichen... und es gibt in unserm Bürgertum viele seinesgleichen. In dieser oft kaum wahrnehmbaren, oft kraß zutage tretenden Unstimmigkeit zwischen ihrem Wesen und ihrer Erscheinung beruht ihre persönliche Fragwürdigkeit. Sie sind nicht echt, im Gegensatz zu Naturen wie Hartmann und Onkel Robert. Aber das ist nur ihre persönliche Problematik, verstehst du, es gibt auch eine allgemeine, an der sie alle teilhaben, eine bekannte übrigens, die nicht ich entdeckt habe. Nämlich... die bürgerliche Welt, und zwar nicht nur die schweizerische, ist heute eine unverschämt selbstsüchtige, materialistische, ungeistige Welt, und es ist lächerlich, es ist widersinnig, wenn sich ihre Träger als Idealisten gebärden. Daß viele es gar nicht merken, wie zum Beispiel Papa, das gehört auch zu ihnen...«

In diesem Augenblick betrat ein Mann mit einem Papier in der Hand die Bühne und blickte geschäftig umher, worauf ein helles Trompetensignal den dumpf brausenden Hüttenlärm durchstieß. Paul achtete nicht darauf, er fuhr eindringlich fort: »Diesen Mangel an Selbsterkenntnis, an Einsicht in die wirklichen Zustände, diese Ungeistigkeit, Selbstsicherheit und Sattheit, diesen blinden und dummen Glauben an den Fortschritt haben sie mehr oder weniger gemeinsam...«

»Jaja... hör auf, du!« unterbrach ihn Fred im abflauenden Lärm. Paul verstummte.

Der Mann auf der Bühne, der Präsident des Schießkomitees, räusperte sich und rief: »Ich gebe Ihnen hier noch die kantonalen Meisterschützen vom Anfang dieser Woche bekannt. Die Meisterschaft mit sechsundzwanzig Nummern hat errungen Fenner Adolf, Oberstleutnant. Es ist dies das höchste Resultat, das bis jetzt...« Diese letzten Worte wurden vom kräftig einsetzenden Beifall übertönt, man sah nur noch, wie der Mann den Mund bewegte, verstand aber nichts mehr. Die Musik blies einen Tusch, die Gäste wandten sich suchend nach dem Meisterschützen um, und Ammann erhob sich, in der Absicht, seinem Regimentsführer die Hand zu drücken; aber Fenner war nicht da. Inzwischen entstand rings um Christian eine gewisse Aufregung, Fred verhieß dem Vetter einen ohrenbetäubenden Beifall, Vater Robert stieß erwartungsvoll grunzende Laute aus, und vom Tisch der Ehrengäste blickte Lisi, den Hals reckend, mit bedeutsam lachender Miene neugierig zu ihrem Bruder hinüber.

Der Mann auf der Bühne öffnete den Mund wieder und gab sich Mühe, den Lärm zu durchdringen: »Die Meisterschaft mit fünfundzwanzig Nummern... ich bitte um Ruhe... die Meisterschaft mit fünfundzwanzig Nummern hat errungen Ammann Christian, Landwirt, Rusgrund.«

Fred blickte den Vetter begeistert an und schrie, die Rechte emporschleudernd, mit solcher Kraft, daß trotz dem dröhnenden Beifall in der ganzen Hütte und dem Tusch der Musik die allgemeine Aufmerksamkeit auf diesen Tisch gelenkt wurde, wo die Gäste sich erhoben, um mit dem glücklich schmunzelnden Schützen anzustoßen. Aber Christian hatte sich kaum recht erhoben, als ihn drei kräftige Burschen von hinten an den Schenkeln packten und in die Höhe hoben. Er protestierte mit ernstlichem Ärger und wehrte sich, doch die Burschen, Kameraden aus seinem Schützenverein, machten sich mit ihm unnachgiebig auf den Weg durch die Hütte. Der junge Meisterschütze schämte sich dieser Schaustellung, aber das ganze Festvolk jubelte ihm zu.

Die meisten Schützen verließen jetzt die Hütte, ein Kanonenschuß zeigte das Ende der Mittagspause an und gleich darauf begann im nahen Schießstand wieder das gewohnte regelmäßige Knattern. Paul und Fred schlenderten auf den Festplatz hinaus.

»Ein tüchtiger Kerl, der Christian!« sagte Fred. »Ich hab' ihn gern... er imponiert mir... Wenn du übrigens am Montag mit mir im Schießstand gewesen wärest... da geht's denn doch etwas anders zu als hier in der Hütte. Überhaupt... du magst ja in vielen Dingen recht haben, aber... es gibt doch noch andere Leute als du meinst, und... was du vom Schützenfest zu sehen bekommst, ist nur die Kehrseite... ich meine...« Fred besaß die Gabe nicht, sich so rasch und genau auszudrücken wie Paul, er stockte häufig, umschrieb manches und brach oft plötzlich ab, ohne alles gesagt zu haben, aber jetzt war ihm daran gelegen, dem Bruder auch seine Erfahrungen mitzuteilen. Er führte aus, daß der äußere Rummel der geselligen Veranstaltungen, des Hüttenlebens, der Budenstadt und des dekorativen Aufwands in keinem wesentlichen Zusammenhang mit dem Schießen selber stehe, und daß neunzig von hundert Schützen ohne großes Bedauern darauf verzichten würden, wie sie ja das Fest denn auch gar nicht nach der äußern Aufmachung, sondern nach dem Plan und der schießtechnischen Organisation beurteilten. Das Schießen möge ja wohl auch ein Vergnügen sein und oft sogar ein Spiel um Geld, aber es sei in der allgemeinen Wehrpflicht verankert, die zu belächeln man gerade jetzt kein Recht habe, und es bringe gewisse eigenartige Vorzüge des Volkes zum Ausdruck. Das Gespött der kultivierten Kreise könne deshalb weniger die zu einem Wettkampf antretenden Schützen treffen, als vielmehr ein paar vorlaute Patrioten, ein paar geschäftstüchtige oder rummelfreudige Unternehmer und das bummelnde Publikum.

»Das heißt, es trifft mit Recht die maßgebenden Leute und das Publikum«, erwiderte Paul. »Das genügt. Und was deine Schützen angeht... ich denke, es waren hier doch zum größten Teil Schützen, die Papa zugejubelt haben?«

»Ach, das tun sie so aus Gewohnheit. Es ist ihnen nicht

halb so ernst. Überhaupt, die einfacheren Leute, auch deine sogenannten Bürger, sind gar nicht so problematisch, wie du meinst...«

»An und für sich nicht, das mag sein, im Gegensatz zu ihren Wortführern. Sie sind im Alltagsverkehr scheinbar ganz annehmbare Menschen. Aber sie sind von sehr relativen und zum Teil abgelebten Ideen besessen, und diese Besessenheit macht sie eben fragwürdig. Dazu sind viele von ihnen so borniert, daß sie dich Schuft oder Lümmel nennen, wenn du die Richtigkeit ihrer Überzeugung zu bezweifeln wagst, oder eine Haltung einnimmst, die sie nicht begreifen können. Interessant ist auch, daß der Bürger einen Menschen verabscheut, der seine politischen Anschauungen ändert. Nichts ist engherziger und zugleich komischer als die naive Entrüstung, mit der er den Überläufer ›Gesinnungslump‹ nennt. Er hat keine Ahnung von der Relativität menschlicher Meinungen, darum ist er unduldsam...«

»Es gibt auch unter den Bürgern einsichtigere Leute!«

»Natürlich, aber die sind zu zählen und haben wenig Einfluß. Was willst du, wenn sogar ein Nationalrat und Oberstbrigadier so verstockt ist? Warum will Papa nicht verstehen, daß ich über dieses Fest unmöglich einen Bericht in seinem Sinne schreiben kann? Warum ist er nicht imstande, mich ruhig anzuhören und auch mein Wesen, meine Meinung gelten zu lassen? Es wird jetzt zum offenen Bruch kommen, ich werde zur Redaktion hinausfliegen... ach, das ist alles so langweilig, so dumm und hoffnungslos!«

Beide schwiegen eine Weile, dann blieb Paul plötzlich stehen und blickte den Bruder mit einem fragenden Lächeln an. »Du hörst mir so zu und widersprichst ein wenig, aber im Grunde genommen weiß ich nicht, wie du über Papa denkst«, sagte er leise.

»Ach, vor Papa liege ich auch nicht auf den Knien, aber... hol's der Teufel, er ist mein Vater! Im übrigen... ich frage mich, wer recht hat, derjenige, der naiv am Leben teilnimmt, oder der andere, der es kritisiert und ihm ausweicht... Aber das heutige Leben ist im großen und ganzen ja natürlich saublöd. Es ist nichts los, man trottelt so dahin und fährt ab. Die einen haben Ehrgeiz, die andern Weiber. Und wozu das alles? Ha, man soll nur fragen! Und es wird so weitergehen, es wird sich auch in Zukunft nichts ereignen, das wert wäre, erlebt zu werden. Zum Kriege wird es ja nicht kommen, das wäre viel zu ungewöhnlich und würde nur die Geschäfte stören. Wir sind endgültig am Versumpfen und verbitten uns alle Aufregungen.«

»Aber wir müssen zu erkennen suchen, woran es liegt«, erwiderte Paul. »Wenn wir die Zustände durchschauen, ihre Ursachen feststellen und die notwendigen Änderungen angeben könnten...«

»Was wäre damit erreicht? Die Unzufriedenen versuchen das doch alles, und das Heer der Zufriedenen winkt hohnlächelnd ab. Nichts zu machen! Ja, wenn die Wahrheit mit Ohrenmarken gezeichnet wäre! Aber welche von den tausend Wahrheiten, die heute verkündet werden, ist die Wahrheit? Du bist ja auch einseitig! Du schiebst jetzt alles auf das Bürgertum, aber es ist noch lange nicht erwiesen, daß die Sozialdemokraten oder gar ein paar Intellektuelle es besser machen würden. Es muß irgendwie an der Zeit liegen, am gegenwärtigen Stand der allgemeinen Entwicklung – wenn es nicht an uns selber liegt. Papa, Stockmeier, Onkel Robert, Hartmann, Christian und Ungezählte ihresgleichen sind mit dieser Zeit ja zufrieden...«

Sie gerieten in die Nähe der Festhütte, in der eine Gruppe wohlgelaunter Schützen auffällig lärmte, und stießen auf einen bedusselten jungen Mann, der vor ihnen stehenblieb und, mit beiden Armen dirigierend, das Rütlilied gröhlte. Da kehrten sie wieder um und suchten eine stillere Gegend auf. Sie setzten das Gespräch fort, aber sie kamen zu keinem

Schluß und sahen kein Ende ab. Fred besaß weder Pauls kritischen Intellekt, noch Christians dumpfe Zuversicht, er stand zweifelnd in einer ungewissen Mitte. Paul konnte ihm nicht helfen, er hatte selber keinen Boden unter den Füßen. So waren denn beide recht übel dran, aber es ging zu dieser Zeit freilich noch Tausenden so. Die meisten wachen und vorurteilslosen jungen Leute ihrer Generation befanden sich in einer ähnlichen Lage, sie waren beunruhigt, sie spürten, daß etwas nicht mehr stimmte, aber sie versuchten umsonst, dieses schwer entwirrbare Geflecht des Lebens zu durchschauen. –

Indessen hatte sich der Nationalrat in der Festhütte eine dicke Zigarre angebrannt und mit drei Tischgenossen zu jassen begonnen. Auch unter andern Ehrengästen waren friedliche Kartenspiele im Gang. Nach etlichen »Schiebern« aber standen Ammann und der Regierungsvertreter auf, um sich nun den Schießbetrieb anzusehen, wie man es von ihnen erwartete. Sie wandelten, von zwei Komiteepräsidenten begleitet, wohlwollend durch den Stand, verweilten da und dort ein wenig und kehrten schließlich in die Hütte zurück, wo sie einig wurden, nach dem Ehrenwein nun auch den einheimischen Festwein zu versuchen. Onkel Robert, Meister Eckert und verschiedene andere Gäste gesellten sich zu ihnen. Sie kamen auf die Weltlage zu sprechen.

Da erschien der Festwirt am Tisch und bat mit ehrerbietiger Miene den Herrn Nationalrat ans Telefon. Ammann stutzte einen Augenblick, dann stand er gelassen auf und ging in die Telefonkabine.

Severin meldete sich. »Guten Tag, Papa!« sagte er. »Die englische Flotte wird mobilisiert...«

»Was!?« rief Ammann ungläubig.

»Jawohl! Angeblich aus Gründen der Vorsicht. Ferner wird amtlich die Mobilisation russischer Streitkräfte mitgeteilt...« Severin wartete drei Sekunden, dann, als Ammann nichts dazu bemerkte, fuhr er fort: »Außerdem sind indirekte Meldungen über die Anordnung der Mobilisation in Deutschland und Frankreich erschienen...«

»Unsinn!« rief Ammann.

»Kann sein«, erwiderte Severin ruhig. »Paris hat dementiert und von Berlin liegt eine amtliche Bestätigung nicht vor... Hallo, hallo, Fräulein, ich spreche ja, was läuten Sie denn? Warten Sie doch, bis ich... Schweinerei...! Bist du da, Papa? Schön, das ist alles! Entschuldige, bitte, die Leute hier werden nervös.«

Ammann versetzte mit diesen Nachrichten den Kreis seiner Tischgenossen in die lebhafteste Erregung, obwohl er sich selber dabei so ruhig wie möglich benahm. Im Verlaufe des nun folgenden Gespräches aber, das von diesen friedsamen und vernünftigen Männern mit mehr oder weniger bestürzter Miene geführt wurde und ansteckend durch die ganze Hütte wirkte, empfand er ein wachsendes Mißbehagen. Er saß hier untätig in der abgelegenen Festhütte, während man jetzt in Zürich, wo jeden Augenblick neue Nachrichten eintreffen konnten, den Pulsschlag der Ereignisse und die allgemeine Stimmung ganz anders zu spüren bekam. Es war dasselbe Gefühl, das in der nächsten Zeit auch den Einsamsten aus der Zelle lockte, den Fleißigsten störte und das Volk in aller Welt auf die Straße trieb. Ein sofortiger Aufbruch schien ihm aber schlecht angebracht und war mit seiner gespielten Zuversicht auch gar nicht zu vereinen.

Da gab ein neuer Vorfall den Ausschlag. Stockmeier kam aus der Telefonkabine gelaufen und suchte, während er mit der Rechten in der hinteren Hosentasche nach dem Geldbeutel grübelte, hastig die Kellnerin auf. Er bezahlte, fand nach einigem Hin und Her seinen Hut, den richtigen Regenschirm, und dachte offenbar an nichts anderes mehr als so rasch wie möglich den Bahnhof zu erreichen.

»He, Herr Stockmeier, was ist los?« rief Ammann.

»Ah, Herr Oberst... eh, bitte entschuldigen Sie«, antwortete er aufgeregt und kam eilig herbei, »ich muß sofort heim, man hat mir telefoniert... also das sei ja... die Leute haben ja keine Vernunft...« In abgerissenen Sätzen erzählte er rasch, in seinem Lebensmittelgeschäft habe ein außerordentlicher Andrang eingesetzt, jedermann kaufe soviel man ihm nur gebe, die Vorräte an Reis, Zucker und Teigwaren seien bald erschöpft, das Ladenpersonal wisse nicht, wie es sich verhalten solle, und Leo, sein Sohn, sei in der Unteroffiziersschule, kurz, er müsse schleunigst nach Hause.

Ammann und der Regierungsvertreter entschlossen sich daraufhin, den nächsten Zug nach Zürich zu benützen. Vom Krämer begleitet, der sich immer wieder in Ausrufen, Fragen und Prophezeiungen Luft machte, fuhren sie wortkarg mit verschlossener Miene zum Bahnhof.

11

Die Schweiz, die bis zu diesem Augenblick von allen Nachbarländern als Durchgangsstraße oder Treffpunkt benützt worden war, mit der gesamten Umwelt in naher geistiger und wirtschaftlicher Verbindung gestanden und den Pulsschlag des europäischen Zusammenlebens in den eigenen Adern gespürt hatte, dieses von vier mächtigen Staaten umgebene Land besaß für die anbrechende allgemeine Erschütterung eine Empfindsamkeit ohnegleichen und erlebte sie mit jedem Nerv seines Daseins. Zur Angst um das eigene Land trat hier die Angst um das Ganze. Die deutsch, französisch, italienisch und rätoromanisch sprechende kleine Staatenfamilie, die ihre getrennten verwandtschaftlichen Neigungen zu den benachbarten Sprachgenossen besaß, mußte zusehen, wie diese Nachbarn sich anschickten, miteinander auf Tod und Leben zu ringen; sie erkannte, daß damit ein Grundgedanke der Eidgenossenschaft, der zur europäischen Idee berufen schien, brutal verneint wurde.

Bei den gerüsteten Völkern schlug diese Angst um das Ganze, wo sie etwa entstehen mochte, rasch in einen elementaren nationalen Willen um. Die Schweiz konnte nicht angreifen, sie konnte nur angegriffen werden, und es mußte sich erst zeigen, ob auch hier ein geschlossener Wille der allgemeinen Gefahr tatkräftig genug begegnen würde. Noch während sie erschrocken nach allen Himmelsrichtungen über die Grenzen blickte, wurde sie schon von Versuchungen angefallen, die ihre eigene Grundlage bedrohten und jenen eidgenössischen Gedanken der schwersten Prüfung aussetzten.

Die Entwicklung der Dinge jagte das Volk im Verlauf dieser Tage durch alle Grade der Spannung, der Angst, der Hoffnung und des Abwehrwillens, wobei jeder einzelne auf seine besondere Art antwortete, und von der engherzigen Selbstsucht bis zur Opferbereitschaft, von der Verzweiflung am Menschen bis zum Weltvertrauen keine mögliche Haltung fehlte. Das sichtbarste öffentliche Zeichen des erschütterten Gleichgewichts war zunächst der Andrang zu den Banken und Lebensmittelgeschäften, der in den Städten am Donnerstag begonnen hatte und am Freitag früh wieder einsetzte. Über die Tragweite dieser Erscheinung machte sich das Publikum vorläufig keine Gedanken, obwohl die Folgen rasch zutage traten.

Stockmeier ärgerte sich schon vor dem Frühstück am Telefon über die Lieferanten, die seine Bestellungen nur mehr unter Vorbehalten entgegennahmen. Er sah den regelmäßigen Gang seines Geschäftes gefährdet und ersuchte seinen Sohn Leo telegrafisch, sofort Urlaub zu verlangen und in einer dringenden Angelegenheit heimzukommen. Leo sollte zu den Lieferanten reisen, um die Abschlüsse persönlich zu sichern. Bevor er das Geschäft öffnete, erhöhte er die Preise aller Lebensmittel. Seinen Fuhrknecht und Magaziner, einen braven, starken Mann vom Lande, stellte er als Ordner und Überwacher an den Ladentisch. Gegen neun Uhr vertauschte er seinen Leinenkittel hastig mit dem guten Rock, stülpte den Hut über die Glatze und fuhr im nächsten Tram zur Kantonalbank. Er achtete nicht auf das Gespräch, das rings um ihn geführt wurde, sein Gesicht zeigte einen entschlossenen, feindseligen Ausdruck, seine dünnen Lippen bildeten nur noch eine schmale Linie.

Aus der Vorhalle des Bankgebäudes zog sich eine Menschenkolonne dicht gedrängt bis vor die Schalter, aber Stockmeier zögerte keinen Augenblick, sondern lief behend in das Ende der Kolonne hinein und begann sich geschäftig Bahn zu machen. Die Leute blickten ihn erstaunt an und versuchten fragend oder murrend ihren Platz zu behaupten, aber seine Entschlossenheit übte eine gewisse einschüchternde Wirkung aus; man sagte sich, dieser eilige Mann könne wohl nur ein Beamter sein, der unbedingt durchkommen müsse. Auf halbem Wege fand er jedoch zunehmenden Widerstand. Neben ihm begann ein großer, gebrechlich aussehender Mann entrüstet vor sich hin zu reden. »Es gibt doch immer wieder Leute, die keine Vernunft annehmen wollen«, sagte der Alte, wobei er geflissentlich vermied, den Störenfried anzusehen. »Was sind denn das für Manieren! Wir haben alle die gleichen Rechte...« Stockmeier blickte ihn verächtlich an und suchte sich weiterzuwinden, wurde nun aber von allen Seiten zurechtgewiesen: »He, nicht drängen! Seien Sie doch vernünftig! Wir müssen auch warten...« Plötzlich öffnete Stockmeier aufgeregt den Mund zur Verteidigung: »Aber ich kann nicht warten, nicht wahr, das ist ein ganz anderer Fall, bitte, machen Sie Platz!«

»Laßt ihn durch, er will Geld anlegen!« rief ein Spaßvogel, worauf dem Krämer der Weg endgültig versperrt wurde. In unruhiger Haltung und mit aufgeregter Miene blieb Stockmeier stecken, wütend über diese unvernünftige Zusammenrottung, die einen aufrechten Bürger daran hinderte, rechtzeitig sein ehrlich verdientes Geld abzuheben.

Indessen hielt der Zudrang zu seinem Geschäfte unvermindert an. Denjenigen Kunden, die sich vom Gespenst einer Hungersnot nicht ängstigen ließen und ihre üblichen Einkäufe besorgen wollten, blieb nichts anderes übrig, als sich geduldig der wartenden Menge anzuschließen. Frau Barbara, die von ihrem Fenster aus zusehen konnte, wie immer neue Menschen mit Körben und Netzen daherkamen, entschloß sich, über die Mittagszeit persönlich beim Krämer das Nötige zu bestellen. Gegen zehn Uhr wurde sie von ihrer Schwiegertochter Anna, der Frau Severins, telefonisch gebeten, ihr doch bei Stockmeier ein paar Pfund Mehl zu kaufen; sie werde es sofort abholen lassen.

»Ja, du hast gut reden, das ist nicht so einfach«, erwiderte sie. »Vor Mittag kommt man überhaupt nicht dazu. Aber wenn du es notwendig brauchst... ein Pfund kann ich dir geben.«

»Nein nein, Mama, danke!« antwortete Anna und erklärte dann zögernd: »Ich dachte nur... weil ihr doch die Handlung im Hause habt... du könntest vielleicht... es ist doch überall ein so furchtbarer Andrang...«

Frau Barbara kam ihr nicht zu Hilfe, sie wartete schweigend mit unwilliger Miene.

»Es kauft alles ein«, fuhr Anna etwas unsicher fort, »man weiß ja gar nicht, was man tun soll... mein Gott, Mama, du wirst doch auch vorsorgen?«

»Fällt mir gar nicht ein!« entgegnete sie und fragte ohne weitere Erklärung nach den Kindern.

Anna gab eilig Auskunft, entschuldigte sich und brach die Verbindung ab. Sie war am gestrigen Abend ahnungslos in eine Lebensmittelhandlung getreten und von der aufgeregten Stimmung der vielen wartenden Frauen in wenigen Minuten dermaßen angesteckt worden, daß sich seither ihr ganzes und ausschließliches Bestreben auf die Versorgung ihrer Familie gerichtet hatte. Sie ließ sich von der Schwiegermama in diesem Bestreben nicht irre machen und kaufte weiter, soviel sie nur schleppen konnte.

Um Mittag kam ihr Mann von der Redaktion nach Hause. Er betrat wie gewöhnlich mit einem Gefühl der Entspannung die saubere, peinlich aufgeräumte Wohnstube, die sich den ganzen Morgen in greulicher Unordnung befunden hatte, und nahm seufzend am oberen Ende des gedeckten Tisches Platz. Die Kinder hatten sich versammelt. Die Mädchen Urseli, Bethli, Hedi, im Alter von sieben, sechs und vier Jahren, warteten aufmerksam und etwas ängstlich darauf, daß Papa sie ansprechen würde. Sie waren von ihm dazu erzogen worden, in der Gegenwart erwachsener Leute nicht vorlaut zu sein, nur zu reden, wenn sie angesprochen wurden, und ordentliche Antworten zu geben.

»So, Bethli«, begann Papa mild, »was habt ihr am Morgen getrieben?« Bethli kam rasch ein paar Schritte näher und ließ die Antwort, die in ihrem Köpfchen für alle Fälle bereitgelegen hatte, frisch und deutlich los. Papa schien sich für diesmal damit zu begnügen, und da nun die Suppe aufgetragen wurde, befahl er die ganze Gesellschaft zu Tisch. Der dreijährige Ueli aber hatte sich inzwischen unbemerkt ins Nebenzimmer zu seinem einjährigen Brüderchen geschlichen und ihm den Gummifrosch weggenommen, mit dem er nun johlend zurückgelaufen kam. Sofort stürzte sich seine älteste Schwester Urseli auf ihn und wies ihn heftig zurecht, wobei sie im Bewußtsein ihres lobenswerten Eifers immer wieder zu Papa hinblickte.

Im Verlaufe des Mittagessens begann sich Anna ungewohnterweise nach der Lage zu erkundigen und führte ein paar der umlaufenden Gerüchte an. Severin, der bei seiner

Frau nie ein Interesse an öffentlichen Dingen wahrgenommen hatte und seine eigene Tätigkeit, für die er ihr das nötige Verständnis nicht zutraute, nur selten erwähnte, bedachte sich eine Weile und gab dann im Bestreben, dieser erwachenden Anteilnahme entgegenzukommen, bereitwillig eine so ausführlich und klare Antwort, daß Anna sich wunderte.

»So glaubst du, daß es Krieg geben wird?« fragte sie ängstlich.

»Ja, also wie gesagt, jetzt sind überall diplomatische Besprechungen im Gang, und die Lage scheint sich eher etwas zu bessern. Scheint, verstehst du. In Wirklichkeit hat Deutschland heute morgen etwas sehr Entscheidendes getan, nämlich die Ausfuhr von Getreide, Mehl, Fleisch und andern lebensnotwendigen Artikeln gesperrt, das heißt...«

Das längliche stille Gesicht der Frau nahm während dieser Belehrung einen zunehmenden Ausdruck erschrockener Spannung an.

Die kleine Hedi begann plötzlich laut zu weinen.

»Was ist mit dir los?« fragte Severin.

Hedi konnte nicht antworten, sie weinte laut und fassungslos vor sich hin. Die übrigen zwei Mädchen rückten ein wenig von ihr weg und blickten erschrocken auf Papa.

»So so so!« rief Severin streng, schaute die Kleine eine Weile schweigend an und setzte dann seine Erklärungen fort, worauf Hedi sich schluchzend beherrschte.

Nach dem Essen zog sich Severin wie gewöhnlich für eine halbe Stunde zurück, und während dieser Frist herrschte in der Wohnung eine vollkommene Ruhe. Als er wieder erschien, bat ihn seine Frau in die Küche und zeigte ihm die Vorräte, die sie angelegt hatte, Teigwaren, Mehl, Zucker, Konserven, eingemachte Früchte, Reis, Dauerwürste. Er betrachtete das Lager mit verschlossener Miene, sagte kein Wort dazu und nahm mit einem Blick auf die Taschenuhr eilig Abschied. Von der Redaktion aus jedoch verbot er ihr dann unerwartet jede weitere Anhäufung von Lebensmitteln. »Ich will es nicht haben!« sagte er einfach.

Als aber Anna kurz darauf unruhig die Straße betrat und inmitten der allgemeinen Erregung den fortlaufenden Andrang geängstigter Frauen zu den Lebensmittelgeschäften gewahrte, verlor Severins Verbot in ihren Augen jedes Gewicht. Sie lief in die Wohnung zurück und eröffnete sogleich einen neuen Beutezug, indem sie Urseli und das Kindermädchen nach verschiedenen Geschäften abschickte. Sie beschloß, die aufgestapelten Waren in der Dachkammer zu verbergen und trug selber den ersten Handkorb voll hinauf. Nach ihrer Rückkehr schlichtete sie eilig einen Streit zwischen Hedi und Bethli, die sich in den Haaren lagen, dann füllte sie den Korb wieder mit Büchsen, Säcken, Schachteln und machte sich zum zweitenmal auf den Weg, leise und heimlich, um von den übrigen Hausbewohnern nicht bemerkt zu werden, gerötet vor Eifer, mit ängstlich besorgter Miene und mit der instinktiven Geschäftigkeit eines Muttertieres, das kein Mittel verschmäht, um die Seinen durch Not und Elend hindurch zu retten.

Die erste Nachricht, die Severin auf der Redaktion von Schmid übernahm, betraf die Pikettstellung der schweizerischen Armee, das Aufgebot von Landsturmtruppen und die Ausfuhrsperre von Pferden, Motorfahrzeugen, Benzin, militärischen Apparaten, Getreide, Mehl und Hafer. Er schrieb sofort einen Kommentar dazu, in dem er ausführte, daß diese Maßnahme noch keine Mobilisation bedeute, sondern lediglich die Bereitschaft dazu herbeiführe.

Schmid durchflog mit begierigen Blicken einen Stoß ausländischer Blätter und schnitt von Zeit zu Zeit eine Meldung heraus oder warf Notizen auf ein Blatt Papier, bald mit schiefem Kopf, um vom Rauch der Zigarette nicht belästigt zu werden, bald mit der Zigarette zwischen zwei gelben Fingerspitzen. Als der Ausläufer mit neuen Nachrichten kam, schob er die Zeitungen beiseite und las hastig die Agenturstreifen. »Hallo, Herr Doktor, allgemeine russische Mobilisation!« rief er laut und fröhlich.

»Schon wieder?« fragte Severin und kam aus seinem Büro herüber.

»Allgemeine! Amtlich! Das haben wir noch nicht gehabt«, entgegnete Schmid. »Und hier bitte... oho, jetzt gilt's, in Frankreich bereitet man sich auf die Mobilisation vor...«

»Woher kommt das? Zeigen Sie!«

»Das scheint zuverlässig. Und sonst... Donnerwetter, jetzt passen Sie auf, meine Herren!« Langsam erhob er sich, den Blick auf einer neuen Meldung, die er nun freudig gespannt vorlas: »Von Berlin. ›Der Kaiser hat das Deutsche Reich in Kriegszustand erklärt.‹ Das ist ausgezeichnet! Hören Sie, wir machen ein Bulletin. Wir können damit noch vor den Abendblättern herauskommen. Ein Bulletin mit diesen drei Nachrichten, für zehn Rappen. In einer halben Stunde ist die ganze Auflage abgesetzt. Morgen ist das schon alles veraltet, und Neuigkeiten sind noch genug zu erwarten...«

Severin bedachte sich einen Augenblick, während Schmid angeregt weitersprach, dann blickte er auf die Uhr, stellte eine flüchtige Berechnung an und entschied sich plötzlich. »Gut! Ordnen Sie das sofort an!« Schmid verschwand, Severin ging eilig in sein Büro zurück.

Nach einer Weile kam Schmid wieder angestürmt und warf die Türe krachend zu. »Jetzt bekommt die Geschichte Zug!« sagte er im Vorbeigehen und blickte dabei den Volontär Paul so unternehmungslustig an, als ob sich die erfreulichsten Dinge vorbereiteten. »Das Bulletin wird einen reißenden Absatz haben. Und die nächste Nummer bringen wir in großer Aufmachung. Mit der Morgenpost erhalten wir Stoff, daß die Leute das Blatt fressen werden, passen Sie auf!« Bei diesen letzten Worten saß er bereits an der Schreibmaschine und begann mit seinen magern Fingern auf die Tasten zu schlagen.

Paul, der Nachrichten aus dem »Temps« übersetzte, zog mit einem bestürzten Lächeln die Brauen in die Höhe. Obwohl er Schmid genau kannte, wunderte er sich nun doch über ihn. Dieser Erzjournalist schien von den bevorstehenden Ereignissen persönlich durchaus nicht berührt zu werden, sondern sie nur als großartigen Zeitungsstoff zu betrachten; die Möglichkeit, dem Publikum als erster eine wichtige Nachricht vorzuwerfen oder damit die Wirkung des Blattes zu erhöhen, war ihm offenbar wichtiger als die Nachricht selbst. Paul begriff diese menschlich unbeteiligte Gewandtheit dem Alltag gegenüber, gestand ihr sogar eine erheiternde Verwandtschaft mit einem gewissen künstlerischen Schaffen zu und ließ sie auf hinterhältige Art sehr gern als journalistische Tugend gelten, aber jetzt fand er sie höchst merkwürdig. Er selber war von der Erregung, die der erwachende Sturm in ganz Europa hervorrief, dermaßen gepackt, daß ihn die journalistische Beschäftigung damit vielmehr anzuwidern begann. Von der ersten Bürostunde an hatte er dagesessen und darauf gewartet, daß ihn Severin hinausschmeißen würde, weil er ihm den Bericht vom Kantonalschützenfest abermals schuldig geblieben war. Jetzt fragte ihn schon kein Mensch mehr nach diesem Bericht, man warf ihm dafür fremdsprachige Zeitungsausschnitte hin, die den Beginn des Erdbebens verkündeten, und über denen er die Zeit vertrödelte. Ihm stand das Kommende vor der Seele als eine furchtbare und zugleich erlösende Wende, die er nicht für möglich gehalten hätte, als Zusammenbruch einer Epoche und Anfang einer neuen Welt, als ein Geschehen von hinreißender Größe, dessen Erlebnis dem menschlichen Dasein endlich wieder Bedeutung verlieh. Er schätzte sich glücklich, diese Weltstunde miterleben zu dürfen, und erhoffte alles von ihr, was ihm die ruhmlos untergehende Zeit versagt hatte.

12

Severin schrieb gegen Abend, in Erwartung deutscher Zeitungen, die mit der nächsten Post eintreffen mußten, den Anfang eines Artikels über Deutschland, in dem er den Kriegszustand zu rechtfertigen und die dadurch entstandene Lage zu kennzeichnen gedachte. Die Post kam, aber ohne die deutschen Blätter. Er telefonierte nach Basel und erfuhr, daß der Verkehr zwischen Deutschland und der Schweiz im Badischen Bahnhof eingestellt worden sei. Da entschloß er sich, einen gelegentlichen Korrespondenten in Stuttgart anzuläuten und verlangte die Verbindung; das Fernamt teilte ihm mit, daß Deutschland den telefonischen Verkehr auf allen Linien gesperrt habe. Dieser Abbruch von Verbindungen, die immer bestanden hatten, so lang er sich erinnern konnte, zu jeder Stunde und so selbstverständlich wie da draußen die Limmat floß, brachte ihm die tatsächliche Lage unmittelbarer zum Bewußtsein als der wichtigste Regierungsbeschluß. Die Maßnahmen blieben also nicht auf dem Papiere stehen, sondern griffen schon in den Alltag ein, die Nationen schlossen sich ab, die Fäden rissen.

Er begann erregt auf und ab zu gehen, erwog mit einiger Befürchtung die Lage des auf sich allein gestellten Schweizerlandes mit seiner kleinen Armee, deren Kriegstüchtigkeit er heimlich bezweifelte, und bat schließlich die Depeschenagentur, ihm alle weitern Nachrichten schon heut abend von acht Uhr an bereitzuhalten. Er wollte nach dem Abendessen auf die Redaktion zurückkehren.

Paul ging nicht sogleich nach Hause, sondern streifte

herum und nahm mit seinem aufgerührten Innern begierig an der fortdauernden allgemeinen Erregung teil. In der Bahnhofstraße schoben sich zwei lockere Menschenströme durcheinander, die Tramwagen gaben unablässig Signale und kamen nur langsam vorwärts, überall sah man Leute, die im Gehen oder Stehen zu zweit und dritt eine Zeitung lasen. Die Nachrichten der Abendblätter wurden von der Masse mit jenem leidenschaftlichen Bedürfnis verschlungen, das keine Befriedigung mehr kennt und sich über das Verbürgte hinaus auf die unsinnigsten Gerüchte stürzt. Die Pikettstellung der schweizerischen Armee, eine unerhörte Tatsache nach so vielen Jahrzehnten des Friedens, steigerte die Erregung und rechtfertigte sie zugleich, aber schon begann sich die aufgestachelte Phantasie des Volkes mit den Gründen zu beschäftigen, die dazu geführt haben mußten. Paul hörte vom Verlangen einer Großmacht, ihren Armeen die Schweiz zu öffnen, vom Selbstmord hoher Offiziere, von Grenzverletzungen, Revolten und erstürmten Banken. Er sah Mienen, die eine panikartige Stimmung, eine stille Fassungslosigkeit oder eine merkwürdige Art von Begeisterung ausdrückten. Von Zeit zu Zeit erschien eine starke Polizeipatrouille, die von der Menge schweigend durchgelassen wurde. Dieser erhöhte Sicherheitsdienst war auf Demonstrationen und Zusammenstöße zwischen einrückenden Russen, Österreichern und radikalen Jungburschen zurückzuführen. Vor den polizeilich bewachten staatlichen Banken standen Gruppen schimpfender Leute, die den Kassenschalter nicht mehr erreicht hatten. Auf allen Straßen und Plätzen, in den Tramwagen, in den Wirtschaften, überall waren die Menschen von den Vorboten des Sturmes dermaßen aufgerührt und verwandelt, wie noch niemand es erlebt hatte.

Paul kam verspätet zum Abendessen, aber diese Verspätung, die ihm sonst einen Verweis eingetragen hätte, wurde jetzt einfach übersehen. Mama fragte ihn nur, mit einem spöttischen Unterton: »Weißt du etwas Neues?« Da er nichts zu berichten wußte, was nicht schon bekannt war, wandte sie sich scheinbar verächtlich von ihm ab und fuhr fort, auf ihren Mann einzureden, was sie offenbar schon eine Weile getan hatte: »Also das will mir nicht in den Kopf. Daß Österreich Serbien angreift, hat einen Grund, wenn auch keinen genügenden, und daß Rußland den Serben beistehen will, ist am Ende auch noch verständlich. Aber warum Frankreich, Deutschland, Italien, England sich auf einen Krieg gefaßt machen sollten, das geht über meinen schwachen Verstand. Was wollen sie denn? Warum reden sie nicht miteinander? Warum stellen sie keine Forderungen? Es sind doch zivilisierte Nationen und keine wilden Tierhorden, die sich nicht verständigen können. Man führt doch nicht Krieg, nur um Krieg zu führen, ein Krieg ist ja etwas Furchtbares, es kann gar nicht genug Gründe geben, um ihn einigermaßen zu rechtfertigen. Warum also, warum?«

Frau Barbara rührte damit an einen Hauptgrund der fast irrationalen Aufregung in diesem ganzen vernünftigen Europa, an das völlig ungewohnte und um so beängstigendere Schweigen, das jede alarmierende neue Meldung wie eine undurchdringliche Wolke umgab.

Ammann, der die Zeitungen, Briefe und Drucksachen auf dem Büffet zusammenraffte und den Weg zum Büro einschlug, machte, ohne zu antworten, mit vorgeschobener Unterlippe verhalten lächelnd, eine unbestimmte Kopfbewegung, womit er sich den Anschein gab, etwas mehr zu wissen als er jetzt zu sagen für gut fände.

»Wenn ein großes Schicksal bevorsteht, fragt man vielleicht umsonst nach den Gründen«, bemerkte Paul leise.

Frau Barbara blickte ihn kurz an. »Paperlapap!« sagte sie wegwerfend und erhob sich. »Willst du noch Erdäpfel? Oder

Fleisch? Da, nimm doch das noch! Und nachher wirst du wissen, was du zu tun hast!«

Paul schaute sie fragend an.

»Du bist ja ein heiterer Soldat... fällt ihm nicht einmal das ein! Wenn die Armee auf Pikett gestellt ist, wird man, denk' ich, nachsehen müssen, ob die Ausrüstung in Ordnung ist. Die Uniform hab' ich dir ins Zimmer gehängt. Den Tornister kannst du selber holen, es wird wohl nicht alles drin sein, was drin sein muß. Und deine Marschschuhe, finde ich, sind nicht mehr heutig, du kannst morgen ein Paar neue kaufen. Fred wird jetzt wohl auch heimkommen.«

Paul hatte noch gar nicht ernstlich daran gedacht, daß er vielleicht einrücken mußte. Dies schien ihm vorerst eine wenig erfreuliche Seite des großen Geschehens, und die in seinem Zimmer aufgehängte, nach Kampfer duftende Uniform erfüllte ihn mit trüben Vorahnungen. Aber es stand nun freilich kein Wiederholungskurs bevor, sondern... ja, wer konnte denn wissen, was den Schweizersoldaten bevorstand! Statt den Ereignissen gegenüber untätig zu verharren, würde man gezwungen werden, mitzuhandeln, mitzuerleben, und das war vielleicht das Opfer des stumpfen Gehorchens wert. Indessen kümmerte er sich nur flüchtig um die Vollständigkeit seiner Ausrüstung, er ging wieder hinaus auf die Straße und schlug den Weg zu Albin Pfister ein.

Als er den Freund in der Altstadt nicht zu Hause fand, suchte er mit derselben unersättlichen Neugier, von der die Menge ergriffen war, jene Orte auf, wo die allgemeine Stimmung besonders stark zum Ausdruck kam, und stieß zunächst in der Bahnhofstraße auf ein nicht minderes Gedränge als nach dem abendlichen Schluß der Geschäfte. Er ließ sich eine Weile mit dem Strome durch das Licht der Laternen und den Schatten der Linden treiben, dann las er an einer Anschlagsäule den Aufruf der Sozialdemokratischen Partei zu einer Friedensdemonstration. Er machte sich sogleich auf den Weg dahin, kam aber zu spät. Die Masse der eben aufgelösten Versammlung flutete auf dem Stauffacherplatz durcheinander, Männer, Frauen und sehr viele junge Burschen, die noch immer laut und energisch ihre Meinungen äußerten. Hier herrschte nicht die zugleich begierige und fassungslose Stimmung der Bahnhofstraße, hier wurde angeklagt, gedroht, verflucht, hier sah man im Kommenden weniger das außermenschlich Verhängnisvolle, als die Machenschaft von Kriegsindustrie, Hochfinanz und Militarismus, gegen die man sich wehren mußte und konnte. Die Arbeiterschaft aller Länder protestierte denn auch in unzähligen Versammlungen gegen den Krieg und offenbarte damit noch einmal jene internationale Einmütigkeit, die zu einer Bürgschaft des Friedens berufen schien. Aber diese Gesinnung brach in wenigen Tagen vor dem elementaren Aufstand der nationalen Gefühle zusammen. Schon an diesem Abend, ja zu dieser Viertelstunde, wurde in Paris der geistige Führer der Internationale, Jaurès, hinterrücks erschossen. In Zürich erschien zur selben Stunde das Verbot der Polizeidirektion, das »in Anbetracht der ernsten politischen Lage und zur Aufrechterhaltung der öffentlichen Ordnung« Aufzüge und Straßendemonstrationen bei Strafe untersagte.

Paul fuhr mit dem nächsten Tram vor ein Zeitungsgebäude und drängte inmitten der ungeduldigen Menge zu einem der Verkäufer hin, die sich der zugreifenden Hände kaum erwehren konnten und mit der Nachtausgabe des Morgenblattes gar nicht auf ihre gewohnten Plätze gelangten. Ziellos weiterschlendernd entfaltete er das erbeutete Blatt und überflog zuerst einen Aufruf des Stadtrates an die Bevölkerung von Zürich: »In unerwarteter Weise und weit mehr als sich durch den Gang der Dinge rechtfertigen ließ, hat sich ein Teil der Einwohner von der ruhigen Überlegung, die unser Volk sonst auszeichnet, abdrängen lassen...

Die Verkaufsstellen von Lebensmitteln und die Kassen der Bank und der Post werden belagert und mit Begehren bestürmt, die unbegründet sind und weit über das Bedürfnis hinausgehen... Das größte Unheil, das dem Volke jetzt widerfahren könnte, erblicken wir darin, daß jeder begänne, nur an sich zu denken und die Bedürfnisse der Volksgemeinschaft außer acht zu lassen...« Daran schloß sich eine Erklärung, daß an Geld und Lebensmitteln kein Mangel eintreten werde.

Paul kam lesend vor ein mittelmäßiges kleines Café, das er unter andern Umständen nie besucht hätte. Jetzt ging er hinein, nahm am nächsten freien Tischchen Platz und vertiefte sich in die Zeitung wie ein Hungernder in eine ihm längst verheißene üppige Mahlzeit.

Indessen erkundigte sich zu Hause seine Schwester Gertrud nach ihm. »Guten Abend, Mama!« grüßte sie, hastig eintretend. »Ist Paul da?«

»Nein, er ist wieder fort«, antwortete Frau Barbara und blickte ihre Tochter fragend an. »Warum? Was ist los? Soll ich ihm...«

»Du weißt nicht, wohin?«

»He, auf die Straße, denk' ich. Es läuft ja jetzt alles auf die Straße. Willst du nicht den Hut abnehmen?«

»Nein, ich wollte nur im Vorbeikommen rasch... ich muß gleich wieder fort...«

»Ach was! Wie geht's den Kindern?«

»Ganz ordentlich, danke! Aber was sagt nur Papa zu alledem?«

»Ja, was soll er sagen!«

»Meinst du, daß unsere Leute einrücken müssen und daß es zum Kriege kommt?«

»Höre, Gertrud, zuerst setz dich einmal ruhig hin und dann...«

»Ich kann sicher nicht, Mama, entschuldige! Mein Gott,

ich bin furchtbar aufgeregt, ich möchte den ganzen Tag herumlaufen...«

»He, du Kind! Warum denn auch? Übrigens siehst du miserabel aus! Was ist los mit dir?«

»Ach, nichts! Ich bin nur ein wenig nervös... meinst du, daß Paul bald zurückkommt?«

»Nein, das ist nicht anzunehmen. Aber sag doch, soll ich ihm etwas ausrichten?«

»Er müßte bei einem Aufgebot doch auch einrücken, nicht? Ja, ich möchte ihn nur vorher noch rasch sehen... vielleicht sagst du ihm das? Haben sie hier nie mehr Quartett gespielt?«

»Nein... Wie geht's deinem Mann?«

»Gut! Jetzt muß ich gehen, Mama, entschuldige, adieu, auf Wiedersehen!«

»Wenn sie nicht reden kann, so ist sie selber schuld!« dachte Frau Barbara und kehrte mit beleidigter Miene in die Wohnstube zurück. Gleich darauf hörte sie im Büro das Telefon läuten, ihren Mann mit seinem gewohnten, lässig gedehnten »Jaa, hier Dr. Ammann!« antworten und nach einer Weile lebhaft fragen: »Woher weißt du das?« Sie wartete, bis das Gespräch zu Ende war, dann klopfte sie flüchtig an und trat unter die Tür. »Etwas Neues?« fragte sie und bemerkte sogleich, daß ihr Mann sich in düsterer Laune befand.

»Ja, Severin hat angeläutet, von der Redaktion aus«, antwortete er, ohne seine Stimmung zu verbergen. »Österreich-Ungarn macht das ganze Heer mobil, Holland mobilisiert, Belgien mobilisiert, die Telefonverbindungen zwischen Deutschland und der Schweiz sind abgebrochen, der Verkehr im Badischen Bahnhof in Basel ist eingestellt.«

Frau Barbara wartete noch ein paar Sekunden mit betroffener Miene, dann trat sie, empört den Kopf schüttelnd, stumm in die Wohnstube zurück.

Ammann saß vor dem Schreibtisch im Lehnstuhl und blickte mit gerunzelter Stirn vor sich hin. Auf dem Tisch lagen die ersten Weisungen des Divisionskommandos zur Pikettstellung, seine eigenen Instruktionen an die Regimentskommandanten Fenner und Hartmann, der Bericht über die außerordentliche Sitzung einer Bankkommission und eine mit Randbemerkungen versehene Liste seiner ausländischen Wertpapiere. Er konnte sich mit dem Gedanken nicht abfinden, daß das kunstvolle Netz der internationalen Beziehungen reißen, die Sicherheit in Europa verschwinden und das gemeinsame Werk der Zivilisation in die Brüche gehen sollte. Seine Friedensliebe, seine Bequemlichkeit, seine Vernunft und jener besondere, auf Besitz, Einkommen und Familie gegründete Bürgerstolz, der mit dem Gefühl der Überlegenheit über alles Unordentliche, Gewagte, Abenteuerliche verbunden war, sträubten sich heftig dagegen. Mit einer die Lage gründlich entscheidenden guten oder schlimmen Tatsache hätte er sich abfinden können, aber die Kette von Nachrichten, die das Unheil immer drohender heraufbeschworen, ohne es auszulösen, die allgemeine Spannung, die ihren höchsten erträglichen Grad erreicht zu haben schien und dennoch stetig zunahm, dies furchtbar Zögernde einer fast handgreiflich gewordenen unvorstellbaren Katastrophe lähmte sein Fassungsvermögen und erfüllte ihn mit tiefer Unsicherheit. »Es ist doch nicht möglich, es ist nicht möglich!« dachte er wiederholt. Wie man jener nie gesehenen Schwärze des Himmels und dem andauernden unterirdischen Donnern gegenüber die Gesetze der Natur aufrufen würde, auch wenn schon zehn Blitze auf einmal zuckten und der grollende Erdteil schwankte wie ein Schiff im Wellengang, so rief er vor dieser Katastrophe der zivilisierten Menschheit immer wieder die Gesetze der Vernunft auf, die seit Menschengedenken in Europa geherrscht hatten.

13

Die Pikettstellung der Armee und das Aufgebot des Landsturms auf Samstag, den 1. August, mußten in den Gemeinden durch Alarm bekanntgemacht werden; die kurz bemessene Frist bot keine andere Möglichkeit. So wurde denn Freitag abends durch Sturmgeläute, Tambouren und Ausrufer auch das Land aufgerüttelt, und die Erregung, die sich in den Städten zusammengeballt hatte, ergriff mit einem Schlag das ganze Volk. In den Bergtälern und entlegenen Dörfern, wo man das steigende Fieber der Zeit gemächlicher abgelesen hatte, übten die Sturmglocken und Trommelschläge einen ungeheuren Eindruck aus; aber auch in größeren Ortschaften prägte sich den Menschen dieser Alarm nachhaltiger ein als das Vorhergehende oder Folgende dieser Tage, es war das erste Signal, das ihnen in die eigenen Ohren dröhnte.

Die Mobilisation wurde vom Bundesrat in einer außerordentlichen Sitzung schon Freitag nachmittags beschlossen, doch erst am folgenden Tage befohlen; der Chef der Generalstabsabteilung, Sprecher von Bernegg, war besonnen genug, den Vollzug der Pikettstellung nicht durch das Aufgebot zu überstürzen. So trug der Befehl denn das Datum des nationalen Gedenktages, und dies Zusammentreffen gab ihm in den Augen des Volkes eine Weihe, die seine einigende Wirkung noch erhöhte. Am Samstag, dem 1. August, zwischen neun und zehn Uhr, beugten sich in allen Fernämtern der Schweiz die Beamten atemlos über einen Papierstreifen und lasen: »Kriegsmobilmachung. Dritter August ist erster Mobilmachungstag. Einzurücken haben alle Divisionen, die Festungsbesatzungen, alle Armeetruppen von Auszug und Landwehr, alle Spezialtruppen des Landsturms. Sämtliche Gemeinden stellen die Pferde und Wagen gemäß Pferdestellungsbefehl auf den Einschatzungsplatz. Schweizerisches Militärdepartement: Decoppet.« In der kürzesten Frist vernahm das Volk diesen Ruf zu den Waffen und bekundete über alle Schranken der Parteien, Konfessionen und Sprachen hinweg eine dermaßen einträchtige und begeisterte Bereitschaft, wie man sie in diesem Lande noch nie erlebt hatte.

Den Leuten im Rusgrund wurde das Aufgebot noch vormittags von Meister Eckert durch das Telefon flüchtig mitgeteilt. Vater Robert, der die Neuigkeit entgegengenommen hatte, kam wie außer sich die Treppe hinab, Frau Marie sah ihn und fragte erschrocken: »Jesses, Mann, was ist?«

»Mobilisation! Die ganze Armee ist aufgeboten!« rief er schwer atmend, ohne anzuhalten.

»Um Gottes willen!« dachte die Frau und sah ihm nach. »Aber was will er denn? Wo läuft er hin?«

Vater Robert ging zum Stall hinüber. »Bärädi!« rief er, stieß eine Tür nach der andern auf und fragte, als der Knecht hinter dem Stall hervorkam, mit rotem Kopf und aufgeregt, als ob das Haus in Flammen stände: »Wo ist der Christian? Sind sie noch nicht zurück?«

»Sie sind noch nicht gekommen«, antwortete der Knecht und blickte seinen Meister betroffen an.

»Die Armee ist aufgeboten, es muß alles an die Grenze!« erklärte Vater Robert hastig und wandte sich wieder dem Hause zu.

Der Knecht stand da und blickte ratlos herum, dann hörte er den Leiterwagen vom Hang her rattern und fuhr auf. »Sie kommen!« schrie er dem Meister unnötig laut nach. Er eilte hinter den Stall zurück, wo er gemäht hatte, blieb stehen und besann sich, stellte die Sense in den leeren Graskarren, kehrte um und blieb abermals stehen. Er schien genau zu wissen, was er zu tun hatte, und sich doch jeden Augenblick zu fragen, ob es denn wirklich das Richtige sei.

Fred und Christian kamen mit dem Leiterwagen den Weg

herab gefahren. Christian hatte den braunen Wallach zur Vormusterung auf den Schatzungsplatz der Gemeinde geführt, und der brave »Sepp« war trotz seiner Unentbehrlichkeit im Rusgrund noch einmal diensttauglich erklärt worden. »Es scheint, sie wissen es auch«, sagte Christian lächelnd, als er die Seinen vor dem Hause versammelt sah, und Fred versuchte, barbarische Laute ausstoßend, auf seine Art zu jauchzen.

Der Vater ging ihnen entgegen, als ob er ihre Ankunft nicht zu erwarten vermöchte. »Wißt ihr es?« rief er gespannt.

»Jawohl! Jetzt gilt's!« antwortete Fred übermütig, und der mürrische Christian strahlte vor stiller Freude. Beim Hause stiegen sie ab und begannen eifrig zu erzählen, wann, wo und wie sie es erfahren hatten.

»Uns hat's der Eckert telefoniert, vor ein paar Minuten«, sagte Vater Robert, noch immer aufgeregt, »ich hab' meinen Ohren nicht getraut... so ist es also doch... also doch...«

»Ja und... und nun müßt ihr also einrücken?« fragte Frau Marie besorgt.

»Alles muß einrücken, der hinterste Knopf!« erklärte Fred lebhaft.

»Telefon!« rief Lisi erschrocken und rannte ins Haus zurück.

»Das ist gewiß der Karl!« sagte die Frau. »Er wird doch vorher noch heimkommen!«

»Den Sepp wollen sie auch noch einmal«, sagte Christian. »Ich hab' mit dem Egli deswegen geredet, aber... er hat gemeint, wenn er bei uns eine Ausnahme mache, würden ihn die andern schief ansehen.«

»Aber wenn alles einrückt«, fragte die Mutter, »muß da der Bärädi nicht auch...«

»Der muß auch gehen!« bestätigte Christian.

»Aber da sind wir ja mit dem Vater ganz allein da? Und

ihr habt noch nicht einmal das Emd drin! Und wer geht dann melken und...«

»Fred ans Telefon!« rief Lisi zum Küchenfenster heraus.

»Oha, Befehl von Zürich!« sagte Fred und rannte hinein.

»Das hat nichts zu sagen, Mutter!« erklärte Vater Robert mit Überzeugung und einem leisen Vorwurf im Ton. »Wer einrücken muß, muß einrücken! Wir werden schon allein fertig!«

Christian begann die Waren abzuladen, die für das Haus bestimmt waren, und erzählte, wie sie darum hatten kämpfen müssen und wie die kleinste Spezereihandlung von den Leuten bestürmt werde, dann fuhr er mit dem Rest der Ladung, Hafer und Hühnerfutter, zum Stall hinüber.

Frau Marie stieß unter der Haustür auf den Knecht. »Ja aber... Bärädi...« sagte sie unsicher, ließ ihn durch und folgte ihm mit ratloser Miene zum Mann hinaus.

Der Knecht hatte sein gutes Gewand, den Sonntagshut und saubere Schuhe angezogen, auf dem Rücken trug er einen vollgestopften Rucksack. Mit einem entschlossenen Ausdruck seines gesunden, knochigen Gesichtes erkundigte er sich ruhig, ob er den nächsten Zug wohl noch erreichen könne. »Ich mueß z' Schwyz yrücke und sött vorane nu is Tal ine«, sagte er.

Die Meistersleute waren nicht darauf gefaßt und sprachen ihm zu, er solle doch Geduld haben, man wisse ja noch nichts Näheres, und es werde wohl nicht so pressieren.

»Vorig hätt me gmeint, es pressieri!« erwiderte er.

Vater Robert schüttelte unwillig den Kopf und rief nach Christian. Da kam Fred zurück und klärte die Lage auf; die Infanterie habe am Dienstag einzurücken, sagte er.

Bärädi sah ein, daß er sich in diesem Fall bis morgen gedulden mußte, und kehrte schweigend in seine Kammer zurück.

Dafür entschloß sich nun Fred auf Mamas Bitte hin, den

nächsten Zug zu benützen. Das Gepäck hatte er schon mit dem Leiterwagen zum Bahnhof befördert. Frau Marie war ärgerlich, daß er nicht wenigstens noch hier zu Mittag essen wollte, und kochte ihm rasch zwei Spiegeleier. Beim Abschied begleitete ihn die ganze Familie vor das Haus, er gab allen die Hand, entfernte sich lachend rücklings und glaubte über eine gewisse kleine Verlegenheit schon billig hinweg zu sein, als sich die beiden Mädchen, kaum daß er sich abgewandt hatte, ihm rechts und links einhingen.

»Laßt ihn jetzt, sonst kommt er noch zu spät!« rief ihnen die Mutter nach. »Ihr habt hier Arbeit genug. Habt ihr gehört?«

Die Mädchen begleiteten ihn noch ein paar Schritte, dann nahmen sie zum zweitenmal Abschied. Lisi, lachend und hitzig rot wie immer, schüttelte ihm spaßhaft übermäßig die Hand. »Salü Fred!« rief sie laut. »Salü! Salü!«

»Adie Martha!« sagte Fred und wandte sich, noch über Lisi schmunzelnd, ihrer Schwester zu.

Martha streckte ihm langsam die Rechte hin. »Adie Fred!« sagte sie leise, ergeben, und blickte mit unruhigen Wimpern ein wenig zur Seite, dann, als er ihre Hand nicht sogleich los ließ, schaute sie mit feuchten Augen lächelnd auf.

Das griff noch einmal an sein gutes Herz, er drückte ihr die Hand fester und erwiderte ihren Blick wärmer als er beabsichtigt hatte. Tröstlich nickend wandte er sich ab und wanderte mit langen Schritten den Weg hinan.

»Verflucht! Verflucht!« sagte er leise vor sich hin.

Am Waldrand blieb er stehen und schaute in die weite Mulde zurück. Haus und Stall verschwanden fast im üppigen Land der Bäume. In ihrer Nähe leuchtete hellgrün ein gemähtes Wiesenstück, und weiter draußen dörrten zwei verschieden gebräunte Lagen Emd, aber der größte Teil der Wiese stand noch im dunklen, saftigen Grün. Christian und

Bärädi schwangen dort schon die Sensen; leicht gebückt und rastlos mähten sie hintereinander her, um bis zum Abend das ganze Emd niederzulegen. Der Himmel sah zwar nicht verheißungsvoll aus, hinter den geballten Sommerwolken im Südosten schwammen weiße Föhnstreifen im fernen Blau, und der Westen war bedeckt; dem Vater Robert aber würde das Mähen zu mühsam sein, und die Frauen verstanden es zu wenig, auch bekamen sie noch genug zu tun, wenn sie die Ernte allein unter Dach schaffen mußten.

Fred ging weiter, durch den Wald hinauf, über die Höhe und wandte sich mit allen Gedanken wieder dem Bevorstehenden zu. Er war von derselben freudigen Aufregung ergriffen wie sein Bruder Paul, aber er hatte viel weniger mit so unglaublichen Ereignissen gerechnet und fragte sich immer wieder, ob es denn auch wahr sei, ob diese faule Welt mit ihren Berufsverbänden, Jahrgängervereinen und Aktiengesellschaften sich wirklich noch in ein so großartiges Abenteuer stürzen, ob alle diese langweiligen Büromenschen, Geschäftemacher, Positionsjäger, diese kargenden Bauern und ewig mehr Lohn verlangenden Arbeiter, diese hinten und vorn versicherten zahmen Europäer wirklich noch Krieg führen, kämpfen und Blut vergießen konnten. Es mußte wahr sein, und so mußte denn endlich auch alles anders werden, die unerträgliche Windstille war zu Ende, etwas völlig Neues begann die Welt mit einem Schlag zu verändern. Fred wurde überwältigt von diesem Gefühl, sein Gesicht strahlte. Mit langen, ungeduldigen Schritten kam er zum Festplatz hinab.

Hier verriet alles den vorzeitigen Abbruch. Vom Augenblick der Pikettstellung an hatten die Munitionslieferungen aufgehört, die noch verfügbaren Patronen blieben den Sektionsschützen vorbehalten, und so wurde denn im Stand zwar noch geschossen, aber viele Scheiben waren eingezogen. In der Festhütte wurden die Dekorationen entfernt, die

Tische und Bänke zerlegt und fortgeführt. Die Budenstadt war zur Hälfte abgebrochen, da und dort standen noch kahle Gerüste, ein paar Masten ragten in die Luft, Zeltwände hingen herum, vor einem Wohnwagen zerrte ein Affe an der Kette und eine Mulattin im Alltagskleid schleppte einen Kessel voll Wasser heran. Fred schritt an alledem vorbei, als ob es ihn nie etwas angegangen wäre.

Landsturmsoldaten bestiegen mit ihm den Zug, während ihre Angehörigen sich an die Wagen herandrängten und Kinder zu den Fenstern emporhoben. »Krieg! Krieg! Der Landsturm rückt ein!« dachte Fred, von neuer, freudiger Genugtuung erfüllt.

In Zürich bemerkte er, daß sich Meister Eckert unter den Leuten befand; er begrüßte ihn rasch und sagte schmunzelnd: »Laßt dann niemand herein, bevor wir kommen!«

Eckert, ein strammer, großer Mann, hakte sich eben unter dem rechten Arm den Tornisterriemen ein. »Ohä!« rief er lustig aufbegehrend. »Wenn ihr kommt, ist schon alles am Boden.« Er packte das Gewehr, hing es energisch an, drückte Fred lachend die Hand und entfernte sich mit weit ausgreifenden Schritten.

Als Fred nach Hause kam, war das Mittagessen vorbei, aber Mama hatte ein Gedeck für ihn übriggelassen und wollte nicht glauben, daß er schon im Rusgrund zu Mittag gegessen habe. Da setzte er sich denn, um ihr den Gefallen zu erweisen, noch einmal hin, obwohl er am liebsten sogleich wieder auf die Straße gelaufen wäre. »Ja du, das Mittagblatt!« rief er plötzlich. »Ich habe keines mehr erwischt... wo ist es?«

»Jetzt iß doch zuerst einmal! Es ist nicht mehr da. Papa hat es mitgenommen.«

»Aber du hast es gelesen?«

»Ja. Deutschland mobilisiert und...«

»Deutschland?« fragte er aufleuchtend.

»... und habe angeblich ein Ultimatum an Frankreich und Rußland gerichtet. In Paris ist der Abgeordnete Jaurès erschossen worden. Und auf den Montag ist eine außerordentliche Bundesversammlung einberufen... So, jetzt sag ich dir nichts mehr!« schloß sie bestimmt und ging mit einem heitern Lächeln hinaus.

Als er fertig gegessen hatte und sein Zimmer betrat, war sie schon wieder an seiner Seite. »Jetzt sieh da!« sagte sie, nahm ein Paar Socken vom Tisch, faßte sie an beiden Enden und streckte sie. »Diese Socken mußt du noch probieren! Ich habe sie selber gestrickt, es sind extra dicke... und hier hab' ich dir noch zwei Paar gekauft...«

»Jaja, wir rücken ja erst am Dienstag ein.«

»Erst, erst... man kann nicht alles auf den letzten Augenblick verschieben. Wenn du noch etwas haben mußt, ist es dann zu spät. Morgen ist Sonntag, morgen kann man nichts mehr kaufen.«

»Du, sag, ist das eine amtliche Berliner Meldung... von der Mobilisation Deutschlands?«

»Das weiß ich nicht mehr! Nein, von Bern, glaub' ich... ›Wie aus Bern mitgeteilt wird, ist Deutschland vom Kriegszustand zur sofortigen Mobilisierung übergegangen...‹ So oder ähnlich hieß es. Aber paß du jetzt auf! Hier sind sechs ganz leichte Unterleibchen... soviel brauchst du mindestens, so wie du schwitzest. Und von den Hemden hier mußt du selber auslesen, ich weiß nicht, wieviel wollene du mitnehmen willst...«

»Das und das!« sagte er und warf die zwei nächsten auf einen Stuhl.

»Ach, dummes Zeug! Das sind ja leinene. Du brauchst mindestens drei wollene Hemden... Du bist der gleiche Larifari wie Paul... ein schöner Korporal!«

»Aber Mama, ich kann doch keinen Koffer mitnehmen! Du hast eine Ahnung! Wir kommen nicht in eine Rekrutenschule! Du kannst dann selber sehen, was in den Tornister hineingeht... und mit einer Schachtel unter dem Arm rücke ich nicht ein...«

»Aber du kannst doch um Gottes willen nicht mit zwei leinenen Hemden...«

»Höre, Mama... laß das nur alles hier liegen, am Montag packe ich den Tornister, du darfst zusehen... ich werde soviel wie möglich hineinstopfen, aber ich kann nur den Tornister mitnehmen, das ist ganz sicher, ich bin kein Brigadekommandant mit Ordonnanzen und Koffern... Adie, Mama, ich komme zum Nachtessen wieder!«

Frau Barbara seufzte und schüttelte den Kopf.

Fred eilte in die Stadt und trieb sich den ganzen Nachmittag begierig herum. Die Plätze und Hauptstraßen waren auch jetzt wieder derart belebt, daß man sich verwundert fragen konnte, was diese vielen Menschen denn eigentlich wollten. Sie würden selber kaum eine genaue Antwort darauf gewußt haben, sie hielten es zwischen ihren vier Wänden ganz einfach nicht mehr aus, sie wurden, wie immer bei katastrophalen Ereignissen, mit ihren Empfindungen nicht allein fertig und verloren die Geduld, zu warten. Eine große Menge hatte sich rings um die Kaserne angesammelt, wo die Landstürmer eingerückt waren, und abends, als die Bataillone kurz vor dem Abmarsch vereidigt wurden, entstand hier ein Gedränge, das die Polizei nur mit Mühe in Schranken hielt. Den ganzen Nachmittag dauerte auch die stürmische Belagerung der Banken und Lebensmittelgeschäfte trotz dem mahnenden Aufruf der Stadtväter unverändert fort.

Die Abendblätter gaben eine abermals verschlimmerte Lage zu erkennen. Sie bestätigten das deutsche Ultimatum, das auf dem Umweg über eine italienische Zeitung bekanntgeworden war. Die deutsche Regierung verlangte von der russischen die Aufhebung des Mobilisationsbefehls innerhalb zwölf Stunden; von der französischen verlangte sie innerhalb achtzehn Stunden die Erklärung, ob Frankreich im Fall eines deutsch-russischen Krieges neutral bleiben werde. Diese unheimlich entschiedenen Töne hielten bis zum nächsten Donnerschlag wieder alle Welt in Atem. Die Stadt im Zwielicht des sinkenden Tages und der bleichen Lichter glich einem Ameisenhaufen, dem die ausgeschwärmten Bewohner von allen Seiten zuströmen. In der ganzen Schweiz war die Heerschar der fremden Gäste fluchtartig aufgebrochen und strebte den großen Bahnhöfen zu. Tausende kamen nach Zürich, um auf die Anschlüsse ins Ausland zu warten.

Fred, der sich nach dem Nachtessen neuerdings in der Stadt herumgetrieben hatte, fuhr unersättlich in später Stunde ein zweites Mal zum Hauptbahnhof. In der Umgebung lagerte eine Masse ärmlich aussehenden italienischen Volkes, das der drohende Krieg von den Arbeitsstätten in die Heimat zurücktrieb, und vor den Eingängen der überfüllten nächsten Hotels warteten Gruppen flüchtig gewordener Kurgäste. Die Bahnhofshalle selber war dicht angefüllt von einem aufgeregt summenden Menschenschwarm, über dem da und dort auf den Schultern eines Dienstmannes langsam ein mächtiger Koffer dahinfuhr. Vom Restaurant dritter Klasse bewegte sich eine Gruppe junger Männer in Begleitung einer bunt gemischten Menge lärmend und singend zum Wiener Nachtzug. Fred überzeugte sich, daß es einrückende Österreicher waren, und begann mit brennender Anteilnahme dicht neben ihnen herzugehen. Diesen Menschen also stand der Kampf bevor, diese Menschen zogen in den Krieg. Er schaute sie an, wie sie begeistert singend mit seltsam entrückter Miene den Bahnsteig beschritten, ein tiefes Verständnis für ihre Lage erfüllte ihn, und auf seinem Gesicht erschien dasselbe freudig erregte Lächeln wie auf den meisten Gesichtern des mitlaufenden, aus Österreichern, Schweizern und Deutschen gemischten Publikums.

Ein mittelgroßer, stumpfnasiger Bursche von harmlosem Aussehen, dem ein Kamerad plötzlich ohne besondern Grund, nur im Überschwang seiner Gefühle, »Franzl! Franzl!« zurief, prägte sich ihm ein. Den etwas zerknüllten grünen Lodenhut weit zurückgeschoben, ein Fähnchen hinter dem Hutband, das begeisterte Gesicht erhoben, schritt Franzl verklärt und hingegeben singend dahin, als ob er, alles um sich her vergessend, geradenwegs in eine wunderbare Ferne zöge und nie mehr wiederzukehren gedächte; er lief denn auch, als die Gruppe vor einem Wagen anhielt, singend noch ein Dutzend Schritte weiter. Fred fühlte, wie das ganze Dasein dieses Burschen, der ein Kommis, Kellner oder Coiffeur gewesen sein mochte, in zwei Abschnitte zerfiel, in sein bisheriges bedeutungsloses Leben und in das bevorstehende, das ihm die verstiegensten Wünsche zu gewähren versprach; alles Erregende, Abenteuerliche und Großartige, das den Menschen um so stärker lockt, je alltäglicher sein Leben verläuft, stand greifbar nahe vor ihm, und er würde, schon völlig umgewandelt, in diesem Augenblick gewiß nur mit Ekel oder Verzweiflung in sein bisheriges Dasein zurückkehren.

Die Burschen hatten, das Lied vom Prinzen Eugen singend, den Wagen bestiegen und lehnten sich jetzt zu den Fenstern hinaus, während die Menge davor in Hochrufe auf Österreich und Deutschland ausbrach. Jemand stimmte »Die Wacht am Rhein« an, und sogleich begannen auch die Einrückenden mitzusingen. Indessen ereignete sich ein merkwürdiger Zwischenfall. Vor der Halle überbrückte die »Passerelle«, ein schmaler Steg, in beträchtlicher Höhe die Schienenstränge. Diesen Steg benutzten wohlberechnet in diesen Minuten radikale Jungburschen als Bühne zu einer Demonstration gegen den Krieg. Unerwartet schwoll der

»Wacht am Rhein« die sozialistische »Internationale« entgegen, von einem halben Hundert kräftiger Stimmen scheinbar aus dem nächtlichen Himmel herab gesungen, der dämmernd über den Lichtern der Ausfahrt lag. Die Singenden auf dem Bahnsteig sahen sich verblüfft um, erhoben dann aber, da der Zug zu fahren begann, einen mächtigen Abschiedslärm. »Hoch Österreich! Heil und Sieg! Hoch Deutschland! Auf Wiedersehen! Hurra! Hoch!« schrien sie durcheinander und liefen neben dem langsam anfahrenden Zuge her, indes die abreisenden Burschen in den offenen Fenstern singend und rufend ihre Fähnchen schwenkten. Die Demonstranten auf dem Steg aber sangen jetzt rascher, kräftiger, eindringlicher, und während sich ihr Gesang mit dem begeisterten Kriegsgeschrei, dem Zischen der Dampflokomotive und dem Rollen der Räder vermischte, trug der Zug die Einberufenen unter der Brücke durch, auf der die Internationale erklang, und mit zunehmender Schnelligkeit durch das Lichtergewirr hinaus in die nächtige Ferne, dem großen Abenteuer entgegen.

14

Zwischen Gertrud und ihrem Manne war seit jener gewaltsamen Auseinandersetzung nichts mehr vorgefallen, beide hatten nach außen hin die stillschweigend vereinbarte Haltung gewahrt, ihren persönlichen Verkehr auf das Nötigste beschränkt und fremd nebeneinander her gelebt. Gertrud hatte diesen Zustand noch als schlimmere Unwahrheit empfunden als den vorangehenden, aber nach ihrem mißglückten Befreiungsversuch den Mut verloren, den verwickelten und skandalösen Ausweg der Scheidung zu erwägen. Sie wußte nur, daß für sie eine Rückkehr zur ehelichen Gemeinschaft mit Hartmann ausgeschlossen war und daß sie aus eigenem Antrieb auch mit Albin nicht mehr anknüpfen konnte.

In diesem schwer erträglichen Zustande wurde sie vom Anbruch der europäischen Katastrophe überrascht. Sofort begann sie die Entwicklung der Dinge leidenschaftlich zu verfolgen und mit unbewußter Genugtuung an der öffentlichen Aufregung teilzunehmen. Ihr erster Schrecken über die drohende Barbarei einer allgemeinen blutigen Auseinandersetzung wich bald jenem andern, stärkern Gefühl, das sie mit ihren Brüdern, ja mit der ganzen unzufriedenen Jugend teilte: Jetzt muß alles anders werden, jetzt beginnt eine neue Zeit mit neuen Maßstäben, neuen Verhältnissen und unverhofften Möglichkeiten.

Gelockert und aufgewühlt, ohne zu ahnen, was nun im Grunde mit ihr vorging, stieg sie am Samstag vormittags auf der Heimfahrt aus dem Stadtinnern bei der Tramhaltestelle Bellevue in einen andern Wagen um und hörte dabei inmitten des lebhaften Verkehrs den lauten Ruf: »Mobilisation der schweizerischen Armee!« Mit der raschen Entschlossenheit, mit der sie sich im städtischen Getriebe zu bewegen gewohnt war, lief sie, ein Zwanzigrappenstück hervorsuchend, zum Zeitungsverkäufer hin, nahm dem von allen Seiten begehrten Manne gewandt das Mittagblatt ab und sprang in den abfahrenden Wagen. Während sie begierig die Nachrichten überflog, hörte sie mit halbem Ohr auf das lebhaft einsetzende Gespräch der Mitfahrenden, die ihre Aufregung nicht schweigend ertragen konnten und einander anzureden begannen. An einer der nächsten Haltestellen stieg sie aus, um den Rest des Weges zu gehen.

»Was bedeutet der einzelne Mensch da noch!« dachte sie, erfüllt von der Gewalt des Geschehens, indes ihr erhobenes Gesicht einen erregt forschenden Ausdruck trug und ihre schlanken Beine unwillkürlich den ausgiebigen und beschwingten Gang ihrer Mädchenzeit anschlugen. »Vor solchen Ereignissen, die ganze Völker in ihren Strudel reißen, wird alles Persönliche nichtig. Der einzelne hat nichts mehr zu bedeuten, seine täglichen Sorgen werden lächerlich, seine kleinlichen Interessen erbärmlich. Ein Weltkrieg, mein Gott! Wie gleichgültig ist es da, ob Willi und Mathild miteinander auskommen oder nicht, ob man in einem eigenen Hause lebt oder in einer Mietwohnung, ob meine Schwiegermutter um acht Uhr frisiert wird oder um neun Uhr. Ach wie lächerlich, wie lächerlich ist das jetzt! Etwas Ungeheures beginnt die Welt zu verwandeln, alle Verhältnisse im Völkerleben werden umgestürzt, alles, was fest und sicher schien, wackelt und wankt. Und ich habe mir noch vor kurzem nichts Schwereres denken können als mein eigenes Schicksal! Was ist das jetzt? Ob ich verheiratet oder geschieden bin, ob Mama meine Lage kennt oder nicht, ob alles an den Tag kommt oder verborgen bleibt, was hat das zu sagen, wenn Europa in Flammen steht!«

Das waren ihre Gedanken oder vielmehr Empfindungen, und es waren nicht die ihren allein. Wie ein furchtbares persönliches Erlebnis oder die Nähe des Todes dem einzelnen Menschen plötzlich die Fragwürdigkeit seiner irdischen Bindungen zum Bewußtsein bringt und ihm manches entwertet, was er eben noch hochgeschätzt hat, so zerstörte dieser Krieg in der jüngern Generation den ohnehin bedrohten Glauben an die unbedingte Gültigkeit der bisherigen sozialen, gesellschaftlichen und kulturellen Grundlagen. Dieser Vorgang mit seinen Folgen bedeutete für die Seelengeschichte Europas eine wichtigere Tatsache als der Ausgang der Schlachten, er schnitt jene Kerbe in die Zeit, die zwei Epochen voneinander trennte und den Menschen als Zeitwende schon jetzt zum Bewußtsein kam. Er spielte sich überall dort ab, wo eine empfängliche Seele von der Gewalt des Geschehens erschüttert wurde, ob es nun bis zur Grenze des Ertragbaren im Grauen der Schlacht geschah oder auf erträgliche Art in der Bestürzung einer schweizerischen Stadt.

»Hunderttausende junger Menschen, ja Millionen vielleicht, müssen jetzt alles verlassen, Familie, Heim, Beruf, um sich für ihr Land aufzuopfern, und gewiß tun sie es mutig, ohne zu murren«, dachte Gertrud weiter. »Und wir sind unglücklich, wenn wir ein wenig leiden müssen, wir leben in beständiger Angst, uns zu kompromittieren! Ungezählte sind bereit, zu kämpfen und zu sterben, die Schweizersoldaten so gut wie die andern... ja, mein Gott, unsere ganze Armee ist aufgeboten... aber sie werden mit Freuden einrücken und sie werden sich tapfer halten, das ist sicher...«

Plötzlich hemmte sie den Schritt und dachte betroffen: »Aber da muß ja auch Albin einrücken!« Dieser Gedanke setzte sich augenblicklich in den Mittelpunkt ihrer Aufregung, und während sie wieder eilig ausschritt, folgten ihm die Einfälle so ungestüm, als ob sie auf ihn gewartet hätten. Sie sah sogleich jenen Auftritt im Eßzimmer des alten Ammannschen Hauses vor sich, wo Albin zu ihrer Verwunderung von seiner Dienstpflicht gesprochen hatte, und erinnerte sich an ihre eigenen wie an seine Worte, besonders an sein Geständnis, daß der Militärdienst für ihn kein Vergnügen sei. »Der arme Kerl! Er ist ja wirklich keine Soldatennatur, er ist ein viel zu feiner Mensch dafür, es wird ihm sehr schwerfallen. Und nun gar der Kriegsdienst! Er wird seine Pflicht tun wie alle, aber... wenn man denkt, daß er vielleicht kämpfen muß, verwundet wird oder... ach Gott! Und ich habe mich ihm gegenüber so blöd benommen! Er gesteht mir seine Liebe, und ich habe nicht den Mut... Er ist bereit, für sein Vaterland zu bluten, und ich... ich lebe so dahin und lasse ihn im Ungewissen... und vielleicht sehnt er sich nach mir, möchte mich noch einmal sehen... Wie kann ich so feige sein! Ich will ihn sehen, unter allen Umständen, ich will ihn selber aufsuchen... ja, ja, das will ich!«

Mit diesem Entschluß, der ihr das Blut in den Kopf trieb, kam sie nach Hause. Sie stellte sich im ersten Eifer vor, daß sie ganz einfach zu Albin in die Wohnung hinaufgehen werde, aber nachmittags, als sie wirklich dahin aufbrach, blieb sie schon auf halbem Weg im Gehege der Bedenken stecken. Noch einmal begann ein kurzer, heftiger Kampf zwischen den Forderungen ihres Herzens und den sanktionierten Ansprüchen ihrer gesellschaftlichen Geltung, zwischen ihrer Liebe und ihrem Schicklichkeitsbewußtsein. »Nein, um Gottes willen, das geht doch nicht!« dachte sie. »So geht das wirklich nicht! Das sähe aus, als ob ich mich ihm anbieten würde. Was müßte er von mir denken!« In der Hoffnung auf einen glücklichen Zufall oder vielmehr schon fast im Glauben an eine mehr als zufällige Fügung, begab sie sich dennoch in die Altstadt hinauf und ging zweimal am Hause vorbei, in dem er wohnte, um schließlich beschämt und entmutigt umzukehren.

Daheim erwog sie alle Möglichkeiten, ihm auf anständige Art zu begegnen, dann entschloß sie sich, ihren Bruder Paul um die Vermittlung zu bitten. Sie war der irrtümlichen Meinung, die ganze Armee werde am ersten Mobilisationstag einrücken, und sagte sich, daß ihr für Umwege keine Zeit mehr bliebe. So unternahm sie denn nach dem Abendessen noch jenen flüchtigen Besuch bei Mama, der erfolglos verlief, da Paul schon ausgegangen war. In der Nacht darauf rief sie sich, von Mutlosigkeit und Zweifeln befallen, den ganzen Hergang ihrer Bekanntschaft mit Albin in Erinnerung. Sie sah ihn im Musiksalon des alten Ammannschen Hauses, seine schlanke Gestalt, sein intelligentes, schmales Gesicht, seine aufrichtig bewundernden dunklen Augen, und sie wußte, daß sie dort Eindruck auf ihn gemacht hatte. Sie sah ihn neben sich vor ihrem Bücherschrank, wie er

unerwartet aus sich heraustrat, wie eine klar bestimmte
männliche Begeisterung aus seinen ehrlichen Augen leuchtete, wie sein ganzes bescheidenes Wesen etwas kräftig
Überzeugendes annahm, während sie selber dabei die Empfindung hatte, den Boden unter den Füßen zu verlieren. Sie
hörte ihn auf jenem nächtlichen Heimweg wieder verlegen
und ungeschickt von seinem Erlebnis sprechen, das er nicht
gesucht habe, sondern er habe nur auf einmal gemerkt, daß
er sie liebe. »Ja, er liebt mich, er liebt mich!« dachte sie nach
der schlaflosen Nacht noch im Halbschlummer der frühen
Dämmerstunden.

Am Sonntagmorgen traf sie Paul in der elterlichen Wohnung beim Frühstück und trug ihm unter vier Augen mit
gemachter Gleichgültigkeit ihren Wunsch vor. Paul ging auf
den Ton ein und versprach, ihr im Verlaufe des Nachmittags telefonisch Bescheid zu geben.

Auf dem Heimwege machte sie sich Vorwürfe, daß sie
dem Bruder die Dringlichkeit des Anliegens verschwiegen
hatte; er würde sich nun gewiß nicht ernstlich bemühen und
in seiner nachlässigen Art am Ende alles auf sich beruhen
lassen.

Schon um zwei Uhr aber läutete Paul an und teilte ihr
mit, daß Albin nach dem Nachtessen bei ihm in der Dufourstraße vorbeikommen werde.

Die Zeit bis dahin verbrachte sie in einem bangen, unruhigen und gereizten Zustand. Nur mit Überwindung vermochte sie sich mit den Kleinen zu beschäftigen. Sie sah den
Albrechtli wie in einer weiten, zeitlichen Ferne bald auf
seinem Steckenpferdchen lächelnd durch die Stube traben,
bald prustend eine Lokomotive nachahmen; diese kindliche
Ahnungslosigkeit, mit der er die gewohnten Spiele trieb,
stand in einem derartigen Gegensatz zum Aufruhr, in den
sie verflochten war, daß sie plötzlich fragen konnte, welches
denn nun der Traum und welches die Wirklichkeit sei. Da

sie eine Begegnung mit Hartmann vermeiden wollte und sich außerdem nicht imstande fühlte, etwas zu essen, verließ sie gegen Abend das Haus und ging mit raschen Schritten in die Stadt hinab.

Schon in der Nacht hatte das regnerische Wetter eingesetzt, das ein paar Tage lang anhalten sollte, die Straßen waren feucht und rochen. Trotzdem herrschte überall ein bewegtes Treiben, und vor den öffentlichen Anschlagstellen sammelten sich fortwährend neue Schwärme von Menschen, die das Mobilisationsplakat lesen wollten. Beim Eingang zum deutschen Generalkonsulat an der Fraumünsterstraße verkündete eine große Plakattafel: Mobilmachung Deutschlands amtlich bestätigt. Davor staute sich eine froh erregte Menge junger Leute, Einrückender, die offenbar mit allen Gedanken begeistert heimwärts strebten.

Um halb acht Uhr befand sich Gertrud in der Nähe der Dufourstraße, aber es war viel zu früh, sie wollte erst gegen neun Uhr bei Mama vorsprechen. Sie kehrte um, verbrachte einen Teil der Wartezeit in einer Konditorei, lief noch geschäftig den Utoquai hinauf und betrat endlich mit Herzklopfen die elterliche Wohnung. Sie geriet in eine unerwartete kleine Gesellschaft und beteuerte sogleich, daß sie nicht bleiben könne, sondern Mama nur rasch habe »Grüezi« sagen wollen.

Professor Junod und sein Sohn René waren da. Sie unterhielten sich mit Severin und Fred eifrig über die Abendmeldungen. Severin wartete auf Papa, der sich zum Oberstdivisionär Boßhart begeben hatte.

Gertrud erfuhr erst aus ihren Worten, daß nun auch die französische Armee mobilisiert werde und daß Deutschland gestern abend der russischen Regierung den Krieg erklärt habe. Neu erregt folgte sie dem Gespräch eine Weile, dann trat sie abseits neben Mama, die schweigend mit düsterer Miene dem Professor zuhörte.

»Wie ist in Europa so etwas möglich, wie kann man das begreifen!« sagte der stille Gelehrte fassungslos. »Alle diese Völker sind doch zivilisiert, sie haben Kunst, Wissenschaft, Philosophie, sie haben ein gemeinsames kulturelles Bewußtsein. Jetzt wird das plötzlich weggewischt wie... wie etwas Oberflächliches, und es kommt die abscheulichste Barbarei zum Vorschein. Ah... das ist nicht mehr Europa, das ist etwas ganz anderes. Es macht mich traurig und mutlos. Ich sollte im nächsten Semester über das sechzehnte Jahrhundert lesen, über Clément Marot...« Er hob verzweifelt beide Arme. »Und ich habe eine Arbeit begonnen über den Roman des achtzehnten Jahrhunderts, ich bin jetzt bei der ›Vie de Marianne‹ von Marivaux... Alles Unsinn! Wozu? Wozu? Die jungen Leute wollen sich totschlagen...«

Gertrud trat unruhig weg, stellte sich hinter Fred und fragte ihn nach Paul, aber Fred schaute nur flüchtig zurück und zuckte die Achsel; er folgte eifrig einer Auseinandersetzung zwischen Severin und René, die hitzig zu werden drohte. Sie ging in die Küche, schickte das Dienstmädchen mit der Meldung zu Paul, daß sie ihn erwarte, und kehrte nach einigem Zögern in die Wohnstube zurück.

Als Paul endlich eintrat, hatte die Meinungsverschiedenheit zwischen Severin und René die ganze Gesellschaft in zwei Lager gespalten. Er begrüßte Gertrud. »Albin ist auf meiner Bude und wird dich begleiten, sobald du heim willst«, sagte er arglos und blickte dann erstaunt lächelnd auf die Streitenden.

»Aber so lest doch das Ultimatum!« rief Severin unwillig. »Deutschland hat Frankreich klar und deutlich angefragt, ob es im Fall eines deutsch-russischen Krieges neutral bleiben werde oder nicht...«

»Angefragt?« erwiderte René und hielt den Kopf schief, als ob er nicht recht gehört hätte. »Deutschland hat befohlen, innerhalb achtzehn Stunden zu antworten. Das ist im

Grunde derselbe Ton, den Wilhelm in seiner maßlosen Überheblichkeit andern Völkern gegenüber immer angeschlagen hat. Die französische Regierung braucht so etwas nicht zu schlucken...« René Junod, Assistent in einer Pariser Klinik, im Militärdienst Bataillonsarzt bei derselben Truppe, zu der auch Fred gehörte, war mitten aus seiner Tätigkeit heraus heimgekehrt, um dem Aufgebot Folge zu leisten. Er besaß eine ansehnliche Gestalt von einer gewissen Ammannschen Fülle und ein glattrasiertes rundliches, kluges Gesicht, auf dem trotz aller Erregung ein leises Lächeln nicht verschwand.

»Ach, aber es handelt sich jetzt gar nicht um die Form des Ultimatums«, rief Frau Barbara. »Es handelt sich darum, ob Frankreich angegriffen wird oder nicht, und das ist offenbar nicht der Fall...«

»Frankreich ist mit Rußland verbündet«, erwiderte René, »Frankreich kann nicht zusehen, wie...«

»Aha, da haben wir es ja!« unterbrach ihn Severin. »Das ist es eben! Frankreich will offenbar seinem Verbündeten beistehen, und da sollen also die Deutschen ruhig abwarten, bis man sie auf beiden Seiten überfällt.«

»Das können sie nicht, das ist klar!« sagte Fred.

In diesem Augenblick griff gestikulierend mit erzürnter Miene der Professor ein, der bisher nur höhnisch aufgelacht und den Kopf geschüttelt hatte. »Aber wie kann man denn so naiv sein!« rief er. »Die Deutschen möchten mit Frankreich nur solange Frieden haben, bis sie mit den Russen fertig geworden sind. Nachher werden sie gegen Frankreich auftreten, ob es nun in einem Krieg geschieht oder anders, sie werden so arrogant werden, daß kein Volk mehr ruhig neben ihnen leben kann...«

Gertrud berührte Pauls Arm und flüsterte hastig: »So, ich gehe!«

Paul nickte und schlenderte hinaus.

»Ach, das sind Behauptungen!« rief Severin. »Und im übrigen ist es ganz natürlich, daß dem lebenskräftigsten und kultiviertesten Volk die Vormachtstellung gebührt.«

»Was?« rief René empört, mit einem fauchenden Unterton, und neigte sich vor. »Die Deutschen das kultivierteste Volk? Das ist doch unglaublich! Ein Volk, das so unverfroren nur immer auf seine Macht pocht und mit dem Säbel rasselt, das vor jeder Uniform in die Knie fällt und sich von einem Mann bevormunden läßt, der... der... Ja, adieu, Gertrud, auf Wiedersehen... Wie kann man als Schweizer überhaupt auf solche Einfälle kommen! Die Deutschen werden uns sobald wie möglich in den Sack stecken. Vom Standpunkt der Macht aus haben wir keine Existenzberechtigung, unser ganzes Dasein beruht auf Recht und Freiheit, und das heißt für uns Frankreich...«

Gertrud, die flüchtig Abschied genommen hatte, ließ sich, um keinen Verdacht zu erregen, von Mama noch eine Weile aufhalten, während sie spürte, wie ihr das Blut in den Kopf drang und das Herz gewaltig zu schlagen begann. »Adieu, Mama, auf Wiedersehen!« sagte sie unvermittelt, eilte hinaus, lief die Treppe hinab und sah Paul mit Albin plaudernd unter der Tür stehen. »Mein Gott!« flüsterte sie und ging rasch auf die beiden zu.

»Haben sie sich wieder beruhigt?« fragte Paul lächelnd, noch ehe sie ganz herangekommen war.

»Ach, ich begreife überhaupt nicht, wie man darüber streiten kann«, antwortete Gertrud und gab Albin die Hand. »Guten Abend, Herr Pfister!«

»Da kannst du ja froh sein!« erwiderte Paul. »Wenn man es vom rein menschlichen Standpunkt aus ansieht, ist es komisch, wie die sich streiten. René kann ich ja zwar begreifen, aber... wenn Severin sich deutsch gebärdet...« Er schnitt eine Grimasse und schüttelte den Kopf.

»Aber es ist doch alles noch so ungewiß, ich weiß überhaupt nicht mehr, was ich denken soll«, sagte Gertrud und blickte dabei auch Albin an, der mit ernster, ein wenig verlegener Miene nickte.

»Sicher ist, daß jetzt etwas losgeht, das wir uns nicht einmal im Traum vorstellen durften, und das ist die Hauptsache!« erklärte Paul mit freudiger Gewißheit. »Denken können wir nachher noch. Jetzt wird gelebt. Auf Wiedersehen, ich gehe noch ein wenig zuhören.«

»Man wagt wirklich kaum recht daran zu denken«, sagte Albin, während er mit Gertrud hinaustrat und sich ohne weiteres anschickte, sie nach Hause zu begleiten. »Das geht so sehr über unsere gewohnten Vorstellungen hinaus, daß man sich mit allem Grund ängstigen kann...«

»Es regt mich furchtbar auf«, erwiderte Gertrud.

»Ja, das ist das Merkwürdige, wir alle nehmen daran teil, als ob es uns ganz persönlich anginge... es packt uns wie etwas Irrationales, dem man ausgeliefert ist...«

»Ja, wirklich!«

»Und es ist auch etwas Irrationales. Das Dasein des Menschen und seiner Welt ist ja so geheimnisvoll... es wird vom Außermenschlichen umgeben, von etwas Drohendem, Elementarem, vom Chaos... die Menschen suchen sich beständig auf alle Arten dagegen zu sichern, und wenn es trotzdem hervorbricht, wie jetzt, erschrecken sie... ja, ich habe mir das so zurechtgelegt.« Er blickte sie mit einem schüchternen Lächeln an, dann, als er ihre ernste, aufmerksame Miene gewahrte, fuhr er beherzt fort: »Wir waren bis jetzt in ein ganzes System von Sicherungen eingeflochten, es konnte uns scheinbar nichts geschehen. Da, auf einmal, bricht dies Dunkle, Hintergründige bei den zivilisiertesten Nationen durch... die Menschen schaudern davor, aber sie müssen ihm notgedrungen ins Auge blicken, und indem sie das tun, werden sie aus ihrer Starrheit aufgeschreckt, sie verwandeln sich...«

»Ja, das ist es!«

»Das ist vielleicht das Schicksalhafte daran, das Notwendige, das man bejahen kann... wo man jetzt hinkommt, sind die Menschen wie außer sich, wie vor einem großen Aufbruch... es sind schon nicht mehr ganz die früheren Menschen...«

»Ja, genau so empfinde ich es auch!« rief sie lebhaft. »Wenn ich jetzt denke, wie ich selber noch vor wenigen Tagen... ich habe tatsächlich das Gefühl, ich sei nicht mehr der gleiche Mensch... Und wenn es nicht so wäre«, fügte sie leise hinzu, »hätte ich doch niemals gewagt, Sie wieder zu sehen.«

»Ich habe mich so gefreut, als Paul es mir sagte«, erwiderte er sofort. »Ich war nicht darauf gefaßt, aber... ich würde lügen, wenn ich sagte, daß ich es nicht gewünscht habe... obwohl ich mir Mühe gab, Sie zu vergessen... Ich sagte mir hundertmal: du darfst nicht, sie ist verheiratet, die Ehe ist für sie etwas Unantastbares... Aber ich konnte Sie nicht vergessen...«

»Es gibt Ehen, die keine mehr sind«, sagte sie leise.

Albin blieb stehen und schaute sie mit einem großen Blick an.

Gertrud aber drängte weiter. »Die Ehe ist etwas Heiliges«, fuhr sie fort, ängstlich, eifrig und schon bereit, sich ins Allgemeine zu flüchten. »Ich habe sie immer so aufgefaßt, und ich finde, es ist ein schlechtes Zeichen, wie leichtfertig man heutzutage davon spricht. Aber es gibt Fälle... wenn sich zwei Menschen beim besten Willen nicht mehr finden können und nur noch nach außen hin als Ehegatten auftreten, dann ist es eine Unwahrheit... Wie viele Menschen leben so und quälen sich, weil sie nicht den Mut haben...«

»Ja, ich kann mir vorstellen, daß es Mut braucht«, sagte Albin und begann nun in einem neuen, lebhaften und gewissen Ton zu sprechen. »Aber darauf kommt im Leben doch alles an. Ob man den Mut zur Wahrheit hat, zu seiner

Wahrheit. Was wäre das für ein Leben, das nur noch von außen her bestimmt würde und sich über die inneren Stimmen hinwegsetzte...«

Gertrud ging mit Herzklopfen in einer bangen und wachen Spannung neben ihm her. Sie befanden sich in einer leicht ansteigenden, stillen Seitenstraße, die links von schmalen Vorgärten gesäumt wurde und nur von den Kreuzungsstellen her ein bescheidenes Licht empfing. Der Himmel war dunkel, ein schwacher, feuchter Wind erhob sich, dann begann es zu tropfen.

»Ich bin überzeugt, daß ein wertvoller Mensch das nicht aushalten kann, ohne zu verkümmern«, fuhr er fort. »Aber, Frau – darf ich Frau Gertrud sagen?«

Sie nickte hastig.

»Frau Gertrud... ein wertvoller Mensch, wollte ich sagen, wird sich ja... kann ja nicht verkümmern, sonst... er wird es nur so lange aushalten, bis...«

»... bis etwas Stärkeres über ihn kommt«, ergänzte sie leise. »Sonst könnte er wohl zugrunde gehen. Aber das ist vielleicht eine Gnade, die nicht alle erfahren...«

»Ja, es ist eine Gnade! Als ich Sie damals zum letztenmal heimbegleitete und von Ihnen Abschied nahm wie ein geschlagener Hund, da empfand ich es noch als bittern Hohn, mit einem Erlebnis begnadet zu werden, das nichts von mir verlangte als den Verzicht... und jetzt, Frau Gertrud, jetzt sehe ich, daß es doch eine Gnade war und ist...« Er blieb zum zweitenmal stehen, blickte sie strahlend an und streckte ihr die Rechte hin.

Sie ergriff seine Hand, fühlte ihre Augen feucht werden und zog ihn rasch weiter. »Ach Gott, es war furchtbar für mich«, sagte sie freudig aufgeregt. »Ich habe Ihnen ja nicht alles gesagt, ich konnte ja nicht...«

»Ja, das dachte ich auch, ich glaubte es sogar gespürt zu haben«, erwiderte er, von derselben freudigen Erregung gepackt. »Wir gaben uns zuletzt die Hand, und ich hatte dabei das Gefühl, daß Sie mich doch nicht einfach so leichtherzig fahren ließen...«

»Ach, ich hätte Ihre Hand ja am liebsten nicht mehr losgelassen...«

»Das suchte ich mir doch nachher einzureden... ich spürte diesen Händedruck noch lange, ich grübelte darüber nach und... ich glaube, ich weiß noch auf die Sekunde genau, wie lang er gedauert hat...«

»Mein Gott, ich weiß es nicht mehr!« Sie blieb stehen und blickte ihn erschrocken lächelnd an. »Hat er denn so lange gedauert?«

»Nein, nicht zu lange... nur so, daß ich mir auch sagen konnte, es sei vielleicht einfach ein gewisses Mitgefühl gewesen...«

»Wenn Sie gewußt hätten, wie es in mir drin aussah, Sie wären sicher nicht so rasch fortgegangen... O je, jetzt regnet's!« Sie öffnete den Schirm und hielt ihn im Weitergehen auch über Albin.

»Ja, wenn ich etwas gewußt hätte!« erwiderte er. »Aber darüber begann ich mich erst nachher zu fragen, als es zu spät war, und da hatte ich allen Mut verloren... das heißt, ich entschloß mich, Ihnen nicht mehr zu begegnen und nicht mehr an Sie zu denken...« Er schob seine Rechte sachte unter ihrem Arm hindurch, faßte ihre Hand, die den Schirmgriff hielt, neigte den Schirm ganz über sie und ließ ihre Hand nicht mehr los. »Das hatte ich allerdings schon vorher beschlossen, damals schon...«

»Ich weiß es«, unterbrach sie ihn rasch, während sie mit einem neuen, erregenden und bangen Gefühl die Berührung seiner Hand spürte. »Ich weiß genau, wann. Wir hatten bei uns musiziert, und dann... dann war noch die Rede von Sarajevo... nachher gingen Sie, und es war scheinbar alles aus...«

»Ja, ich ging und... wenn Sie dann nicht zu Professor Junod gekommen wären...«
»Wie das gießt! Sie werden ganz naß... nein, wir haben doch beide Platz unter dem Schirm, so!«
Der Schirm schwankte über ihnen ein paar Sekunden hin und her, sie lachten glücklich, dann dachten sie nicht mehr daran. Sie kreuzten die Straße, die Gertrud hätte einschlagen müssen, um heimzukommen, und gingen, ohne einen Augenblick zu zögern, in der alten Richtung weiter. Der Regen rauschte rundum auf Häuser und Gärten herab und plätscherte vor ihnen spritzend auf den Boden, aber der Regen, die Dunkelheit und die zunehmende Steigung des Fußweges konnten ihre Aufmerksamkeit von den wichtigen Dingen, die sie einander mitzuteilen hatten, so wenig mehr ablenken wie die großen Ereignisse der Zeit, von denen sie noch eben erfüllt gewesen waren.

15

Oberstdivisionär Boßhart hatte am selben Abend, am Vorabend der Mobilisation, die ihm erreichbaren Truppenführer und höhern Stabsoffiziere zu einer Besprechung eingeladen. Die drei Instruktoren, die sich darunter befanden, waren, wie Boßhart selber, in der Uniform erschienen, die übrigen im Zivilkleid. Ammann, der ebenfalls Zivil trug, blieb nach der Besprechung auf die Bitte des Divisionärs noch im Salon. Er setzte sich wieder an den großen runden Tisch, zog einen der Aschenbecher heran und stutzte mit einem Scherchen seine einseitig brennende Zigarre.

Boßhart, der zuletzt seinen Stabschef hinausbegleitet hatte, kam zurück und begann, während er sich ihm gegenüber an die andere Seite des Tisches setzte, sofort von seinem Anliegen zu sprechen. »Du bist also Mitglied der Neutralitätskommission«, sagte er in einem scheinbar arglosen Ton, aus dem aber Ammann schon einen leisen Spott herauszuhören glaubte. »Wer ist da noch alles dabei?«

»Vertreter aus beiden Räten«, antwortete Ammann, nannte ein paar Namen und hielt ein brennendes Zündholz an die gestutzte Zigarre.

»Und diese Kommission soll die Wahl eines Generals vorbereiten?«

Ammann nickte. Die Zigarre flammte auf und beleuchtete kurz sein Gesicht.

»Wie stellt ihr euch das vor?«

Ammann prüfte noch einmal das glühende Zigarrenende, eh er antwortete, dann setzte er sich zurecht, blickte Boßhart lächelnd an und sagte: »Jaa... ich denke, wir werden der Bundesversammlung einen Vorschlag machen.« Ihm war unbehaglich zumute wie immer, wenn er sich mit dem Divisionär unter vier Augen befand. Das Gespräch begann nach seiner Empfindung denn auch gar nicht wie eine private Unterhaltung, sondern wie ein Verhör, bei dem auf versteckte Weise etwas herausgebracht werden soll. Boßhart mit seinem mächtigen Körper, seinem stachelbärtigen Kinn, der hämischen Nase, den kleinen, humorlosen, unverschämt zudringlichen Augen saß wie ein Richter vor seinem Opfer aufrecht und regungslos da. Das war nicht kameradschaftlich und nicht human, Ammann fand es sogar tückisch, seine liberale, gutmütige Natur empörte sich dagegen. Das Bewußtsein aber, daß in der aufgeworfenen Frage diesmal die Macht auf seiner Seite stand, gab ihm eine ungewohnte Sicherheit, und er war entschlossen, sich nicht einschüchtern zu lassen. »Wir haben morgen früh in Bern die erste Sitzung, dann wird sich das entscheiden«, fuhr er ruhig lächelnd fort. »Ich meinerseits werde für Sprecher eintreten.«

»Und die andern?«

Ammann machte eine unbestimmte Bewegung.

»Hoffmann wird Wille vorschlagen, vermutlich im Namen des Bundesrats, das weiß ich!« sagte Boßhart und blickte seinen Schwager scharf an.

»Ja, das mag sein... die Welschen werden aber für Sprecher stimmen.«

In Boßharts Gesicht erschien jener besondere bissige Zug, mit dem er sich von einem Untergebenen, der irgendeine Dummheit gemacht hatte, schweigend abwenden konnte. Er schwieg auch jetzt ein paar Sekunden, dann erhob er sich plötzlich und sagte, zwischen Tisch und Stuhl stehend, in einem harten, verächtlichen Ton: »Ihr werdet eine schöne Sauerei anrichten!«

Ammann zuckte die Achseln.

»Fehlt nur noch eine Volksabstimmung!« fuhr Boßhart fort und begann unruhig auf und ab zu gehen. »Das habe ich geahnt. Bevor der Herr Müller und der Herr Meyer und der Herr Huber ihre Vorschläge gemacht und ihre Meinungen verkündet haben, kann der General nicht gewählt werden... die Armee hat gefälligst zu warten.«

»Das Gesetz schreibt vor, daß die Bundesversammlung den General wählt. Ich finde das in Ordnung. Der Bundesrat wird ja gewisse Vollmachten verlangen und wohl auch erhalten. Aber vorläufig sind wir noch eine Demokratie.«

»Ja, solang wir sie verteidigen können... nicht mehr lang, wenn ihr euch in Bern zuerst darüber einigen müßt.«

Ammann erhob sich schweigend. »Mehr brauche ich mir nicht gefallen zu lassen«, dachte er. »Diesmal stehst du am Berg, mein Lieber, tobe dich bitte allein aus! Entscheiden werden wir!«

Boßhart trat vor ihn hin. »Dich begreife ich nicht!« sagte er und schüttelte den Kopf. »Ein Staatskrüppel kann im Zweifel sein, wen er wählen soll, ein Offizier keinen Augenblick. Ihr habe gehört, daß die freisinnige Fraktion ebenfalls

für Sprecher eintreten wird. Ich hoffe nicht, daß ein Fraktionsbeschluß für dich wichtiger ist als deine militärische Einsicht. Du hättest die verdammte Pflicht und Schuldigkeit, die Leute aufzuklären...«
»Aber bitte, warum sollte ich nicht für Sprecher eintreten dürfen?«
»Weil du es nicht aus militärischen Gründen tust, sondern aus zivilen, politischen und weiß der Teufel was für welchen! Du mußt doch einsehen, daß der geeignete Mann als Generalstabschef eben Sprecher ist, der seit zehn Jahren auf diesem Posten steht und den ganzen Rummel kennt. Als General, als Truppenführer im Felde, kommt nur Wille in Frage.«
Ammann nickte mitleidig lächelnd und trat unter die Tür. »Du darfst ja so urteilen, das ist dein Recht. Ich aber habe morgen als Parlamentsmitglied zu entscheiden. Die Vernachlässigung gewisser Dinge könnte sich schwerer rächen als eine nicht ganz einwandfreie Generalswahl. Staatspolitisch ist nicht immer alles wünschenswert, was die Fachleute vorschlagen. Adieu! Ich werde Dienstagmorgen antreten.«
»Jetzt handelt es sich nicht darum, was politisch wünschenswert ist, sondern ob wir aufgefressen werden oder nicht!« erwiderte Boßhart grimmig und wandte sich ab.
Als Ammann nach Hause kam, waren die Gäste nicht mehr da. Frau Barbara erzählte ihm, wie sie sich gestritten hatten. Er hörte den lebhaften Bericht etwas zerstreut an, begriff aber die Gründe des Streits ohne weiteres. Er selber fühlte sich in diesen Tagen vom Deutschtum genau so angesprochen wie die jüngere Bürgerschaft, aber er lehnte diesen Anspruch mit allem Bedacht ab. Ihm war völlig klar, daß nicht nur der Staat, sondern auch jeder einzelne Schweizer den kriegführenden Nachbarn gegenüber neutral bleiben mußte. Das wußte er nicht aus Lauheit oder Ängstlich-

keit, sondern aus dem Bewußtsein der besonderen Art und Aufgabe der Schweiz, einem sehr sichern, traditionellen Bewußtsein, das bei ihm und den Besten seiner Generation fast schon zum staatserhaltenden Instinkt geworden war. Indessen legte er noch wenig Gewicht auf die persönliche Haltung des Einzelnen und erkannte die Tragweite dieser Frage nicht. Er zog sich, mit andern Gedanken beschäftigt, in sein Büro zurück.

Nachdem er die letzten notwendigen Vorarbeiten für die Mobilisation der Brigade erledigt hatte, erwog er noch einmal seine Stellung zur Generalswahl und kam zu keinem andern Ergebnis. »Wenn es unser Schicksal ist, aufgefressen zu werden, dann kommt es nicht darauf an, ob Wille oder Sprecher General ist«, dachte er. »Aber das ist ja nicht möglich, wir sind schließlich auch in die napoleonischen Kriege verwickelt worden, und man hat uns Anno 1815 doch wieder anerkennen müssen... es ist nicht möglich!« Trotz dieser Beteuerung ging er nicht sehr zuversichtlich zu Bett. Seine geheime Angst, die er am hellen Tag unterschlagen hatte, verdarb ihm noch lange den Schlaf, die Angst um sein zwar wehrbereites, aber kleines und zwischen übermächtigen Gegnern auf sich allein angewiesenes Vaterland, dem er mit Leib und Seele verschrieben war und das er mehr liebte als jedes andere Land der Welt.

Als aber früh um halb fünf die Weckuhr ratterte, fuhr er sofort entschlossen auf, rutschte eilig aus dem Bett und wusch sich Kopf, Brust und Nacken kräftig mit kaltem Wasser. Der beginnende Tag erhob sich vor ihm als ungeheure, feierliche Anforderung, und schon kannte er kein ängstliches Bangen mehr. Während er die Uniform anzog, raffte er sich vollends zusammen, wie immer in diesem Augenblick, streifte den zivilen Menschen ab und fühlte sich bereit, von nun an ein anderes Leben zu führen, ja das Leben zu opfern, wenn es sein mußte.

Er fuhr mit dem Frühzug nach Bern und bemerkte auf der ganzen Fahrt die Anzeichen der beginnenden Kriegsmobilisation. Landsturmsoldaten mit aufgepflanztem Bajonett bewachten Brücken und Bahnübergänge, vor den Stationsgebäuden sammelten sich einrückende Wehrmänner, und der Berner Bahnhof wimmelte von Offizieren, Soldaten und abreisenden Fremden. Auch in der Stadt herrschte ein ungewohnt geschäftiges Treiben. Requisitionsfuhrwerke, Automobile, Pferdekoppeln, Ordonnanzen mit Reitpferden, Pfadfinder, Radfahrer und Lastwagen bewegten sich durch die Hauptstraßen, überall waren zum Hilfsdienst aufgebotene, durch die rote Armbinde gekennzeichnete Leute vom unbewaffneten Landsturm unterwegs, und das Publikum drängte trotz der frühen Stunde mit derselben gespannten Neugier herum wie in Zurüch.

Im Bundeshaus hatte Ammann das für die Sitzung der Neutralitätskommission bezeichnete Zimmer kaum betreten und sich einer der um Decoppet und Motta versammelten, lebhaft debattierenden Gruppen angeschlossen, als der Bundespräsident Dr. Arthur Hoffmann unter der Tür erschien und ohne sich aufzuhalten mit raschen Schritten an seinen Platz ging.

Hoffmann, ein St. Galler Jurist von unbestechlicher Rechtschaffenheit, hatte nach seiner Wahl zum Bundespräsidenten im Dezember 1913 das neugeschaffene politische Departement übernommen. Er war aus der freisinnigen Partei hervorgegangen, genoß aber das Vertrauen aller Fraktionen in einem höhern Maße, als ein Bundesrat es von seinen frühern politischen Gegnern üblicherweise zugestanden erhält; der überparteiliche Standpunkt, den sein Amt ihm auferlegte, entsprach seinem innersten Wesen. Erst in diesen Tagen aber zeigte sich, inwiefern dieser verständige, immer gesammelte und etwas reservierte Mann zur höchsten Verantwortung nicht bloß geeignet, sondern geradezu berufen war. Er entwickelte genau jene Eigenschaften, die ein von hundert Beratern umgebener Steuermann besitzen müßte, um in einem ungeahnt mächtigen Sturm sein Schiff heil durch widrige Ratschläge und Ansprüche, durch Wogen, Winde und Klippen zu führen.

Während die Kommissionsmitglieder ihre Plätze einnahmen, breitete er verschiedene Papiere vor sich aus, dann hob er das Gesicht mit dem weichen, leicht geschweiften Schnurrbart, blickte ruhig umher und nickte einigen seiner Bekannten unmerklich zu, wobei ein kaum wahrnehmbares Lächeln seine klaren, strengen Augen hinter dem randlosen Klemmer umspielte. Schließlich warf er einen fragenden Blick auf den Präsidenten und lehnte sich abwartend zurück.

Der Kommissionspräsident, Nationalrat Spahn, eröffnete die Sitzung mit wenigen Worten, dann begann Hoffmann unter lautloser Stille zu sprechen, um das Aufgebot der ganzen Armee zu rechtfertigen und für den Bundesrat unbeschränkte Vollmachten zu verlangen. Er sprach ruhig und bestimmt, ohne jemand anzublicken, lehnte sich am Ende seiner Ausführungen wieder zurück und folgte der einsetzenden Diskussion; er hörte jedem einzelnen Redner sehr aufmerksam zu, verriet aber mit keiner Miene, was er dabei dachte. Zuletzt widerlegte er ein paar Einwände, trat gewissen Befürchtungen entgegen und empfahl der Kommission, die wohlbedachten Vorschläge des Bundesrats anzunehmen.

Die Kommission nahm die Vorschläge einstimmig an. Der Vorsitzende brachte die Wahl des Generals zur Sprache. Damit trat einer jener merkwürdigen und kennzeichnenden Streitfälle ein, die bei uns kaum vermeidbar sind, weil sie unmittelbar der lebendigen Vielfalt schweizerischen Wesens entspringen, und deren gültige Lösung wiederum nur auf eine schweizergeschichtlich bedingte Art erfolgen kann, nämlich durch einen geistigen Entschluß, der die Instinkte überwindet und die Zugeständnisse rechtfertigt, durch den Entschluß zur Einigkeit.

Als oberster Führer der Armee ließ sich zum Glück kein dritter Mann mit so triftigen Gründen vorschlagen wie Wille oder Sprecher. Ulrich Wille, seit vierundvierzig Jahren Berufsoffizier, hatte die ganze neuere Entwicklung des schweizerischen Wehrwesens nicht nur miterlebt, sondern unablässig angetrieben, und zwar an den entscheidenden Punkten, wo sie immer wieder einzuschlafen drohte, an den rein menschlichen Widerständen gegen ein kriegstüchtiges soldatisches Wesen. Mit vorbildlicher Haltung und erstaunlicher Energie war er dem militärischen Dilettantismus, dem Schlendrian, der gemütlichen Dienstauffassung zu Leibe gegangen, so daß die verhältnismäßige Zuverlässigkeit der Armee nun im Wesentlichen als sein Werk gelten mußte. Er war mit dieser Armee auch jetzt noch nicht zufrieden, er war bis zu seinem Rücktritt nicht zufrieden mit ihr, er verlangte bis zum letzten Atemzug noch mehr Mannszucht, ein noch strengeres Pflichtbewußtsein, eine noch gründlichere Ausbildung. Das war der »Geist Willes«, das Schreckgespenst welscher, sozialdemokratischer und anderer Eidgenossen, ein unschweizerischer Geist, so urteilte man, ja ein preußischer, womit er dem allgemeinen Abscheu endgültig ausgeliefert schien. Der andere Anwärter auf den Generalsrang, Theophil Sprecher von Bernegg, ein Bündner Aristokrat, der nicht wie Wille durch seine besondere Aufgabe gezwungen wurde, täglich vor allen Augen nach dem überragenden Maße seiner Persönlichkeit zu handeln, besaß dagegen das Wohlwollen des ganzen Volkes. Er war als Milizoffizier ein vorbildlicher Truppenführer gewesen und hatte seit zehn Jahren mit Umsicht und Ausdauer die Arbeiten des Generalstabs geleitet. Die Richtigkeit und außerordentliche Bedeutung dieser Arbeiten konnten erst die Mobilisation und der Aufmarsch der Armee erweisen.

»Ich bin allerdings der Meinung«, erklärte Spahn, der Vorsitzende, »daß die Kommission nicht offiziell beauftragt ist, der Bundesversammlung einen Vorschlag zu machen, aber ich glaube doch, daß wir uns darüber aussprechen und vor allem den Standpunkt des hohen Bundesrats anhören müssen. Ich kann Ihnen mitteilen, daß der Bundesrat einstimmig Herrn Oberstkorpskommandant Wille als General vorschlägt.«

Verschiedene Mitglieder räusperten sich und rückten ihre Stühle anders zurecht. Ein welscher Nationalrat begann in gedämpftem Ton auf seine Nachbarn einzureden. Ammann hörte, ohne seine Stellung zu verändern, mit vorgeschobener Unterlippe und forschendem Seitenblick einem für Wille eingenommenen Kollegen zu. Auf allen Gesichtern lag ein gespannter, ernster Ausdruck.

Hoffmann gab mit sachlicher, fast teilnahmslos berichtender Stimme bekannt, daß vor dem Beginn dieser Sitzung eine parlamentarische Delegation der welschen Schweiz beim Bundesrat sich sehr entschieden gegen die Wahl Willes ausgesprochen habe. Er machte eine kurze Pause, dann zog er ein wenig die Brauen empor, blickte auf die vor ihm liegenden Papiere und erklärte, behutsam zuerst, dann mit steigendem Nachdruck, in einem tief überzeugten Tone: »Meine Herren, der Bundesrat vertritt den Standpunkt, daß nur der tüchtigste Truppenführer zum General gewählt werden darf. Wir dürfen uns dabei weder von Sympathien noch von Antipathien leiten lassen, sie mögen kommen woher sie wollen. In dieser außerordentlich ernsten Stunde kann es sich nicht mehr darum handeln, wer beliebt und wer unbeliebt, sondern ausschließlich darum, wer als Führer am tüchtigsten ist. Wir sind nach der sorgfältigsten Prüfung aller Faktoren und nach einläßlicher Beratung mit kompetenten Persönlichkeiten zur Überzeugung gekommen, daß Herr Oberst Wille die notwendigen Führereigenschaften in überragendem Maße besitzt. In der theoretischen Bildung und in rein organisatorischen Fragen mag ihm Herr Oberst von Sprecher, den wir alle hochschätzen, überlegen sein, nicht aber in der Ruhe und Entschlossenheit des Handelns, in der raschen und sicheren Einschätzung aller Möglichkeiten, in der Hartnäckigkeit, mit der ein als richtig erkanntes Ziel verfolgt sein will, und in jenem nicht erlernbaren Feldherrninstinkt, der gegen alle Berechnungen so oft den Ausschlag herbeigeführt hat. Dabei ist Oberst Wille ein durch und durch patriotisch gesinnter Schweizer, man mag dagegen sagen was man will...« Er wies jetzt gewisse Angriffe zurück, denen Wille besonders in der welschen Schweiz ausgesetzt war, die aber Nationalrat Secretan als Antwort auf die Ausführungen Hoffmanns nun sogleich wiederholte.

Secretan, ein schlanker Offizierstyp in vorgerückten Jahren, mit scharfen Zügen und gepflegtem Schnurrbart, ehemals Oberstdivisionär, jetzt Chefredakteur der »Gazette de Lausanne«, ein angriffiger Geist mit ausgesprochener Sympathie für Frankreich, bestritt zunächst das Vorschlagsrecht des Bundesrates, dann erklärte er nachdrücklich, daß die Wahl Willes ein schwerer politischer Fehler wäre. Die welsche Schweiz, aber auch gewisse andere Kantone, Graubünden zum Beispiel, hätten kein Vertrauen zu diesem Mann. Wille besitze direkte Beziehungen zu Deutschland, er sei mit einer Gräfin von Bismarck verheiratet und mit dem Kaiser befreundet, er würde mit seinen diktatorischen Gelüsten und bei seinem überheblichen Auftreten für unser Volk, dessen Gefühle er nicht kenne, ein Ärgernis werden. Der geeignete General sei Sprecher, der die von ihm geschaffene neue Truppenordnung wohl auch am besten zu handhaben wisse. Als Generalstabschef schlug Secretan den Oberst Audéoud vor.

Hoffmann setzte sogleich zu einer ungewohnt scharfen

Entgegnung an, verteidigte Wille und beanspruchte für die verantwortliche Landesregierung einen ausschlaggebenden Einfluß auf die Wahl. »Meine Herren«, sagte er mit erhobener Stimme, »wenn der deutsche Kaiser sich beim Besuch unserer Manöver überzeugen konnte, daß wir selber in der Lage sind, unsere Neutralität zu schützen, und wenn infolgedessen Deutschland diese Neutralität heute anerkennt, so ist das in erster Linie Oberst Wille zu verdanken, der jene Manöver geleitet hat. Wir werden Wille nicht preisgeben, und wenn er als General jemals die Schranken des Gesetzes überschreiten sollte, so werden wir ihn in diese Schranken zurückzuweisen wissen.«

Secretan blieb hartnäckig auf seinem Standpunkt. Einige andere Redner, darunter die Bundesräte Motta und Decoppet, traten noch für Wille ein, doch ergab sich, daß in den Fraktionen die Mehrheit wohl nur für Sprecher zu haben sein würde. Die Aussprache nahm einen erfolglosen und höchst peinlichen Verlauf. Dabei stand die auf zehn Uhr angesetzte außerordentliche Bundesversammlung, die den General wählen sollte, unmittelbar bevor. Eine beängstigende Lage war geschaffen. Die gegensätzliche Haltung von Bundesrat und Parlament in dieser lebenswichtigen Stunde, die von Volk und Räten Einigkeit verlangte wie nie vorher, drohte aus den Grundlagen des Staates selber ein Verhängnis heraufzurufen, das die Landesgefahr im selben Augenblick, da man sie abzuwenden gedachte, noch steigern mußte.

16

Die allgemeine Spannung im ganzen Lande verdichtete sich an diesem Tag in den Berner Ratssälen und Kommissionszimmern zur fast atemlosen Frage, ob das demokratische Gefüge dem innern und äußern Ansturm primitivster Instinkte gewachsen sein werde. Im Streit um den General offenbarte diese Frage ihre todernste Berechtigung und erhob sich vor jedem einzelnen Ratsmitglied. Ammann war in der Sitzung nachdenklich geworden, er hegte eine unbegrenzte Achtung für Hoffmann, aber das Gefühl, der Mehrheit anzugehören, stärkte ihm den Rücken.

Die vormittägliche Bundesversammlung bekundete indessen den festen Willen der Eidgenossenschaft, »in den bevorstehenden kriegerischen Ereignissen ihre Neutralität zu wahren«. Sie stimmte dem Truppenaufgebot zu und erteilte dem Bundesrat unbeschränkte Vollmacht »zur Vornahme aller Maßnahmen, die für die Behauptung der Sicherheit, Integrität und Neutralität der Schweiz« erforderlich sein würden. Damit legten die Volksvertreter einen Teil ihrer Machtbefugnisse, die sie sonst mehr als eifersüchtig gehütet hatten, in die Hände des Bundesrats, ein freilich notwendiger und dennoch außerordentlicher Schritt, der erste politische Beweis für die selbständige Aktionsfähigkeit des vielgliedrigen Staatswesens im Getümmel der Völker. Aber mit dem ersten Schritt ist wenig getan, wenn der zweite mißlingt, der Beweis mußte fortgesetzt werden, der General war noch nicht gewählt.

Nach der Bundesversammlung begaben sich die Ratsmitglieder in verschiedene Gasthöfe und griffen zunächst begierig nach den Mittagsblättern, die mit ihren Auslandnachrichten indes den Stand der Dinge wieder mehr verschleierten als enthüllten. Weder von Deutschland noch von Frankreich war der Krieg erklärt worden, ein zureichender

Kriegsgrund ließ sich noch immer nicht einsehen, und die Haltung Italiens blieb so ungewiß wie die Englands. Dagegen fiel plötzlich ein unheilvolles Licht auf die deutsch-französische Grenze. Wie zwischen zwei sich nähernden elektrischen Ladungen notwendig die Funken zu knistern beginnen, so ereigneten sich dort zwischen den mobilisierenden Heeren die unvermeidlichen Zusammenstöße von Patrouillen, Grenzverletzungen sichernder und aufklärender Organe, an sich geringfügige »Zwischenfälle«, die aber von Berlin und Paris aus mit dem höchsten Nachdruck mitgeteilt wurden. Als die deutsche Regierung ihren Botschafter in Paris aufforderte, seine Pässe zu verlangen, berief sie sich geradezu auf »die fortgesetzten Grenzverletzungen« durch Frankreich. Die Fatalität der Ereignisse wurde immer deutlicher.

Ammann legte das Blatt beiseite, setzte mit seinem Tischnachbarn das unterbrochene Gespräch über die Generalswahl fort und machte sich alsbald über die Suppe her. Er saß neben einem Zürcher Kollegen, einem blassen, magern, vornehmen Mann von anerkannt hoher Intelligenz, der in seiner Haltung schwankend geworden war und in seinem ohnehin erregten Zustande derart darunter litt, daß er das vorzügliche Mahl fast unberührt ließ. Ammann war von der Richtigkeit seiner eigenen Haltung auch nicht mehr ganz überzeugt, was aber bei ihm die gegenteilige Wirkung hervorzurufen schien, er spürte einen gewaltigen Appetit und konnte mit seinen Beteuerungen, wie tief die Frage auch ihn berühre, nur notdürftig vertuschen, was für Mengen er zu sich nahm; die Flasche Burgunder, die sie zusammen bestellt hatten, mußte er überdies allein bewältigen. Dafür fühlte er sich nach dem Essen auch in jeder Beziehung neu gestärkt, und während sein Kollege schon in der folgenden Fraktionsversammlung ins bundesrätliche Lager hinüberwechselte, beharrte er mit frischem Mut auf seinem Standpunkt.

Die drei großen Fraktionen versammelten sich nachmittags, um die Wahl noch einmal zu besprechen, damit der General in der um vier Uhr beginnenden Sitzung der vereinigten Räte gewählt werden könnte. Sie kamen unabhängig voneinander zu einem Ergebnis, das den Konflikt zwischen Parlament und Bundesrat auf die Spitze trieb; es schien endgültig ausgeschlossen, eine Mehrheit für Wille zu gewinnen. Willes militärische Führereigenschaften wurden nicht ernstlich bezweifelt, aber die angebliche politische Fragwürdigkeit seiner Wahl fiel den Volksvertretern noch immer stärker in die Augen. Was in gewissen mobilisierenden Staaten jetzt selbstverständlich war, die Vorherrschaft des militärisch Notwendigen über politische Bedenken, das wollte diesen geschworenen Demokraten mit ihrer äußerst feinen Witterung für die geringste Grenzverwischung zwischen Macht und Recht durchaus nicht in den Kopf.

Um vier Uhr trat die Bundesversammlung abermals zusammen. Ammann und viele seiner Kollegen nahmen mit dem unbehaglichen Gefühl ihre Plätze ein, daß man dem einmütig begeisterten Schweizervolk nun hier ein bedrückendes Schauspiel der Uneinigkeit bieten und damit in diesem wichtigsten Augenblick die repräsentative Würde des Parlaments verscherzen werde. Es kam nicht so weit, dem Bundesrat gelang es, einen offenen Redestreit um den General zu verhindern. Die Räte erledigten andere Geschäfte und nahmen schließlich den Bericht entgegen, daß Deutschland und Frankreich im Vertrauen auf die entschlossene Haltung der Eidgenossenschaft versprochen hätten, die schweizerische Neutralität zu achten. Die Versammlung ging zu Ende, der General war noch nicht gewählt.

In den Wandelgängen bildeten sich darauf überall Gruppen erregter Parlamentarier. Hoffmann begann mit den Fraktionsführern zu verhandeln. Ammann hatte den Chef des Militärdepartements vor ein Büro begleitet und war im

Begriff, umzukehren, stand aber noch da und hörte zu, schweigend, mit vorgeschobener Unterlippe, den Blick auf Decoppets gewaltigem Schnurrbart. In diesem Augenblick trat Oberst von Sprecher aus einer benachbarten Bürotür. Ammann beachtete ihn zunächst nicht, es waren hier eine Menge von Beamten und Offizieren unterwegs, aber plötzlich erkannte er ihn, blickte ihm aufleuchtend entgegen und rückte, als er vorbeiging, mit einer leichten Verbeugung die Absätze zusammen.

Sprecher, eine auffallend hagere, große Gestalt in Waffenrock und langer Hose mit breiten, roten Seitenstreifen, den Abzeichen des Generalstabs, ging mit einem gelben Umschlag in der Rechten eilig an ihnen vorbei. Er hatte keine Zeit für sie, er sah äußerst beschäftigt aus und erwiderte den Gruß nur flüchtig. Ammann blickte in das ihm so wohlbekannte schmale, magere Gesicht mit den gescheiten kleinen Augen und dem herbstolzen, beinahe verächtlichen Zug um den Mund, und hatte den Eindruck, daß Sprecher ihn nicht erkenne. Etwas enttäuscht sah er ihm nach, verabschiedete sich von Decoppet und kehrte um.

Er war unzufrieden mit sich. Decoppet hatte ihm mit mißmutiger Verbindlichkeit zu verstehen gegeben, daß der Bundesrat auf seinem Standpunkt beharren werde, daß aber der erste Schritt zur Verständigung einem aktiven Brigadekommandanten der deutschen Schweiz näher liegen dürfte als den Welschen. Er wehrte sich noch ein wenig gegen diese Einsicht, doch der Gedanke, wieviel nun plötzlich von seiner Haltung abhing, versöhnte ihn rasch damit. Ein endgültiger Bruch zwischen Bundesrat und Parlament mußte unter allen Umständen verhütet werden, das stand für ihn fest. In dieser persönlichen Bedrängnis und im Bewußtsein der drohenden Landesgefahr stellte er eine kurze, rücksichtslose Gewissenserforschung an. Er hatte von Anfang an fast instinktiv nicht als militärischer Fachmann, sondern als Volksvertreter zu der Frage Stellung genommen. Das ließ sich verantworten. Aber dahinter kam etwas anderes zum Vorschein: Wille war ihm unsympathisch. Er hatte unter ihm gedient und sich verschiedene Verweise zugezogen: einmal, vor manchen Jahren schon, war es eine jähzornige Anrempelung gewesen, ein andermal, viel später, ein sarkastisch-abfälliges und jedenfalls verletzendes Urteil über eine Manövermaßnahme. Er stellte sogleich fest, daß diese Vorfälle seine Haltung nicht ursächlich bestimmt hatten, gab aber immerhin zu, daß sie ihm den Anschluß an Willes Gegner erleichtert haben mochten. Nun, er wollte sich nicht rächen, nicht einmal den Anschein davon wollte er vor sich bestehen lassen, es ging ihm einzig um das Wohl des Vaterlandes. Da entdeckte er denn zunächst, daß gegen Willes Schweizertum nichts einzuwenden war und daß er selber diese Bedenken auch nie geteilt hatte. Die militärische Tüchtigkeit des Mannes endlich stand außer Frage, so unbequem sie für seine Untergebenen auch sein mochte. »Wir wollen ehrlich sein«, sagte er sich, »das ist doch eine verdammt ernste Sache! Wenn also der Bundesrat die Verantwortung übernehmen will... unsern guten Willen haben wir den Welschen bewiesen... Aber wir müssen einig werden, unter allen Umständen, so oder so, alles andere ist jetzt Nebensache!«

Als er soweit war, sah er sich auch schon wieder von erregten Kollegen umgeben und vernahm, daß die Fraktionen abermals zusammentreten würden. Er nahm am Gespräch sogleich den lebhaftesten Anteil und erklärte ohne Umschweife, es könne sich jetzt schon weniger mehr um Wille oder Sprecher handeln als darum, die Einigung herbeizuführen.

Die drei Fraktionen sammelten sich getrennt noch im Verlaufe des Abends, um das letzte Wort des Bundesrats anzuhören, ein Wort, wie man es in solch unnachgiebiger Entschlossenheit von der obersten Landesbehörde gegenüber einer parlamentarischen Majorität unter der neuen Verfassung kaum jemals vernommen hatte. Bei den Sozialdemokraten sprach Bundesrat Müller, bei den Konservativen Motta.

In der versammelten freisinnigen Fraktion, deren Beschluß am stärksten ins Gewicht fiel, erschien Hoffmann. Es war halb sieben Uhr, von Verhandlungen konnte nicht mehr die Rede sein. Hoffmann faßte klar, knapp und eindringlich noch einmal die Gründe zusammen, die für Wille sprachen, und erklärte dann rund heraus, daß der Bundesrat auf keinen Fall nachgeben werde. »Meine Herren, machen Sie sich doch bitte klar, was das zu bedeuten hat! Der Bundesrat ist mit unbeschränkten Vollmachten ausgestattet worden, er muß bereit sein und ist bereit, die volle Verantwortung für das Schicksal des Landes zu tragen. Der heutige Bundesbeschluß setzt ein außerordentliches Vertrauen in den Bundesrat voraus und besitzt in der Tat auch die Bedeutung einer verpflichtenden öffentlichen Vertrauenskundgebung. Die Haltung der Mehrheit in der Wahlfrage aber ist das gerade Gegenteil davon.«

Hoffmann sprach mit spärlichen Gesten scheinbar ruhig und fließend weiter, aber in seiner Stimme begann ein beschwörender Ton mitzuschwingen und am Ende offen durchzubrechen. »Man ist im Begriff, uns in dieser Frage das Vertrauen wieder zu brechen, kraft dessen wir eine außerordentliche Verantwortung übernommen haben. Die Verantwortung dürfen wir behalten. Meine Herren, das ist unmöglich, darüber sind wir uns einig, und ich ersuche Sie hiemit zum letztenmal dringend, auf Ihren Beschluß zurückzukommen. Herr Oberst von Sprecher hat übrigens im Hinblick auf unsere schwierige Lage soeben noch aus eigenem Antrieb den Wunsch geäußert, die Fraktionen möchten sich doch für Herrn Oberst Wille entscheiden. Ich bin befugt, Ihnen dies mitzuteilen. Gestatten Sie mir zum Schluß noch eine persönliche Bemerkung! Für mich wäre es ein schmerzliches Gefühl, von eben der Partei, die mich emporgetragen hat, im entscheidendsten Augenblick im Stich gelassen zu werden. Ich selber war im Bundesrat der eifrigste Verfechter der Kandidatur Wille, ich konnte es vor meinem Gewissen verantworten und ich glaubte es auch im Namen des Volkes verantworten zu dürfen; ich weiß nicht, wie ich dastehen werde, wenn sich jetzt nicht eine Mehrheit zu mir bekennt. Aber das werde ich wissen: ich konnte nicht anders handeln, als wie ich gehandelt habe, das war und ist meine heilige Überzeugung.« Sein Blick funkelte durch die Gläser. Er stand auf und entfernte sich eilig.

Damit war der strittigen Frage ein Gewicht verliehen, das die Lösung unter einem andern als dem höchsten Gesichtspunkt nicht mehr rechtfertigte. Jetzt gab es keine Auswege mehr, es gab nur noch einen einzigen Weg, die Einigung herbeizuführen. Dieser Notwendigkeit mußte eine Überzeugung, die in den meisten Fällen nicht so unerschütterlich sein konnte wie die Hoffmanns, geopfert werden. Die Fraktion wiederholte die Abstimmung und entschied sich mit 67 gegen 30 Stimmen für Wille. Die konservative Fraktion, die sich von Anfang an auf keinen Beschluß versteift hatte, nahm zur selben Stunde fast einstimmig den bundesrätlichen Vorschlag an. Die Sozialdemokraten versprachen ebenfalls, mit einer Mehrheit für Wille einzutreten.

Die besonders aus welschen Räten bestehende Gruppe, die auch jetzt noch Wille ablehnte, konnte sich über ihre Niederlage mit größerem Recht beklagen als je eine Minderheit. Ihr lag das Schicksal des Landes nicht weniger am Herzen als der neuen Majorität, und schließlich hatte sie ja keinen Welschen vorgeschlagen, sondern einen Bündner, der vermutlich den Deutschen, gewiß aber den Österreichern, den Sieg eher gönnte als den Franzosen. Sie schlug keinen Lärm, sie fügte sich, und die Kommentare der welschen Presse, die am Tag darauf in Bern mit Besorgnis erwartet wurden, zeugten vom entschlossenen Willen zur nationalen Einheit.

Die Nachricht, daß die Wahl Willes zustande kommen werde, verbreitete sich rasch in der Stadt und lockte eine Menge Neugieriger vor das Bundeshaus. Als Ammann ein paar Minuten vor acht Uhr den hell beleuchteten Nationalratssaal betrat, waren alle Tribünen schon dicht besetzt. Der Vorsitzende der vereinigten Bundesversammlung, Nationalratspräsident von Planta, ein Bündner Aristokrat von energischem und zugleich gewandtem Wesen, neigte auf seinem erhöhten Sitz das kantige braune Gesicht fragend Hoffmann entgegen, der mit irgendeiner Weisung an ihn herantrat. Die Ratsmitglieder begaben sich an ihre Plätze. Jene Räte, die wie Ammann als Milizoffiziere nach Bern gekommen waren, fielen in ihrer dunkelblauen Uniform mit dem roten Kragen, den silberschimmernden Knopfreihen und Achselklappen jetzt besonders auf. Im ganzen Saale herrschte eine ungewohnte festliche Stimmung. Die Bundesräte waren vollzählig anwesend.

Der Präsident las die reglementarischen Bestimmungen über die Wahl des Generals vor, dann wurden die Stimmzettel verteilt. Zwanzig Minuten nach acht Uhr verkündete von Planta das Ergebnis: »Ausgeteilt wurden 192 Stimmzettel, davon lauten 122 auf Wille, 63 auf von Sprecher; 7 sind leer eingegangen. Herr Oberstkorpskommandant Ulrich Wille ist somit zum General gewählt.«

Eine rauschende Bewegung ging durch den Saal, auf den Tribünen ertönten Bravorufe und Händeklatschen. Von Planta, der sogleich nach dem letzten Worte durch einen Wink dem Beauftragten das Zeichen gegeben hatte, Wille herbeizurufen, schüttelte die Glocke und rief mit unwilliger Miene zu den Tribünen hinauf: »Ich bitte, jeden Beifall zu unterlassen, der Augenblick ist zu ernst dafür!« Er wandte sich, während das Publikum auf den Tribünen verstummte und nur im Rat das Summen der Stimmen andauerte, suchend dem linken Eingang zu, stand auf und verließ das Podium.

In diesem Augenblick trat, von zwei Kavallerieadjutanten begleitet, Wille durch die Tür. Er ging auf von Planta zu, der ihm entgegenkam, wechselte einen Händedruck mit ihm und schritt an seiner Seite in die Mitte des Saales. Es war ein untersetzter, fester, breitschultriger Mann von strammer Haltung, mit alten Schmißnarben im Gesicht, einem massigen rotbraunen Gesicht, das einen selbstbewußten, entschlossenen, fast mürrischen Ausdruck zeigte und die Kraft erkennen ließ, die spürbar von seiner ganzen Gestalt ausging.

Die Räte und die Zuschauer auf den Tribünen erhoben sich.

Der Präsident ging an seinen Platz zurück, wandte sich an Wille, der unter seinen schweren Lidern hervor ihm aufmerksam entgegenblickte, und begann mit fester Stimme: »Herr General! Sie sind durch das Vertrauen der vereinigten Bundesversammlung zum Oberbefehlshaber der schweizerischen Armee berufen worden. Im Namen des Parlamentes und des schweizerischen Volkes entbiete ich Ihnen vaterländischen Glückwunsch zu dieser Ehrung. Möge es Ihnen gelingen, das in Sie gesetzte Vertrauen zu rechtfertigen. Mögen Sie die Ihnen unterstellte Truppe im Frieden und, wenn es sein muß, im Kriege zur Ehre und Wohlfahrt des Landes führen. Überbringen Sie dem schweizerischen Heer den vaterländischen Gruß der Bundesversammlung und sagen Sie ihm, daß sie unbegrenztes Vertrauen setze in seine militärische Tüchtigkeit und seine vaterländische Gesinnung. Ihnen, Herr General, und Ihrer Truppe übergeben wir bewegten Herzens die Hut unserer Grenze, der Schwelle zu unserer Freiheit und Unabhängigkeit. Möge uns dieses höchste Gut erhalten werden!«

Nun ersuchte von Planta den Kanzler, die Schwurformel zu verlesen, Der Bundeskanzler, Schatzmann, erhob sich und las von einem Blatt Papier, das in seiner Rechten leise zitterte: »Der Oberbefehlshaber der eidgenössischen Truppen schwört, der schweizerischen Eidgenossenschaft Treue zu bewahren, die Ehre, die Unabhängigkeit und die Neutralität des Vaterlandes mit den ihm anvertrauten Truppen nach besten Kräften mit Leib und Leben zu beschützen und zu verteidigen, und sich genau an die Weisung des Bundesrates über den durch das Truppenaufgebot zu erreichenden Endzweck zu halten.«

Wille hatte unmerklich den Kopf gesenkt, vor sich hingesehen und offenbar genau auf die Formel geachtet; er machte einen gesammelten Eindruck. Nach dem letzten Wort des Kanzlers blickte er ruhig auf und schaute den Präsidenten an, der ihn ersuchte, den Schwur zu leisten, dann hob er den rechten Arm und sagte mit seiner kräftigen, etwas rauh klingenden Stimme laut und deutlich: »Ich schwöre es!«

Ammann wurde in diesen und den unmittelbar darauf folgenden Sekunden, während keine Hand sich regte und kein Laut zu hören war, dermaßen gepackt, ja erschüttert, daß ihm Tränen in die Augen traten. Seine persönliche Abneigung gegen diesen Vorgesetzten war erloschen, er sah nicht mehr den berüchtigten Instruktor, den er gekannt hatte, sondern einen durch den Eid geheiligten obersten Führer, den General der schweizerischen Eidgenossenschaft. Als der Bann des Schweigens gebrochen war und das Parlament in Bewegung geriet, trocknete er sich verstohlen die feuchten Augen, aber er brauchte sich seiner Tränen nicht zu schämen, es gab außer ihm noch viele Ergriffene.

Hoffmann und Decoppet waren als erste an Wille herangetreten, um ihm die Hand zu schütteln, jetzt drängte sich dort schon ein ganzer Schwarm von Räten zusammen, die ihn beglückwünschen wollten. Der Nationalratspräsident beeilte sich, die Sitzung aufzuheben.

Auf dem Platz vor dem Bundeshaus wartete eine gewaltige Menschenmenge, die beim Erscheinen des Generals begeistert zu lärmen begann. Wille stieg in das offene Auto und salutierte, bevor er Platz nahm, mit einem väterlichen Nicken. Nach ihm stiegen seine zwei Adjutanten ein. Die Bundesräte, die ihn begleitet hatten, traten zurück, der Wagen fuhr nach einem kurzen Ruck bedächtig an, und der General legte abermals die Rechte an den Käppirand, während die Menge unter stürmischen Rufen hinter und neben dem Wagen herzulaufen begann.

17

Am Dienstag, dem vierten August, kurz nach dem Frühstück, schwang sich Fred den Tornister auf den Rücken, nahm das Gewehr aus dem Schrank, setzte das Käppi auf und wandte sich zur Tür, alles mit schmunzelnder Miene in übermütiger Entschlossenheit, während er zu andern Zeiten nur mit einem saueren Lächeln als Wehrmann aufgebrochen war. Er warf einen letzten Blick ins Zimmer, einen überlegenen, schon losgelösten Blick, der die einzelnen Gegenstände, den Schreibtisch, das Bett, den Naturalienkasten, die Bücher, unbekümmert preisgab. Das Leben in dieser Bude hatte ihn nicht befriedigt, es war bei aller Bequemlichkeit doch recht lau und zweifelhaft gewesen. Schluß damit, jetzt blies ein anderer Wind, die Welt stand in Flammen! Er zog die Tür kräftig ins Schloß und ging in die Wohnstube hinüber.

Mama kam, zum Ausgehen angezogen, aus dem Schlafzimmer. »Ich begleite euch ein Stück weit«, sagte sie. »Ich muß sowieso in die Stadt. Ist Paul noch nicht bereit?«

»Ich weiß es nicht. Aber du... wir müssen ein Tram nehmen, sonst kommen wir zu spät... und die Tramwagen sind jetzt alle vollgepfropft mit Einrückenden...«

»Jaja, ich hab einen Taxi bestellt. Er steht schon unten. Schau du jetzt nur, daß Paul fertig wird!«

»A so! Glänzend!« erwiderte Fred, stellte Gewehr und Tornister noch einmal ab und rannte, je drei Stufen auf einmal überspringend, die Treppe hinauf. »Füsilier Ammann!« schrie er schon vor der Tür wie ein rabiater Wachtmeister und drang in das Zimmer ein. »Schlafen Sie eigentlich? Sofort antreten! Das ist immer die gleiche Schweinerei! So, so, pressieren, pressieren!«

Paul stand in der Uniform am Tisch und blickte seinem Bruder verständnisvoll grinsend entgegen. »Wer weiß, ob nicht eben das trotz allem wieder zu befürchten ist!« sagte er nachdenklich. Die ehemals kahle Mansarde, die er hatte übernehmen müssen, sah jetzt viel behaglicher aus als Freds Bude, obwohl sie enger und niedriger war. Die dunkelblaue Tapete, ein von Mama gestifteter Perser, braun gebeizte Bücherregale und tiefrote Fenstervorhänge hatten sie in einen Wohnraum verwandelt, den man nicht so leichtherzig mit Ställen und Strohlagern vertauschen konnte.

»Ach was, jetzt geht's an die Grenze, das ist etwas anderes!« erwiderte Fred übermütig, trat näher und sah, daß Paul eine Reihe schmaler Bändchen vor sich ausgebreitet hatte, Dramen von Shakespeare, Gedichte von Goethe, Mörike, Eichendorff, Aphorismen von Lichtenberg und La Rochefoucauld.

»Ich studiere seit einer Viertelstunde, was ich mitnehmen soll«, erklärte Paul ironisch lächelnd. »Alles geht nicht, mir ist der Tornister schon so zu schwer, ich muß mich für drei Bändchen entscheiden... eiserne Ration, man kann nie wissen.«

»Um Gottes willen! Das braucht man doch nicht mehr!

Weißt du eigentlich, was jetzt in der Welt los ist und warum wir ausrücken? So ein Gemütsathlet! Steht da und studiert, was für Gedichte er mitnehmen soll!«

»Weiß ich, mein Lieber! Ich brenne darauf, ich bin gespannt wie ein Trommelfell und zu allem bereit. Aber... man wird doch mißtrauisch, wenn man das verdammte Zeug da anhat.«

»Ach was, laß den Kram zurück! Jetzt hat's in Europa zwölf Uhr geschlagen, sag' ich dir. Was mich betrifft, ich bin fertig mit allem. Und von dem, was jetzt kommt, will ich den ganzen Rüssel voll nehmen. Aber wir müssen gehen, du!«

Paul bedachte sich noch einen Augenblick, dann schob er die Bändchen entschlossen beiseite, nahm Gewehr und Tornister auf und folgte dem Bruder.

Sie fuhren mit Mama über den Paradeplatz zur Sihlbrücke und überholten dabei ungezählte Wehrmänner, die stehend in überfüllten Tramwagen oder zu Fuß und in Begleitung von Angehörigen den Sammelplätzen zustrebten. Die Schuljugend trabte begeistert hinter den Soldaten her. Eilige Pfadfinder waren unterwegs, die freiwillig in den Dienst der Öffentlichkeit traten, überall wimmelte es von Menschen, die ganze Bevölkerung lief wieder auf die Straße. Es war ein trüber Morgen, graues Gewölk zog über die Stadt hin.

»Wann willst du uns eigentlich ausladen, Mama?« fragte Fred endlich mißtrauisch.

»Wenn ihr an Ort und Stelle seid, denke ich. Ob ihr die paar Schritte noch fährt oder geht...«

»Ja, aber weißt du... wenn wir da so im Auto angefahren kommen, als Füsel und Korpus... das sieht nach Renommisterei aus.«

»Jaja, das geht nicht!« sagte nun auch Paul. »Das wollen wir dem Herrn Korporal Stockmeier überlassen, der wird

schon so einrücken. Wir steigen am besten gleich hier aus.«
Mama hatte nichts dagegen, und Fred ließ anhalten. Sie stiegen aus, mitten in einem Strom von Menschen, und während Frau Barbara den Chauffeur bezahlte, hingen sich die zwei Soldaten Tornister und Gewehr wieder an.

Zu dreien, Mama in der Mitte, marschierten sie mit dem übrigen Volke weiter. Vor ihnen ging ein etwa vierjähriger Knabe, der links von der Mutter, rechts vom Vater geführt wurde, einem großen rundlichen Wehrmann mit einem Köfferchen in der Rechten.

»Siehst du, Fred, der hat auch nicht nur den Tornister bei sich!« flüsterte Mama.

»Ja natürlich, das ist ein Fourier«, gab Fred leise zurück. »Der verstaut nachher alles auf dem Fourgon. Den Tornister trägt er auch nur beim Einrücken.«

Paul blieb plötzlich einen Schritt zurück und schaute auf die andere Straßenseite hinüber. »Du heiliger Strohsack!« rief er. »Fred, siehst du dort den kleinen Korporal mit der Brille und dem Waschfrauengesicht? Das war mein Peiniger im letzten Wiederholungskurs, Korporal Egli. Ein furchtbarer Kerl! Ein Mann ›wie aus Eisen‹, weißt du! Ich werde doch dem nicht wieder in die Klauen geraten?«

Mama blickte auch hinüber und sah einen strammen kleinen Korporal, der mit einem grimmigen Ausdruck eilig und festen Schrittes immer wieder einen Vordermann oder eine Zivilistengruppe überholte.

»Nein, der trägt eine ganz andere Bataillonsnummer«, sagte Fred. »Und du hast ja den letzten Dienst nicht mit unserem Regiment gemacht. Da... jetzt schwenkt er ab. Dem ist es blutig ernst!«

»Ach, wißt ihr«, begann Mama und schüttelte energisch den Kopf, »ich finde... ihr seid doch... ihr braucht euch schließlich nicht... ja...« Sie zögerte ungewohnterweise, ihr Einfall mußte einen Haken haben. »Ich meine«, fuhr sie in einem barschen Tone fort, »ihr könnt euch im Notfall auch daran erinnern, daß der Brigadekommandant euer Papa und der Divisionär euer Onkel ist.«

Fred und Paul lachten gleichzeitig auf. »Ausgeschlossen, Mama!« sagte Fred. »Unsere Vorgesetzten können sich daran erinnern, wenn sie wollen, das kommt vor, aber auch das muß mehr oder weniger verdient werden. Wir könnten den General zum Vater haben – wenn wir Schlufiane wären, würde uns das gar nichts nützen. Aber uns geradezu darauf berufen...«

»Aber das machen doch alle so, im Zivil wenigstens, und im Dienst wird man in dieser Beziehung auch nicht grad zimperlich sein. Euer Vetter Karl ist kaum ohne Protektion Hauptmann geworden, nehme ich an.«

»Vetterliwirtschaft!« erwiderte Paul lächelnd. »Glaubst du im Ernst, Papa oder Onkel Boßhart würden auch nur einen Finger für uns krümmen? Ach Mama, die sind viel zu pflichtbewußt, die würden uns eher schlauchen als schonen lassen.«

Sie kamen in die Nähe der Schulhaussammelplätze, die wandernde Menge begann sich da und dort zu stauen und zu teilen. Mama, die das schwierige Problem schweigend auf sich beruhen ließ, faßte plötzlich mit der Rechten Fred, mit der Linken Paul unter dem Arm. »Und hört jetzt«, sagte sie eindringlich, mit einer leisen Bewegung in der Stimme, »wenn ihr etwas braucht, so schreibt! Und zwar nicht erst im letzten Augenblick! Wäsche habt ihr ja viel zu wenig mit. Ich werde euch nächste Woche Socken und Hemden schikken. Und hoffentlich bekommt ihr recht zu essen, sonst kauft euch etwas! Und wenn ihr Geld braucht, so müßt ihr halt auch schreiben, ich rieche das nicht...« Sie fuhr mit Ermahnungen fort und schwieg erst, als der Bataillonssammelplatz vor ihnen auftauchte, aber auch jetzt ließ sie die beiden nicht los.

Die Brüder waren sich der mütterlichen Stimmung und des Anblicks, den sie zusammen boten, wohl bewußt und schwankten zwischen gelinder Rührung und leisem Unbehagen, aber sie gaben es nicht zu erkennen, sondern wahrten bis zuletzt eine heitere Unbefangenheit. Die elegant gekleidete stattliche Frau, die in fürstlicher Haltung zwei junge Wehrmänner mit sich führte, konnte freilich auch in diesem bunten Treiben noch auffallen.

Vor dem Schulhaus drückte sie beiden die Hand. »So, haltet euch brav!« sagte sie leise, zog sich sogleich zurück und sah von der nächsten Hausecke aus zu, wie sie durch das offene Tor den umgitterten Platz betraten.

Auf dem Platze trennten sie sich. Paul gehörte zur zweiten, Fred zur dritten Kompagnie.

Paul stellte Gewehr und Tornister zwischen das übrige, noch regellos an der Umfassung lehnende Mannschaftsgepäck und ging sogleich auf die Suche nach Albin. Er entdeckte ihn nah beim Tor, wie er zwischen andern Einrückenden voll bepackt in unschlüssiger Haltung stehenblieb, und trat rasch auf ihn zu. »Grüezi Albin! Du bist wohl noch nicht ganz entschlossen?«

Albin begrüßte ihn mit seinem offenen, freudigen Auflächeln. »Doch, ich bin entschlossen, aber ich fragte mich plötzlich, ob ich hier eigentlich am rechten Ort sei.«

»Jaja ... das heißt, die Frage hat allen Grund ... aber das ist unser Sammelplatz. Komm da hinüber und stell dein Zeug ab! Und hör jetzt! Wir wollen sehen, daß wir in den gleichen Zug kommen. Du bist doch im zweiten, nicht? Ja, dann trete ich einfach mit dir an, ich bin hier noch in keinen Zug eingeteilt, das wird schon gehen. Aber wer ist Zugführer?«

»Leutnant Tobler. Er ist sosolala, man kommt notdürftig mit ihm aus, aber ... die andern sind auch nicht zu empfehlen ...«

Während sie noch inmitten ihrer Dienstkameraden, die sich angeregt begrüßten, diese und ähnliche Dinge besprachen, äußerst wichtige Dinge für jeden Einrückenden, ließ der Feldweibel die Kompagnie antreten. Es war punkt neun Uhr.

In diesem Augenblick trat auf allen Sammelplätzen der Schweiz die Wehrmannschaft in Reih und Glied, eine ganze, nahezu marschbereite Armee, die eben noch eine unlenkbare zivile Menschenmasse gewesen war. Es stellte sich heraus, daß im Gegensatz zum Friedensdienst die Truppen jetzt in voller Kriegsstärke eingerückt waren; die Schweizer im Ausland hatten ihre Wehrpflicht nicht vergessen und dem Aufgebot zu Tausenden Folge geleistet. Noch blieb viel zu tun übrig, aber die Armee stand wie aus der Erde emporgeschossen nun jedenfalls da, eingekleidet, bewaffnet, organisiert und vom entschlossenen Willen erfüllt, das Land auf Tod und Leben zu verteidigen, eine Armee von rund achttausend Offizieren und zweihundertzehntausend Unteroffizieren und Soldaten, ohne die dreißigtausend Landstürmer, die den ersten Wach- und Sicherungsdienst übernommen hatten. Außerdem standen fünfzigtausend Pferde dienstbereit.

Die vielen Zuschauer ringsum auf den Straßen sahen nun alsbald das gewohnte Bild der zum Wiederholungskurs eingerückten Truppen, aber sie sahen es auf einem ungeheueren Hintergrund und in einem neuen, grellen Lichte, das dem wohlbekannten Mobilisationsbetrieb, den Inspektionen und der Verteilung des Korpsmaterials aus den Zeughäusern eine ungewohnte Bedeutung verlieh. Die Truppe selber befand sich im Zustand einer freudig erregten Erwartung, auch jene Mannschaft, die jeweilen nur widerwillig zum Friedensdienst eingerückt war. Alle diese Wehrmänner hatten durch die umstürzende Zeit noch im Zivilleben dieselbe Wandlung an sich erfahren wie die meisten Menschen, und sie waren stolz darauf, nun selber mithandeln zu dürfen.

Gegen Mittag regte die Nachricht, Deutschland habe Frankreich den Krieg erklärt, die gehobene Stimmung neuerdings an. Auf dem Sammelplatz der dritten Kompagnie las ein von der Kaserne zurückgekehrter Wachtmeister einem dichten Kreis von Unteroffizieren die Meldung aus dem Mittagblatt vor. Fred blickte ihm über die Schulter. »Jetzt ist der Schuß heraus!« sagte ein Korporal und zog die Brauen hoch. »Wir kommen nach Basel oder in den Berner Jura, ihr werdet sehen!« »Das ist nicht gesagt«, erwiderte der Wachtmeister. »Wir können ebensogut an die italienische Grenze kommen, dort geht's...« »Aber es heißt doch«, unterbrach ihn ein anderer Korporal, »wir kämen zuerst überhaupt nicht an die Grenze... du, Ammann, weißt du nichts?« »Keine Ahnung!« antwortete Fred. »An der italienischen Grenze geht's vermutlich auch los«, fuhr der Wachtmeister fort. »Da, bitte! Nur hören!« Er begann eine Meldung aus Italien vorzulesen: »Die Regierung hat unter Strafandrohung an sämtliche Tagesblätter die Aufforderung ergehen lassen, keinerlei Mitteilungen über Truppendislozierungen, Kriegsmaterial...«

»Feldweibel!« schrie in diesem Augenblick jemand scharf und unangenehm aufgeregt. »Ist der Feldweibel da?« Es war Hauptmann Brändli, der neue Kommandant der dritten Kompagnie, ein mittelgroßer, knapp in die Uniform gezwängter Mann mit einem runden, bleichen Gesicht und einem blanken randlosen Klemmer vor den schwer erkennbaren Augen. Er schritt hastig auf die Unteroffiziere zu, die den Kreis öffneten und Stellung annahmen. Sein ganzes Wesen befand sich in sichtlicher Aufregung.

Der Wachtmeister trat zwei Schritte vor und meldete sich, Hände und Zeitung an der Hosennaht. »Herr Hauptmann, Wachtmeister Bänninger! Der Feldweibel ist nicht da. Vor einer halben Stunde war er noch im Zeughaus.«

Hauptmann Brändli kehrte sogleich um, ebenso hastig wie er hergekommen war, aber nach zehn Schritten wandte er sich zurück, rief den Wachtmeister Bänninger und befahl, während er ihm ein paar Schritte entgegenlief: »Gehen Sie sofort ins Zeughaus und sagen Sie dem Feldweibel, das Schanzwerkzeug müsse noch vor dem Mittagessen gefaßt werden! Oder nein... warten Sie... Fourier!«

»Herr Hauptmann, da kommt der Feldweibel!« rief Wachtmeister Bänninger.

Der Hauptmann, der dem heranrennenden Fourier entgegenging, änderte die Richtung, schritt auf den Feldweibel zu und erteilte ihm den Befehl.

»Herr Hauptmann, das ist unmöglich!« erwiderte der Feldweibel. »Es ist noch eine Kompagnie vor uns, die kaum vor Mittag dran kommt...«

»Das geht mich nichts an, wir haben Befehl, das ganze Korpsmaterial vormittags zu fassen!« unterbrach ihn der Hauptmann und lief von ihm weg.

Der Feldweibel rannte an seiner Seite und suchte ihm den Fall begreiflich zu machen. »Es sind zu wenig Leute im Zeughaus, sie kommen nicht nach mit dem Abliefern...«

Der Hauptmann schien kaum darauf zu hören, er lief mit aufgeregter Miene eilig dem Schulhaus zu; bei der Treppe stellte er sich gestikulierend vor den Hauptmann Honegger hin, der ihm lächelnd einen Augenblick zuhörte und ihn dann mit einem freundlichen Kopfnicken verließ. Brändli verschwand im Eingang.

Die Unteroffiziere blickten sich verdutzt an. »Den müssen wir erst noch erziehen«, sagte ein Korporal. Die übrigen schwiegen. Sie waren von den besten Absichten erfüllt und wollten nicht voreilig urteilen, aber sie wußten nun bereits, daß die dritte Kompagnie es mit ihrem neuen Kommandanten schlecht getroffen hatte.

Hauptmann Honegger, ein langer, magerer Mann mit

einem kleinen, scharf ausgeprägten Gesicht, ging ruhig zu seiner Kompagnie hinüber, der zweiten, und schaute eine Weile zu, was die Leute trieben, dann rief er den Füsilier Kuhn heran.

Kuhn, ein intelligenter, lebhafter Bursche, gehörte zum zweiten Zug, dem Paul und Albin zugeteilt waren. »Hier, Herr Hauptmann!« schrie er und rannte hin.

»Ich brauche eine Büroordonnanz«, sagte Hauptmann Honegger. »Haben Sie Lust?«

Kuhn bedachte sich einen Augenblick, während der Hauptmann neugierig zu lächeln begann. Im Friedensdienst würde kein Füsilier auch nur eine Sekunde gezögert haben, den Posten als Ordonnanz auf dem Kompagniebüro anzunehmen, ein besseres Los konnte einem einfachen Soldaten überhaupt nicht zufallen.

»Herr Hauptmann, ich möchte lieber beim Zug bleiben«, antwortete Kuhn etwas kleinlaut, aber in der strammsten Stellung.

Hauptmann Honegger verstand den Mann und verzichtete darauf, den Wunsch in einen Befehl zu verwandeln.

»Herr Hauptmann, melde mich ab!« rief Kuhn, machte rechtsumkehrt und bummelte zu seinen Kameraden zurück. »Wenn einer Büroordonnanz werden will, soll er sich melden«, verkündete er. »Ein Druckposten ersten Ranges, seltene Gelegenheit! Die Stelle ist noch frei. Er hat sie mir angeboten, aber... jetzt, wo etwas los ist... ich kann daheim noch genug auf dem Büro hocken...«

»Ammann, das wäre etwas für dich!« rief einer aus Pauls Gruppe, ein selbstgewisser, hagerer Bursche mit dem Namen Bär.

Paul winkte ab und schlenderte weg. Der Anschluß an diese Leute fiel ihm noch genau so schwer wie im letzten Wiederholungskurs. Er teilte mit ihnen jetzt wohl die große Erwartung und kam ihnen williger entgegen als damals, aber im Grunde waren sie ihm gleichgültig, er empfand kein kameradschaftliches Gefühl für sie und kam sich in ihrem Kreise fremd vor.

Nachmittags erhielt jeder Soldat die Erkennungsmarke mit seinem Namen und Jahrgang, ein kleines, elfenbeinfarbenes Täfelchen, ein ungewohntes Ding, das sich die Leute unter düstern Scherzen als »Totentäfeli«, als »Grabmäli« oder »Leichenbillett« an einer Schnur um den entblößten Hals hingen. Ebenso ungewohnte Dinge waren das Verbandspäcklein und die aus Zwieback und einer Fleischkonserve bestehende Notration, die nur auf Befehl oder in der äußersten Not angebrochen werden durfte. Schließlich wurde die Aussicht noch abenteuerlicher, die Züge nahmen vor ein paar schweren Holzkisten die Kriegsmunition in Empfang. Füsilier Bär stieß einen leisen Pfiff aus. »Also doch!« sagte er. »Ich dachte, wir würden wieder nur blind schießen dürfen.« Eine angeregte Unterhaltung entspann sich.

Paul kam an die Reihe, ergriff mit einem Gemisch von Ironie und Genugtuung die zwei Pakete, die ihm der Wachtmeister entgegenstreckte, und spürte betroffen ihr Gewicht. »Die kann ich unmöglich mehr mitschleppen«, dachte er und ging an seinen Platz zurück, hielt aber beim Anblick Albins fröhlich grinsend an. Albin Pfister, der zu einer andern Gruppe gehörte, stand mit ratloser Miene hinter seinem Tornister, in jeder Hand ein Pack Munition, mit der er offenbar nichts anzufangen wußte. Als er Paul herankommen sah, schüttelte er scherzhaft verzweifelt den Kopf.

»Lyriker mit Munition«, sagte Paul freundlich spottend.

»Ein Journalist macht keine bessere Falle damit!« erwiderte Albin.

»Ja, aber weißt du... ich empfinde es wie eine Bestätigung, daß jetzt ernst gemacht wird... hundertzwanzig scharfe Patronen auf den Mann, das ist doch keine Spielerei mehr... das Gemeine ist nur, daß man sie tragen muß.«

»Das Gemeine ist, daß man damit hundertzwanzig Menschen töten kann«, flüsterte Albin trüb. »Ich will sie gern tragen, wenn ich sie nicht brauchen muß.«

Paul nickte ernsthaft, er fand es auch bedenklich, aber es ging ihm noch nicht so tief.

»Aufpassen!« schrie der Wachtmeister. »In jede Patronentasche kommen zwei Lader. Die übrigen Lader ins Tornisterfach!«

Der ganze Zug begann die Munition zu verstauen.

Gegen Abend wurden die Kompagnien, vollständig ausgerüstet und marschbereit, auf ihren Sammelplätzen vom Bataillonskommandanten Major Schmid gemustert. Am andern Morgen um neun Uhr standen sie in Erwartung der Fahne im Bataillonsverband mit aufgepflanztem Bajonett vor dem Schulhaus, das Gesicht der Straße zugewandt, die von einer dichtgedrängten Zuschauermenge besetzt war. In der Frühe hatte es geregnet, jetzt schwebte noch ein feines Geriesel wie aus Nebeln herab, die Platanen beim Eingang tropften. Paul spürte zum erstenmal die ganze ungewohnte Last des Tornisters, er buckelte die Schultern und stützte sich vornüber auf das Gewehr. Sprechen war verboten, man hörte nur ein dumpfes Knistern von Lederzeug und manchmal das leise Klirren einer locker aufgeschnallten Gamelle.

Major Schmid saß zu Pferde vor dem Bataillon und blickte immer wieder ungeduldig auf die Straße hinaus. »Bataillon Achtung – steht!« befahl er, als der ausgeschickte Zug endlich anrückte.

Das Spiel begann in gehackten Rhythmen den Fahnenmarsch zu blasen, der Adjutant-Unteroffizier mit der Fahne schritt dem Zug voran im raschen Tempo des Marsches zum Tor herein, schwenkte von hinten an den linken Flügel heran und trat, während der Zug zurückblieb, im Taktschritt vor die Front.

Paul sah das Feldzeichen vorbeiziehen; es zuckte bei

jedem Schritt seines Trägers ein wenig, aber es hing schlaff an der Stange und ließ das weiße Kreuz im roten Feld nur kurz aufleuchten, als es vor dem Kommandanten gesenkt wurde. Er schaute es an und wollte sich mit seiner gewohnten Ironie damit abfinden, doch er spürte wider Erwarten einen Hauch jener bindenden Wirkung, die jeder willige Soldat in diesem Augenblick an sich erfuhr. Befangen stand er in Reih und Glied und blickte verschämt auf die Fahne.

18

Das Bataillon marschierte nach dem Fahnenempfang im mitflutenden Strome der Bevölkerung vom Schulhaus weg zur Sammlung des Regiments auf den Exerzierplatz der Kaserne.

Dort stand mitten auf dem Platz allein in lässiger Haltung der Regimentskommandant, Oberstleutnant Hartmann. Den Säbel vor sich hingestellt, die Hände darauf gelegt, verfolgte er regungslos den Anmarsch des ersten Bataillons, dem das zweite und nach wenigen Minuten das dritte folgte. Er begrüßte die drei Kommandanten mit einem knappen Händedruck, dann befahl er, die Kompagnien der Reihe nach in Linie vor den Bataillonsfronten aufzustellen, die einen mit Sack und Gewehr, die andern nur mit dem Gewehr, und je eine zur Auslegeordnung.

Paul und Albin setzten sich, während die erste Kompagnie des Bataillons vor der Front auseinandergezogen wurde, hinter den Gewehrpyramiden zu den übrigen Leuten an das Gitter, mit dem Rücken gegen die Straße, und folgten dem sogleich wieder lebhaft einsetzenden Gespräch. Über den neuen Regimentskommandanten fielen nur wenige, unentschiedene Worte, die allgemeine erregte Neugier galt unvermindert dem Gang der Ereignisse.

Ein eben erst vom Ausland heimgekehrter junger Geschäftsreisender, Füsilier Vogel, erzählte aufgeregt und etwas wichtig von seinen Erlebnissen: »Man macht sich keinen Begriff, was für ein Wirrwarr auf allen Bahnhöfen herrscht. Der letzte Zug in die Schweiz wurde von Italienern und ausgewiesenen Zivilisten einfach gestürmt, ich bin auf dem Trittbrett bis nach Basel gefahren...«

»So ein Kohl!« rief Füsilier Bär.

»Tatsache!« beteuerte Vogel. »Ehrenwort! Ihr habt keine Vorstellung, wie's an der Grenze zugeht. Im Basler Bundesbahnhof warten Tausende von Italienern auf eine Möglichkeit zur Heimreise, Tausende... ja ich glaube, es sind gegen zehntausend.«

»Soviel gibt's ja gar nicht!« erwiderte Bär wegwerfend.

Vogel galt als Aufschneider, aber diesmal hatte er recht, die ausgewiesenen italienischen Arbeiter mit ihren Familien strömten in unheimlich wachsenden Scharen durch die Schweiz, in Basel allein stauten sich zwölftausend, und für die Bundesbahnen, die den Ansturm nur allmählich bewältigen konnten, ergab sich schließlich in Chiasso eine Zahl von rund hunderttausend südwärts flüchtenden Menschen.

»Ihr bekommt nichts zu tun, es geht im Norden los!« rief ein Zivilist durch das Gitter. »Die Deutschen marschieren in Belgien ein, und England hat Deutschland den Krieg erklärt. Da steht's, im Mittagblatt.«

»Was, in Belgien? England, wieso denn? Belgien ist neutral!« riefen mehrere Stimmen durcheinander.

Indessen befahl Hauptmann Honegger die Kompagnie an die Gewehre und stellte sie zugsweise in Linie zur Inspektion auf.

Hartmann kam in Begleitung seines Adjutanten von einer Kompagnie des gegenüberliegenden Bataillons her eilig über den Platz geschritten. Hauptmann Honegger ging ihm entgegen und meldete die Kompagnie. »Ruhn lassen!« sagte

Hartmann, die Rechte flüchtig an den Käppirand legend, ohne anzuhalten, und eilte an ihm vorbei zum rechten Flügel. Er schritt langsam das vordere Glied ab und faßte Mann für Mann eine Sekunde lang scharf ins Auge. Wo er ein offenes Knopfloch bemerkte, ein schief sitzendes Käppi, einen schlaff angezogenen Leibgurt, faßte er unwirsch hin, worauf der Mann sich befehlsgemäß meldete.

Im vordern Glied des zweiten Zuges stand Albin Pfister und suchte sich einzureden, daß diese Begegnung mit Hartmann nichts zu bedeuten habe. »Wahrscheinlich wird er mich gar nicht erkennen... und wenn auch, für ihn bin ich jetzt nur eine Nummer... ich brauche mich doch gar nicht aufzuregen, das ist ja lächerlich!« Dennoch war Albin aufgeregt, er befand sich in der ängstlichen Spannung, in die seine ungeschützte Empfindsamkeit ihn häufig genug auch ohne triftigen Grund versetzte.

Hartmann kam näher heran, jetzt trat er vor Albins Nebenmann hin, und jetzt erreichte er Albin, ohne ihn zu erkennen. Er verfuhr mit ihm genau so, wie mit allen übrigen Leuten; mit dem ersten Blick stellte er fest, ob der Mann sich ernstlich zusammenriß und stramm genug dastand, dann sah er ihm scharf in die Augen und ließ den Blick endlich prüfend an ihm hinuntergleiten. Er wünschte, daß der Mann auch ihm fest in die Augen sehe und sich damit in ein auf Vertrauen und Autorität gegründetes persönliches Verhältnis zu ihm stelle. Mancher Füsilier aber wich seinem zupackenden Blick aus, worauf er ihn besonders scharf musterte.

Albin spürte, daß Hartmann seinen Blick suchte, doch er verweigerte ihn und starrte gradaus, während das ihm so wohlbekannte Gesicht bedrohlich nah vorüberglitt. Aber in derselben Sekunde wurde an seinem, durch die vollen Patronentaschen beschwerten, etwas locker sitzenden Leibgurt gerüttelt, er fuhr zusammen und rief: »Herr Oberstleutnant, Füsilier Pfister!«

Hartmann warf einen raschen, forschenden Blick zurück, und jetzt erkannte er Albin. Obwohl er sogleich mit derselben Aufmerksamkeit weiterschritt, beschlich ihn ein dunkles Unbehagen, und in der freien Minute, bevor er die nächste Kompagnie zu mustern begann, tauchte die bittere Erinnerung an sein eheliches Zerwürfnis und den hoffnungslosen Abschied von Gertrud in ihm auf. Er hatte ihren Augen, ihrer Miene, ihren Bewegungen, der ganzen ungewohnt sichern, grausam zuversichtlichen Art ihres Auftretens angemerkt, daß etwas mit ihr vorgegangen war. Sie betrog ihn also wohl doch, und mit wem sonst als mit diesem Pfister, der dahinten in der zweiten Kompagnie stand, diesem Schlappschwanz, der eine miserable Grundstellung gezeigt, jämmerlich gemeldet und ihm nicht in die Augen zu blicken gewagt hatte. Er begriff es nicht. Indessen schob er es entschlossen beiseite, es war eine zivile Angelegenheit, er hatte nicht im Sinn, sie mitzuschleppen.

Er setzte die Inspektion gesammelt, streng und wachsam fort, wurde zur festgesetzten Zeit knapp damit fertig und erteilte sogleich den Befehl zur neuen Aufstellung.

Die drei Bataillone rückten mit angehängtem Gewehr aus den Reihen der abgelegten Tornister heraus in Kompagniekolonnen gegen die Mitte des Platzes vor, so daß sie schließlich wie drei an den Kanten zusammenstoßende Würfel ein Viereck umgrenzten, dessen eine Seite gegen die Kaserne hin offen lag. In dieser offenen Seite stand Hartmann und verfolgte die Bewegung. Er hatte einen bestimmten Eindruck vom Regiment gewonnen; es überstieg nach seiner Meinung den Durchschnitt in keiner Weise, es war eine zwar willige, aber noch ziemlich schwerfällige Truppe, in der die übliche weitherzige Dienstauffassung vorzuherrschen schien, eine Truppe, die man nicht schon morgen ohne weiteres ins Feuer schicken durfte. Jene unbedingte, zum Teil begeisterte Bereitschaft, die das ganze eingerückte Heer beseelte, zog er dabei kaum in Betracht. Das war sein Recht, er durfte sich als militärischer Fachmann nicht auf einen unkontrollierbaren Gemütszustand verlassen, der jederzeit umschlagen konnte, sondern nur auf genau bestimmbare, zuverlässige Eigenschaften. Er war entschlossen, diese Eigenschaften herbeizuführen, wenn die Umstände es gestatten würden, er wollte sein Regiment vom eingewurzelten Schlendrian befreien und es in jenem Geiste erziehen, der die einzige Gewähr für eine kriegstüchtige moderne Truppe bot, im Geiste des Generals. In diesem Augenblick, während er scharf beobachtend dastand, empfand er die unruhig zusammenrückende Masse des Regiments wie einen Stoff, der seiner Hand anvertraut wurde, und er spürte eine energische Lust, aus diesem Stoff eine zuverlässige, schneidige, tapfere Truppe zu formen, diese Truppe zu lenken, zu führen und mit ihr anzugreifen.

Die Bewegung des Regiments flaute ab, die dreitausend Menschen standen zusammengerückt und ausgerichtet mit aufgepflanztem Bajonett hinter den drei Fahnen, die Bataillonsspiele hatten sich vereinigt, die Offiziere des Regimentsstabes gingen an ihre Plätze. Hartmann warf einen Blick auf seine Taschenuhr, wandte sich knapp um und schritt der Kaserne zu.

Die Neugierigen in den beiden Straßen, die den Platz einfaßten, drängten sich den Gittern entlang Schulter an Schulter zusammen. Die Fenster, Balkone und Dächer der Häuserfronten hinter ihnen waren dicht belagert von Menschen.

Der Regimentskommandant kehrte nach kurzer Frist raschen, strammen Schrittes zurück und zog noch im Gehen den Säbel. Er hielt knapp an, hob den Säbel steil in die Höhe, befahl schallend »Achtung –« und, den Säbel herunterreißend, »steht!« Dem dumpfen Krachen der zusammenklappenden Absätze folgte ein Augenblick völliger Stille, dann setzte das Spiel kräftig mit dem Fahnenmarsch ein. Hartmann warf sich herum und schritt mit gesenktem Säbel auf das offene Tor zu, aus der ihm eine Gruppe von Offizieren entgegenkam, der Brigadekommandant Oberst Ammann mit seinem Stabsmajor und dem Adjutanten, der Platzkommandant Oberst Reiser, und zwischen ihnen ein Mitglied der Zürcher Regierung. Hartmann meldete sein Regiment, kehrte zurück, befahl »Ruhn!« und stellte sich vor die Offiziere seines Stabes.

Der Regierungsrat trat ein paar Schritte in die offene Seite des Vierecks hinein und begann, den Zylinder mit dem Text der offiziellen Ansprache vor sich hinhaltend, mit kraftvoller Stimme: »Offiziere, Unteroffiziere und Soldaten! Das Vaterland ruft euch in seinen Dienst. Im Namen des Bundesrates und des Zürcher Regierungsrates habe ich euch den Eid der Treue, den Kriegseid, abzunehmen. Wohl ist es unser Wunsch, mit den Nachbarvölkern im Frieden zu leben. Aber wir dulden nicht, daß fremde Krieger ihren Fuß auf unsere Scholle setzen. Im bevorstehenden Krieg liegt diese Gefahr nahe. Ihr sollt sie abwehren. Ihr seid des Vaterlandes Kraft und Stütze, die Hüter seiner Sicherheit und Ehre. Ihr werdet Frau und Kinder, Haus und Heim schützen vor Unbill und Gewalttat. Tritt das Äußerste an euch heran, daß ihr Leib und Leben einsetzen müßt, so zeigt euch würdig der Taten unserer Väter. Euer Beispiel, ihr Führer, entflamme die Soldaten, das Höchste zu leisten. Euch alle, Führer und Soldaten, beseele Eintracht, Mut und Entschlossenheit! Unverbrüchliche Treue und unwandelbare Liebe zu Land und Volk seien unsere Leitsterne in diesen Tagen der Prüfung!«

»Mäßig, mäßig!« dachte Paul, der zwischen den Köpfen der Vordermänner hindurch mit ironischer Neugier seinen Vater und den Regierungsrat beobachtete. »Um einen Ton zu hoch, trotz allem! Und die ›Taten der Väter‹ sind offenbar unvermeidlich.« Indessen hatte die Ansprache ihn dennoch getroffen, er wehrte sich nur dagegen. Verstohlen blickte er in den Reihen seiner Kameraden nach einem befreienden Lächeln aus, aber alle Gesichter verrieten gläubige Sammlung und Hingabe. Da wurde er unsicher.

Der Stabsmajor begann die Kriegsartikel vorzulesen, die nach dem Bundesratsbeschluß öffentlich bekanntgemacht werden mußten, damit sich »ein jeder vor Nachteil, Schande und Strafe hüte«. Der Artikel A lautete: »Wer durch eine Handlung oder Unterlassung vorsätzlich dem Feinde zu nützen sucht, macht sich des Verrates schuldig und verwirkt die Todesstrafe.« Tod und Zuchthaus wurden noch mehrmals genannt und bewiesen den Ernst der Stunde eindringlicher als alle Ansprachen.

Nachdem der Major die Lesung beendet hatte, nahm er vor Oberst Ammann Stellung an, worauf Ammann an der Seite des Regierungsrats ein paar Schritte vortrat und mit scharfer, hochgeschraubter Stimme den Befehl erteilte: »Gewehr und Kopfbedeckung in die linke Hand!«

Eine leise und dumpf rauschende Bewegung entstand, dann tauchten die bloßen Köpfe auf, sauber geschorene, vorwiegend braunhaarige junge Männerköpfe; das Regiment, das unter den uniformierenden Lederhüten eben noch eine Truppe mit einer bestimmten Regimentsnummer und verschiedenen Bataillonsnummern gewesen war, erweckte plötzlich den Eindruck einer lebendigen menschlichen Gemeinschaft.

Der Regierungsrat aber las nun, das Dienstreglement in der leicht erhobenen Rechten, den Zylinder gesenkt in der Linken, laut und langsam, mit absichtlich deutlicher Aussprache die Eidesformel: »Es schwören oder geloben die Offiziere, Unteroffiziere und Soldaten: Der Eidgenossenschaft Treue zu halten; für die Verteidigung des Vaterlandes und seiner Verfassung Leib und Leben aufzuopfern; die

Fahne niemals zu verlassen; die Militärgesetze getreulich zu befolgen; den Befehlen der Obern genauen und pünktlichen Gehorsam zu leisten; strenge Mannszucht zu beobachten und alles zu tun, was die Ehre und Freiheit des Vaterlandes erfordert.«

Der Regierungsrat senkte die Hand mit dem Reglement und rief mit erhöhter, leise bebender Stimme: »Ich fordere euch auf, die Rechte mit den drei Schwurfingern emporzuheben und zu sprechen: Ich schwöre es.«

Dreitausend Arme fuhren empor, und in einem einzigen gewaltigen Stimmenschwall donnerte es aus dem Regiment: »Ich schwöre es!«

Alle stießen die drei schweren Worte erregt aus voller Brust heraus. Fred, finster vor sich hinstarrend, den Arm steil erhoben, rief sie wie im Zorn, mit scharfer, vor Überzeugung heiserer Stimme. Albin leistete den Schwur in einem leichten Taumel, hingerissen von der auf ihn eindringenden Bewegung, unfähig, ihn zu verweigern. In einem ähnlichen Taumel befand sich Paul. Er war nicht imstande, seinen kühlen Eigensinn durchzusetzen. Wie er schon einmal vor einem gewissen festlichen Andrang kapituliert und sich nichtig gefühlt hatte, so ergab er sich dieser feierlichen Übermacht, die in seiner Vorahnung »Theater« gewesen war, und für die er jetzt keinen Namen mehr wußte. Er wurde überwältigt, sein Kopf beherrschte den breitern Grund seines Wesens nicht mehr; er warf wie alle andern den Arm empor und rief, ohne seine eigene Stimme zu hören, atemlos: »Ich schwöre es!«

Dem Schwur folgte eine Stille wie nach einem Blitz, der krachend eingeschlagen hat, eine unheimliche Stille, die Paul sinnlos lang vorkam, obwohl sie nur ein paar Sekunden dauerte. »Und jetzt, und jetzt?« dachte er gequält. »Warum schweigen sie jetzt da vorn? Sie sollen doch befehlen! Das ist ja furchtbar!« Er fühlte mit rasender Ungeduld, daß sofort etwas geschehen müsse, aber zugleich bangte ihm davor, weil es auf eine unwürdige, banale Art geschehen und diese unerträgliche Spannung nicht lösen, sondern jämmerlich zerreißen konnte.

Da stimmte das Regimentsspiel mit vollem Klang »Rufst du, mein Vaterland« an. Es war für Paul etwas ganz Unerwartetes, das ihn überlistete, es griff sanft lösend in seine Starre hinein und machte ihm die Augen feucht, ohne daß er sich recht bewußt wurde, was ihm geschah. Betroffen, mit ungläubiger Miene, lauschte er den leise erschütternden Klängen, und es war wirklich dasselbe, vormals so abgedroschene Lied, das er nur grinsend hatte anhören können, es war die Vaterlandshymne.

Eine Reihe scharfer Befehle folgte, die dreitausend Köpfe verschwanden wieder unter den Lederhüten, und das Regiment erwies dem Regierungsvertreter zum Abschied die Ehrenbezeugung abermals. Die Bataillone machten rechtsumkehrt und marschierten hinter die Tornister zurück. Ordonnanzen führten den Offizieren die Pferde zu.

Die Menschenmasse in den beiden Seitenstraßen begann sich zu lockern, zog in wachsendem, zuletzt hastigem Fluß gegen die Kasernenstraße und drängte die dort wartende Menge noch mehr zusammen. Polizisten versuchten, die Straßenmitte freizuhalten, und die beiden Schildwachen an der Einfahrt zum Exerzierplatz stemmten sich dem Andrang mit quer gehaltenem Gewehr entgegen, doch immer wieder quollen haufenweise Zuschauer über die Grenzen und wichen erst vor der ausrückenden Kolonne selber zurück. Das Spiel an der Spitze des ersten Bataillons schwenkte mit einem dröhnenden Marsch in die Straße ein. Verworrener Lärm erhob sich und wuchs rasch in die Breite, ein brausender Abschiedsjubel, der ungeschwächt anhielt. Das Volk rief, schrie und winkte, durchdrungen von einem neuen, starken Vertrauen und feierlich erregt vom Anhauch des unbekannten Schicksals, dem seine Wehrmannschaft entgegenzog. Die dreitausend Soldaten marschierten freudig und zuversichtlich in geschlossener Kolonne zu vieren durch die enge Volksgasse, schwer bepackt, mit geschultertem Gewehr und gleichmäßig pochendem Schritt, ebenso bereit für ihr Land zu kämpfen und zu sterben wie die Soldaten aller andern Völker.

III

1

Der Aufmarsch nach dem Plan des Generalstabs wurde von der gesamten Armee ruhig und geordnet in verhältnismäßig kurzer Frist durchgeführt. Drei Divisionen übernahmen den unmittelbaren Grenzschutz und lösten durch starke Vorposten den dünnen Gürtel der Landsturmwachen ab, drei weitere Divisionen blieben zur Verfügung des Armeekommandos in rückwärtigen Quartieren, an den Hauptverbindungslinien nach den besonders gefährdeten nordwestlichen Grenzabschnitten.

Die Truppen wurden sogleich in Betrieb gesetzt, in einen äußerst scharfen Dienstbetrieb. Drill, Einzelausbildung, Gefechtsübungen und Eilmärsche folgten einander vom Tagesgrauen bis zur Dunkelheit, die Offiziere entwickelten eine unerwartete Energie, und die Mannschaft, die den Sinn der eiligen Zucht erkannte, arbeitete willig. Diese Vorbereitung auf den Krieg aber hatte kaum begonnen, als die Divisionen alarmiert wurden.

Das Regiment Hartmann lag in der nördlichen Hälfte einer ausgedehnten Ortschaft. Drei Kompagnien des Bataillons Schmid waren in den Lagerschuppen einer stillgelegten Fabrik untergebracht. Nachmittags, als im Bataillonsbüro der Alarmbefehl eintraf, trieb die Kompagnie Honegger noch draußen im Gelände Zugs- und Gefechtsausbildung. Im sechsten Glied des zweiten Zuges marschierte der Füsilier Paul Ammann. Nichts unterschied ihn von seinen Kameraden, er zeigte dieselbe Miene wie alle, eine aufmerksame und leicht gequälte Miene, die von der körperlichen Anstrengung herrührte und von der Notwendigkeit, die rasch aufeinanderfolgenden Befehle so genau wie möglich auszuführen. Er marschierte, während ihm der Schweiß über die magern Backen rann, mit geschultertem Gewehr auf der heißen Landstraße und schlug Taktschritt an oder schwenkte ausgerichtet in die Linie, er verharrte regungslos, machte den Gewehrgriff und marschierte weiter, er stürmte aus der Marschkolonne an seinen bestimmten Platz in der Schützenlinie, rückte vor und erregte keinen Anstoß. Er verzichtete auf den passiven Widerstand, mit dem er im letzten Wiederholungskurs auf versteckte, unbestrafbare Art seiner militärischen Erziehung ausgewichen war, und bemühte sich, ein Soldat zu werden. Es fiel ihm schwer.

Leutnant Tobler, ein kräftig gebauter junger Mann von blühender Gesundheit, kommandierte den Zug energisch, sicher und ohne Übertreibung. Er gab sich streng, war aber vernünftig und fühlte, was er den Leuten zumuten durfte, ohne sie zu verärgern; er brach immer im richtigen Augenblick ab. »Gewehre zusammen!« befahl er. »Pause!«

Die fünfzig Soldaten schlenderten entspannt aus den Gewehrpyramiden heraus, hoben die Käppi von den Köpfen und wischten sich den Schweiß ab; einige traten nebenaus, die meisten legten oder setzten sich müde an die vom Waldrand beschattete Straßenböschung. Nur die Unteroffiziere blieben ohne Zeichen von Müdigkeit plaudernd auf der Straße stehen.

Der Leutnant sah dem Erschlaffen des Zuges mit heiterm Verständnis zu und trat vergnügt lächelnd vor die Ruhenden, bereit, mit ihnen die Meinung zu teilen, daß dies ein verfluchter »Schlauch« gewesen sei. »Hat's angehängt, Wegmann?« fragte er. Seine Stimme war auch in diesem Plauderton kräftig und voller Selbstbewußtsein.

Füsilier Wegmann, der sich an der Böschung erschöpft auf den Rücken gelegt hatte, richtete den Oberkörper auf und antwortete schwach lächelnd: »Jawohl, Herr Leutnant.« Er war ein äußerst gutmütiger Bursche mit dem hier unglücklichen, für die ruchlosen Spötter des Zuges aber sehr anregenden Beruf eines Damenschneiders.

»Das ist recht, das soll's!« erwiderte der Leutnant. »Jetzt heißt's die Knochen stählen, Grenzdienst ist kein Wiederholungskurs.«

»Kann mir vielleicht einer sagen, wo hier die Grenze ist?« rief Füsilier Bär mit seiner schon allen bekannten hohlen und anmaßenden Stimme, während er hinter einer Tanne hervortrat und, die Hose zuknöpfend, seine Nase suchend in die Luft hob.

Der ganze Zug wandte sich auflachend nach Bär um, die Frage drückte genau das aus, was sich alle schon selber gefragt hatten; sie wollten nicht im Hinterland Taktschritt klopfen, sie wollten an die Grenze.

»Machen Sie erst den Hosenlatz zu!« rief der Leutnant zum Ergötzen des Zuges. Er schätzte den Füsilier Bär hoch ein und hätte ihn nicht gegen drei Stillere eingetauscht, er sah voraus, daß dieser wohlgelaunte Bursche zwar immer witzeln, schnorren und schimpfen, aber niemals versagen würde und auch in schwierigen Lagen die gute Stimmung noch retten konnte.

Paul lag neben Albin rücklings ausgestreckt an der Böschung und blickte unter gesenkten Wimpern hinweg nach dem Leutnant, den er als den Sohn eines stadtbekannten Fabrikherrn schon vom Zivil her oberflächlich kannte. Er beachtete seine tadellos uniformierte, feste Gestalt, sein volles Gesicht mit den wachen, heitern Augen, sein selbstgewisses, aber natürliches, unbekümmert wirkendes Benehmen, und er mußte sich gestehen, daß diese abenteuerliche Zeit einen so aufreizend gesunden und lebenstüchtigen Kerl ins hellste Licht rückte, während sie ihn, Paul Ammann, recht kläglich in den Schatten setzte.

Das rasch nahende Getrappel eines Pferdes wurde hörbar. Hauptmann Honegger trabte auf der Straße heran.

Der Zugführer ging ihm ein paar Schritte entgegen, nahm sehr stramm Stellung an und meldete schallend: »Herr Hauptmann, Leutnant Tobler. Zweiter Zug. Pause.«

Hauptmann Honegger stieg ab, übergab den Fuchs dem nächsten Füsilier und trat lächelnd mit wiegenden Knien auf den Leutnant zu.

In diesem Augenblick tauchte in einiger Entfernung ein Reiter auf, der die breite, von der Ortschaft her führende Straße verlassen hatte und sich auf dem kürzesten Weg über Wiesland und Kartoffeläcker in gestrecktem Galopp dem Übungsplatz der Kompagnie näherte.

»Der Adjutant!« sagte Leutnant Tobler. »Wie steht's da mit dem Kulturschaden? Macht er das zu seinem Vergnügen oder...«

»Nein, da ist etwas los!« erwiderte Hauptmann Honegger und blickte dem Reiter neugierig entgegen.

Der Bataillonsadjutant, Oberleutnant Kern, begann nah vor ihnen mit den Zügeln zu arbeiten, flog im Sattel ein paarmal hart auf und legte die Rechte schon an den Käppirand, eh er das Pferd recht zum Stehen gebracht hatte. »Herr Hauptmann, Oberleutnant Kern!« meldete er flüchtig, dann laut, deutlich: »Divisionsalarm! Sofort einrücken und marschbereit machen! Die Kompagniekommandanten zum Herrn Major!« Er drehte sein Pferd hastig nach links auf die Straße und ritt in scharfem Trab davon, zur nächsten Kompagnie.

Hauptmann Honegger wechselte mit dem Leutnant einen kurzen, unternehmungslustig aufleuchtenden Blick und bestieg seinen Fuchs. »Zugsweise einrücken und sofort die Bajonette fassen, geschliffen oder ungeschliffen!« befahl er und trabte zu den andern drei Zügen. Die Kompagnie hatte am Morgen die Bajonette zum Schleifen abgeliefert.

Als Tobler, strahlend vor Genugtuung, mit seinem Zug in raschem Feldschritt zur nächsten Straßengabelung kam, wurde er von seinem Hauptmann überholt, und zugleich ritt von der andern Straße in ungezügeltem Trab und schlechter Haltung Hauptmann Brändli heran. Hundert Meter hinter Brändli aber folgte polternd in einer mächtigen Staubwolke seine ebenfalls schon alarmierte Kompagnie, die er unter der Führung eines Oberleutnants im Laufschritt einrücken ließ. Die zwei Hauptleute trafen sich und trabten nebeneinander weiter, wobei Honegger offenbar mit Bedacht seinen Fuchs zurückhielt, trotzdem Brändli ihm beständig um eine halbe Pferdelänge voraus war.

»Rechts anhalten!« befahl Tobler seinem Zug, mäßigte auch seinerseits das Tempo und ließ spöttisch lächelnd die dritte Kompagnie links vortraben.

Paul entdeckte in der vorbeirumpelnden Kolonne seinen Bruder und machte sich ihm grinsend bemerkbar.

Der lange Korporal Fred sah nicht sehr kriegerisch aus, wie er offenen Mundes mit vorgestrecktem Hals unter seiner Last dahintrabte; sein Käppi wackelte, sein Gesicht zeigte einen kindlich duldenden Ausdruck, der Schweiß lief striemenweise über seine staubigen Backen herab. Sowie er aber Paul erkannte, veränderte sich seine Miene, er hob auflachend den Kopf, machte schmunzelnd mit der rechten Schulter eine ironisch antreibende Bewegung, kniff noch rasch ein Auge zu und verschwand hinter den andern.

Die Kolonne rumpelte vorbei, die staubgrauen Schuhe schlugen dumpf krachend in raschem Takt die Straße, die schwere Packung schütterte, die Gamellen klirrten.

Die zweite Kompagnie sammelte sich vor ihrem Lagerschuppen und nahm die Bajonette entgegen. Sie waren geschliffen. Der ganze Hof in der heißen Nachmittagssonne, die blendend von der weiß getünchten Fabrikmauer zurückprallte, war von lautem, hastigem Treiben erfüllt. Die Zugführer riefen nach den Ordonnanzen und rannten auf ihre Zimmer, um die Koffer zu packen, aufgeregte Feldweibel liefen herum, da und dort suchten Füsiliere ein überflüssiges Paket der Feldpost anzuhängen oder in den Fourgon zu schmuggeln, Wachtmeister ließen die Wolldecken aus den Kantonnementen schaffen, Fourgons und Requisitionswagen wurden beladen, Fahrküchen bereitgestellt und Pferde eingespannt.

Pauls Kameraden prüften mit dem Daumen die Bajonettschneide, Bär stach in die Holzwand des Schuppens, Kuhn schlug eine Postkarte entzwei. In der vordern Gruppe machte Vogel sich wichtig. »Was, marschieren!« rief er aufgeregt. »Wir werden verladen, das ist ganz klar, sonst kommen wir überhaupt nicht rechtzeitig an die Grenze.« Offiziersordonnanzen, die aus der Ortschaft zurückkehrten, berichteten übereinstimmend, Frankreich habe der Schweiz ein Ultimatum gestellt, die Franzosen seien aber bereits in Basel einmarschiert.

Die Zugführer erschienen mit dem Offizierstornister auf dem Rücken im vollen Lederzeug eilig wieder bei ihren Kompagnien. »Die ganze Armee ist alarmiert«, sagte Leutnant Tobler laut und lehnte sein Tornisterchen an die vorderste Gewehrpyramide. »Wachtmeister Lang, ist der Zug vollständig?« Lang meldete: »Nein, Herr Leutnant! Drei Mann sind noch abkommandiert.«

Hauptmann Honegger kam hastig mit langen Schritten über den Hof. »Wir müssen sofort abmarschieren!« sagte er ernst. »Das Bataillon sammelt sich am Westausgang.« Er trat zu seinem Pferd, stopfte etwas in die Satteltaschen und rief den Feldweibel.

Die dritte Kompagnie marschierte bereits zum Hof hinaus; ihre Spitze schlug ein derartiges Tempo an, daß der hinterste Zug im Laufschritt aufschließen mußte.

Honegger stieg in den Sattel. »Säcke aufnehmen!« befahl er. »Gewehre ergreifen! Vom rechten Flügel an abmarschieren, Richtung Ausgang!«

Leutnant Tobler ließ die Gewehre anhängen. Der erste Zug marschierte. »Zweiter Zug vorwärts – marsch!« In diesem Augenblick kamen die drei Abkommandierten gerannt; sie schwangen sich den Tornister auf den Rücken, nahmen das Gewehr in die linke Hand und trabten, während sie mit der Rechten zurückgreifend den Tornisterriemen einzuhaken versuchten, in ungeschicktem Laufschritt der Kolonne entlang zu ihren Gruppen.

Die Kompagnie marschierte rasch und schweigend zum Hof hinaus wie schon oft, aber nun stand plötzlich keine Ausbildung oder Übung mehr bevor, von der man mittags oder abends abgestumpft mit müden Knochen zurückkehrte, sondern eine unbekannte drohende Wirklichkeit, die sich von der halb gespielten Wirklichkeit des Militärlebens gründlich unterschied. Jedem Ausrückenden prägte sich dieser Aufbruch als eine völlig neue Erfahrung ein, die mit einem merkwürdigen Gefühl von Leere oder Lauheit in der Magengegend und zugleich mit einer neugierigen Bereitschaft verbunden war. Dasselbe erlebten in diesen Tagen die Soldaten auf allen Kriegsschauplätzen, und beim Beginn des ersten Kampfes erfuhr auch mancher Tapfere, Begeisterte eine derartige Steigerung jenes körperlichen Gefühls, daß er stracks in die Hosen machte. Mit Mut oder Feigheit hatte diese Erfahrung nichts zu tun, wohl aber mit der eingeborenen Angst des Menschenwesens vor dem Tode. Die Soldaten gestanden sich diese Angst entweder gar nicht ein oder überwanden sie. Unsere alarmierten Offiziere und Mannschaften zweifelten kaum mehr daran, daß jetzt für sie der Ernstfall eingetreten sei, und so witterte auch ihr Menschliches dort im Nordwesten hinter ihrem Marschziel den Tod. Sie waren aber Soldaten, sie dachten nicht an den Tod, sondern an ihre Aufgabe, und marschierten.

2

Das Bataillon Schmid stieß, von aufgeschreckten Einwohnern begleitet, außerhalb der Ortschaft zu den beiden andern Bataillonen und marschierte im Regimentsverband weiter. Hartmann ritt mit seinem Stab ein paar Minuten lang an der Spitze, dann bog er in eine gemähte Wiese ab und ließ das Regiment an sich vorbeiziehen. Die Bataillonsführer rief er an seine Seite.

Die Hauptleute, die den Regimentskommandanten rechtzeitig gewahrten, machten ihre Kompagnien aufmerksam; die Mannschaft begann sich in seiner Nähe aus der leicht gebückten Haltung aufzurichten, drehte ihm ohne besondern Befehl das Gesicht zu und marschierte stramm vorbei. Hartmann saß auf seinem blank geriebenen Braunen, der immer wieder den Kopf senkte, schüttelte oder aufwarf, um die Fliegen abzuwehren, und blickte schweigend mit unbewegter Miene auf die Marschkolonne, bis der letzte Sanitätssoldat mit seiner Tragbahre vorbeigezogen war.

»Meine Herren«, sagte er zu den drei Bataillonskommandanten, »ich möchte Sie darauf aufmerksam machen, daß wir im Regimentsverband marschieren. Ich habe noch keinen Freimarsch und keine Marscherleichterungen befohlen. Eine Kompagnie aber hat bereits das Sturmband hochgeschlagen und einzelne Leute haben den Kragen geöffnet. Das geht nicht! Es wird nach Regimentsbefehl alles einheitlich durchgeführt. Ich verlange strengste Marschdisziplin. Sie haben jetzt Gelegenheit, in Ihren Bataillonen darauf zu achten.« Er legte die Rechte an den Käppirand, setzte sein Pferd eilig in Bewegung und trabte der Kolonne entlang wieder an die Spitze.

Die drei Kommandanten ritten hinter ihm her an die Spitze ihrer Bataillone, riefen die Hauptleute vor und machten sie für alles verantwortlich, was der Regimentskommandant befohlen hatte. Die Hauptleute lenkten an ihre Plätze in der Kolonne zurück, riefen die Zugführer zu sich und übertrugen ihnen die Verantwortung für die befohlene Marschdisziplin. Die Kompagnie, die das Sturmband hochgeschoben hatte, mußte es herunternehmen.

Leutnant Tobler begann neben seinem Zuge herzugehen und faßte einen Mann nach dem andern ins Auge. »Füsilier Bär, Füsilier Burkhart, Kragen schließen!« befahl er. »Es ist noch kein Befehl gekommen, den Kragen zu öffnen.«

»Zu Befehl, Herr Leutnant!« riefen die Genannten und hakten den Uniformkragen wieder ein. »Ich habe einen Stehkragen zu Hause, den kann ich mir ja auch noch kommen lassen«, fügte Bär halblaut bei.

»Es ist kein Freimarsch befohlen«, sagte der Leutnant scharf.

»Wie lächerlich!« dachte Paul. »Jetzt, da es ernst wird, denken sie an den Kragen. Sie sollen uns doch in Ruhe lassen, wenn wir marschieren!« Dasselbe dachten seine Kameraden; sie fanden die Betriebsamkeit der Offiziere ganz unnötig und ärgerten sich darüber.

Bald aber wurde von der höchsten Stelle aus denn doch befohlen: »Freimarschieren!« Die Leute begannen sogleich zu reden, zu schimpfen, zu rauchen, die Kolonne lockerte sich ein wenig, aber die Züge blieben aufgeschlossen und unter sich im Schritt. Etwas später traf auch der Befehl ein: »Kragen öffnen!«

Paul bot Burkhart, seinem linken Nebenmann, eine Zigarette an.

»Danke, ich rauche nicht!« sagte Burkhart schroff.

Paul war an diesen Ton schon gewöhnt und bezog ihn nicht auf sich, der wortkarge Lehrer mit dem zornig wirkenden Gesicht schien eines freundlichen Wortes nur ausnahmsweise fähig zu sein. Er fand ihn nicht unsympathisch und war bereit, ohne Vorurteil geduldig zu warten, bis sich ein kameradschaftliches Verhältnis von selber ergeben würde. Mit Keller dagegen, seinem Nebenmann zur Rechten, wollte er nichts zu tun haben. Keller, Magaziner von Beruf, mit einem roten, grob geschnittenen Gesicht, das auf Paul einen vulgären Eindruck machte, rauchte einen stinkenden Knaster, roch nach Fußschweiß und wußte sich im Kantonnement ohne Rücksicht auf andere immer Vorteile zu verschaffen.

Zwischen diesen wenig gemütlichen Nachbarn blieb Paul in der Kolonne vorerst ein stumm duldender Mitläufer. Zu den übrigen Leuten der Gruppe, zu Kuhn, Bär, Frey, besonders aber zu seinem Vordermann Pfenninger, hoffte er eher ins rechte Verhältnis zu kommen. Baumann, den Korporal, fand er harmlos. Er hatte es jetzt schon satt, in dieser unentrinnbaren Gemeinschaft als Fremdling zu leben; so etwas war im Wiederholungskurs möglich, doch auf die Dauer ohne schwere Nachteile nicht durchzuführen.

Die Leute ihrerseits waren sich bewußt, den Sohn des Brigadekommandanten in ihrer Gruppe zu haben. Das konnte ihnen nicht angenehm sein. Es störte sie. Sie wagten sich, mit Ausnahme Bärs, nicht recht an ihn heran, und so mußte denn Paul wohl selber den Anfang machen. Sein literarischer Begriff vom »Volk« versagte jetzt, wie immer, wenn er unter wirkliches Volk geraten war, und die Mannschaft gehörte zu diesem wirklichen, gemeinen Volke, von dem er sich ausgeschlossen hatte. Er besaß den besten Willen, sich wieder anzuschließen, aber vom Willen allein hing wenig ab, die Zugehörigkeit war für ihn nur durch Prüfungen zu erwerben, wie er sie im Frieden nie erlebt und ohne Zwang auch nie bestanden hätte.

»Anhalten!« rief der Leutnant. »Rechts treten! Gewehre zusammen, Säcke ab! Stundenhalt!«

Paul war froh, den Tornister ablegen zu dürfen, aber er wunderte sich doch, daß sie schon eine Stunde marschiert waren. Er bewegte die steifgewordenen Schultern und setzte sich neben Pfenninger an den Straßenrand. Pfenninger begann mit Kuhn zu reden.

Leutnant Tobler schritt lächelnd den Ruhenden entlang und wandte sich jetzt zum erstenmal in undienstlicher Absicht an Paul, der dies längst mit einigem Mißbehagen erwartet hatte. Tobler fragte, ob er den letzten Wiederholungskurs auch mitgemacht habe und ob sein Bruder Fred immer noch bei der dritten Kompagnie sei. Paul spürte sogleich, daß der Leutnant mit ihm in einem andern, höflichern Tone sprach als mit der übrigen Mannschaft; das war ihm unangenehm, er wollte nicht bevorzugt werden. Er antwortete so knapp und kühl wie möglich. Tobler setzte die Unterhaltung fort, er sprach über Severin, den er gut kannte, über den Hauptmann Karl Ammann vom Rusgrund, unter dem er Dienst getan habe, und schloß am Ende noch freundlich auffahrend: »Schade, daß Sie in Zürich nicht zu unserer Verbindung gekommen sind!«

Paul hatte das peinliche Gefühl, daß die ganze Gruppe zuhöre und künftig erst recht von ihm abrücken werde.

In der vordern Kompagnie entstand ein Geschrei, Tobler horchte hin, trat auf die Straße zurück und befahl scharf: »An die Säcke!«

Das Regiment marschierte weiter auf der ebenen Landstraße zwischen Wiesen und Getreidefeldern. Die Sonne brannte noch immer mit unverminderter Kraft, die Luft stand brütend still. Vor den Kompagnien wurde getrommelt und manchmal blies ein Bataillonsspiel.

Der nächste Stundenhalt fiel für die Kompagnie Honegger in das Ende eines langgezogenen Dorfes. Die Einwohner, die winkend an der Straße gestanden und dem vordersten Bataillon Erfrischungen gereicht hatten, begannen mit den Soldaten zu reden. Sie waren aufgeregt und voll von Gerüchten. Ein schwer beleibter Zivilist ohne Kragen gebärdete sich sehr verwundert, daß die Soldaten den Grund des allgemeinen Alarms nicht genau zu kennen schienen, und ergriff diesen ihm offenbar willkommenen Anlaß, vor ängstlich zuhörenden Mädchen und ältern Leuten seines Dorfes die Truppe aufzuklären. Das französische Ultimatum an die Schweiz wollte er schwarz auf weiß in einer welschen Zeitung gelesen haben, dagegen bestritt er die Besetzung Basels und behauptete, die Franzosen seien erst im Anmarsch; immerhin könne es an der Grenze schon morgen zur Schlacht kommen.

Paul ärgerte sich über den dicken Schwätzer und wandte seine Aufmerksamkeit einem ärmlich gekleideten Greise zu, der als Soldat die Grenzbesetzung von 1870/71 mitgemacht hatte und nun, noch immer erfüllt von der Bedeutsamkeit jenes Ereignisses, den neuen Vaterlandsverteidigern davon erzählen wollte. Die Leute aber versuchten eben, eine schüchterne Dorfschöne heranzulocken, und hörten ihm kaum zu, was ihn ein wenig zu verwirren schien. »Und dann... dann kamen sie also... alles Franzosen, mitten im Winter«, sagte er und hob, um sich Gehör zu verschaffen, die zitternde Rechte, in der ein altersgelber Knüppelstock hing, wobei er ohne viel Erfolg bald diesen, bald jenen Soldaten anblickte. »Sie hatten rote Hosen an und parlierten durcheinander... und als wir ihnen nun die Gewehre wegnahmen, da...«

»An die Säcke!« wurde der ruhenden Kolonne entlang geschrien.

Paul sah, wie der Greis halb verdrossen, halb eingeschüchtert, vor den auffahrenden Soldaten zurückwich und, mit sich selber beschäftigt, murmelnd wegging.

Der Dicke rief begeistert: »Zusammenhalten! Zusammenhalten!« Die Kinder liefen nach vorn, um noch einmal das ganze Regiment zu sehen. Eine unruhig auf und ab gehende Frau sagte weinend in gerührtem Tone immer wieder: »Adie mitenand! Adie mitenand!« Andere Frauen standen da und trockneten sich stumm die Augen.

Im Verlauf der folgenden Stunde begannen die weniger marschtüchtigen Leute unter dem Einfluß der Hitze und der schweren Packung schon recht kläglich auszusehen. Paul spürte eine schmerzende Müdigkeit von den Schultern bis zum Kreuz und spielte dumpf mit dem Gedanken, zurückzubleiben; als er aber die ersten Marschmaroden am Straßenrand liegen sah, kam ihm das so beschämend vor, daß er sich sogleich fest entschloß, auf keinen Fall auszutreten. Das runde, freundlich-kluge Gesicht des Bataillonsarztes, Oberleutnant Junod, tauchte zu seiner Rechten auf. Junod blickte die Leute aufmerksam an, hielt aber, um ihnen das Kopfdrehen zu ersparen, auf seinem Pferde etwas abseits hinter einem Busch, wo man ihn nicht zu grüßen brauchte.

»Rechts anhalten!« wurde von hinten gerufen.

Vielfältiges starkes Pferdegetrappel kam rasch näher, eine Schwadron Dragoner trabte vorbei; sie schien es sehr eilig zu haben und ließ ohne Rücksicht auf die marschierende Kolonne den Straßenstaub in mächtigen Schwaden zurück. Füsilier Bär faßte die Gefühle der Infanterie in ein einziges Wort zusammen, das er den Reitern kräftig nachrief. »Säucheibe!« rief er.

Indessen erhielt sich bei aller Drangsal in der Truppe eine ernste, ja uneingestanden feierliche Stimmung, die während des nächsten Stundenhalts auf die eindrücklichste Art gesteigert wurde. Das Regiment hatte nach raschem Anstieg den flachen Rücken einer Höhe erreicht und sich eben der Straße entlang in die magere Weide gelagert, als zuerst die Offiziere, dann auch Unteroffiziere und Füsiliere auffällig angeregt zusammentraten und in die Ferne horchten. »Das ist Kanonendonner!« sagte Wachtmeister Lang entschieden und blickte die neben ihm stehenden Korporale groß an, um sogleich wieder hinzuhorchen. In Pauls Nähe erhoben sich

Kuhn, Vogel, Rüegg, Bär, und schon nach wenigen Sekunden begann Vogel mit aufgeregt wichtiger Miene zu erklären, warum dies Brummen nicht von Sprengschüssen, sondern nur von schweren Geschützen herrühren könne. Hauptmann Honegger kam lässig dahergeschritten, um zu sehen, wie sich die Leute zu dieser Wahrnehmung verhielten. »Das kommt aus der Gegend von Altkirch oder Mülhausen, dort ist es losgegangen«, sagte er zuversichtlich lächelnd. »Es können auch die großen Kaliber vom Isteiner Klotz sein, es ist gar nicht so weit weg.«

Jetzt standen mit dem müden Rest ihres Zuges auch Paul und Albin auf, blickten über eine weite, hügelige Landschaft, die sich am Horizont in flimmerigem Dunst verlor, horchend nach Nordwesten und vernahmen deutlich ein stoßweises, tiefes Brummen, das einige Ähnlichkeit mit fern verebbendem Gewitterdonner hatte. »Großartig!« sagte Paul leise, mit plötzlicher, leidenschaftlicher Anteilnahme. »Das ist der Krieg! Es wird doch ernst, und wir sind en marche, Gott sei Dank!«

Albin bewegte trübe lächelnd den Kopf. »Ich weiß nicht... ich bin schon ganz stumpf geworden... ich kann mich nicht hineinfinden, und ich bin gar nicht wirklich dabei... dies alles hier kommt mir jetzt vor wie ein Traum.« Er beschrieb mit der Rechten hinweisend einen Halbkreis und blickte zweifelnd um sich.

Paul schaute in die Runde und nickte. Ein blauer Sommerhimmel über einem bunten Land mit flimmernden Horizonten, und im weißgoldenen Licht der tiefstehenden Sonne ein Regiment, das, zur Verteidigung dieses Landes ausgerückt, hier wie gebannt dem Grollen des heraufziehenden Krieges entgegenhorchte – diesen Anblick auf dem Hintergrund eines jahrzehntelangen friedlichen Alltags fand auch er traumhaft genug. »Ja, es ist unglaublich, aber man sollte diesen Traum nicht träumen, sondern erleben. Ich meinerseits will nun wirklich dabeisein, weißt du. Man muß sich hineinfinden, anders ist es gar nicht zu ertragen.«

Das Regiment war kaum anmarschiert, als ein Auto mit Stabsoffizieren langsam der Kolonne vorfuhr, auf der abfallenden, freien Straße die Geschwindigkeit aber sogleich steigerte und in einer Staubwolke verschwand. Auf der ebenen Talsohle, wo Fabrikanlagen, Gemüsegärten und ein Bahndamm mit Rangiergeleisen die Nähe einer größern Ortschaft verrieten, mehrten sich die Anzeichen des allgemeinen Aufbruchs nach Nordwesten. Ein noch nicht sichtbarer Zug, der weiter hinten unter schrillen Signalen auf offener Strecke anhielt, gab der Mannschaft vorerst Gelegenheit zu wehmütigen Betrachtungen. »Vogel, da kommt dein Zug. Mach, daß wir verladen werden, du hast es versprochen!« »Die Eisenbahn gehört scheint's leider nicht zum Korpsmaterial.« »Unsere Stäbe haben eigenen Dampf.« So und ähnlich tönte es rings um Paul. Als der Zug dann ratternd vorbeifuhr, kein anregendes Ereignis für eine verstaubte, schwitzende Marschkolonne, stellte sich heraus, daß er von vorn bis hinten mit Infanterie besetzt war, die sich lachend, rufend und winkend in die offenen Fenster drängte.

Unweit der Ortschaft selber erschien zur Linken des Regiments, auf einer von Südosten herführenden Straße, eine Artilleriekolonne, die in Rufweite neben der Infanterie die verstreuten ersten Häuser erreichte und vor der Einmündung in die Hauptstraße anhielt, um die marschierende Truppe vorbeizulassen. Sie mußte einen weiten und wohl auch nicht vergnüglichen Weg zurückgelegt haben; die schwitzenden Fahrer und Kanoniere waren so grau bestäubt wie ihre Kanonen und Munitionswagen.

Paul, der trotz seiner Müdigkeit neugierig nach einem der Geschützrohre hinsah, prallte infolge einer Stockung gegen den Tornister seines Vordermanns und blieb ärgerlich stehen, aber gleich darauf mußte er mit seiner ganzen Gruppe rennen, um den Anschluß nicht zu verlieren. Dasselbe wiederholte sich einen Augenblick später. Diese Stockungen, die Notwendigkeit einer strammen Haltung zwischen den haufenweise herbeilaufenden Einwohnern, der Betrieb und Lärm in den Straßen, wo schon überall geschäftige Leute oder Gruppen der hier einquartierten Infanterie auftauchten, die Gewißheit endlich, daß man selber hier nur durchmarschierte, statt über Nacht zu bleiben, dies alles machte ihn stumpf und teilnahmslos. Er kam erst wieder zu sich, als außerhalb der Ortschaft das vorderste Bataillon nach rechts, das mittlere nach links abbog, und Leutnant Tobler mit energisch aufmunternder Stimme verkündete, daß man bald am Ziel sei.

Das Bataillon Schmid marschierte auf der wieder ansteigenden Straße in der alten Richtung allein weiter und erreichte, ohne den fälligen Stundenhalt einzuschalten, auf der Höhe des quer verlaufenden breiten Geländerückens kurz vor dem Anbruch der Dunkelheit ein Dörfchen, in dem es Alarmquartiere bezog. Der zweite Zug der Kompagnie Honegger, der ordnungsgemäß an der Reihe war, kam auf Außenwache. Tobler führte den Zug zu einer Wiesenmulde am Nordwestrand der Höhe, ließ die Säcke ablegen und erklärte den Leuten die ihnen hier gestellte Aufgabe. Er besetzte mit dem ausgebrochenen Zug eine Gefechtsstellung am Höhenrand und zog die Posten auf, eine Doppelschildwache an der Hauptstraße und eine einfache Schildwache am Fahrweg, der hundert Schritte weiter links einem Waldrand entlang gegen den Weiler hinführte. Nachdem auch die Ablösungen bestimmt waren, stand es den unbeschäftigten Leuten frei, sich in der Mulde bei den Säcken schlafen zu legen.

Paul, der von vier bis fünf Uhr morgens Schildwache stehen sollte, trat mit andern in der rasch zunehmenden Dämmerung noch einmal an die Wiesenrampe und horchte auf den Kanonendonner, der mit kurzen Unterbrechungen andauerte und hier deutlich zu hören war. Der Wald zur Linken erschien jetzt schwarz, und das bleiche Band der abfallenden nahen Straße verlor sich unten im schon eingedunkelten Land. Am nordwestlichen Horizont aber wuchs eine seltsame Helle empor, die von fernen Bränden herrühren mochte.

Indessen kam die ausgeschickte Faßmannschaft mit dem Essen von der Kompagnie zurück, der Zug bildete vor den Kesseln Kette und empfing beim Schein einer Stallaterne Suppe und Rindfleisch in die Gamellendeckel. Paul, dem die Soldatenkost noch nicht mühelos einging, begnügte sich mit der Suppe, brockte Brot hinein und löffelte sie ohne Lust aus; den Gamellendeckel konnte er darauf nicht waschen, so wenig wie er selber sich hier hatte waschen können. Dieser allgemeine Mangel an Bequemlichkeit verdroß ihn zunächst, doch als er sich neben seinem Gewehr zwischen den Kameraden in der Mulde zur Ruhe legte, vergaß er ihn rasch über dem nun erst erwachenden Bewußtsein dieser ganzen abenteuerlichen Lage.

Er hatte den Rock aufgeknöpft wie alle, da es nicht merklich kühler geworden war, und blickte, auf dem Rücken liegend, zum besternten Nachthimmel empor, von einem frohen Gefühl erfüllt, dessen Ursache ihm jetzt einfach und selbstverständlich erschien. Diese Ursache bestand darin, daß er nicht mehr über sich und den Sinn seines Daseins in einer problematischen Umwelt nachzudenken brauchte, sondern in ein großartiges und notwendiges Unternehmen verflochten war, das mit dem allgemeinen Aufruhr der Zeit im elementarsten Einklang stand. Er hatte kein Bett, keinen Beruf, keine Sorgen mehr, er lebte nach der fragwürdigen Epoche seiner Jugend in ein neues, vielleicht barbarisches Zeitalter hinüber und verbrachte mit müden Knochen die Nacht hier schon bewaffnet auf der bloßen Erde, bereit, aufzuspringen, zu marschieren und das Land zu verteidigen, nicht das abgestandene »Vaterland« freilich, sondern das uralte Mutterland. Dies alles schien ihm phantastisch, unglaubwürdig, und war doch Wirklichkeit. Er fand es wunderbar und lächelte.

Indessen drangen aus der Dunkelheit Stimmen und Geräusche zu ihm, das unregelmäßig beginnende Schnarchen seines Nachbars Keller und die leise Unterhaltung zweier Korporale; auch lag ihm noch immer das ferne Gebrumm im Ohr. Er schloß die Augen und versuchte zu schlafen, spürte aber jetzt die Härte des Lagers, wälzte sich von einer Seite auf die andere und brachte es nur zu einem Halbschlummer. Ein lautes »Halt, wer da?« machte ihn wieder völlig wach. »Verbindungspatrouille!« hörte er antworten, worauf Leute durch das Gras gingen und ein gedämpftes Gespräch entstand, das bald wieder abbrach.

Er begann von neuem schläfrig zu dösen und vermochte ein rasch nahendes, hartes Klopfen schon nicht mehr als Pferdegetrappel zu erkennen, bis auf der Straße klar und fest die Stimme des Leutnants erscholl, der dem Regimentskommandanten den Posten meldete. »Hartmann!« dachte Paul. »Was sucht denn der jetzt hier?« Man hörte Schritte, Worte, das Auftreten und Schnauben des Pferdes, dann plötzlich nahe, laut und dringend den Befehl des Leutnants: »Zweiter Zug auf! Gewehre ergreifen!« Paul tastete nach seinem Gewehr, stand auf und stülpte sich das Käppi über den Kopf. »Knöpfe zu, Knöpfe zu!« stieß Tobler gedämpft aus, während er eilig den hellen Hemdbrüsten entlang ging. »Ceinturon um, verdammt nochmal! Zur Besetzung der Stellung ausbrechen – marsch!« Paul rannte an seinen Platz, warf sich hin, schob das Gewehr vor und lag nun eine Weile da, während Hartmann die Stellung abschritt.

»Zweiter Zug an die Säcke zurück!« tönte es darauf von der Straße her. Rasch füllte die Mulde sich wieder mit dunklen Gestalten, die ihre Schlafplätze suchten und sich schweigend oder schimpfend hinlegten. »Jetzt muß ich schlafen, sonst bin ich morgen nichts wert«, dachte Paul, bettete den Kopf auf den Arm und machte entschlossen die Augen zu. Als in der Mulde wieder alles still geworden war, hörte er aber den Leutnant zurückkehren und ein leises, ärgerliches Gespräch mit dem Wachtmeister beginnen. Später wurden in seiner Nähe drei Schlafende zur Ablösung der Schildwachen geweckt, und er dachte, daß jetzt Mitternacht wohl vorbei sei. Seine Glieder schmerzten ihn, er legte sich bald so, bald anders hin und fand sich am Ende damit ab, hier nicht schlafen zu können. Er öffnete noch einmal die Augen und sah auf dem bläulich dunklen Grund des Sternhimmels eine schwarze Gestalt über die Stellungsrampe gehen, während jemand deutlich sagte: »Der Kanonendonner hat aufgehört.« Gleich darauf schlief er ein. –

»Ammann, auf! Ablösung! Es ist vier Uhr.«

Paul taumelte auf und machte sich fertig, etwas verwundert, daß er nun doch eingeschlafen war, leider erst vor wenigen Augenblicken, wie er meinte, obwohl er drei Stunden geschlafen hatte. Er folgte mit zwei Kameraden einem Korporal auf die Straße und stellte sich, Gewehr bei Fuß, vor die abzulösende Schildwache, in einem unruhigen Treiben, dessen Sinn er nicht gleich wahrnahm, und im glasig grauen Zwielicht, das die Morgendämmerung einleitet, ohne schon etwas zu erhellen. Er hörte den Schildwachbefehl an und wiederholte ihn, während in der Nähe fremde Befehle ertönten und hastig trabende Reiter eine Marschgruppe überholten, dann schulterte er das Gewehr und begann sich umzusehen. Im Osten graute der Morgen, auf der Straße marschierten in gleichmäßigen Abständen vollbepackte Füsiliere vorüber, Verbindungsleute einer anrückenden Infanteriekolonne, und im Nordwesten donnerten wieder Kanonen, aber näher oder doch heftiger als am Vorabend, mit deutlich unterscheidbaren bummernden Abschüssen. Ein Reiter, an den weißen Schnüren über der Brust als Adjutant zu erkennen, bog dicht vor ihm zur Mulde ab und befahl dem Leutnant, die Wache einzuziehen.

Paul fand sich, noch ehe er völlig nüchtern geworden war, in Reih und Glied auf dem Rückweg zum Dörfchen, neben hastig und schweigend vormarschierender Infanterie, derselben, die gestern mit der Bahn eingetroffen war. Zwischen den paar Häusern und Obstbäumen, wo Tobler auf eine Gelegenheit warten wollte, quer über die Straße hinweg den Sammelplatz der Kompagnie zu erreichen, entstand im schwachen Schein der aufgehängten Laternen und dahinter im Dunkeln laute Unordnung. Eine fahrende Maschinengewehr-Kompagnie, die in der Nähe genächtigt hatte, tauchte von links aus dem dämmernden Hintergrund auf und schloß sich dem vermeintlichen Ende der Marschkolonne an. Das wirkliche Ende aber bildeten mehrere Züge, die im Anstieg unverschuldet hinter der auf ebener Strecke rascher ausziehenden Kolonne zurückgeblieben waren und hier oben nun unter die fahrenden Mitrailleure gerieten. Noch war die Ordnung nicht wiederhergestellt, als hinter diesen Zügen die Spitze einer Artilleriekolonne mit beschleunigtem Antrieb die letzte Steigung überwand. Leutnant Tobler wollte die Artillerie nicht auch noch abwarten, verzichtete aber darauf, den Zug geschlossen hinüberzuführen, und stellte es den Gruppen anheim, die Straße zu queren.

Paul starrte auf dies vorwärtsstürmende Gedränge; er sah die abgehängten Infanteriezüge, die beim Schein der Laternen im Laufschritt klirrend zwischen den Karren und Pferden der Mitrailleure hervorbrachen, einen berittenen Unteroffizier, der im Halbdunkel fluchend auf seinen Gaul einhieb, und dahinter das mächtige Artilleriegespann, dessen Fahrer über den emporgeworfenen Köpfen der scheuenden Pferde mit hochgeschwungener Peitsche in den silbergrauen Osthimmel auftauchte. Angesteckt stürzte er sich mit den Kameraden seiner Gruppe durch die nächste Lücke, dumpf begeistert, selbstvergessen, beherrscht von der Vorstellung eines tumultuarisch in die Schlacht aufbrechenden Volkes.

3

Der »Weltkrieg«, das unheimlichste und blutigste Ereignis der neueren Geschichte, hatte begonnen. An den westlichen und östlichen Grenzen der Mittelmächte feuerten Tausende von Geschützen, und auf breiten Fronten gingen Millionen von Menschen mit mörderischen Waffen aufeinander los. Im Westen drang ein französisches Armeekorps ins Oberelsaß ein, während der rechte Flügel des deutschen Heeres sich anschickte, durch Belgien in Frankreich einzufallen. Der französische Vormarsch von Belfort aus war der erste unmittelbare Grund zu den Maßnahmen der schweizerischen Armeeleitung in diesen Tagen. Die politische Anerkennung unserer Neutralität durch Deutschland und Frankreich bot noch keine unbedingte Gewähr für die Sicherheit des Landes. Die Aussichten eines Durchbruchs durch die Schweiz waren jedenfalls von beiden Parteien erwogen worden, und was man dort einmal auch nur vorübergehend ins Auge gefaßt hatte, konnte im unberechenbaren Geschehen eines so gewaltigen Krieges plötzlich zur militärischen Notwendigkeit werden. Abgesehen davon aber waren gewollte oder ungewollte Grenzverletzungen einzelner fremder Truppenteile immer zu befürchten. Die Armeeleitung rechnete fortwährend mit dieser Möglichkeit und schob die notwendigen Truppen auf drohende Anzeichen hin schleunigst in den gefährdeten Abschnitt.

Am 7. August trat der rechte Flügel des französischen

Heeres, das verstärkte 7. Armeekorps, der Schweizergrenze entlang den Vormarsch an, worauf bei uns zwei Divisionen und zwei Kavalleriebrigaden alarmiert wurden. Die im südlichen Berner Jura liegenden welschen Truppen der 2. Division erreichten ihren Bestimmungsort in anstrengenden Eilmärschen, beladen mit dem überall umlaufenden Gerücht vom französischen Ultimatum und bedrückt von der Aussicht, gegen ihre eigenen Sprachgenossen kämpfen zu müssen, aber bereit, dennoch zu kämpfen. Das französische Armeekorps überschritt die deutsche Grenze und rückte gegen Sennheim-Mülhausen vor, ohne ernstlichen Widerstand zu finden. Mülhausen war geräumt und wurde von den Franzosen besetzt. Dieser leichte Erfolg machte die Truppen mißtrauisch, und ihr Führer, General Bonneau, der die ihm befohlene Aktion nur widerwillig unternommen hatte, erkannte klar, daß die Deutschen freiwillig auswichen, um ihm eine Falle zu öffnen.

Generaloberst von Heeringen, der den linken Flügel des deutschen Heeres führte, versuchte nun in der Tat, die seiner Erwartung gemäß eingedrungenen Franzosen von ihren Verbindungen abzuschneiden, mit der Absicht, sie alsdann nach der Schweiz zu drängen. Seine zwei Armeekorps traten bei Tagesgrauen von Norden her, aus der Gegend Kolmar-Breisach, den Vormarsch an und stießen kurz nach Mittag mit ihren Spitzen auf die französischen Vorposten. Die Schlacht, durch heftiges Artilleriefeuer eingeleitet, begann in der ungewöhnlichen Hitze, die zu dieser Zeit brütend über ganz Westeuropa lag, auf dem rechten deutschen Flügel, entwickelte sich gegen Abend auch auf der übrigen Front und dauerte in die Nacht hinein. Nach hartnäckigem Widerstand traten die Franzosen den Rückzug an.

Die schweizerische Armeeleitung besaß im Ausland keinen organisierten Nachrichtendienst und war über diese Vorgänge nicht genau unterrichtet, aber sie rechnete mit dem deutschen Plan, der durch jene Schlacht in Angriff genommen wurde, und begann zu den an der Grenze bereitstehenden Truppen weitere starke Kräfte zu versammeln. Ob indessen das weichende Armeekorps im Oberelsaß sich rechtzeitig vom überlegenen Gegner lösen und geordnet den Festungsbereich von Belfort erreichen konnte, oder ob die zwei Armeen von Heeringens es wirklich nach der Schweiz abdrängen und ihm dahin folgen würden, um seine Niederlage oder Entwaffnung herbeizuführen, dies alles ließ sich vorerst nicht erkennen. So blieb unser Land bedroht, unsere Wachsamkeit begründet, und mit derselben gespannten Bereitschaft, mit der die vorgeschobenen Truppen über die Grenze blickten, strebten jetzt die übrigen alarmierten Divisionen auf hundert Wegen durch Staub und Hitze nach ihren Bestimmungsorten.

Das Regiment Hartmann schlug an seinem zweiten Marschtag eine mehr westliche Richtung ein und kam in hügeligem Gelände durch kleine Dörfer, deren Einwohner immer wieder auf jede ihnen mögliche, oft rührend unzulängliche Art ihre Anteilnahme ausdrückten. Beim dritten Stundenhalt fand sich der Zug Tobler einem bescheidenen Heimwesen gegenüber. Die Bewohner, eine Frau in mittleren Jahren, ein schmalbrüstiger Knecht und zwei ärmlich aussehende Kinder, hatten den vorbeimarschierenden Soldaten des ersten Bataillons Most eingeschenkt und gedörrte Birnen gereicht, ohne den bevorstehenden Halt der Kolonne zu ahnen. Jetzt fiel es der Bäuerin offenbar schwer, mit leeren Händen dazustehen; sie klagte, daß sie alles so rasch aus der Hand gegeben habe, blickte unruhig mit guten Augen auf die rastende Mannschaft und ging darauf, den Knecht anfahrend, hastig ins Haus hinein. Der Knecht füllte zwei Eimer mit Wasser und stellte sie neben den Zug Tobler.

Paul schnallte den Gamellendeckel ab, schöpfte aus dem Eimer und trank. Plötzlich fuhren rechts und links von ihm ein paar Leute wild empor und stürmten über die Straße auf die Bäuerin zu, die mit beiden Armen einen Korb voll Äpfel aus dem Hause trug. Allen voran war Rüegg, dann folgten Keller und Bär, die beinahe ein Kind überrannten. Die Frau, die dem Ansturm etwas erschrocken und hilflos lächelnd entgegensah, wurde von gierig zugreifenden Soldaten umringt und stand schon nach wenigen Sekunden mit leerem Korbe da. Paul fand den Auftritt häßlich und schämte sich für die Leute, die mit vollgestopften Taschen zurückkamen.

»Verdammte Unvernunft, so etwas!« brummte Burkhart, der aufgestanden, aber nicht mehr hingegangen war.

Bär gab seinen nächsten Kameraden zögernd je einen Apfel ab, während Rüegg nebenan die Beute freigebig in seiner Gruppe verteilte. Keller aber versorgte seine Äpfel im Brotsack, was Bär zu einer höhnischen Bemerkung veranlaßte. Darauf antwortete Keller mit einer mürrischen Grimasse, bot dann aber Paul und Burkhart doch einen Apfel an. Paul lehnte dankend ab, bereute es jedoch vor Kellers hämischem Grinsen und Bärs spöttisch erstauntem Blicke sogleich; er hatte noch viel zu lernen, um hier immer rasch und selbstverständlich das Richtige zu tun.

Nach dem Abmarsch sagte Burkhart heftig und finster: »Wie eine hungrige Räuberbande habt ihr euch draufgestürzt!«

Das Regiment kam jetzt aus den grünen Hügeln wieder auf flaches Land hinab und bog in eine breite, staubige Straße ein. Die Hitze nahm zu, die Sonne stieg in den Mittag. Alle Marscherleichterungen waren längst befohlen und wirkten sich kaum mehr aus. Gegen den schwer beladenen Tornister, die auf den Bauch drückenden vollen Patrontaschen und den dicken dunkelblauen Uniformrock, der zwar oben geöffnet werden durfte, aber auch so noch alle Eigenschaften eines gut anliegenden Wintermantels besaß, konnten nur Rast und Schatten helfen. Bald bot die Kolonne überall dasselbe Bild; leicht vorgebeugt, den nassen Hals aus dem weit offenen Kragen gereckt, das Käppi mehr oder weniger nach hinten geschoben, das Gewehr lässig angehängt oder geschultert, marschierten die Soldaten unter ihrer Last zum einförmigen Schlag der Trommeln mit stumpfen, schwitzenden Gesichtern im gleichen schweren Schritt dahin. Einige rauchten noch, da und dort erhielt sich ein schleppendes Gespräch, aber die meisten waren mit sich selber beschäftigt.

Burkhart biß seinen Apfel an, betrachtete ihn und sagte undeutlich: »Gute Lageräpfel. Im August werden sie rar. Diese Frau hat vielleicht die letzten aus dem Keller geholt, und jetzt hat sie keine mehr.« Der Vorfall ließ ihn noch immer nicht in Ruhe.

Im schmalen Schatten einer Scheune lag ein Mann mit aufgeknöpftem Rock und geschlossenen Augen auf dem Rücken neben seinem Tornister, ein anderer blieb bald darauf hinkend neben der Kolonne zurück.

Paul hielt sich stumpf und mechanisch im Schritt. Seine Kehle war trocken, seine Sohlen brannten, der Tornister drückte ihn schwer aufs Kreuz, und die Riemen rissen so zwängerisch an seinen Schultern, daß ihm vor Anspannung am Halsansatz die Adern schwollen. Er achtete weder auf die spärlichen Worte seiner Kameraden, noch auf die Landschaft ringsum, er nahm nur das Notwendigste und Nächste wahr, den Takt der Trommel, das monotone Schritteklopfen des Zuges, die laufenden Beine seiner Nebenmänner und die rastlos enteilenden Absätze seines Vordermannes Pfenninger, denen er in immer gleicher Nähe folgen mußte. Es ging ihm dumpf durch den Sinn, daß er längst nicht mehr imstande wäre, mit seiner Last weiterzumarschieren, ohne den Zwang dieser Absätze, dieser laufenden Beine neben ihm, der aufgeschlossen folgenden Kameraden und des allgemeinen, klopfenden Gleichschritts; er würde als einzelner

Wanderer die Grenzen seiner Kraft wie seines Willens erreicht haben und erschöpft hinsinken.

Ob er es unter diesen Umständen noch lange aushalten konnte, daran zu denken, getraute er sich nicht, und der Augenblick kam denn auch, da ihm alles Sichtbare dunkel zu verschwimmen drohte; aber in diesem Augenblick war der Stundenhalt fällig, im letzten Augenblick, wie er meinte, und die Kolonne lagerte sich für zehn Minuten unter der brennenden Sonne ans rechte Straßenbord. Mit schmerzenden Füßen trat er darauf den Weitermarsch an, und wieder nahm die Last des Tornisters unerträglich zu, bis abermals im scheinbar letzten Augenblick Halt geboten und obendrein eine Stunde Mittagsrast befohlen wurde.

Schleppend wie ein Kranker, der zum erstenmal sein Bett verläßt, ging Paul aus den Säcken und Gewehrpyramiden hinaus in den Schatten eines Wäldchens, das sich hinter einem schmalen Wiesenstreifen der Straße entlang zog. Das reißende Gefühl in den Schultern und der Druck im Kreuz verminderten sich kaum, als ob er den Tornister noch gar nicht abgelegt hätte, und die Füße erwiesen sich empfindlicher als je. Dasselbe erfuhren seine Kameraden, und als von jeder Gruppe zwei Mann zum Wasserholen abkommandiert wurden, brachten diese Leute zur allgemeinen Erheiterung den augenblicklichen Zustand der Truppe notgedrungen zum Ausdruck; sie schritten mit ihren Gamellen nicht ordentlich dahin, obwohl sie eben noch tüchtig marschiert waren, sondern traten unter den verständnisinnigen Zurufen der Rastenden so außerordentlich behutsam und zögernd auf, als ob sie schmerzende Schwielen an den Sohlen hätten oder über Eier hingingen, die auf keinen Fall zerquetscht werden durften. Diese Gangart, die jeder Infanterist kennenlernte, erhielt denn auch den Namen »Eiertanz«.

Mit der Mittagsrast war die Einnahme der »Zwischenverpflegung« befohlen worden, die der einzelne vor dem Aufbruch gefaßt hatte, Tee, Käse und Brot. Bär erkundigte sich höflich beim Wachtmeister, zu welchem Zweck die Infanterie mit Fahrküchen ausgerüstet sei. Ein umlaufendes Gerücht wollte zwei schwere Fälle von Hitzschlag in der vierten Kompagnie wahrhaben und rief eine allgemeine grimmige Genugtuung hervor.

Paul trank nach dem kargen Imbiß seinen Teerest aus, ohne die Feldflasche mit Wasser nachzufüllen, und blickte neugierig noch einmal zu Albin hinüber, der beim Halt mit dunkel umrandeten Augen totenblaß ausgetreten war und jetzt erschöpft auf dem Rücken lag. Da streckte auch er sich der Länge nach hin, schloß die Augen und vergaß alles über dem köstlichen Gefühle völliger Entspannung.

Bald lagen die Offiziere und Mannschaften des ganzen Regiments mit aufgeknöpften Röcken stumm und regungslos im Schatten. Die Sonne brannte auf die verlassene Straße hinab, ringsum herrschte eine ungewohnte Stille, und jeder der dreitausend Menschen hegte den Wunsch, diesen glühenden Frieden vor dem Abend nicht mehr zu stören. Aber dreitausend heimliche Wünsche galten nichts vor dem Gesetz, unter das sich die Menschen gestellt hatten; der Zeiger an der Uhr des Kolonnenführers lief gelassen die Stunde ab, und der Ruf »Bereit machen!« schreckte das müde Regiment unweigerlich auf die Beine.

Das erste Wegstück wurde nun schon unter gelinden Eiertänzen zurückgelegt, aber die meisten Füße verloren merkwürdigerweise ihre Empfindlichkeit, sobald sie erst richtig eingeschritten waren, und der mächtige, vom einzelnen unabhängige Marschrhythmus trieb wieder die ganze Kolonne geschlossen vorwärts. Indessen verbrauchte der Marsch durch den hitzig flimmernden Nachmittag die bei der Rast gesammelten Kräfte bald, die alten Beschwerden stellten sich ein und neue traten hinzu. Im Zug Tobler begann Wegmann verdächtig zu hinken und schien nur mit äußerster

Mühe mitzukommen. Pfenninger bot sich an, ihm das Gewehr zu tragen, was der Damenschneider zuerst traurig lächelnd ablehnte, aber auf das Zureden seiner Kameraden hin dann doch geschehen ließ. Schließlich nahm noch der Leutnant den Tornister Wegmanns auf seine eigenen Schultern und gab dem Hinkenden dafür den leichten Offizierstornister. Bald waren denn auch die meisten übrigen Zugführer mit einem Gewehr oder Mannschaftstornister beladen. Dennoch nahm die Zahl der Marschmaroden zu, ihre Tornister füllten am Schluß der Kolonne einen Requisitionswagen, und ein Dutzend erschöpfter oder fußwunder Leute wurde unter der Führung eines Sanitätsgefreiten zum nächsten Bahnhof geschickt.

Die Truppe geriet allmählich in jenen Zustand äußerster Anspannung, in dem die gleichmäßig fortgesetzte Bewegung allein noch erträglich, alles Zuwiderlaufende aber, auch das Nichtigste, quälend und gefährlich ist. Dieser Zustand machte sich als nervöse Reizbarkeit überall auf dieselbe Weise bemerkbar. Paul erlitt ihn nicht anders als die robusten Leute, nur stiller und zermürbender. Er war wütend auf einen Mann in der vordern Gruppe, der im falschen Schritte ging, er haßte zwei andere, die einförmig zu schimpfen begannen, nicht weil sie schimpften, sondern weil sie überhaupt den Mund auftaten, und er fand es unerträglicher als je, wenn der Tambour der dritten Kompagnie in den Trommelrhythmus der zweiten hineinschlug. Völlig entmutigend aber wirkten auf ihn die kleinen Stockungen, die sich manchmal ergaben, und er wäre bei einer solchen Gelegenheit beinahe aus der Reihe gefallen. Er prallte hart und blindlings gegen den Tornister seines Vordermannes und sah, mit unsäglichem Ärger aufblickend, daß die Stockung durch Albin verursacht wurde, der schwankend wie ein Betrunkener die Kolonne verließ. Blitzartig trat die Entscheidung vor ihn, ob er Albin folgen oder weitermarschieren wollte; da drehte sich Pfenninger, mit dem er zusammengestoßen war, halbwegs nach ihm um und sagte freundlich lächelnd: »Entschuldigung!« »O bitte!« antwortete Paul gerührt, und schon marschierte er wieder.

Nun wollte er erst recht keine Ausnahme machen, sondern bei der Truppe bleiben, immer dicht hinter diesem Pfenninger, den er im Augenblick sich ehrlicher zum Freunde wünschte als Albin. Er versuchte noch einmal alles, was er schon hundertmal versucht hatte, um sich eine flüchtige Erleichterung zu verschaffen, er schulterte das Gewehr bald rechts, bald links, er hing es an und griff mit beiden Händen nach hinten unter den Tornister, um die Last ein wenig zu heben, er schob die Daumen unter die Schulterriemen und riß immer wieder die umgeschlagenen Rockenden vom Halse weg, damit die Glut des erhitzten Körpers einen Ausgang fände. Eine würgende Hand aber schien seinen Hals dort zu umklammern, wo er in die Schultern auslief, und ebendort flackerte sein Atem und schlug sein Puls so verzweifelt, als ob das Herz ihm nicht mehr in der Brust, sondern im Halse säße. Dazu quälte ihn ein wachsender Durst, doch scheinbar nur in der ausgetrockneten Kehle, und diese Empfindung kam ihm sonderbar bekannt vor; er grübelte dumpf, wo er denn jemals schon solchen Durst gelitten, da ging ihm eilig und schattenhaft ein frühes Erlebnis auf: Er hatte als Kind beim Spiel einst Sägemehl gegessen und war, durch Schluckbeschwerden in Todesangst versetzt, schreiend zu Mama gelaufen.

Gegen das Ende der dritten Stunde befiel ihn ein leichter Schwindel, und plötzlich fühlte er sich gepackt, ohne daß ihm sein Schwanken bewußt geworden wäre.

»Sakrament, so tritt doch aus!« fuhr Burkhart ihn an. »Hau's unter den Baum dort!«

»Ich will nicht!« keuchte Paul und hielt sich krampfhaft im Schritt.

»Jaso!« machte Burkhart und schaute ihn finster prüfend an. »So gib mir dein Gewehr!«
Paul besann sich nicht lange und gab es mit verlegenem Dank.
»Gib den Charst nur mir!« sagte Bär scherzhaft höhnisch zu Burkhart. »Du willst dich ja doch nur beliebt machen.«
Burkhart nickte schweigend und überließ ihm Pauls Gewehr.
Jetzt hatte Paul die Hände frei, er schob sie gleich nach hinten und hob, tief Atem holend, den Tornister minutenlang mit der letzten Kraft aus den Riemen. So hielt er es bis zum Stundenhalt aus, dann ließ er die Ladung fahren, daß sie polternd aufschlug. Doch statt sich nun gleich hinzulegen, warf er einen suchenden Blick in die Umgebung. Die hügeligen Ausläufer der Voralpen waren zurückgeblieben, hier stand man auf einer weiten Talebene, die alle Anzeichen einer dichtern Besiedlung aufwies, und im Westen hinter einem langen, durch Fabrikgebäude unterbrochenen, flußwaldartigen Tannenforst erhoben sich die nahen Juraberge. Dies alles aber trat im abendlichen Sonnenbrand nur undeutlich in seine ermüdeten Augen, er suchte vielmehr die nächste Umgebung ab, Krautgärten und kleine Wiesen, ein vorspringendes Waldstück, eine Zeile ärmlicher Wohnhäuser und die schnurgerade Landstraße selber mit ihrem scheinbar endlosen Saum von Gewehrpyramiden, zusammengelehnten Säcken und regellos zur bestaubten Böschung hinflutenden Mannschaft. Er fand nicht, was er heiß begehrte; in seiner Hilflosigkeit fragte er den Korporal, ob man nicht hier irgendwo Wasser fassen könne.
Korporal Baumann war genau so hergenommen wie die Füsiliere, er hatte nicht leichter getragen, und er antwortete müde ausweichend nur: »Wenn kein Befehl kommt... ich sehe nirgends Wasser...«
Da legte Paul sich sehr langsam und vorsichtig auch an die Böschung.

»Ammann, da!« sagte Burkhart und streckte ihm die Feldflasche hin.

Mit dem Versuch eines dankbaren Lächelns, das kaum über seine Leidensmiene hinauskam, nahm Paul die Flasche und gab sie nach dem bescheidensten Schluck zurück.

»Danke vielmal!« sagte er kleinlaut.

»Trink nur recht!« erwiderte Burkhart, es klang barsch wie ein Befehl, und Paul trank herzhaft weiter.

»Eine saumäßige Schinderei!« klagte Kuhn bedrückt, während er sich mit aller Sorgfalt bequemer hinzulegen versuchte.

»Ja, Gott verdammi, wenn man nicht wüßte, warum man's tut... wir wären schöne Kamele!« rief Bär, der aufrecht mit entblößter Brust in müder Nachdenklichkeit zwischen den Liegenden saß.

Diese Bemerkung schien jedes weitere Wort überflüssig zu machen; jedenfalls schwiegen nun alle.

Paul aber spürte, daß er diesen Leuten jetzt so nahe war wie nie. Was er litt und dachte, das verstanden sie ganz, ja das konnten allein nur sie verstehen, weil sie es ja teilten, wie er umgekehrt nun ihnen das innigste Verständnis entgegenbrachte. Hinter trennenden Eigenheiten das Mitmenschliche zu erkennen, anzuerkennen, dazu war er bisher nicht fähig gewesen; jetzt, vom gemeinsamen Erleben aufgeschürft, tat er es ungewollt, er fühlte sich anteilhabend unter Leidensgenossen und stellte die gegenseitige Hilfsbereitschaft über alle persönlichen Unterschiede, er hatte Kameraden, und sie waren ihm sympathisch. Er nahm sogar Keller nicht aus, der mit schwitzendem, rotem Gesicht wie leblos neben ihm lag und kein nur vulgärer Kerl mehr war, sondern ein einfacher Bursche, der für sein Land marschierte und litt.

Indessen ging, die steifen Beine regend, der Hauptmann vorüber. »Jetzt haben wir's dann!« sagte er aufmunternd mit scherzhaft grimmiger Miene. »Diese letzten drei, vier Kilometer nehmen wir noch mit Elan. Kopf hoch und auf die Zähne beißen!«

Die Mannschaft schätzte ihren Hauptmann, aber sie besaß ein feines Ohr für das Angemessene und erwies sich empfindlich gegen Bemerkungen, die der Lage nicht entsprachen. »Wer den ganzen Tag auf dem Gaul hockt, sollte lieber keine Sprüche mehr machen«, tönte es hinter Honeggers Rücken leise und verstimmt, man konnte nicht sagen, aus welchem Mund, und es war auch gleichgültig.

Paul blickte grinsend auf und begegnete einem allgemeinen Einverständnis. Er wunderte sich vergnügt, wie einfach und schlagend jetzt schon jedes Wort seine eigene Stimmung ausdrückte, und spürte abermals, daß hier eine Gemeinschaft zustande gekommen war, zu der er notwendig gehörte. Dieses Gefühl der Zugehörigkeit durchdrang ihn mit der Frische einer gesicherten neuen Erfahrung, es belebte seine Widerstandskraft und ließ ihn dem Kommenden zuversichtlicher entgegensehen. Den Marsch zum nahen Ziel, einem Dorf jenseits der Aare, hielt er eben noch aus, fast wider Erwarten, doch verlor das Regiment auf der letzten Strecke freilich auch sonst keinen Mann mehr; die vorletzte Stunde war die schlimmste gewesen.

Mit zitternden Beinen betrat Paul das Schulzimmer, das dem Zug als Kantonnement angewiesen war, legte den Tornister vor das gelbe Strohlager und gab sich, zwischen den aufatmenden Kameraden untätig verharrend, dem gemeinsamen Gefühle hin, das in halb ernstlich, halb scherzhaft gestöhnten Worten, Flüchen und Beteuerungen zum Ausdruck kam, der unsagbaren Befriedigung über das Ende der Mühsal, dem heimlichen Stolz auf das Geleistete und der grimmigen Gleichgültigkeit gegen jeden weitern Anspruch. Er stand damit erst am Anfang der Prüfungen, gemartert am ganzen Körper, abgestumpft an Geist und Bewußtsein, doch um die Erfahrung der Kameradschaft und der Opferwilligkeit reicher, um einen Teil jener großen Erfahrung, die der Krieg wie ein menschliches Gegengewicht zu seiner Unmenschlichkeit jetzt überall heraufbeschwor.

4

Der Befehlshaber des linken deutschen Flügels errang inzwischen im Oberelsaß nur einen bedingten Erfolg, die Franzosen ließen sich weder entscheidend schlagen, noch nach der Schweiz abdrängen, sondern wichen auf Belfort zurück. Der Plan von Heeringens mißlang wegen des unerwartet starken französischen Widerstandes und aus verschiedenen andern Gründen; ein Teil der deutschen Truppen wurde zum Beispiel von einem längeren Marsch mit voller Packung in drückender Hitze genau so erschöpft wie Hartmanns Regiment, und ihr Führer, der Kommandeur des XIV. Korps, verzweifelte daran, den befohlenen Angriff noch am selben Abend erfolgreich durchzuführen. In den folgenden Tagen stießen die Deutschen dem weichenden Gegner nur zögernd nach, doch kam es hart an der Schweizer Grenze zu Gefechten, auch hatte das XIV. Korps eine südliche Richtung eingeschlagen, während die Franzosen nach Südwesten ausgewichen waren, und so schien dieser Stoß, der die Umgehung Belforts bezwecken konnte, zunächst gegen die Schweiz gerichtet. Am 14. August aber wurden die starken deutschen Kräfte unerwartet aus dem Oberelsaß zurückgezogen und durch Landwehrbrigaden ersetzt.

Kaum war diese erste Gefahr beschworen, als eine neugebildete französische Armee, die sogenannte armée d'Alsace, unter der Führung des Generals Pau von Belfort aus abermals der Schweizergrenze entlang vorstieß.

In der Schweiz war am Abend des 12. August der Aufmarsch jener Heeresgruppe beendet, die hinter den vorgeschobenen Divisionen als mobile Reserve im Aaretal verblieb, und damit stand die gesamte Armee, mit Ausnahme weniger Bataillone, zum Handeln bereit in der Nordwestecke des Landes. Das Hartmannsche Regiment, das im Verband der Brigade Ammann zu dieser Reserve gehörte, erlebte nach dem Marsch einen Tag, der nichts hielt und nichts versprach, einen Ruhetag mit Retablierungsarbeiten und Musterungen. Am folgenden Morgen marschierten seine Kompagnien zur weiteren Ausbildung in die ihnen zugewiesenen Räume.

Hartmann ritt im Laufe des Vormittags mit bestimmten Absichten auf verschiedene Übungsplätze. Bei der dritten Kompagnie des Bataillons Schmid stieg er ab und verfolgte zehn Minuten lang schweigend die Arbeit der Gruppen, dann wandte er sich, ohne ein Wort über diese Arbeit zu äußern, unvermittelt an Brändli: »Herr Hauptmann, Ihre Kompagnie hatte von allen Kompagnien des Regiments am meisten Marschmarode. Woher kommt das?«

Hauptmann Brändli fuhr zusammen und stand mit seinem verschwommenen blassen Stubengesicht und seinem rundlichen Hintern in strammer Stellung betroffen da, dann antwortete er fassungslos eifrig: »Herr Oberstleutnant, das kann ich mir absolut nicht erklären... ich begreife nicht... die Kompagnie hat vor dem Marsche gut gearbeitet... ich hatte einen straffen Dienstbetrieb eingeführt und... ich bin immer... ich habe mir alle Mühe gegeben...« Er geriet ins Stottern, fuhr aber trotzdem fort, sich zu rechtfertigen, und verlor dabei ein wenig an Haltung.

Hartmann musterte ihn gelassen. Sein braunes Soldatengesicht blieb kühl und verschlossen; der ihm eigene Zug einer absichtslosen leisen Verachtung ging darin auf und konnte einen Unbefangenen kaum verletzen. Es war seine Dienstmiene, immerhin keine angenehme Miene für Untergebene, die auf menschliches Verständnis und Entgegenkommen angewiesen waren. Er kam dem Hauptmann mit keinem Wort zu Hilfe und bemerkte am Ende nur: »Bitte stehen Sie bequem! Sie werden die Sache noch untersuchen und mir darüber melden! Ich erwarte, daß Ihre Kompagnie in Zukunft besser abschneiden wird.« Damit ließ er ihn stehen.

»Zu Befehl, Herr Oberstleutnant!« rief Brändli mit seiner hohen Stimme im schneidigsten Ton, dann wandte er sich hastig den Gruppen zu, die ihre Übungen unmerklich weiter hinweg verlegt hatten. Er entschloß sich, die Untersuchung auf der Stelle durchzuführen. Obwohl er überzeugt war, daß ihm persönlich Unrecht geschah, übten die Worte des Regimentskommandanten einen niederschlagenden Eindruck auf ihn aus. Er hatte den Ehrgeiz besessen, sich mit seiner Kompagnie auszuzeichnen, und konnte nicht begreifen, wieso ihm dies trotz seiner rastlosen Mühe mißlungen sein sollte. Sein Diensteifer erfuhr aber dadurch keine Beeinträchtigung, sondern im Gegenteil einen neuen Antrieb, und so wurde die Ursache nicht nur seines einen Mißerfolges, sondern seines allgemeinen Versagens erst recht wirksam.

Brändli, ein unpraktischer, übereifriger Mensch, war mit seiner Ängstlichkeit gegenüber Vorgesetzten und seiner Verkennung des einfachen Mannes der untauglichste und zugleich am meisten geplagte Offizier seines Regiments. Ihm fehlte im Verkehr nach oben und unten jedes Gefühl für das rechte Maß. Er hatte von Anfang an ahnungslos gegen den guten Geist seiner Leute gefrevelt, und wie er jetzt, das Kinn ins Sturmband gezwängt, die Augen hinter dem Klemmer zusammenkneifend, geladen und aufgeregt an seinem Pferde vorbei über die gemähte Wiese der Kompagnie zuschritt, sah er nicht aus, als ob er es nun besser zu machen gedächte.

Korporal Fred Ammanns Gruppe, die zweite des ersten

Zuges, lag gedeckt im Buschrand einer bewaldeten kleinen Anhöhe, bereit, gegen den Übungsplatz vorzurücken, während Fred selber noch draußen auf der Wiese bei seinem Leutnant stand. »Jetzt kommt er angestiefelt«, sagte der Leutnant mit einem unruhigen Blick auf den nahenden Hauptmann, dann warf er sich, gegen Fred ein Auge drückend, scherzhaft in die Brust und ging, eine strenge Miene aufsetzend, geschäftig zur nächsten ausbrechenden Gruppe.

Leutnant Huber, Freds Zugführer, stammte aus der kinderreichen Familie eines Schreinermeisters und fand sich mit seinen beschränkten Mitteln und seinem wenig gewandten Auftreten nicht ganz unbefangen in die Lebensart der wohlhabenden jungen Offiziere. Er mochte aus diesem Grunde vorsichtiger und unselbständiger sein, als seine Natur ihn angelegt hatte, denn er war ein bedachter, kräftiger Bursche, der einen Zug zu führen verstand. Der fortwährenden mißtrauischen Aufsicht und Krittelei des Hauptmanns aber zeigte er sich nicht gewachsen, er tat, was ihm befohlen wurde und murrte nur hinter Brändlis Rücken, wo die ganze Kompagnie murrte.

Fred, der dies unrühmlich fand, sonst aber mit dem bescheidenen Vorgesetzten trefflich auskam, blickte ihm lächelnd nach, dann schlenderte er in den Buschrand zurück, wo die Schützenlinie seiner Gruppe, lässig mit den Verschlüssen riegelnd, sich einer nicht ganz erlaubten, doch verdienten Ruhe hingab. Er blickte aus den Gebüschen über den etwas tiefer liegenden Übungsplatz hinweg, wo die Unteroffiziere beim Nahen des Hauptmanns ihre Leute wieder laut und eifrig herumhetzten. Der Platz war gegen Osten durch den Flußdamm begrenzt, dahinter lag mit Äckern, Häusern, Straßen und Bachläufen ein mannigfaltiges Gelände, in dem sich überall übende Truppen erkennen ließen. Der Himmel blaute da und dort durch das schwere, von einem nächtlichen Gewitter herrührende Gewölk. Signale, Blechmusik, Befehlsgeschrei und Meldegebrüll erfüllten die laue Morgenluft.

Fred war von alledem enttäuscht. Der große Alarm, die Teilnahme der Bevölkerung und der Aufmarsch mit seinen abenteuerlichen Aussichten hatten ihn trotz aller Mühsal so begeistert, daß er beim besten Willen an diesem Betrieb keinen Geschmack mehr finden konnte. Er sah darüber hinweg in die aufgerührte Zeit, wo der Krieg nicht nur vor der Tür stand, sondern wirklich ausgebrochen war, und er begeisterte sich schon weniger für die ereignislose Bereitschaft des eigenen Landes als für das Ringen der Nachbarvölker.

Indessen hörte er den Ruf des Hauptmanns nach den Zugführern und hielt es für geraten, die Deckung zu verlassen. »Zweite Gruppe haaalt – sichern!« schrie er. »Vorrükken – Sprung!« Die kleine Schützenlinie stürzte aus dem Buschrand heraus und rannte auf die Wiese hinab, um sich auf Freds Gebrüll dort hinzuwerfen und das Feuer wieder zu eröffnen. Ein lauter Befehlston war geboten, aber Fred übertrieb ihn manchmal, besonders wenn ihn etwas zu langweilen begann. Seine Leute kannten ihn schon zu gut, um die Ironie dieser Übertreibung zu verkennen und nicht selber ein wenig zu übertreiben; da er sie menschlich behandelte, kamen sie ihm dermaßen entgegen, daß ihm kaum viel zu tadeln oder zu wünschen übrigblieb. Er rückte mit seiner Gruppe weiter vor, nützte Deckungen aus, bezeichnete Ziele und gab Feuerbefehle, bis Leutnant Huber den Zug sammelte.

Es stellte sich heraus, daß der Hauptmann mit der Kompagnie wieder von vorn anfangen und zu jener gründlichen Einzelausbildung zurückkehren wollte, die nach der herrschenden Ansicht jede spätere Leistung entscheidend bedingte. Die Zugführer und Unteroffiziere mußten mit dieser Arbeit sogleich beginnen. Er selber hielt sich abseits auf, ließ jene Leute, die den Marsch nicht bestanden hatten, einzeln vor sich antreten und forschte jeden Mann nach den Gründen seines Versagens aus, um ihn am Ende noch auf seine Haltung, seinen Gewehrgriff, seine Drehungen hin zu prüfen. Darauf begab er sich zur äußersten rechten Gruppe und begann nörgelnd, antreibend, Befehle bellend, einen Füsilier nach dem andern zu bearbeiten, als ob der Geist seiner Kompagnie vom augenblicklich erzwungenen Schneid des einzelnen abhinge.

Fred betrachtete seine Untergebenen, die, mit den ausgestreckten Armen voneinander Abstand nehmend, in einer lockern Linie vor ihm antraten und auf seinen Befehl die Grundstellung zu »üben« begannen, die sie schon tausendmal geübt hatten. Er sah zu, wie sie sich einzeln anschickten, die Stellung einzunehmen, indem sie den linken Absatz hoben und die Arme schräg vor sich hinstreckten, so daß die Hände sich berührten, wie sie, die Absätze zusammenreißend und die Hände an die Hosennaht schnellend, mit gewölbter Brust und erhobenem Kopf erstarrten, wie sie ebenso stramm in die Ruhestellung zurückgingen und nach einer peinlich bemessenen Frist die Übung wiederholten, einmal, zweimal, dutzendmal. »Erstellen!« rief er endlich und befahl Drehungen, worauf die Leute so lange rechtsum, linksum und rechtsumkehrt machten, bis er mit gutem Gewissen den Gewehrgriff »mit Bewegungen« befehlen konnte.

Fred ließ »üben«, wie alle Korporale, das war so befohlen, aber er hütete sich, seine Leute zu tadeln oder anzutreiben, weil sie sonst nämlich so geübt hätten, wie man es ohne Ermüdung höchstens eine Viertelstunde lang tun konnte; es mußte aber stundenlang geübt werden. Die Soldaten und Unteroffiziere fühlten sich in die Rekrutenschule zurückversetzt, ihre Langeweile und ihr Ärger nährten den schon vorhandenen Überdruß, und in diesem Überdruß lag der Grund, warum so viele von ihnen beim Marsche versagt hatten und künftig ebenso zu versagen gedachten, wenn nichts Besseres auf dem Spiele stand als Brändlis Ehre. Der Hauptmann merkte nichts.

Auch die andern Kompagnien ergaben sich mehr oder weniger eifrig dem Dienstbetrieb, das ganze Heerlager der mobilen Reserve schien einen friedlichen Wiederholungskurs zu bestehen, die Grenze lag so fern wie je, und über die Kriegslage im Oberelsaß wußte man kaum recht Bescheid. Nie fühlte die Mannschaft sich bei aller Willigkeit von diesem Betriebe mehr enttäuscht als eben in diesem Augenblick, da sie zum Schwersten bereit war und das Schicksal wahrnahm wie einen stündlich wachsenden ungeheuren Wind. Dennoch dauerte die innere Bereitschaft, die der äußeren strategischen des Heeres entsprach, beim Offizier wie beim einfachen Soldaten unvermindert an, eine gefaßte und verschwiegene Bereitschaft, die nun durch keine Tat, sondern durch ein stetes Verharren unter widerwärtigen Umständen geprüft wurde.

Indessen mehrten sich die Anzeichen, die über den Schulbetrieb hinaus an die Möglichkeit des Ernstfalls rührten. Die Schutzimpfung gegen Pocken wurde fortgesetzt, und wer noch nicht an die Reihe gekommen war, mußte sich jetzt dem Arzte stellen. Fred meldete sich mit seiner Gruppe im Sanitätslokal, schlüpfte wie alle andern mit einem Arm aus dem Hemd und sah über seine magere weiße Schulter hinab ironisch lächelnd zu, wie sein Vetter Junod ihm den Oberarm ritzte. Nach einigen Tagen bekam er Fieber, doch er war als Kind schon geimpft worden, die Reaktion blieb schwach. Er verzichtete darauf, sich vom Tornister oder gar vom Dienste dispensieren zu lassen, während sonst allerdings die Leute der Kompagnie Brändli diese Gelegenheit am ausgiebigsten benützten. Graue Überzüge für Käppi und Waffenrock wurden gefaßt und gaben dem Bataillon, das bei der nächsten Übung damit ins Feld rückte, ein belustigendes und zugleich unheimliches Aussehen. Die veränderte Kriegsführung, die im Wandel des Zeitalters begründet lag, konnte nicht augenscheinlicher angezeigt werden. Die Soldaten kämpften nicht mehr in bunten Röcken und schimmernden Schlachtreihen wie seit Jahrhunderten, sie huschten als graue Gespenster dicht am Boden hin oder gruben sich ein, um die verhängnisvolle Übermacht der Kampfmaschinen zu bestehen. In den letzten Augusttagen endlich lief das belebende Gerücht um, die Division werde nächstens an die Grenze marschieren, es wurde rasch zur Gewißheit und fachte die abgeflaute Begeisterung abermals an. Am 31. August um halb drei Uhr morgens verließen die Züge und Kompagnien beim Schein der Laternen überall die Kantonnemente, und eine Stunde später marschierten sie in großen Verbänden die dunklen Jurahänge hinauf.

5

Wenige Tage nach der Ankunft der Kompagnie Brändli in einem ärmlichen Grenzörtchen, abends bei anbrechender Dämmerung, als die Mannschaft abgetreten war, schlenderte Fred durch die von Soldaten erfüllte »Hauptstraße«, die holperig wie ein Bachbett zwischen niedern Behausungen, Misthaufen und Jauchepfützen verlief. Die Quartiermütze schief auf dem rechten Ohr, eine Zigarette im Mund, beide Hände in den Hosensäcken, ging er, wohlgemut wie jeder Soldat nach dem Abtreten, in lässiger Haltung durch das geschäftige Treiben zum »großen Tonhallesaal«. Das Lokal, eine geräumige Tenne, war jedoch überfüllt. Der Fourier ließ hier Wein ausschenken, da die einzige Wirtschaft des Dörfchens den Anforderungen von zweihundert Männern nicht gewachsen, und der Genuß des örtlichen

Brunnenwassers überdies ärztlich verboten war; trinkbares Wasser mußte eine Stunde weit hergeschafft werden.

Fred wandte sich dem »kleinen Saal« zu, der genannten Wirtschaft, die daneben lag. Er trug außer verschiedenen Zeitungen einen uneröffneten Brief von Mama in der Tasche und hatte, um ihn ungestört lesen zu können, auf den Anschluß an seine davonstürmenden Kameraden verzichtet. Ohne viel Rücksicht drängte er sich zwischen Füsilieren durch, die den Eingang versperrten, und blickte neugierig in den Raum hinein. Die enge, niedere Wirtsstube vermochte etwa ein Dutzend Gäste zu fassen, aber es befanden sich, im Halbdunkel sitzend zusammengepfercht, an die Wände gelehnt und am Boden hockend, mindestens dreißig Soldaten darin, die alle sprachen, rauchten, lärmten oder sangen. Am mittleren der drei Tische reckte sich Mademoiselle Yvonne, ein ältliches, schlankes Mädchen mit einem leicht verbitterten, doch immer noch anziehenden Gesicht, zur Petroleumlampe hinauf, dicht umgeben von Soldaten, die ihr behilflich sein wollten und sie überall umfaßt hielten. Erschrocken klagend und aufbegehrend suchte sie die Lampe zu entzünden, dann gab sie es plötzlich auf, lehnte sich mit einer raschen Wendung rücklings an die Tischkante und rief in ängstlich abwehrender Haltung immer nur: »Non, non, non!«

»Si, si, si!« riefen die Soldaten lachend, und ein Korporal, in dem Fred den jungen Stockmeier erkannte, näherte ihr schmeichelnd sein vor Liebenswürdigkeit glänzendes rundes Gesicht.

»Achtung!« brüllte Fred zum Spaß in den Tumult hinein und zog damit die Aufmerksamkeit auf sich.

»Hallo, Fred! Hereinspaziert!« rief Stockmeier mit erhobenem Arm, während das Mädchen entwich. Zwei Füsiliere aus Freds Gruppe erhoben sich, um ihrem Korporal Platz zu machen.

Fred, der zwar Stockmeiers wegen keinen Fuß bewegte, aber noch von andern Unteroffizieren einladend angerufen wurde, drängte sich hinein und stieg über einen Tisch hinweg zur Gruppe seiner Kameraden. Ein Gefreiter zündete endlich die Lampe an, und ihr bescheidenes Licht warf durch den nun sichtbar werdenden dichten Rauch einen warmen Schein auf die fröhlich erregten Soldatengesichter.

Fred wurde sogleich nach Neuigkeiten ausgeforscht, man war überzeugt, daß er mehr wisse als andere, obwohl er den Beweis dafür noch nie geleistet hatte. Die Kompagnie, die nächstens in Posten aufgelöst werden sollte, war gestern plötzlich in Alarmbereitschaft versetzt worden, angeblich wegen der Nähe französischer Truppen, und hatte die Nacht in voller Ausrüstung verbracht. Im Laufe dieses Tages waren geheimnisvolle Meldungen von Grenzpatrouillen durchgesickert, außerdem wußte man, daß in Frankreich eine große Entscheidung bevorstand; die siegreichen deutschen Armeen hatten die Marne erreicht, Paris konnte schon in ihrem Besitze sein, und die Franzosen planten vielleicht als letzten verzweifelten Ausweg einen Stoß durch die Schweiz in die linke deutsche Flanke. Dies alles spukte in den Köpfen der Soldaten durcheinander, sie spürten, daß etwas in der Luft lag, und haschten begierig nach jeder andeutenden Kleinigkeit.

Fred warf ihnen die Zeitungen hin und versuchte, den Brief zu lesen, was er aber aufgab, da Korporal Stockmeier mit dem Rufe »Maubeuge hat kapituliert!« die zerstreut Lärmenden plötzlich zum Schweigen brachte. Von Neugierigen umdrängt, die sich über die entfaltete Zeitung beugten, verkündete Stockmeier mit begeisterter Miene die Kapitulation der französischen Festung. »Vierzigtausend Gefangene, vier Generäle, vierhundert Kanonen und einen Haufen Kriegsmaterial...« Die Nachricht entfachte einen neuen, übermütigen Lärm, während ein Füsilier mit lauter Stimme die allgemeine Aufmerksamkeit schon auf den östlichen Kriegsschauplatz zu lenken suchte, wo nach einem Bericht im selben Blatt die letzten deutschen Siege erst jetzt in ihrem ganzen Umfang erkannt worden seien. »Wenn im Osten ein paar deutsche Armeekorps frei werden, kann Frankreich zusammenpacken«, rief er. »Es packt ja bereits zusammen!« wurde ihm entgegnet. »Die Franzosen können höchstens noch versuchen, durch unser Gebiet den Deutschen in die Flanke zu kommen... und das würden wir ihnen versalzen.«

An diese Bemerkung knüpften die Soldaten scherzhaft übertriebene Äußerungen ihres Kampfwillens, der sich in Ermangelung eines erklärten Feindes gegen die Feinde Deutschlands richtete, ohne daß sie imstande gewesen wären, vernünftige Gründe dafür anzuführen. Unbedenklich ergriffen sie Partei für das sprachverwandte deutsche Volk, das durch seine Macht schon im Frieden ihre Achtung errungen hatte und sie nun durch seine Erfolge gegen die halbe Welt zur Bewunderung hinriß. Sie dachten nicht daran, daß in den Lokalen anderer Grenzabschnitte jetzt ihre welschen Kameraden um Frankreich zitterten und die Deutschen heimlich oder offen verwünschten, und sie ahnten auch nicht, was diese Anteilnahme für unheimlich drohende Schatten in ihrem eigenen Lande heraufbeschwor.

Lärmend und singend suchten sie gegen halb zehn Uhr ihre Kantonnemente auf, und noch im Strohlager mußten sie vom Offizier, der die Runde machte, zur Ruhe gemahnt werden.

Fred, der viel Wein getrunken hatte, wickelte sich zu nachlässig in die Decke, begann an die Füße zu frieren und schlief erst um Mitternacht ein. Als er bald darauf wieder erwachte, sah er verwundert, daß seine Kameraden sich ankleideten. »He, was ist los?« fragte er. »Alarm!« antwortete sein Nachbar. »Mach doch Licht, verdammt nochmal!« rief ein anderer. Fred zog sich, ohne weiter zu fragen, rasch und schweigend an. Jemand stieß die ins Freie führende Tür auf, aber es war auch draußen völlig dunkel; feuchtkalte Luft wehte herein.

Das Flämmchen einer Laterne glomm auf, und in seinem schwankenden Schein bemerkte Fred, daß die meisten Korporale sich schon fertiggemacht hatten und den Schuppen verließen. Um nicht der Letzte zu werden, schwang er sich den Tornister mit einem Riemen an die linke Schulter, nahm Gewehr und Leibgurt in die Hand und eilte, im Laufen den Waffenrock zuknöpfend, auf den Sammelplatz.

Vier laut rufende Wachtmeister sammelten die zuströmenden Leute nebeneinander in Marschkolonne, die Offiziere standen auf einmal auch da und prüften im beschränkten Licht der Taschenlampen die Ordnung ihrer Züge. Hauptmann Brändli war bald da, bald dort zu hören. »Feldweibel, alles zum Abmarsch bereit machen, in den Kantonnementen darf nichts zurückbleiben!« rief er, und eine Weile darauf: »Die Kompagnie wird sofort verpflegt!«

Die Verpflegung ließ indessen eine Viertelstunde auf sich warten, und die Kompagnie stand fröstelnd im Dunkeln hinter den Säcken, von einer kühlen Feuchte angeweht, die vor den Lichtaugen der Taschenlampen als feiner Sprühregen sichtbar wurde. Als die Faßmannschaften endlich mit den Kesseln eintrafen, und jeder Wachtmeister vor seinem Zug im Schein der hochgehaltenen Laterne den Leuten das dampfende, in der Farbe etwas unbestimmte Getränk in die Gamellendeckel zu schöpfen begann, rief der hastige Hauptmann bereits: »So, pressieren, pressieren!«

Die Leute kauerten sich überall unsichtbar auf die Erde und tunkten ihr Brot in die dünne Brühe. »Wenn man nur wüßte, was los ist!« sagte jemand. »Im Fall er selber Alarm macht, könnte man ihn ja ruhig pressieren lassen.« Eine andere Stimme antwortete: »Aber jedenfalls nicht wegen dieser schwindsüchtigen Schokolade da!« »Was Schokolade?« rief höhnisch ein Dritter. »Du hast daheim wohl nur warmes Wasser bekommen, daß du Tee mit Schokolade verwechselst.« Es war aber Kaffee. Ein Füsilier, der die letzte Stunde als Telefonordonnanz im Kompagniebüro verbracht hatte, meldete sich beim Wachtmeister seines Zuges zurück und wurde von neugierigen Fragern umringt, die ihre noch halbvollen Gamellendeckel voreinander zu schützen suchten. »In unserm Grenzabschnitt ist alles alarmiert«, antwortete der Mann und wälzte den Tornister vom Rücken. »Der Befehl ist von der Brigade gekommen... So, laßt mich durch, Gott verdammi, ich will auch noch etwas Warmes in den Ranzen...«

»Bereit machen!« schrie der Hauptmann. »Säcke aufnehmen! Gewehre ergreifen!«

Die dunkle Masse der Kompagnie geriet in Bewegung, leise Flüche wurden hörbar, Gamellen klirrten. »So leert diesen Negerschweiß doch aus!« rief eine zornige Stimme.

Die Kompagnie marschierte ab. Die paar männlichen Einwohner standen vor ihren Häusern, halb angezogene Frauen schauten hinter den Pfosten der engen Fenster hervor. Yvonne war auf die Gasse getreten und suchte, scheu zögernd, irgendwelche Soldaten zu erkennen; hinter ihr sah man die trüb erleuchtete leere Wirtsstube. Ein paar Füsiliere drängten Abschied nehmend zu dem Mädchen hin. Auch Fred schwenkte noch rasch ab und sagte, die Rechte ausstreckend: »Adieu Yvonne!« Sie erkannte ihn, ergriff hastig seine Hand und begann, während sie ein paar Schritte mitlief, in gedämpftem Ton glückwünschend auf ihn einzureden: »Pauvre garçon!« sagte sie, zurückbleibend, die dunklen Augen voller Tränen, indes sich ihr schon eine andere Hand entgegenstreckte.

Die Kompagnie marschierte schweigend in die Finsternis hinaus und erreichte auf schmutzigen Fahrwegen nach einer halben Stunde die Landstraße, wo sie vom Bataillonsadjutanten Oberleutnant Kern angehalten wurde. »Das Bataillon sammelt sich hier auf der Landstraße«, sagte Kern ruhig zum Hauptmann. »Die Kompagnie, die zuerst eintrifft, übernimmt die Sicherung... ich werde Ihnen zeigen, wo, Sie sind zuerst da. Laden lassen, Bataillonsbefehl!« Brändli riß sein Pferd herum, ritt ein paar Längen zurück und rief atemlos: »Dritte Kompagnie, Laufdeckel ab! Laden!«

Fred warf das Gewehr hoch in die linke Hand und riß den Verschluß zurück, im selben Augenblick, als mit einem harten Klirren auch alle andern Verschlüsse geöffnet wurden. Er nahm einen Lader aus der Patronentasche, setzte ihn auf die Ladeöffnung und drückte die scharfen Patronen mit dem Daumen ins Magazin hinab. Alles geschah, wie es vorgeschrieben war, aber diese hundertmal geübte, früher so langweilige Handlung jagte jetzt jedem Soldaten einen heimlichen Schauer durch die Brust.

Die Kompagnie marschierte weiter, eben als zwei andere Kompagnien des Bataillons auf dem Sammelplatz eintrafen. Nach zehn Minuten wurde sie abermals angehalten, diesmal vom Major, der dem Hauptmann nun mit offenbarer Sorge die Lage und die ihm hier gestellte Aufgabe klarmachte. Brändli ließ darauf rechts der Straße die Kompagniekolonne erstellen, rief die Zugführer und Unteroffiziere zu sich und begann unvermittelt, als ob es sich um eine der üblichen Annahmen handelte: »Französische Truppen sind zum Einfall in die Schweiz bereit. Größere Kräfte befinden sich im Anmarsch auf unsere Grenze. Unser Regiment wird einen Kilometer hinter uns bereitgestellt. Unsere Kompagnie als Vorhut des Bataillons sichert hier die Straße. Links von uns sichert je eine Kompagnie der beiden andern Bataillone. Der erste Zug besetzt die Höhe rechts der Straße, der zweite Zug geht links der Straße in Stellung. Der dritte und der vierte Zug bleiben gedeckt an der Straße selber. Fünfhundert Meter vor uns liegt die Grenze, wo sich ein Posten unseres Bataillons befindet. Der dritte Zug nimmt durch Patrouillen auf der Straße die Verbindung mit diesem Posten auf. Ausführen!« Dies alles brachte er mit einer Schärfe vor, die dem Korporal Fred in diesem Augenblick lächerlich vorkam und, wie ihm schien, seine innere Unsicherheit eher verriet als deckte.

Leutnant Huber führte seinen Zug in Einerkolonne auf den etwa fünfzig Meter hohen, gegen die Straße hin abfallenden breiten Grat, erklärte den Leuten mit heiterer Ruhe, wie sie sich verhalten sollten, und wies bedachtsam selber jeder Gruppe ihre Stellung an. Als Fred zwischen Baumstrünken, Brombeerranken und Haselstauden an den jenseitigen Rand des kahlgeschlagenen alten Waldrückens vortrat, wo sich ein noch unfertiger, knietiefer Schützengraben hinzog, gewahrte er in ungewisser Entfernung ein brennendes Gehöft. Klopfenden Herzens verteilte er seine Leute auf der Grabenlinie, kauerte sich in ihrer Mitte neben seinen Tornister und spähte in den schwarzgrauen Dunst hinaus. Die Brandstätte schien ihm bald fern, bald nah, doch als zwischen verzuckenden Flammen glühendes Dachgebälk sichtbar wurde, erkannte er, daß sie einige Kilometer jenseits der Grenze liegen müsse. Das winzig aussehende Dachgerippe stürzte ein, und die aufstiebende Lohe sank rasch zusammen, dann zeigte sich nur noch ein unbestimmbarer Glutkern. Aber dahinter erhob sich eine neue Brandröte, und bald gewahrte man in beträchtlicher Entfernung auch den Feuerschein.

Fred wurde aus seinem Hinstarren und dem einen, bannenden Gedanken »Krieg! Krieg!« durch nahe Geräusche wie aus einem Traume geweckt. Ein paar ihm unbekannte Leute schickten sich an, in seiner Schützenlinie ein Maschinengewehr aufzustellen. Rasch erhob er sich und überlegte, ob er diese Störung zulassen oder verhindern sollte, da sah er sich einem Offizier gegenüber, der in Begleitung Hubers den Stellungsbezug überwachte. Erst jetzt merkte er, daß es heller geworden war und durch das Nebelgewölk von Osten her der Morgen graute. Er sah zu, wie die Mitrailleure das schwere Gewehr im Graben festmachten und richteten, wie sie eine gefüllte Munitionsgurte in die Ladeöffnung führten und wie daneben ein Mann schon hastig eine noch leere Gurte mit Patronen versah. Leutnant Huber aber nahm ihn jetzt am Arm und bezeichnete im aufdämmernden Schußfeld den Zielabschnitt für seine Gruppe, einen dreihundert Meter entfernten Waldstreifen rechts der Straße.

Während Fred darauf jedem einzelnen Mann seiner Gruppe diesen Abschnitt zeigte, vernahm er aus dem fremden, von feuchten Morgennebeln bestrichenen tieferen Hügelgelände herauf Schüsse, eine hastig peitschende Folge scharfer Gewehrschüsse. Er sah, wie der Füsilier zu seiner Rechten erregt aufhorchte, und spürte zugleich den pochenden Drang seines eigenen Blutes, doch er zwang sich mit grimmiger Freude eben jetzt zum ruhigsten Lächeln und hörte sich selber auf den stummen Hinweis des Mannes in einem unnatürlich gelassenen Ton antworten: »Jaja, es wird einmal losgehen müssen.« Damit erhob er sich und ging hinter der Deckung zu seinem Platz, an Ordonnanzen und Munitionsträgern vorbei, die über das Gebüsch hinweg gespannt in die Ferne horchten, und die er mit demselben gezwungenen Lächeln neugierig musterte. Er legte sich hinter sein schußfertiges Gewehr und blickte in das vernebelte, noch immer vom fernen Brandschein begrenzte Land hinaus, wo die Schüsse regelmäßiger knatterten, aber von kurzen Maschinengewehrsalven unterbrochen und plötzlich von aufbellenden Feldgeschützen übertönt wurden. Ein ähnliches Gefühl beherrschte ihn wie beim ersten allgemeinen Alarm, ein unklar gemischtes und doch elementares

Gefühl, das als geheime Angst in der Magengegend verankert schien, aber nicht als Angst zum Bewußtsein kam, sondern das ganze Wesen mit abenteuerlicher Lust und höchster Spannung erfüllte. Dabei blieb er sich seiner Lage und ihrer Bedeutung bewußt. Er sah sich selber, wie er mit gekrümmten Beinen im unbequemen Graben lag, den Oberkörper mit den Ellbogen auf den vordern Rand gestützt, um rasch und sicher schießen zu können, die Hände am Gewehr, das er von der Erde nur an die Schulter zu heben brauchte, den Blick auf das Grenzland hinab gerichtet, bereit, gegen alle eindringenden Feinde zu kämpfen und wären sie zehnmal so stark wie er. Es war die Haltung des Verteidigers, eine jener menschlichen Grundhaltungen, die sich in tausend Jahren kaum ändern, wohl aber, trächtig von ungezählten Erlebnissen, als heimlich kraftspendende Bilder über die Wirklichkeit hinauswachsen. Wie er hier mit der Waffe dem Eindringling auflauerte, so hatte der Eidgenosse sich zu jeder Zeit dem Feind entgegengestellt. Jetzt war er, Fred, an der Reihe, Fred und seine Generation, und er wußte es bis in jene Seelentiefe hinab, die unsere ältesten Erbteile birgt.

Dieser Zustand ging allmählich in eine zwar noch nicht entspannte, aber lässigere Bereitschaft über, während der fremde Gefechtslärm verstummte und eine ungewisse Zeit verstrich. Fred begann zu frieren und erhob sich, um hinter dem Gebüsch die steifgewordenen Beine zu regen. Dabei entdeckte er, daß alles an ihm tropfnaß war und das feuchte Geriesel sich zum Regen entwickelt hatte. Vom rückwärtigen Gratrand aus sah er, daß sich rings um diese anfängliche Vorpostenstellung eine Menge von Truppen angesammelt hatte. Dicht am Fuß der Höhe lagen in ihren steingrauen, dunkel durchnäßten Überzügen die drei andern Kompagnien des Bataillons Schmid, daneben hielten die Pferde und Karren der Mitrailleurkompagnie, die mit ihren

Gewehren auf dem Grat in Stellung gegangen war. Jenseits der Straße zogen sich, so weit man sehen konnte, ausgedehnte Schützenlinien einem erhöhten Bachbord entlang, und in einem Waldweg weiter hinten erkannte man einzelne Teile einer langen, geschlossen lagernden Kolonne. Das Regiment war also in diesem Abschnitt bereitgestellt worden, wohl zur Sicherung größerer Kräfte, die sich im Anmarsch zu den Hauptstellungen befinden mochten.

Fred ging an seinen Platz zurück, legte sich wieder hin und wischte den Regen vom tropfenden Käppirand. Bald darauf nun glaubte er eine allgemeine Bewegung wahrzunehmen und stand neugierig abermals auf. Er traf seinen Leutnant, der die Unteroffiziere zusammenrief.

Mit einem zweideutigen Lächeln, das eine mehr oder minder ergötzliche Mitteilung verhieß, blickte Huber die herbeirennenden Gruppenführer der Reihe nach an und verkündete, die Rechte am Kinn, scherzhaft kleinlaut: »Nach den neuesten Meldungen hat sich die Lage geändert. Die Kompagnien marschieren an ihre Arbeit nach Tagesprogramm.«

»Saublöd!« sagte Fred finster in das Schweigen hinein, und in verwandten Ausdrücken machten sich auch die andern Korporale Luft, während Huber in ein höhnisch zustimmendes Lachen ausbrach. Ähnliche Gefühle ergriffen die ganze Truppe, merkwürdige Reaktionen, die sich von der ernstlich gereizten Stimmung bis zum Hohngelächter erstreckten.

Unter den Leuten, die schwatzend aus der Gratstellung kamen und in schlechter Ordnung den Hang hinabstiegen, befand sich ein baumlanger Mitrailleur, der den Mund besonders laut aufriß. »Jaja, mir sind en Armee, potz Heiland! Mir bruched nur drei Stunde in Dräck ie z'lige, dänn hät sich d'Lag gänderet. Die Chäpsli, wo mr da glade händ, werded doch wol nöd losgah...« Er packte seinen Karabiner mit der Rechten am Kolbenhals wie eine Pistole, entsicherte ihn rasch und jagte mit zorniger Miene einen Schuß in die Luft.

Die nächsten Leute, die vom Knall überrascht wurden, blieben verblüfft und unwillig stehen, ein Unteroffizier schrie den Mann an, ob er verrückt geworden sei, und der Mitrailleurhauptmann kam wütend mit der Frage dahergerannt, wer geschossen habe. Der Schuldige meldete sich finster. Gleich darauf trabte Oberleutnant Kern heran und rief mit gespielter Wichtigkeit: »Der Herr Major läßt fragen, wer geschossen habe. Er verlangt eine sofortige strenge Untersuchung. Die Herren Kompagniekommandanten sollen augenblicklich entladen lassen und persönlich Kontrolle machen!«

Hauptmann Brändli, der auf den Zug Huber wartete, schrie den heranbummelnden Gruppen aufgeregt entgegen: »Vorwärts! Vorwärts! Laufschritt! Wollt ihr Laufschritt machen oder nicht!« Niemand schien es zu hören, niemand fühlte sich angesprochen. Aus der schon gesammelten zweiten Kompagnie erhob sich eine bekannte, trockene, hohntriefende Stimme, die Stimme Bärs: »Hät eine von eu gschosse, ir Helde? Jetz nämeds eus dänn no 's Chlöpfschyt weg, werdet scho gseh!« Brändli war außer sich vor Wut.

Fred hatte das Gewehr nach hinten geschoben wie eine Jagdflinte und schlenderte, jede Anteilnahme versagend, mit einem bittern Lachen voll verächtlicher Gleichgültigkeit zum Sammelplatz.

6

Die Franzosen hatten am 19. August Mülhausen zum zweitenmal besetzt, doch nach fünf Tagen wieder geräumt. Die hier verwendeten Kräfte, jene neugebildete armée d'Alsace unter General Pau, waren freiwillig zurückgenommen und zum größten Teil auf dem linken Flügel eingesetzt worden. Vom 6. September an aber rückten von Belfort aus, der Schweizergrenze entlang, neuerdings französische Truppen vor, deren Absicht und Stärke sich nicht sogleich erkennen ließen. Dieser Vormarsch und die ihm folgenden Kämpfe, die sich nahe an der Schweizergrenze abspielten, waren die Ursache der erhöhten Bereitschaft unserer Truppen und schließlich auch jener zweifelhaften Meldung, die den Alarm des Regiments Hartmann veranlaßt hatte.

Später erfuhr die Mannschaft in ähnlichen Fällen kaum mehr, ob eine bloße Übung geplant war oder ein »Ernstfall« vorlag, und wenn größere Verbände an traten, blieb oft auch den Offizieren der Hintergrund der militärischen Handlung verborgen oder zweideutig. Unsere unzulänglich organisierte Spionage im Ausland, der nicht immer zuverlässige Nachrichtendienst aus dem deutsch-französischen Grenzgebiet, Beobachtungen unserer eigenen Posten und die Warnungen der fremden Militärattachés in Bern nötigten die Armeeleitung im Verlauf der vier Jahre manchmal, eine Abwehraktion einzuleiten, die dem möglichen Ernstfall ebenso gerecht wurde wie dem schließlich unterschobenen Übungszweck.

Hauptmann Brändli führte die Kompagnie auf eine baumlose kleine Hochebene zurück und ließ sie hier die Arbeit an den Feldbefestigungen wiederaufnehmen.

Fred fand jetzt endlich Zeit, Mamas Brief zu lesen. Er entfaltete die mit großer, kräftiger Schrift bedeckten Blockblätter, die Mama statt der Damenbriefpapiere zu benutzen pflegte, und las, in der Ecke eines halbfertigen Unterstandes lehnend, mit zunehmendem Schmunzeln:

»Mein lieber Fred! Seit Deinem letzten Brief, auf den ich Dir schon geantwortet habe, ist mehr als eine Woche vergangen. Du könntest häufiger schreiben. Von Paul sind gestern ein paar Zeilen gekommen, er schreibt, daß er noch nie mit Dir zusammengetroffen sei, was ich merkwürdig finde. Von eurem letzten Marsch an die Grenze habe ich durch Papa erfahren. Ich wundere mich, wo ihr jetzt seid, aber ihr dürft es ja scheint's noch immer nicht schreiben, und so behaltet's für euch.

Hier in Zürich ist das Leben schon wieder etwas ruhiger geworden, aber alles steht natürlich immer noch unter dem Eindruck des Krieges und fragt sich besorgt, ob unser Land verschont bleiben werde oder nicht. Wie man hört, florieren aber die Vergnügungslokale trotzdem wie noch nie. Es scheint, daß viele Leute leichtsinnig werden und manche eine gewisse Konjunktur ausnützen. Unser Stockmeier zum Beispiel glänzt mit dem ganzen Gesicht, wo man ihn nur sieht. Ich habe den Eindruck, daß er Bombengeschäfte macht. Den Wäschesack schicke ich morgen ab. Pack ihn bald aus, es liegt eine wollene Weste darin, die Du wirst brauchen können.

Eben wollte ich schließen, da kommt noch unverhoffter Besuch vom Rusgrund: Martha. Sie hatte in der Stadt zu tun, kam schnell vorbei und ist soeben wieder weggegangen. Sie hat sich nach Dir erkundigt, und dabei ist an den Tag gekommen, daß Du noch keine Zeile in den Rusgrund geschrieben hast. Das ist wirklich nicht schön von Dir. Du hättest alle Ursache, Dich dankbar zu zeigen. Martha läßt Dich grüßen. Ich forderte sie auf, doch selber ein paar Worte unter diesen Brief zu schreiben, da wurde sie ganz rot und verlegen. Das gute Kind hat hoffentlich keinen Grund dazu. Tante Marie hat sich überanstrengt und liegt zu Bett, kein Wunder, wenn auf einem solchen Hof das Mannsvolk fehlt. Lisi und Martha müssen alles allein machen, der Knecht ist ja auch eingerückt, er befinde sich an der italienischen Grenze, und Onkel Robert sei tagelang auf dem Viehhandel. Von Christian, der zum Feldweibel vorgeschlagen sein soll, und vom hochwohlgeborenen Herrn Hauptmann vernehmen sie auch nicht viel. Ihr seid mir eine Gesellschaft!

Gertrud läßt Dich grüßen. Ich habe ihr Kleines bei mir, das mir viel Freude macht.

Und nun, mein Lieber, erkälte Dich nicht, halte Dich brav, schreib fleißiger und sei herzlich gegrüßt von Deiner Mama.«

Fred faltete die Blätter mit einem nachdenklichen Lächeln sorgfältig wieder zusammen und steckte sie ein. Etwas unverhofft Angenehmes wehte ihn an; das heimatliche Hinterland, das ihm in diesen rauhen Tagen ein Vergangenes oder nur halb Wirkliches geschienen hatte, lag ihm auf einmal sehr nahe. Mama, Gertrud, der gute Onkel Junod, die Musikabende in Zürich, der See, der Rusgrund mit den Wiesen, dem Tobel und dem heitern Frieden, Tante Marie, Onkel Robert, Martha, Lisi, das Schützenfest, und wiederum Zürich und noch einmal Mama – dies alles verwob sich ihm zu einer tiefbegründeten, wärmenden Wirklichkeit, der man nicht entlaufen konnte. Man blieb in ihr hängen, was man auch tat, und sie hing an uns, wie weit man auch lief, ja sie hing uns um so inniger an, je mehr Gefahr und Unbill man zu bestehen hatte.

Er dachte an Christian, der nun auch hier irgendwo im Regen herumlief, während seine kranke Mutter sich im Bett um ihn grämte und der schöne Hof seinen Meister entbehrte. Er sah auf den Füsilier Mäder, einen bescheidenen Angestellten mit einer jungen Frau, zwei Kindern und dem Wunsch nach einem eigenen kleinen Haus am Zürichberg; da stand er nun und pickelte Steine aus dem Graben. Hinter Mäder wartete Wehrli mit der Schaufel, ein Mechaniker, der im Frühling die Werkstätte seines Vaters übernommen und sich kurz vor dem Krieg verlobt hatte. Im Grabenstück links davon warf Enderle Erde aus, ein schmächtiger Kommis, der durch die Feldpost auffallend häufig Briefe oder Pakete empfing und eines Abends gestanden hatte, daß sie alle von der Mutter kamen, einer verarmten Witwe, die sich seinetwegen das Brot vom Munde spare. Fred stieg aus dem Graben, schaute der arbeitenden Kompagnie entlang und entdeckte in einiger Entfernung noch andere Truppen an der Arbeit, er hörte die Sprengschüsse der Sappeure, die mit der Hilfe eines Infanteriebataillons einen Fahrweg durch die Wälder bauten, und blickte nach der Landesgrenze aus, wo die Schildwachen standen. Er wurde überfallen von der Einsicht, daß alle diese hunderte und tausende von durchnäßten Soldaten besorgte Angehörige besaßen, Berufe, Wünsche, Wohnungen, Lieblingsorte, jene wärmende Wirklichkeit eben, worin sie als Menschen wurzelten und die sie nun ebenso selbstverständlich verlassen hatten wie er. Eine tiefe Sympathie für sie alle ergriff ihn, ja ein Gefühl der Liebe. Sie waren ihm nie fremd gewesen wie seinem Bruder Paul, doch so herzlich hatte er ihr Menschliches kaum je bedacht.

Schon im nächsten Augenblick war er freilich bereit, sich gerührter Flausen zu bezichtigen, und am folgenden Morgen, als die aufgeteilte Kompagnie endlich zur Ablösung von Grenzwachen ausrückte, lag ihm das Hinterland mit seiner ganzen Gesellschaft wieder fern. Die neue Sympathie für seine Kameraden aber blieb in ihm wach, und sie ließ ihn dies rauhe Leben nicht nur gelassen ertragen, sondern machte es ihm lieb. Als er seine Gruppe in Einerkolonne durch den tropfenden Wald zum Grenzposten führte, hätte er mit keinem Zivilisten der Welt mehr getauscht.

Den vollbepackten Tornister auf dem Rücken, einen Feldstecher umgehängt, eine Kartenskizze in der Rechten, schritt er seinen sieben schwer beladenen Füsilieren mit freudiger Neugier voran, froh vor allem, eine selbständige

Aufgabe übernehmen zu dürfen und dem ewig nörgelnden Hauptmann für ein paar Tage zu entrinnen. Schon von weitem entdeckte er auf der mäßigen Höhe, die der Waldweg erklomm, einen Mann des Postens, der eine Weile aufmerksam dort oben zwischen den Bäumen stand und dann verschwand. »Aha, Beobachtungsposten nach rückwärts, wir werden signalisiert«, dachte Fred vergnügt. Sobald er die Höhe erreichte, sah er jenseits auf dem abfallenden Weg die patrouillierende Schildwache, den schwarzgrauen Grenzstein und darüber ein rotweißes Schweizerfähnchen. Die Schutzhütte und die bereitstehende Mannschaft tauchten nach fünfzig Schritten unvermutet in einem Geländewinkel zur Rechten auf.

Fred wurde hier von Leutnant Huber eingeholt und mußte sich zu seinem Leidwesen an die übliche Zeremonie der Ablösung halten. Er hätte eine kameradschaftliche Verständigung mit Korporal Steiner, dem abtretenden Postenchef, vorgezogen. Als die neue Schildwache mit geladenem Gewehr und aufgepflanztem Bajonett neben die alte trat, machte er dem peinlich schulmäßigen Verfahren immerhin ein kurzes Ende. Die alte Schildwache hatte ihren Spruch hergesagt, und die neue, Füsilier Wehrli, versuchte ihn nun wortgetreu zu wiederholen: »Ich bin Schildwache vom Unteroffiziersposten Numero vier der Grenzbewachungskompagnie drei. Schildwachbefehl: Ich habe diesen Grenzübergang zu bewachen, das Vorgelände von jenem Wald rechts bis und mit dem Weg am Bach links zu beobachten und... und Verdächtiges sofort zu melden...« Soweit kam Wehrli, dann begann er zu stocken, allerlei durcheinander zu werfen und manches zu vergessen, während er, Gewehr bei Fuß, seine stramme Stellung keinen Augenblick aufgab.

»Ach was, das kann ja kein Mensch behalten!« rief Fred. »Der Schildwachbefehl wird doch in der Hütte angeschlagen sein, nicht? Also, schön! Wehrli, passen Sie hier einfach auf und lassen Sie niemand durch! Nachher lernen wir das alles auswendig.«

»Jetzt müssen wir die Patrouillen abschicken«, sagte Korporal Steiner. Er war ein mittelgroßer, magerer Bursche mit einem schmalen Gesicht und einer Brille, durch die er Fred mit klaren, wachen Augen ernsthaft anblickte. »Eine Patrouille, das heißt jemand von deinen Leuten und ein Mann von meiner Gruppe als Führer, geht hier nach links zum Posten Numero drei. Eine andere Patrouille geht nach rechts zum Posten Numero eins von der zweiten Kompagnie. Deine Leute müssen sich den Verlauf der Grenze und die Lage der Nachbarposten genau merken.«

Die beiden Patrouillen wurden abgeschickt, und Leutnant Huber schloß sich der einen an. Fred begann die Hütte zu betrachten, vor der seine Mannschaft die Tornister abgelegt hatte. »Eine windige Bude!« sagte er lächelnd.

Es war eine einfache Bretterhütte mit flach nach hinten abfallendem Dach. »Zwischen dem Hang und der Rückwand da ist viel zu wenig Raum«, bemerkte Fred. »Und hier müßte ein Graben sein, sonst feuchtet's doch!« Die Vorderwand war mit frischen, auf die Bretter genagelten Tannzweigen verkleidet, über dem Eingang befand sich, von Efeu umrankt, ein gehobeltes Brettchen, darauf stand eingebrannt: Villa Durchzug. »Es wäre gescheiter gewesen, sie hätten hier ein Vordach gebaut«, sagte Fred spaßhaft, abschätzend und betrat das Innere, das von zwei Seiten her aus je einem viereckigen Fenster Licht empfing. Die hintere Hälfte wurde durch das Strohlager ausgefüllt, davor war die bloße Erde festgestampft. Eine Reihe von Holzklötzchen an der Wand neben dem Eingang stellte den Gewehrrechen vor, unter dem westlichen Fenster stand ein rohgezimmerter Tisch, ihm gegenüber, unter dem andern Fenster, war so etwas wie ein Herd oder wenigstens eine Feuerstelle, mit zwei fragwürdigen Kochgefäßen und einem Kessel.

»Das hat man uns als Küche übergeben!« sagte Steiner ernstlich verurteilend. »Ich habe sofort einen Rapport gemacht und das Essen von der Kompagnie bezogen. Ich rate dir auch dazu. Bei der Pikettmannschaft sind immer Leute genug, die es bringen können...«

»Jaja, aber wir kochen selber«, entgegnete Fred. »Das wird schon gehen. Wir sind froh, wenn wir nichts mehr mit der Kompagnie zu tun haben.«

»Könnt's ja probieren! Aber hier ist nicht einmal ein rechter Abzug... man hat beständig die Hütte voll Rauch. Wir haben immer draußen Feuer gemacht und Wasser gesotten... aber jetzt, wenn's regnet und kälter wird... du solltest einen Rapport schreiben, hier gehört ja auch noch ein Ofen herein...«

»Machen wir wahrscheinlich selber. Das ist ja sowieso nur eine Räuberhöhle... Und jetzt zeig mir noch... habt ihr eine Latrine gehabt oder...? Aha, ja, dann machen wir halt eine neue. Und wo habt ihr Wasser geholt?«

Korporal Steiner führte ihn herum und zeigte ihm alles. »Und dann mußt du dich auf Besuch gefaßt machen«, sagte er. »Schon am ersten Tag, wir waren kaum eingezogen, kam ein Generalstäbler und wollte auf jener Ecke dort einen Beobachtungsposten einrichten. Jetzt wird das aber auf dem Posten da drüben gemacht, sie bauen eine Kanzel in die Bäume hinauf, man sieht es von der Ecke aus.« Er schwieg ein paar Sekunden, dann blickte er Fred forschend an und fügte mit einem leisen Lächeln hinzu: »Und vorgestern war dein Vater hier.«

»So!« erwiderte Fred.

Nachdem die ausgeschickten Patrouillen zurückgekehrt waren, ließ Korporal Steiner seine Leute antreten. »Säcke aufnehmen, Gewehre ergreifen!« befahl er. »Gewehre anhängen! Zu einem mir nach, marsch!« Die wegziehende Mannschaft antwortete etwas flau auf die Abschiedsrufe der neuen Postenwächter, dann folgte sie schweigend und ohne sich umzublicken dem Korporal über die Höhe zurück.

Fred war allein mit seiner Gruppe. Aufatmend schaute er herum, und seine lachenden Augen ergriffen Besitz von allem, ja er hing sogleich sein Herz an diesen Erdenwinkel. Der Abhang war mit gemischtem Walde bedeckt, mit noch jungen Tannen, schlanken Eschen, schon herbstlich angehauchten hohen Buchen und mannigfaltigem Unterholz. Etwa hundert Schritte westlich der Hütte sprang mit bemoostem Gestein und kleinem Gehölz eine Nase aus dem Hang vor. Zwischen dieser Nase und der Hüttennische lief der Weg gleichmäßig fallend hinab, und von diesem Weg aus, wo die Schildwache stand, öffnete sich der Blick auf ein Stück des umstrittenen elsässischen Landes, zunächst auf eine weite Rodung, dann auf Wiesen und bewaldete Hügel. Verschieden graues Gewölk zog geschlossen darüber hin, ein ferner Strich lag nebelfahl im schrägen Regen.

Unternehmungslustig wandte sich Fred der Hütte zu, um die nächsten notwendigen Befehle zu erteilen, aber seine Leute hatten schon allerlei in Angriff genommen. Ein Mann war mit dem Kessel unterwegs zur Quelle, ein anderer begann Holz zu spalten, ein dritter half dem zum Koch bestimmten Füsilier den Feuerherd ausbauen. Alle waren eifrig beschäftigt, sie warteten nicht auf Befehle wie bei der Kompagnie, um das Notwendige erst dann zu tun, sie taten es aus eigenem Antrieb. Da ging auch Fred an seine Arbeit. Er schrieb genau und sachlich den ersten, für das Bataillonskommando bestimmten Rapport, worin er die Übernahme des Postens meldete, dann stellte er eine klüglich ausgedachte Liste für die Ablösung der Schildwachen auf und heftete sie innen an die Tür. Er entwarf den Plan zur Latrine, tat feierlich den ersten Spatenstich und schickte jeden verfügbaren Mann immer wieder auf diesen abseits gelegenen Bauplatz. Als nächstes Unternehmen kündigte er den Entwässerungsgraben an, der zwischen Hütte und Hang gezogen werden mußte. Stündlich führte er einen Mann zur Ablösung und prägte ihm den Schildwachbefehl ein.

Nachmittags hörte man fernen Kanonendonner, ein stoßweises, dumpfes Brummen, später begann unter stürmischen Winden und Regenschauern der Wald zu rauschen. Fred saß in der Hütte am Feuer und durchsuchte die mitgebrachten Zeitungen nach Berichten über die Ereignisse auf dem westlichen Kriegsschauplatz. Vom Vormarsch der deutschen Armeen in Frankreich, den die Presse in einer ununterbrochenen Reihe von Siegesnachrichten gemeldet hatte, erfuhr man nichts mehr. Nach der letzten, drei Tage alten amtlichen Meldung hatte der rechte deutsche Flügel Paris nicht angegriffen, sondern eine Schwenkung unternommen. Die Kapitulation der Festung Maubeuge konnte für die allgemeine Lage kaum von Bedeutung sein. Wie aber stand es nun? Die Agentur Havas hatte gestern von einer deutschen Rückzugsbewegung gesprochen und heute meldete sie unerwartet, daß die französischen und englischen Armeen, die bisher immer nur zurückgegangen waren, an der Marne jetzt Fortschritte machten. Wie war das zu verstehen? Kein Mensch glaubte an diese Meldungen. Die Kommentare der deutschsprachigen Presse stellten die Lage als unverändert dar, und das taten sie noch tagelang, unterstützt von einem amtlichen deutschen Dementi, das die Nachrichten der Agentur Havas für falsch erklärte. In diesen Tagen entstand unter den Truppen der deutschen Schweiz für alle irrtümlichen oder falschen Meldungen die Bezeichnung Havas, die als »Hawaß« aus der Soldatensprache nicht mehr verschwand.

Fred blieb bis Mitternacht auf, dann weckte er seinen Stellvertreter und legte sich ins Stroh. Lange lag er wach. Er suchte sich vom Verlauf des ungeheuren Zusammenpralls an der Marne ein Bild zu machen, und er vermochte es nicht anders, als indem er die Franzosen unter dem steten Druck der siegreich vordringenden Deutschen geschlagen gegen die Schweiz heranfluten sah. Er hörte den Wind in die Bäume fahren und um die Hütte stöhnen, roch den nassen, über dem Herdfeuer dampfenden Kaput einer abgelösten Schildwache und bemerkte das Schaukeln der Petrollampe, wenn die Tür geöffnet wurde. Als er im Begriff war, einzuschlafen, glaubte er einen Ruf der etwa fünfzig Schritte von der Hütte entfernten Schildwache zu hören, ein lautes »Halt! Wer da?«, das sogleich in der französischen Fassung wiederholt wurde. Er glaubte sich getäuscht zu haben, doch sein Stellvertreter stand, Ausschau haltend, bereits in der offenen Tür, während ein »Qui vive?« und ein »Ici la Suisse!«, vorgeschriebene Anrufe, lauter und dringender vom Weg heraufklangen. Der Stellvertreter hing sich ein Gewehr an, nahm die Laterne und verließ die Hütte. In diesem Augenblick fiel draußen ein Schuß.

Fred sprang auf. »Wache heraus!« brüllte er, riß ein Gewehr aus dem Rechen und stürmte hinaus, gefolgt von seinen Leuten, die hinter ihm sogleich den Weg verstellten und mit gefälltem Bajonett zum Grenzstein vorrückten.

Füsilier Engeler, die Schildwache, erklärte dem Korporal aufgeregt, daß er deutliche Schritte gehört und nach mehrmaligem Anruf eine Gestalt beschossen habe, die auf ihn zugekommen und dann verschwunden sei.

Fred leuchtete mit seiner Taschenlampe den Weg hinab und rief: »Hallo, ist jemand da?«

Der Wald rauschte unter den Windstößen, die Bäume schüttelten den Regen ab, und die Finsternis war voller Geräusche, aber kein Mensch antwortete.

Fred suchte in Begleitung eines Füsiliers den Weg und die nächste Umgebung ab, hörte plötzlich die Schritte auch und lief hin. Er fand zwei sich kreuzende Buchenstämme, die im

Winde gegeneinander schlugen, und war sofort überzeugt, daß die rätselhafte Gestalt eine in dieser unruhigen Dunkelheit wohl begreifliche Sinnestäuschung gewesen sei. »Es ist nichts!« sagte er und schickte die Mannschaft zum Schlafen in die Hütte zurück.

Engeler gab nicht gern zu, daß er sich getäuscht haben könnte, stritt es aber auch nicht rundweg ab.

»Ich werde hier noch ein wenig herumschnüffeln«, sagte Fred und stieg den Vorsprung hinauf. Nach etlichen Schritten wandte er sich um und sah, daß die Schildwache, das Gewehr unter dem rechten Arm, auf dem Wege wieder schwarz und schweigend wie ein Schatten auf und ab ging. Durch das westliche Hüttenfenster traf der trübe Lampenschein ein paar wild fuchtelnde Sträucher, sonst war alles dunkel.

Auf dem Vorsprung hing Fred sich das Gewehr nach Jägerart quer über den Rücken, schlug den Mantelkragen hoch, steckte die Hände in die Taschen und stand eine Weile mit gespreizten Beinen im Regensturm, der immer wieder kühl seine linke Seite anfiel. Wenn der Wind hier aussetzte, hörte man ihn drunten über das elsässische Hügelland hin fauchen, das man als einen unheimlich belebten Raum mehr ahnte als sah. Fred glaubte die tastenden Lichtfinger von Scheinwerfern zu erkennen und ein fernes Donnern zu vernehmen, das er willig genug mit der entscheidenden Schlacht in Zusammenhang brachte. Erregt vom Gedanken an diese Schlacht, die, amtlich halbwegs zugegeben, seit Tagen zwischen den Riesenheeren entbrannt sein mußte, verlor er sich, das Gesicht nach Nordwesten gewandt, in großartigen Vorstellungen. Dort unten, zwischen Basel und Paris, für sein Gefühl in aufregender Nähe, rangen mächtige Völker um ihre Zukunft, und vielleicht entschied sich jetzt dort ihr Schicksal.

Wie sehr es sich in der Tat nun entschied, ahnte er nicht,

und er würde es als Schicksal so wenig wahrgenommen haben wie die Deutschen selber, auch wenn ihm der Verlauf der Schlacht bekannt gewesen wäre, indes die Franzosen es allerdings als Wunder bezeugten. Am 3. September hatte die deutsche oberste Heeresleitung der vor Paris stehenden Flügelarmee Klucks befohlen, nicht nach Paris, sondern nach Südosten zu marschieren, um rückwärts gestaffelt die rechte Flanke des vorrückenden Heeres gegen die in der Stadt irrtümlich vermuteten starken Kräfte zu decken. Diese unerwartete Operation war von einem französischen Flieger frühzeitig entdeckt und gemeldet worden. Daraufhin hatte der Befehlshaber von Paris, General Galliéni, in der kürzesten Frist die zivilen Kraftfahrzeuge der ganzen Stadt requiriert und alle erreichbaren Truppen damit in die rechte deutsche Flanke befördert. Dort kämpften diese Truppen noch, und an der Hauptfront griffen wider Erwarten die halb erschöpften Armeen des Generals Joffre an. Auf der deutschen Seite aber war Oberstleutnant Hentsch, jener merkwürdige Exponent des schwer begreiflichen Geschehens, beim rechten Flügel schon eingetroffen, mit einer Mission, die zum Rückzug der eben noch überlegenen Truppen Klucks und Bülows führte. Diese Truppen, rund zehn Armeekorps mit mehr als tausend Geschützen, begannen jetzt, betrogen um die Früchte unerhörter wochenlanger Anstrengungen, entmutigt auf denselben Wegen zurückzugehen, auf denen sie vorgedrungen waren, während die Franzosen und Engländer das über hundert Kilometer breite Schlachtfeld als Sieger betraten.

Im Kriege wechseln, von den Kämpfenden selber mehr oder weniger verursacht, Glück und Unglück, doch an weltgeschichtlichen Schnittpunkten mag ein unbegreifliches Schicksal walten. Glück und Unglück folgten einander auch in diesem Krieg noch jahrelang, aber eine entscheidende Wende geschah jetzt, ja ihre Achse ging durch diese Nacht, in der Fred auf seinem neutralen Vorsprung in der Richtung des großen Geschehens ahnend und dennoch ahnungslos über die Grenze starrte.

7

Gegen Mitte Oktober schrieb Albin Pfister an Gertrud, er werde den angekündigten nahen Urlaub des Bataillons ebenfalls benützen und für ein paar Tage nach Hause kommen. Gertrud saß nach dem Mittagessen an ihrem zierlichen nußbraunen Sekretär, der noch aus dem alten Hause stammte, und spürte beim Gedanken an das bevorstehende Wiedersehen mit Albin eine unerwartete bange Erregung, die ihr das Blut in die Schläfen trieb. Sie hatte das geheime Fach geöffnet, aber statt den Brief hineinzulegen, nahm sie die übrigen Feldpostbriefe Albins heraus und begann sie noch einmal durchzulesen, vom unbestimmten Drang beseelt, sich über ihre eigenen Gefühle klar zu werden.

Der erste Brief war noch mit Tinte geschrieben und widerhallte in schönen, ehrlichen Worten vom Jubel über ihr liebendes Einverständnis, ohne den Dienst mit einer Silbe zu erwähnen. Wenige Tage später schrieb er mit Bleistift in großen Zügen: »Wenn ich Hartmann sehe, wie er gesund, straff und stolz dem Regiment entlang trabt, so ist es für mich fast unbegreiflich, wie Du Dich von ihm zu mir hast wenden können, und ich weiß nicht, soll ich Dir auf den Knien dafür danken oder daran zweifeln.« Von nun an waren die meisten seiner Briefe mit Bleistift geschrieben, vermutlich unter oft recht schwierigen Umständen, was er zu seiner Entschuldigung auch selber bemerkte. »Ich bin müde und benutze das Käppi als Schreibunterlage. Die Anforderungen, die man an uns stellt und wohl mit Recht stellen muß, gehen manchmal über meine Kraft hinaus. Ich bin auf einem Marsch elend zusammengeklappt, nicht als einziger, aber es hat mich doch sehr entmutigt, und ich fürchte, daß ich nicht allem Kommenden gewachsen sein werde. Ich habe mir vorgenommen, Dir gegenüber so offen und ehrlich zu sein wie nur möglich, darum will ich dies nicht verschweigen. Oft fühle ich mich so stumpf und niedergeschlagen, daß mir alles gleichgültig wird.«

In einem der nächsten Briefe gestand er zu Gertruds Erleichterung, daß er nach den vielen Strapazen nun wenigstens körperlich widerstandsfähiger geworden sei, und bald darauf schickte er ein paar tagebuchartige Aufzeichnungen, die endlich auch von seinem innern Leben wieder etwas verrieten. »Ich habe vor dem Kriege wie in einem von hohen Mauern umschlossenen Garten gelebt, ich war allein, und aus dieser Not bezog ich meinen Stolz, ich besaß kein Vaterland und bekannte mich zu keinem Volk. Jetzt hat mich das allgemeine Schicksal hinausgeworfen, und es ist gut so. – Ich stehe fortwährend unter dem Eindruck dieser unerhörten Zeit. Ein ganz neues Gefühl beginnt mich zu durchdringen, das Gefühl, einem Volk anzugehören und ein Heimatland zu haben. Paul scheint es ähnlich zu gehen, obwohl sich dies alles vielleicht mehr in seinem Kopf abspielt als dort, wo Erlebnisse erst fruchtbar werden; oder wenn er es doch dort erlebt, dann gesteht er sich das nicht recht ein und gibt das Erlebnis als bloße Erkenntnis aus. – Ich weiß jetzt, daß ich ein Schweizer bin und daß ich für das Schweizerland nicht ohne Grund bluten würde, wenn es soweit käme. Ein kindliche Verszeile geht mir im Kopf herum: ›Und hab' die Heimat lieb.‹ Früher wäre mir so etwas unmöglich vorgekommen.«

Gertrud erinnerte sich, was sie darauf geantwortet hatte, und empfand es auch jetzt wieder: »Daß Du die Heimat liebgewonnen hast und Dich als Schweizer fühlst, darüber bin ich unendlich froh. Ich muß Dir gestehen, daß ich immer mit Überzeugung patriotisch gefühlt und gedacht habe, wenn ich auch nicht viel Wesens daraus machte. Ja, Albin, ich bin stolz darauf, eine Schweizerin zu sein. Ich bin stolz, wenn ich daran denke, wie unsere brave Armee jetzt die Grenzen bewacht und entschlossen ist, das Land zu verteidigen. Daß auch Du zu dieser Armee gehörst, ist mir trotz aller Sorge ein Trost...«

Sein letzter längerer Brief schlug wieder andere Töne an, die ihr zwar noch vertraut genug waren, doch abermals verzagter klangen, als sie erwartete und wünschte. »Der gewaltige deutsche Siegeszug, der jetzt, wie es scheint, im Westen einen vorübergehenden Unterbruch erfährt, hat mich begeistert – und dennoch, wie furchtbar ist dieser Krieg! Unersetzliche Werte werden vernichtet, ungezählte Menschen werden getötet. Und wozu, wozu? Es läßt sich kaum mehr rechtfertigen. Man möchte schreien: Kommt doch zu euch, seid doch Menschen, schließt Frieden! Aber das Schlachten geht weiter. Je mehr ich davon höre und darüber nachdenke, desto mehr entsetzt es mich. Was hat das Dasein für einen Sinn und mit welchem Grund bemüht man sich noch um höhere Dinge, wenn die Menschheit solche Wege einschlägt! Ich könnte mit dieser Trauer im Herzen jetzt keine Strophe, keine Verszeile mehr schreiben, auch wenn ich die äußere und innere Freiheit dazu besäße – ich besitze nicht einmal sie, vom Antrieb ganz zu schweigen, und so komme ich mir manchmal vor wie eine bedeutungslose, stumm leidende Kreatur, die im besten Fall noch dazu taugte, als Kanonenfutter mit tausend andern geopfert zu werden.«

Das innere Verhältnis der Schreibenden zueinander kam gegen das Ende des Briefwechsels nur noch spärlich und verschämt zum Ausdruck. Gertrud war bereit, den Grund dafür ebenso sehr auf ihrer Seite zu suchen wie auf der seinen. Bei jenem nächtlichen Gang im Regen war es zwischen ihnen wohl zu einem Geständnis gekommen, aber seither hatte Gertrud alle Erfahrungen einer lebenskräftigen jungen Frau gemacht, die mit einem Mann verheiratet ist, dem sie nicht mehr angehört, und einen Mann liebt, dem sie noch nicht angehört, verwickelte und dunkle Erfahrungen, die zu entwirren sie weder Lust noch Selbsterkenntnis genug besaß. Sie erlebte Stunden des Zweifels, ja der Verzweiflung, in denen sie sich plötzlich nach Hartmann zurücksehnte, nach seiner Männlichkeit, seiner Kraft, seiner grausamen Sicherheit, und sie mußte sich, um davon befreit zu werden, die Ursachen wieder in Erinnerung rufen, die das Zerwürfnis herbeigeführt hatten, seine freundlich höhnische Mißachtung ihrer tiefsten Bedürfnisse, sein Unverständnis für ihr inneres Leben überhaupt, und ihren körperlichen Widerwillen, der es ihr unmöglich gemacht hatte, ihm weiter anzugehören. Wie ihre Liebe zu Albin im Grunde beschaffen war, darüber gab sie sich keine Rechenschaft. Sie liebte ihn und wollte von ihm geliebt werden. Der Krieg, der sie zusammengeführt, hatte sie zu früh wieder auseinandergerissen, darum fehlte ihnen eine reife Beziehung, aber die würde sich schon noch ergeben.

Mit bekümmert angespannter Miene legte sie die Briefe ins Fach zurück und stand auf, ohne sich über ihre eigenen Gefühle nun klarer geworden zu sein. Sie war lediglich entschlossen, Albin die Treue zu halten, ihm so gegenüber zu treten, wie sie ihn beim Abschied verlassen hatte, und auf die Gnade zu hoffen, von der nach ihrem festen Glauben jede wahre Liebe begleitet war.

Am folgenden Tag kam Mama ins Haus. Sie befand sich auf einem Bettelgang zur alten Frau Hartmann, bei der sie angekündigt war, und fragte Gertrud, die alle Schwierigkeiten dieses Unternehmens kannte, schon unter der Tür mit einer nach dem obern Stockwerk deutenden Kopfbewegung: »Wie steht's?«

»Ach, ich denke, sie wird dich erwarten«, antwortete Gertrud. »Du mußt aber bald gehen, sonst...«

Frau Barbara hörte die Antwort gar nicht zu Ende, da sie in diesem Augenblick die zwei Kinder entdeckte, in die sie vernarrt war. »Ja aber wer isch dänn das, wer isch jetz au das?« rief sie aufleuchtend, im Tone scherzhafter Verwunderung, und ging vornübergeneigt mit strahlender Miene langsam auf die beiden zu. »Großmami!« rief der Knabe, erhob sich von seinem Baukasten und begann ihr sogleich lebhaft die wichtigen Dinge mitzuteilen, die ihn beschäftigten, während die Kleine auf dem Teppich sitzenblieb und der Großmama schweigend mit entzücktem Lächeln entgegenblickte.

»So... ja, dann will ich lieber gleich gehen«, sagte Frau Barbara, nachdem sie die Kinder mit der unvermeidbaren Gründlichkeit begrüßt hatte. »Ich komme dann auf dem Rückweg noch schnell vorbei. Lange bleib ich nicht oben. Es wird ja zwar harzig zugehen. Es ist für die Belgier. Auf Wiedersehen!«

Frau Barbara beteiligte sich am Hilfswerk für die zivilen belgischen Flüchtlinge, die dem Schrecken des kriegerischen Einfalls nach Holland und Frankreich ausgewichen waren. Der Anstoß zu dieser Aktion, die vorerst in einer Geld- und Kleidersammlung, dann in der Aufnahme von Frauen und Kindern bestand, ging von der welschen Schweiz aus, wo man über die Verletzung der belgischen Neutralität durch Deutschland empört war und für das betroffene Land um so begeisterter ein gutes Werk vollbringen wollte. Mit diesem Werk begann in der Schweiz eine allgemeine Hilfstätigkeit, die rund fünf Jahre lang ungeschwächt anhielt und in ihrer Summe kaum zu erfassen war, ein Zeugnis großartiger Humanität inmitten der unmenschlichen Gegenwart, und wohl auch ein verschämtes Bitt- und Dankopfer des Volkes an die Macht, die über Krieg und Frieden entscheidet. Diesem Krieg nun folgten in ganz Europa Not und Elend auf den Fersen, die Hilfsbereiten sahen sich vor immer größere, dringendere Aufgaben gestellt, und bald genug wurde die öffentliche Fürsorge auch zugunsten des eigenen Landes aufgerufen. Das Hilfswerk für die Belgier mochte darunter leiden, doch wurden schon in den ersten Wochen rund dreihunderttausend Franken gesammelt und in der Folge ein paar tausend Flüchtlinge aufgenommen, besonders in der welschen Schweiz und im Tessin.

Gemeinsame Unternehmungen für notleidende Mitmenschen entspringen fast immer reinen Antrieben, und an ihr Ergebnis darf kein anderer Maßstab gelegt werden, aber am Ergebnis selber haben nicht nur Güte und Hilfsbereitschaft ihren Anteil. Frau Barbara machte sich auf den Weg zu Gertruds Schwiegermama wie der Angreifer zu einer befestigten Stellung; sie war entschlossen, in die Stellung einzudringen, doch kam es auf das Verhalten des Gegners an, ob es ihr durch einen raschen Handstreich, durch hartnäckige Belagerung oder durch eine List gelingen würde.

Frau Hartmann, die den Zweck des Besuches kannte und für die Belgier rasch und gern zwanzig Franken hingelegt hätte, trat ihr im Salon entgegen. Sie kam so eilig aus dem Nebenzimmer, als ob sie diesen Augenblick kaum hätte erwarten können, und ging sogleich auf die Besucherin zu, trotz ihrer unelastisch gewordenen mächtigen Gestalt und welken Fülle mit hastigen Schritten, die den ganzen Raum dumpf zu erschüttern schienen. Ihr gepudertes schlaffes Gesicht unter dem künstlichen weißen Haargebilde drückte die freudigste Überraschung aus, abes es war der Ausdruck einer Maske, und ihre Stimme sprudelte bei der Begrüßung vor Lebendigkeit, aber sie besaß einen unangenehmen, scherbenhaft klirrenden Unterton.

Frau Barbara ging auf die lebhaft erfreute Art ein und brachte schon in der ersten Viertelstunde auf dieselbe Art auch ihr Anliegen vor, ganz anders, als sie sich vorgenommen hatte. »Und nun, Frau Hartmann«, sagte sie nach der einleitenden Erklärung und wandte sich mit liebenswürdiger Miene entschiedener an die neben ihr sitzende Alte, »nun darf ich Sie also im Namen des Komitees bitten, die Gabenliste mit Ihrem Namen zu eröffnen, und das freut mich...«

»Aah...« sang die Frau und wies mit schief zurückgelegtem Kopf, geschlossenen Augen und erhobenen Händen die Ehre ab.

»In Holland ist die Sammlung durch die Königin eröffnet worden«, fuhr Frau Barbara unbeirrt fort, »allerdings mit einem Betrag, den ich Ihnen nicht zumuten möchte. Wir werden bei uns ja auch nie das zustande bringen, was man in Holland schon heute für die belgischen Flüchtlinge geleistet hat. Aber wir brauchen an der Spitze unserer Zürcher Liste eine Ziffer, die man zeigen darf, und vor allem einen zügigen Namen...«

Frau Hartmann faßte sich während dieser Rede unerwartet rasch und erwiderte zuletzt lächelnd: »Sie halten mich für unbescheidener als ich bin. Ich bin wirklich nicht so unbescheiden, ich werde mich mit einem geringern Platz begnügen.«

»Das wäre aber sehr schade. Es kommt so viel darauf an...«

»Ich sehe wirklich nicht ein, warum ich an der Spitze stehen soll. Überhaupt... warum kann so etwas nicht diskret geschehen? Wenn Sie eine Liste veröffentlichen... ach Gott, nein... ich bitte Sie, es wäre mir äußerst unangenehm, ich will nicht!«

»Schade!« sagte Frau Barbara noch einmal bedauernd und gab den offenbar aussichtslosen Angriff von dieser Seite auf, um geradenwegs zu fragen: »Wieviel dürften wir dann aber erwarten?«

»Ach, mein Gott, das kann ich doch nicht... wie soll ich das jetzt entscheiden!«

»Jaja, es ist tatsächlich nicht so einfach, Sie haben ganz recht. Ich hatte mir ja eben darum auch erlaubt, Sie schon vorgestern...«

»Aber bitte, täuschen Sie sich nicht, ich habe furchtbare Auslagen, und ich bin nicht reich. Ich will geben, was ich entbehren kann, diese armen Leute tun mir ja so leid, aber... um Gottes willen, Frau Oberst, was erwarten Sie von mir? Ich muß doch zuletzt auch an mich denken, ich bin eine alte Frau...«

»Also, was mich betrifft, ich habe vorläufig von mir aus zweihundert Franken gezeichnet... einen sehr bescheidenen Betrag, finde ich.«

»Zweihundert...? Aber wo soll ich sie hernehmen, wo soll ich sie hernehmen? Ich kann doch kein Mädchen entlassen!«

»Man hat es nicht immer leicht, Geld flüssig zu machen, das gebe ich zu, aber schließlich sind Sie doch Herr und Meister über Ihr Vermögen«, erwiderte Frau Barbara sanft, während sie entschlossen war, auf einen kleinern Betrag nicht einzugehen. »Bei mir ist das etwas anderes, mein Mann ist der Finanzchef, und ich muß mich der Ordnung wegen zuerst mit ihm in Verbindung setzen, wenn ich über das Budget hinaus größere Beträge ausgeben will. Die zweihundert Franken sind denn auch mein ganz persönlicher Beitrag, ich hoffe aber, daß wir...«

»Frau Oberst, hören Sie, ich will es tun, ich will es um dieser armen Leute willen tun und zweihundert Franken geben, obwohl das viel schwieriger ist, als Sie ahnen, viel schwieriger...«

»Ich habe erwartet, daß Sie es nicht billiger tun würden,

Frau Hartmann. Es freut mich, daß wir in diesem Punkte einig sind. Und jetzt erlauben Sie mir, Ihnen auch mein zweites Anliegen vorzubringen, und das möchte ich Ihnen nun ganz besonders ans Herz legen...«

Frau Hartmann ließ sich, wie von einer unerwarteten Schwäche befallen, langsam zurücksinken, ihre Hände glitten kraftlos aufs Polster und ihr aufwärts gerichtetes Gesicht zeigte zunächst einen entsetzten, dann zunehmend leidenden Ausdruck. Jeder uneingeweihte Besucher wäre erschrocken teilnehmend aufgesprungen.

Frau Barbara blieb ruhig sitzen und erklärte mit der liebenswürdigsten Miene: »Es handelt sich darum, für unsere Soldaten an der Grenze eine Art von Heimstätten einzurichten, wo sie die Abende verbringen können. Unser Fred schreibt, es sei eine dringende Notwendigkeit, und dasselbe wird uns von allen Seiten berichtet. Die braven Soldaten sind ja zum größten Teil in armseligen Grenznestern untergebracht und wissen abends tatsächlich nicht, wo sie gehen und stehen sollen. Man kann ihnen nicht zumuten, nach dem Abtreten im Stroh zu sitzen und Trübsal zu blasen, sie müssen ihre gute Stunde haben. Dafür wollen wir ihnen vorderhand an den abgelegensten Orten ein paar einfache warme Stuben einrichten, alkoholfreie Soldatenstuben, wo sie beisammensitzen, etwas konsumieren, Briefe schreiben oder fröhlich sein können. Es ist dringend, wir brauchen so rasch wie möglich Geld. Sie werden mithelfen wollen, Frau Hartmann, ich bin überzeugt davon. Wir sind es unsern Soldaten ja auch schuldig.«

Frau Hartmann antwortete nicht, sie blieb regungslos zurückgelehnt und sah so kläglich aus, daß Frau Barbara nun doch besorgt nach ihrem Befinden fragte. »Ach, es geht schon vorüber«, flüsterte die Alte. »Ich bin gewohnt, zu leiden.« Sie legte die Rechte auf die Stirn, nahm behutsam wieder eine aufrechte Haltung an und begann klagend von den Ärzten zu reden, bis sie durch ihre Besucherin vorsichtig an die Soldaten erinnert wurde. »Ach ja, entschuldigen Sie, ich habe wohl gar nicht mehr recht zugehört«, sagte sie leise.

»Jedes Wort hast du gehört«, dachte Frau Barbara, aber sie nahm sich zusammen, wiederholte die Erklärung und fügte hinzu: »Ich habe aus meiner eigenen Tasche vorläufig dreihundert Franken dafür ausgegeben.«

Frau Hartmann gewann indessen ihre Fassung zurück und erwiderte unerwartet entschieden: »Eines kann ich nicht begreifen. Ich begreife nicht, daß der Bund die von ihm aufgebotenen Soldaten der öffentlichen Fürsorge überlassen darf. Es wäre seine Pflicht...«

»Aber Frau Hartmann, es handelt sich doch um eine sozusagen menschliche Annehmlichkeit, die mit der militärischen Organisation nichts zu tun hat.«

»Es wäre seine Pflicht, dafür zu sorgen, daß die Soldaten menschlich behandelt werden.«

»Gewiß! Aber Soldatenstuben sind nun einmal nicht vorgesehen, und bis man in Bern darauf verfällt...«

»... ist der Krieg vorbei, ganz recht! Es ist doch mindestens ein sehr übereiltes Unternehmen. Man wird Soldatenhäuser bauen, und wenn sie fertig sind, kommen die Soldaten heim.«

»Man ist heute allgemein der Ansicht, daß der Krieg noch mehrere Monate dauern wird.«

»Die allgemeine Ansicht! Was hat die allgemeine Ansicht zu bedeuten! Albrecht zum Beispiel ist überzeugt, daß ein Winterfeldzug sehr unwahrscheinlich ist.«

In dieser Weise stritten sie weiter, bis Frau Barbara die Geduld verlor. Sie erhob sich plötzlich und erklärte, in ihren gewohnten barschen Ton verfallend, doch immer noch gutmütig: »Ja, also... wenn Sie nichts geben wollen, dann sagen Sie es halt, es ist schließlich kein Verbrechen. Ich meinerseits würde es nicht übers Herz bringen... aber wenn das Herz nicht dabei ist... adieu Frau Hartmann, entschuldigen Sie die Störung!«

Frau Hartmann übersah die Hand der Besucherin und reckte beleidigt mit erstaunter Miene den Kopf. Langsam, mit fast drohender Würdigkeit, stand sie auf und erhob sich zu ihrer vollen Größe, erhob sich über Frau Barbara, hochmütig bewußt, mit einem verwundert abschätzenden Blick von oben herab. »Das – Herz?« fragte sie und dehnte das Wort vor Staunen und Empörung. »Bitte«, fuhr sie mit halb geschlossenen Augen und einer großartig lässigen Handbewegung kühl fort, »notieren Sie von mir für die Belgier vierhundert und für die Soldatenstuben sechshundert Franken!« Sie nickte unmerklich, wandte sich ab und rauschte wuchtig hinaus.

Frau Barbara verzog das Gesicht zu einer heitern Grimasse, aber sie wahrte den Schein des Anstandes und begnügte sich damit, das letzte Wort zu haben. »Alle Achtung, also tausend Franken, ich verlasse mich darauf!« rief sie der Alten kräftig nach. »Die wird sich grün und blau ärgern«, dachte sie vergnügt, während sie eilig die Treppe hinabstieg.

In Gertruds Wohnstube ließ sie sich scherzhaft erschöpft auf den nächsten Stuhl sinken und begann den Verlauf des Besuches wie ein aufregendes Erlebnis zu schildern.

Gertrud hörte lachend und etwas zerstreut zu, bis Mama fertig war und, vor Belustigung noch einmal den Kopf schüttelnd, gemächlich aufstand, dann fragte sie leichthin: »Kommen Paul und Fred auch in den Urlaub?«

»Jaja, ich hoffe es«, antwortete Mama lebhaft. »Paul kommt bestimmt. Fred war im letzten Brief noch nicht sicher...«

»Weißt du, mit welchem Zug sie ankommen?«

»Elf Uhr zwanzig oder so, ich weiß es nicht mehr genau. Papa wird kaum kommen, die Stäbe werden ja wohl die

Unentbehrlichen spielen wollen. Und Albrecht? Hat er nichts geschrieben?«

»Nein!« erwiderte sie knapp, dann, da Mama noch etwas zu erwarten schien, trocken und nebenbei: »Ich bin froh, wenn er nicht kommt.«

Frau Barbara hatte zuversichtlich damit gerechnet, die Trennung werde die entzweiten Eheleute wieder für einander erwärmen und zur Vernunft bringen. Gertruds Bemerkung machte mit einem Schlag ihre sehnlichste Hoffnung zunichte. Ihre gute Stimmung schlug augenblicklich um. »So!« stieß sie zornig heraus, und das war vorderhand alles. Sie zögerte noch zwei Sekunden, dann ging sie, grimmig zugeknöpft, rasch und ohne Gruß fort.

8

Die beurlaubte Mannschaft wurde nach ihrer Ankunft in Zürich gemeinsam hinter dem Hauptbahnhof entlassen und zerstreute sich sogleich, freudig erregt vor Erwartung und ziviler Unternehmungslust. Fred und Paul begleiteten ihren Vetter René Junod, den Bataillonsarzt, zur nahen Tramhaltestelle, Albin schloß sich ihnen an. Es war ein trockener, kühler Oktobertag unter grau verhängtem Himmel.

»Vor allem werde ich jetzt unser Quartett zusammentrommeln«, erklärte Paul. »Du bist ja selbstverständlich einverstanden, Albin? Ich lechze nach Musik.«

»Ausgezeichnet!« sagte Oberleutnant Junod schmunzelnd. »Ich bin sehr gespannt. Kommt ihr zu uns? Papa wird doch mitspielen, nicht?«

»Jaja... aber wo und wann, das muß nun ausgemacht werden, und zwar rasch. Severin werde ich telefonisch anfragen, und Onkel Gaston..., du, René, du könntest deinen Papa darauf vorbereiten, damit wir keine Zeit verlieren...«

»Komm doch jetzt rasch mit heim, dann kannst du ihn selber fragen!« schlug Junod vor. »Du versäumst nicht viel. En avant! Fred meldet dich unterdessen zu Hause an.«

»Kann man!« bestätigte Fred.

Paul war einverstanden. »Ja, das ist am einfachsten«, sagte er. »Und du, Albin, könntest mir heute abend anläuten oder selber vorbeikommen... bis morgen muß das klappen... das ist unser Wagen...«

»Gern!« sagte Albin. »Ich müßte allerdings zuerst wieder einmal tüchtig üben, mit meinen Gewehrgriffhänden...«

»Ach, ich auch, aber mildernde Umstände werden anerkannt«, erwiderte Paul, stieg hinter Junod auf das Trittbrett und rief noch, als der Wagen schon anfuhr, zur offenen Tür hinaus: »Auf Wiedersehen, du... wir spielen die leichtesten Haydn und Mozart!«

Paul und René sahen vom hintern Stehraum aus, wie Fred und Albin sich die Hände schüttelten und auseinandergingen, der Füsilier in derselben Richtung, in der sie fuhren, zum Leonhardplatz, der Korporal gegen die Bahnhofstraße. Nach kurzer Fahrt erreichten sie die Haltestelle vor der Wohnung des Professors und gingen, mit den Blicken neugierig die Fenster abtastend, auf das Haus zu.

Paul hielt sich im Hintergrund, bis Papa und Mama Junod ihren Sohn begrüßt hatten, und wagte auch dann mit seinem Anliegen die Freude der Eltern nicht gleich abzulenken. René aber schob ihn, den Arm um seine Schultern legend, vor den Professor hin, um sich selber nun ganz der Mama zu widmen.

»Wir möchten während des Urlaubs nämlich gern ein- oder zweimal Quartett spielen«, erklärte Paul, »darum bin ich...«

»Ah!« unterbrach ihn der Professor und gestand, daß er seit drei Monaten den Bogen nicht mehr angerührt habe, französisch übrigens, mit einem kühlen Lächeln und leicht erhobenen Händen, zwischen denen sich das gepflegte weiße Spitzbärtchen bedauernd hin und her bewegte.

Das schade nichts, entgegnete Paul, er und Albin seien auch außer aller Übung, und Severin habe man als ewigen Nörgler ja schon früher in Kauf nehmen müssen.

»Ja, früher...«, sagte der Professor und begann nun deutsch zu sprechen, »früher... das ist eine Ewigkeit her, nicht wahr! Aber jetzt... ich meinerseits bin fertig mit Severin. Bedauere sehr, aber ich will nichts mehr mit ihm zu tun haben.« Seine eben noch liebenswürdige Miene bekam den verletzten und unduldsamen Zug, den Paul an ihm kannte, und dabei bewegte er den Hals, als ob ihm der Kragen zu eng geworden wäre. »Wie steht's übrigens mit dir, mein Lieber?« fragte er plötzlich, die weißen Brauen emporziehend, und sah gegen seine Gewohnheit den jungen Mann nah und lauernd an. »Bist du auch schon verkauft und so ein Franzosenfresser geworden?«

»Ich? Wieso?« fragte Paul und betrachtete verwundert das ihm sonst so bekannte Gesicht, das mit seiner rosig blassen Farbe, den Fältchen unter den Augen und den halb versteckten Lippen in solcher Nähe befremdend auf ihn wirkte.

»Schön, schön! Ich sage ja auch nichts gegen dich. Vielleicht habt ihr im Dienst an der Grenze vernünftigere Ansichten...« Bei diesen Worten drehte er sich nach seinem Sohne um, der mit einem zärtlich ironischen Lächeln Mamas Fragen beantwortete.

»Wie meinst du, Papa?« fragte René und winkte dann, als Junod die Vermutung wiederholte, lediglich mit der Rechten ab, auf eine Art aber, die deutlich ausdrückte: Frag mich lieber nicht!

»Ja, aber das ist doch toll!« rief Junod und blickte empört um sich. »Es scheint ja, als ob bald alle Deutschschweizer den Kopf verloren hätten. Sie sehen nichts als Deutschland, nur noch Deutschland, sie lesen nur deutsche Zeitungen und glauben alles, was darin steht. Ihre Presse ist genau so einseitig, so verhetzt und aufgeblasen wie die deutsche Presse, nur versteckter, heimtückischer... ach, manchmal sogar ganz offen, offen und schamlos wie dieser ›Ostschweizer‹. Die Schuld der Entente sei erwiesen, schreibt Severin, und Belgien geschehe nicht ganz Unrecht! C'est vraiment déplorable! Ich lese das Blatt nicht mehr, es ekelt mich an... aber alle diese Winkelblättchen haben einen ähnlichen Ton, sie erheben Deutschland in den Himmel und maßen sich an, Frankreich abzukanzeln wie... wie... ah, man könnte lachen, wenn es nicht zu traurig wäre. Und uns Welschen werfen dieselben Blättchen, ja sogar Tageszeitungen, eine unneutrale Gesinnung vor, sie verdächtigen uns, sie warnen uns... meine Herren, j'en ai assez!«

Dies alles hatte er fast ohne Gesten in seinem besondern harten, trockenen Ton der Entrüstung vorgebracht, während er beim letzten Ausruf beschwörend die zarten weißen Hände erhob und sie mit abgewandten Flächen wuchtig von sich stieß.

Paul wagte keinen Widerspruch, eine so heftig überzeugte Äußerung entwaffnete ihn noch immer. Er blickte mit einer letzten schwachen Hoffnung auf seinen Vetter, aber Renés Miene drückte ein entschlossenes Einverständnis mit Papas Meinung aus. Nur Tante Klara hatte eine gewisse fraulich neutrale Haltung bewahrt und legte ihm, als er Abschied nahm, begütigend den Arm um die Schultern. Er trat mit dem bittern Gefühl auf die Straße, daß der so großartig angebrochene Krieg nicht nur in den betroffenen Ländern zunehmende Verheerungen anrichte, sondern auch unter unbeteiligten Leuten immer verhängnisvollere und dümmere Folgen habe. –

Albin hatte indessen die Niederdorfstraße erreicht und wanderte in die Altstadt hinauf, das heißt, er bummelte so gelassen wie möglich, blieb vor Schaufenstern stehen, die er früher gar nicht beachtet hätte, und kostete auf diese billige Art genießerisch das unwiederbringliche erste Gefühl seiner Freiheit aus. Kein Leutnant schrie »Vorwärts, Pfister!«, kein Korporal »Pressiere, pressiere!«, kein Kantonnement erwartete ihn zurück, und nirgends brauchte er anzutreten, er konnte sich vielmehr, wenn es ihm beliebte, eine Stunde lang an die nächste Straßenecke stellen und dem Treiben hier zusehen.

Gertrud kam die Niederdorfstraße herab und entdeckte den Bummler. Sie hatte der Entlassung beim Bahnhof in einiger Entfernung beigewohnt, aber den Platz vor den ausströmenden Soldaten und Offizieren eilig geräumt, den kürzesten Weg in die Altstadt eingeschlagen und nach reichlichem Warten in der Umgebung eines hohen grauen Hauses endlich die Straße betreten, die der Erwartete vermutlich zur Heimkehr benützen würde. Sie wollte ihm das sogleich bekennen und damit dem allfälligen Verdacht vorbeugen, daß sie Zufälle herbeizuführen verstehe. Sie erkannte den Füsilier und sah, wie er eben wieder vor ein Schaufenster schlenderte, wie er von einem eiligen Mann angestoßen wurde, diesem Mann eine Weile nachblickte und dann die Auslage betrachtete, Fleischwaren übrigens, und sie ging langsam auf ihn zu. Sie hatte sich das Wiedersehen dutzendmal ausgemalt und immer anders, aber nie so. Sie stand neben ihm und er sah sie nicht, er betrachtete die Würste, Schinken und Schweinsfüße, während sie mit sich kämpfte, ob sie weglaufen oder ihn anreden sollte. Da schickte er sich endlich zum Weiterschlendern an, und nun konnte er sie nicht mehr übersehen, er stand vor einer wohlgewachsenen jungen Frau, wollte ihr ausweichen und erkannte sie.

Zögernd, als ob er in Gedanken weit herkäme, mit nur allmählich aufleuchtender Miene, reichte er ihr die Hand und sagte verwundert: »Sieh da...«

»Grüezi Albin!« erwiderte sie kleinlaut, und ihre Augen schienen eher bereit zu weinen als zu lachen.

»Dich hab' ich hier nun wirklich nicht erwartet«, fuhr er fort. »Wie geht's?«

»O... danke! Ich bin nicht ganz zufällig da... ich war am Bahnhof unten und...« Mehr brachte sie nicht heraus.

»Ja, wir sind vorhin alle beim Bahnhof entlassen worden«, erklärte er, um nur etwas zu sagen. »Paul und Fred sind auch gekommen.«

»So? Das freut mich! Fred wußte ja nicht genau, ob er kommen könne oder nicht...«

»Ja, er ist gekommen... Wir waren eben noch beisammen. Paul ist noch rasch zu Professor Junod gegangen, wegen des Quartetts... wir wollen wieder einmal Quartett spielen...«

»Ja, das begreife ich...«

Sie standen immer noch auf dem schmalen Trottoir vor dem Wurstladen, sie standen den Leuten im Weg, und Gertrud, die das Schlendern und Herumstehen ohnehin haßte, mußte wiederholt ausweichen. Albin aber tat nicht dergleichen, als ob er hier fortgehen oder sich sonstwie aufraffen wollte. »Wir haben allerdings keine Übung mehr«, fuhr er fort, »es wird wohl hapern...«

»Ach, es wird schon gehen... Jetzt muß ich weiter, auf Wiedersehen, Albin!«

»Auf Wiedersehen!« sagte er lebhaft, und dann stand er da, wunderte sich und kam zur Besinnung. Errötend vor Scham und Ärger ging er unentschlossen die Straße zurück, wohin Gertrud verschwunden war, kehrte aber bald wieder um und setzte bedrückt den Heimweg fort. –

Zur selben Zeit näherte sich Fred in der Dufourstraße dem Lebensmittelgeschäft und blickte unter dem Käppi hervor verstohlen nach den Fenstern der Stockmeierschen und der elterlichen Wohnung. Er zog es vor, nicht schon im

Anmarsch entdeckt zu werden, und hoffte besonders, dem geschwätzigen Krämer zu entgehen. Rasch und unauffällig trat er durch die Haustür und stieg mit seinen langen Beinen über je zwei Stufen eilig die Treppe hinauf. Er wollte Mama überraschen und zu diesem Zweck vorerst dem Dienstmädchen, das ihm auf sein Klingeln öffnen würde, mit dem Finger am Munde Schweigen gebieten. Er schmunzelte vor Vergnügen.

Die Türe war aber nicht geschlossen, irgendein Ausläufer wartete davor, und so trat er ohne weiteres ein. Auch die Wohnzimmertür stand eine Hand breit offen, und als er sie leise weiter aufstieß, entdeckte er Mama, die ihm den Rükken zukehrte.

Frau Barbara schloß eine Schublade und wandte sich langsam um, wobei sie in ihrem Ledertäschchen nach einem Geldstück suchte, wohl nach einem Trinkgeld für den Ausläufer. Sie fand die Münze, setzte sich aufblickend rascher in Bewegung und sah einen großen, kindlich lächelnden Korporal vor sich. »Fred!« rief sie mit schwacher Stimme, das Täschchen fiel ihr aus den Händen, ihre Knie versagten.

Fred stieß mit dem rechten Absatz die Türe hinter sich ins Schloß und empfing Mama schweigend an seiner Brust.

9

Das Regiment Hartmann war an der Grenze durch andere Truppen abgelöst worden und in sogenannte Ruhequartiere an die Aare zurückmarschiert. Von hier aus waren von jeder Kompagnie drei Züge in den Urlaub gefahren, und hier trafen sie zur rechten Zeit vollzählig, wohlgenährt und ausgeschlafen wieder ein. Nach einer in höhern Offizierskreisen herrschenden Ansicht aber waren sie inzwischen verbummelt und mußten neuerdings »in den Senkel gestellt« werden, was in den nächsten Tagen durch Drill und straffen Dienstbetrieb ausgiebig geschah. Es war kaum anders zu erwarten gewesen, und so machten denn die meisten Leute gute Miene zum bösen Spiel.

Albin, der den Anschluß an Gertrud wieder gefunden, aber das Entscheidende dennoch versäumt hatte, und Paul, der einen allgemeinen bittern Nachgeschmack verwinden mußte, fügten sich willig ein, da ihr Hauptmann Honegger den Dienst auch jetzt nicht übertrieb. Fred dagegen wurde vom mächtig wachsenden Unwillen der Kompagnie rasch angesteckt. Hauptmann Brändli nämlich versuchte, ermuntert durch den Regimentsbefehl, auch seiner verpfuschten Kompagnie wieder aufzuhelfen, mit den üblichen Mitteln scheinbar, die er aber so humorlos und unmäßig anwandte, daß ihm dieser erneute Versuch ebenso gründlich mißlang wie jeder frühere.

Indessen trat bald eine fühlbare Entspannung ein. Manöver waren angekündigt, die den langweiligen Tagesbetrieb auf willkommene Art zu unterbrechen versprachen. Außerdem wurden die Kompagnien mit dem neuen Gewehr ausgerüstet und begannen auf den Schießplätzen damit zu üben. Fred trennte sich, wie jeder Soldat, nur ungern von seiner alten Waffe, die er so lange mitgeschleppt und so häufig geschultert hatte. An die Vorzüge des neuen Modells glaubte er erst, als die Zeigerkelle sie auf der Scheibe bewies. Er staunte bald über seine eigenen Treffer und traute sich etwas voreilig wieder Dinge zu, die ihm früher, bei gewissen außerdienstlichen Schießversuchen, verleidet waren. Ähnlich erging es der ganzen Armee, die Soldaten bekamen Freude am neuen Gewehr und vertrauten ihm.

Zu den Manövern wurde die Truppe eines Morgens alarmiert. Die Mannschaft gab mit Vergnügen die scharfe Munition ab und füllte die Patronentaschen mit blinden Ladern.

Ammann führte die Brigade auf ansteigenden Wegen durch Schluchten und Täler in den Jura hinein, wo sie in verschiedenen Dörfern Unterkunft bezog. Am Vorabend der für ihn übrigens verhängnisvollen Übung, deren Anlage das Divisionskommando selber bekannt gegeben hatte, erteilte er in einer geräumigen Wirtsstube, zu Häupten eines langen, von Offizieren besetzten Tisches, seine besondern Befehle. Die Übung war derart angelegt, daß seine sogenannte blaue Brigade gegen eine von Westen her anmarschierende rote Brigade vorgehen und sie zurückwerfen sollte. Diesen Vormarsch wollte er sogleich zu Beginn des Kriegszustandes um sechs Uhr morgens antreten, um auf der einzigen Fahrstraße, die ihm in diesem faltenreichen Bergland zur Verfügung stand, rechtzeitig eine gewisse günstige Stellung zu erreichen.

So geschah es denn auch. In der Morgenfrühe bewegte sich unter einem föhnig hellen Himmel die Infanteriekolonne, von der Artillerie gefolgt, mit allen Sicherungen durch ein mäßig ansteigendes, herbstlich buntes Tal hinauf. Kurz nach neun Uhr stieß der Spitzenzug mit einer aufklärenden gegnerischen Kavalleriepatrouille zusammen, und gegen zehn Uhr befand sich das Vorhutbataillon bereits im Gefecht mit einer Schwadron, die, wie Ammann angenommen hatte, die Paßhöhe besetzt hielt. Die Dragoner mußten weichen, das Bataillon warf sich mit ausgedehnten Schützenlinien in die braungrünen, nach Westen sanft abfallenden Weiden des breiten Kammes, und hinter ihm begann sich die anmarschierende Hauptkolonne vielfach zu teilen. Die Stellung wurde von der Brigade besetzt und zur Verteidigung eingerichtet. Die Artillerieabteilung hinter dem linken Flügel und drei weitere, in verschiedenen Deckungen aufgestellte Batterien konnten das ganze Vorgelände unter

Feuer nehmen. Auf einem Hügel über der Straße, die den Kamm in der sattelartig gesenkten Mitte durchschnitt, blickte Oberst Ammann, von Offizieren umgeben, durch den Feldstecher eine Weile nach der gegnerischen roten Brigade aus, die ihre Kolonnen hinter Höhen und Wäldern entwickelt hatte und sich langsam heranzuarbeiten begann. Hochbefriedigt unternahm er einen gemächlichen Gang zu den wichtigsten Punkten der Stellung.

Als er auf seinen Feldherrnhügel zurückkehrte, stand der Divisionär dort.

Boßhart war mit seinem Stabschef, einem Generalstabsoffizier und einem Adjutanten im Auto von der gegnerischen Seite her auf der Paßhöhe eingetroffen. Er begrüßte Ammann knapp und ließ sich von ihm sogleich über alle Einzelheiten der hier angeordneten Verteidigung Aufschluß geben. Ohne ein Wort der Anerkennung oder des Tadels zu äußern, ja ohne durch die leiseste Miene auch nur anzudeuten, ob er einverstanden sei oder nicht, blickte er darauf mit dem Feldstecher nach den angreifenden roten Truppen aus und begnügte sich während der ganzen folgenden Stunde mit ein paar sachlichen Bemerkungen zur fortschreitenden Entwicklung des Angriffs, der nun allerdings nicht mehr mit dichten Linien unternommen wurde wie zu Friedenszeiten, sondern nach den Erfahrungen des Krieges mit weithin zerstreuten, in verschiedenen Wellen einzeln und gedeckt vorrückenden Schützen. Diese Schützen, die als Kennzeichen weiße Binden um das Käppi trugen, kamen auf der ganzen Front immer näher heran, begannen hinter den letzten möglichen Deckungen wieder dichte Linien zu bilden und warteten dort auf das Zeichen zum Sturmangriff mit dem Bajonett, während die Verteidiger ein lebhaftes Gewehrfeuer unterhielten. Boßhart aber winkte vorzeitig einen Trompeter herbei. »Das Ganze halt!« befahl er. Der Mann setzte die Trompete an den Mund und schmetterte nach drei Seiten das befohlene Signal, das überall aufgenommen und weitergegeben wurde.

»Hier kommen sie nicht durch, sie haben zu viel Verluste«, erklärte Boßhart. »Mit ihren paar Kanonen hätten sie hier oben nur wenig ausgerichtet. Der frontale Angriff unter solchen Umständen ist immer noch ein Unsinn.« Er blickte die ihn umgebenden Offiziere drei Sekunden lang schweigend an. »Ja... das genügt für heute«, fuhr er fort. »Es ist jetzt halb drei. Gefechtsunterbruch bis abends sechs Uhr! Die Truppe steht den Herren Kommandanten zur Verfügung.« Mit einer einladenden Kopfbewegung gegen Ammann verließ er den Kreis der Offiziere.

Ammann folgte ihm den Hügel hinab und begann auf dem nächsten ebenen Weidestück mit vertraulichen Bemerkungen und betonter Lässigkeit neben ihm herzuschlendern.

Boßhart schritt langsam dahin, doch ohne zu schlendern wie Ammann, sondern mit sozusagen gravitätischer Wucht. Die Hände am Leibgurt, die Arme knapp angelegt, den Kopf erhoben, blickte er gesammelt vor sich hin, und nur selten wandte er das hämisch verschlossene Gesicht mit dem ergrauenden Kinnbart seinem Begleiter zu. »Habt ihr dahinten Kantonnemente vorbereitet?« fragte er.

»Vorbereitet nicht, nur vorgesehen«, antwortete Ammann. »Eine Marschstunde von hier. Aber dort brächten wir höchstens ein Regiment unter, der Rest müßte noch weiter zurück.«

»Wenn das gute Wetter anhält, begnügt sich die rote Brigade mit Biwaks. Das steht euch ebenfalls frei.«

»Jaa, warum nicht! Dann würden wir gleich hier biwakieren und die Vorpostenlinie nach vorn schieben... Aber äh – was soll morgen gespielt werden?«

Boßhart schien die Frage überhört zu haben und schwieg wohl eine Minute lang, dann blieb er stehen und erklärte in seinem harten, trockenen Tonfall: »Die rote Partei geht jetzt friedensmäßig zurück, wie weit, das kannst du selber von abends sechs Uhr an durch Patrouillen feststellen lassen. Artilleriefeuer hast du hier nicht mehr zu erwarten. Links bist du geschützt durch das supponierte Seitendetachement, deine rechte Flanke mußt du selber schützen.«

Ammann hatte sehr aufmerksam zugehört, schwieg jetzt aber in der selbstverständlichen Erwartung weiterer Angaben, die den gewünschten Verlauf der morgen beginnenden Übung wenn nicht festlegen, so doch wenigstens andeuten sollten. Er wartete mit wachsendem Unbehagen umsonst und fragte endlich: »Ja aber... wie stellst du dir denn morgen die Geschichte vor?«

»Von heute sechs Uhr abends an sind die beiden Herren Parteikommandanten in ihren Entschlüssen frei«, erwiderte Boßhart und wandte sich damit der Straße zu.

Ammann unterdrückte seinen rasch aufsteigenden Ärger zunächst schweigend und wandte dann beiläufig ein: »Hm... das ist eine magere Orientierung!«

»Wir üben Krieg, kein abgekartetes Spiel«, erwiderte Boßhart. »Deinen Auftrag kennst du, er bleibt bestehen.«

» Ich vermute, daß ich im Krieg in meiner Situation bedeutend mehr erfahren würde als jetzt. Jedenfalls dürfte ein Gegner dann kaum Gelegenheit haben, mir friedensmäßig aus den Augen zu kommen.«

Boßhart, der die Berechtigung dieses Einwurfs anerkennen mochte, blieb die Antwort eine Weile schuldig, aber vor der Straßenhöhe, wo ihn seine Begleiter beim Wagen erwarteten, hielt er an und entgegnete: »Ich werde den roten Parteikommandanten dahin orientieren, daß sein Angriff abgeschlagen ist, daß er der Dunkelheit wegen aber nicht verfolgt wird, jedoch vermutlich morgen früh einen allgemeinen blauen Angriff zu erwarten hat. Mehr erfährt er nicht, und was er tun wird, weiß ich auch nicht.« Er ging ein paar Schritte, hielt plötzlich noch einmal an und fügte in einem leisen, bissigen Ton hinzu: »Du hast die ganze Nacht Zeit, durch Patrouillen aufzuklären. Wie du dich zu den Meldungen stellst und was du daraufhin unternehmen willst, ist deine Sache.« Das war sein letztes Wort, er ging zum Wagen und stieg ein, seine Begleiter begaben sich auf ihre Plätze und der Wagenführer löste die Bremsen.

Oberst Ammann salutierte, dann nahm er, dem anfahrenden Wagen nachblickend, die Rechte langsam vom Käppirand, schob die Unterlippe vor, rückte sich die Ledertasche auf den Bauch und entnahm ihr mit düsterer Miene eine Zigarre. Er fand die Haltung des Divisionärs höchst unkameradschaftlich; es war die Haltung eines Menschen, der die ihm verliehene Kommandogewalt aus Quälsucht oder Eigensinn skrupellos ausnützte und jene humane Rücksicht nicht zu kennen schien, die sonst in der Schweiz zu den schönsten Vorrechten politischer und militärischer Machthaber gehörte. Es war eine unmenschliche Haltung. Vor Jahren hatte ein anderer hoher Übungsleiter ihm, Ammann, damals Regimentskommandant, nach dem ersten Manövertag auf die Schulter geklopft und freundschaftlich bemerkt: »So, nun wollen wir zusammen die Fortsetzung ausknobeln. Was haben Sie im Sinn?« Das war loyal gewesen. Ein gewisser hochgestellter Herr von der Instruktion, der jetzt glücklich General geworden war, hatte dann freilich begonnen, auch Regimentskommandanten zu maßregeln, doch preußisch gerade, mit rein soldatischer Einstellung. Dieser Divisionär dagegen, sein Schwager zu alledem, besaß über den militärischen Rang hinaus eine Natur, die ihm, dem Parlamentarier, dem liberal denkenden, konzilianten Bürger und Demokraten ganz einfach auf die Nerven ging.

Nachdem er mit Hartmann, Fenner und dem Artilleriekommandanten die Lage besprochen und die notwendigen Anordnungen getroffen hatte, warf er einen letzten mißtrauischen Blick auf das Gelände vor ihm, dorthin, wo die verschiedenen Marschkolonnen seines Gegners jetzt eben hinter Hügeln und Wäldern verschwanden, bestieg dann schwerfällig seinen starkknochigen Fuchs und ritt in sein Hauptquartier zurück, um im »Bären« das versäumte Mittagessen nachzuholen und die Befehle für morgen auszuarbeiten.

Seine Truppen begannen indes im schrägen Licht der tiefstehenden Novembersonne kompagnieweise die Biwaks vorzubereiten. Die Küchen kamen angefahren, und bald roch es nach Suppe und Spatz. Die Vorpostenlinie wurde erstellt, punkt sechs Uhr gingen die ersten Patrouillen ab, und nach Anbruch der Dunkelheit sah man vom Kamm aus schon da und dort im tiefern Vorgelände einen Schuß aufblitzen.

Es stellte sich heraus, daß die eigene Vorpostenlinie der roten gegenüberlag, und findige Offizierspatrouillen stießen hinter dieser roten Linie denn auch auf die gegnerischen Biwaks. Oberst Ammann fand sich beim Rapport im »Bären« vor der erwarteten Lage und erteilte nun die endgültigen Befehle für den morgen geplanten Angriff. Die Herren gingen darauf in die Gaststube zu einer Flasche Wein, ohne sich indes den verschiedenen dienstlichen Angelegenheiten zu entziehen, die ihnen durch Adjutanten und Ordonnanzen unterbreitet wurden. Mit abnehmendem Interesse lasen sie die weiterhin eintreffenden, immer gleichförmiger lautenden Patrouillenmeldungen, die den sichern Schluß auf eine unveränderte Lage erlaubten. Oberst Ammann gewann vor diesen klaren Aussichten unter dem Einfluß eines trefflichen alten Landweins sein Vertrauen zurück und ließ sich durch einen geringfügigen, etwas unangenehmen Vorfall die wachsende gute Laune zunächst nicht verderben. Ein Mann aus einer von Major Schmid abgeschickten Offizierspatrouille nämlich war beim Versuch, die gegnerische Vorpostenlinie zu überschreiten, durch einen blinden Schuß am Auge verletzt worden. Der Regimentsarzt hatte befohlen, den Mann in den »Bären« zu bringen, da er ihn selbst untersuchen wollte. Der Mann wurde gebracht, kurz vor Mitternacht, ein Sanitätsgefreiter meldete ihn an.

Oberst Ammann erhob sich vom Tisch und folgte dem Arzt hinaus.

Vor dem »Bären« lehnte ein schmächtiger Füsilier rücklings an der Hausmauer, den Kopf mit dem schräg über das linke Auge laufenden weißen Verband vornüber geneigt, das Käppi am Sturmband in der schlaff herabhängenden Rechten. Ein Sanitätsgefreiter stand vor ihm. Diesen Gefreiten fuhr der Regimentsarzt unwirsch an: »Ja was stehen Sie denn da noch lange herum! Gehen Sie mit dem Mann doch ins Krankenzimmer hinüber!«

»Zu Befehl!« antwortete der Sanitäter und faßte seinen Schützling am Arm. »Komm!« sagte er leise und führte ihn von der Mauer weg.

Ammann wandte sich nach einem absteigenden Reiter um und erkannte Oberleutnant Junod, den Bataillonsarzt, der dem Verletzten den ersten Verband angelegt hatte. »René!« sagte er grüßend und streckte ihm die Rechte entgegen.

Junod nahm flüchtig Stellung an, ergriff die dargebotene Hand und begann, während er neben Ammann ins Krankenzimmer hinüberging, mit beherrschter Entrüstung: »Im Dunkeln schießen die Leute aufeinander, das ist doch unvernünftig! Blinde Patronen, ja... aber der Holzzapfen darin genügt auf zwei, drei Schritte Distanz. In einem andern Bataillon haben sie auch einen Fall, eine Verletzung am Kinn. Ich verstehe nicht, daß die Leute selber so rücksichtslos...«

»Ja, wie steht's denn mit dem Mann da?« unterbrach ihn Ammann. »Sieht das bös aus?«

»Er kann ums Auge kommen ... es ist vorläufig schwer zu sagen.«

Im Krankenzimmer saß der Regimentsarzt mit gespreizten Beinen auf einem Stuhl vor dem Verletzten und befahl trotz Junods Einwänden, den Verband zu entfernen. Ammann stand etwas im Hintergrund und betrachtete besorgt das blasse Gesicht des Soldaten, ein junges, sympathisches Gesicht, dessen gesundes Auge mit erschrockenem Ausdruck den Arzt anblickte, während sich die vollen Lippen wie vor Ekel ein wenig öffneten. Die gute Laune, die ihn eben noch beherrscht und nach allen Seiten hin versöhnlich gestimmt hatte, verwandelte sich in eine väterliche Rührung, er empfand tiefes Bedauern mit dem Burschen und begann nicht nur den schlimmen Zufall, sondern auch schon die Ursache des Zufalls heimlich zu verwünschen. Als er sah, wie unter der gelösten Binde blutige Watte zum Vorschein kam, ging er hinaus.

Er wurde beim Gasthaus von Hartmann und Fenner erwartet, die sich abmelden wollten.

»Das ist eine Schweinerei!« sagte er ärgerlich. »Schießen einander die Augen aus. Die machen Räuberlis da vorn, das ist klar. Wollen die Herren das bitte sofort abstellen! Wir haben Meldungen genug. Die Patrouillen sollen sich darauf beschränken, aus einer vernünftigen Distanz das Vorhandensein der gegnerischen Vorposten festzustellen.«

Schlafbedürftig suchte er endlich sein Zimmer auf, und erst jetzt bedachte er die möglichen Folgen seines letzten Befehls, der so impulsiv einer menschlichen Regung entsprungen war. Sie vermochten ihn aber nicht ernstlich zu beunruhigen, er fand es kaum wahrscheinlich, daß nach Mitternacht hinter den roten Vorposten noch etwas Wichtiges geschehen sollte. Die rote Brigade konnte in der Dunkelheit höchstens auf ihrem ursprünglichen Anmarschweg noch etwas weiter zurückgehen, aber damit hatte er ohnehin gerechnet. Andere, gefährlichere Operationen ließen sich zwar ausdenken, aber derartige Unternehmungen blieben zumeist auf die bloße Annahme beschränkt. Die Verschiebung und gefechtsmäßige Neugliederung einer Infanterie-Brigade in schwierigem Gelände bei Nacht bildete jedenfalls ein Wagnis, das kein Führer ohne Not unternahm.

Während er aufatmend den Waffenrock auszog und sich den endlich befreiten Hals mit Vaseline einrieb, trat ihm noch einmal das schmerzliche Gesicht des jungen Soldaten vor Augen, und er fand sich in seiner Haltung mehr als gerechtfertigt. Er war für die Gesundheit der ihm anvertrauten Truppe verantwortlich, dem Staate sowohl wie den Eltern, ja diesen nicht zuletzt, wie denn am Ende auch er als Vater seine Söhne Fred und Paul, die am nächtlichen Räuberleben da vorn wohl teilgenommen hatten, keineswegs unnötig gefährden wollte.

Ächzend stieg er ins Bett, und sein letzter, vertrauensseliger Gedanke, ehe er mächtig schnaufend einschlief, galt dem roten Brigadeführer, einem Milizoffizier, der trotz seiner bekannten Tüchtigkeit gewiß auch seinerseits nicht wünschte, den gewohnten Rahmen der Übung zu sprengen. –

Dennoch geschah es, der übliche Rahmen wurde gesprengt. Die rote Brigade war mit Verlusten zurückgeschlagen worden und hatte die Wahl, entweder morgen früh in einer nicht besonders günstigen Stellung den Angriff des ungeschwächten, an Artillerie überlegenen Gegners zu erwarten oder in der Nacht noch auszuweichen. Ihr Kommandant entschloß sich, auszuweichen, aber nicht nach Westen zurück, woher er gekommen war, sondern nach Norden, vor die gegnerische rechte Flanke, wo er sich in entscheidendem Vorteil befinden mußte, wenn die Bewegung unbemerkt gelang. Zwischen zwei und vier Uhr morgens wurden die einzelnen Bataillone zu verschiedener Zeit durch stillen

Alarm auf die Beine gebracht und im Dunkeln schweigend nordwärts geführt, in jene Abschnitte, die man zunächst auf der Karte bezeichnet und dann vor Mitternacht durch berittene Offiziere erkundet hatte. Die Hauptmasse der Fuhrwerke wurde auf weit zurückliegenden Wegen ebenfalls nach Norden verschoben und damit der vermutlichen Angriffsrichtung des blauen Gegners entzogen.

Ein Bataillon, das dem Unternehmen geopfert werden mußte, hatte schon um Mitternacht die Vorposten der verschiedenen Truppenkörper abgelöst und den Vorpostendienst auf der ganzen Linie übernommen. Es stellte, um den Abmarsch der Hauptkräfte zu verschleiern, eine zusammenhängende Kette her, deren Glieder, einzelne Füsiliere, höchstens fünf Schritte voneinander entfernt lagen. Diese Kette blieb unverändert an Ort und Stelle, auch als sich keine Truppen mehr hinter ihr befanden, und erwartete, mit Munition reichlich versehen, den Angriff des Gegners.

Dieser Angriff setzte im Morgengrauen ein. Die ersten aufgelockerten Schützenlinien der blauen Brigade gingen gegen die roten Posten vor, die sich rasch in eine gedeckte Stellung zurückzogen. Bei Tagesanbruch trat die ganze Brigade ins Gefecht gegen diese Stellung, die von Oberst Ammann nach einigem Zögern als Hauptstellung angesprochen wurde; die roten Verteidiger verkläpften dort, um den Angreifer zu täuschen, von einem gewissen Zeitpunkt an auf der ganzen Front eifrig ihre gesamte Munition. Ammann stand, von Adjutanten, Ordonnanzen und Meldereitern umgeben, auf der Paßhöhe des Kammes und verfolgte mit feldherrlichen Gefühlen durch ein Zeißglas den fortschreitenden Angriff, während in den Gehölzen rechts und links von ihm die Kanonen donnerten. Was er halbwegs erwartete, das geschah schon bald, das gegnerische Feuer ließ nach, die roten Schützen verschwanden hinter den Hügelrändern und Waldsäumen, die sie verteidigt hatten, und seine eigenen Truppen stießen kräftig nach. Er hatte, wie es üblich war, als vorläufige Angriffsziele einige Punkte bezeichnet, die beträchtlich hinter der vermutlichen Hauptstellung lagen, und für den Fall des gegnerischen Rückzuges die energische Verfolgung angeordnet. Nachdem die Artillerie ihr Feuer rechtzeitig weiter nach vorn verlegt hatte, bemerkte er denn auch, daß diese Verfolgung in Gang kam, und sah die blauen Angriffswellen hinter der geräumten Stellung verschwinden. Durch das Feldtelefon wurde ihm gemeldet, daß seine rechte Flankenhut auf kräftigen Widerstand stoße, doch maß er dieser Meldung nicht allzuviel Gewicht bei, der Gegner suchte ja selbstverständlich seine eigene Flanke auch zu schützen.

Er beschloß, den Truppen zu folgen und seinen Standort an den nächsten vorgesehenen Punkt zu verlegen; aber schon während seines Rittes dahin ereilten ihn die ersten bedenklichen Nachrichten. Fenner meldete, er habe nur eine dünne gegnerische Linie vor sich, die der Verfolgung nicht wert sei, ihm scheine, die Sache fange an »zu stinken«. Eine ähnliche Meldung kam von Hartmann, der überdies hinzufügte, die Flankenhut komme merkwürdigerweise nicht vorwärts, er werde zu ihrer Unterstützung seine gesamte Reserve verwenden.

Ammann runzelte die Stirn und setzte seinen gemächlichen Gaul in Trab. Die nächste Meldung, die ihm am Fuße der aussichtsreichen Kuppe seines neuen Standorts von einem herangaloppierenden Adjutanten sozusagen an den Kopf geworfen wurde, brachte das Unheil an den Tag: »Das Flankenhut-Bataillon ist überrannt und von den Schiedsrichtern außer Gefecht gesetzt worden.«

»Was ist denn das für eine verfluchte Schweinerei?« entfuhr es ihm, seine Augen sprühten wie in jungen Jahren, er versuchte im Galopp auf die Kuppe zu kommen und kam auch so hinauf, aber mit beiden Händen am Sattelknopf und einem hastig nach dem Steigbügel tastenden Fuß. Von der Höhe aus erkannte er den verzweifelten Stand der Dinge fast mit einem Blick. Seine Brigade lag in einer Breite von zwei Kilometern und einer Tiefe von etwa fünfhundert Metern vor ihm, zerstreut wie sie angekommen war, von den Regimentskommandanten mitten im Angriff zurückgehalten, mit der Front nach Westen, mit dieser ganzen breiten Front nach Westen. Der Gegner aber drang von Norden her gegen ihre schmale rechte Flanke vor und hatte alle Aussicht, die blaue Front »aufzurollen«, eine in taktischen Kursen beliebte Aktion, die hier fatalerweise in die Wirklichkeit umgesetzt wurde. Dort im nahen Norden, auf einem bewaldeten Höhenzug, wo sich jetzt die blaue Flankenhut hätte befinden sollen, entsprang das wütende Gewehrfeuer, das den rechten blauen Flügel wie mit einem dichten Schrotkegel bedecken mußte, und von dort her drangen, noch kaum beschossen, die roten Angriffswellen aus den Waldrändern gegen Flanke und Rücken der blauen Brigade vor. Ammann sah, wie ungezählte, zerstreut rennende Schützen über jene Weiden herabwimmelten, und das Weiß ihrer Käppibinden stach ihm wie Gift in die Augen. Seine erste Regung glich der plötzlichen Entmutigung eines Knaben, der das siegesgewiß begonnene Spiel verloren sieht, zornig alles hinwirft und nicht mehr mitmachen will.

Da hörte er ein schnaubendes Pferd mit dumpfem Hufschlag angaloppieren, und wie er hinsah, wuchs vor ihm der Divisionär über den Hügelrand empor, ruhig und aufrecht, als ob er nicht ritte, sondern schwebte.

Boßhart, auf einem temperamentvollen, starken Braunen, trabte vor Ammann hin und rief leise, aber heftig, mit einer bissigen Wut, die seine dünnen Nasenflügel bewegte und im starrenden Bärtchen seine gelben Zähne entblößte: »Deine ganze Gesellschaft ist versohlt und versäckelt!« Er wandte den Braunen knapp um und blickte mit dem Feldstecher nach der angreifenden roten Brigade aus; darauf winkte er den berittenen Trompeter herbei.

Das Signal »Gefechtsabbruch« erklang, das die Katastrophe zwar aufhielt, ehe sie allzu peinlich in Erscheinung trat, aber Ammanns Niederlage unwiderruflich besiegelte.

10

Im Spätherbst wurden zwei Divisionen und ein Teil der Kavallerie auf Pikett nach Hause entlassen, da bei der herrschenden Kriegslage die Schweiz nicht mehr unmittelbar bedroht erschien. Der erste ungeheuere Anlauf der Völker hatte sich erschöpft, die Begeisterung wich überall der nüchternen Einsicht, daß dieser Krieg mit keinem früheren zu vergleichen sei. Im Osten war nach verlustreichen Schlachten und wechselnden Erfolgen aller Parteien die Entscheidung noch nicht gefallen. Im Westen lagen sich die Heere in zwei stark befestigten Fronten gegenüber, die lückenlos von der Nordsee bis zur Schweizergrenze liefen und jede planmäßige Bewegung vereitelten. Der »Stellungskrieg« hatte begonnen, eine Belagerung mit gegenseitigen Ausfällen, deren furchtbare Folgen in den Schlachten bei Arras, in Flandern und vor Ypern den frontalen Durchbruchsversuch mit den üblichen Mitteln zweifelhaft erscheinen ließen. Die Flanken gewannen damit die höchste strategische Bedeutung; im Süden hing ihre Sicherung jetzt von dem kleinen neutralen Lande ab, das sie berührten. Die beiden gegnerischen Mächtegruppen begannen denn auch, bald drohend, bald werbend, die Haltung dieses Landes unablässig zu beobachten, ja sie stellten durch ihre Gesandten in Bern die Schweiz geradezu vor die Wahl, entweder diese Sicherung mit genügenden Kräften selber durchzuführen oder sie auf ihrem eigenen Boden einer kriegführenden Armee zu übertragen. Dies war der Hauptgrund, warum auch jetzt zwei Drittel der schweizerischen Armee im Felde blieben, ein Grund, den mancher vertrauensselige Zivilist nicht einsehen wollte, ja schon häufig auch der einfache Soldat nicht mehr, der seit Monaten auf den Krieg vorbereitet wurde, ohne den Krieg kennenzulernen.

Die im Dienste bleibende Truppe, zu der die Division Boßhart gehörte, erlebte nach der gespannten Bereitschaft der ersten Monate diese neue, spannungslose Lage im Zustand einer fortschreitenden Ernüchterung, die vorerst jeder einzelne Soldat an sich erfuhr und auf seine Art beantwortete. Paul tat es, indem er über die allgemeine Lage nachzudenken begann. Dabei stieß er auf Gedanken, die für einen jungen Menschen von seiner Beschaffenheit unvermeidlich waren.

Er stand in einer Dezembernacht Schildwache, den Kragen des verschneiten Mantels hochgeschlagen, das Gewehr unter dem Arm, und starrte wachen Sinnes über die Grenze. Es schneite in harten, feinen Körnern, die ununterbrochen und dicht wie geschleuderter Sand von einem bissig kalten Winde schräg zur Erde getrieben wurden. Eine fahle Helligkeit herrschte, bei ruhigem Wetter hätte man wohl den Hügelzug erkannt, hinter dem der deutsche Posten lag. Jetzt sah man durch das Schneetreiben nur eine weiße Fläche, an ihrem Rand ein Stück der verwilderten Dornhecke, mit der die Grenze zusammenfiel, und dahinter schon sehr undeutlich das graue Gehöft, das bald bewohnt, bald unbewohnt schien und über das die merkwürdigsten Gerüchte von einer Wachmannschaft zur andern liefen. Der Hof gehörte einer Witwe, die ihn mit ihren drei Söhnen bewirtschaftet hatte. Diese Söhne waren in einer der ersten Grenzschlachten am selben Tage gefallen. Über diesen bezeugten Sachverhalt hinaus wurde erzählt, daß die bedauernswerte Mutter seit jener Nachricht einem zunehmenden Wahnsinn verfalle und nachts oft in alle Windrichtungen laut nach ihren Söhnen rufe.

Paul hatte sie noch nicht gehört und begehrte sie auch nicht zu hören, aber das graue Gehöft lag nun einmal dort und beschäftigte ihn, es lag drüben im Kriegsland und im vollen Schatten des Schicksals, während er hier, nur wenige hundert Schritte davon entfernt, schon außerhalb jenes Schattens auf friedlichem Boden stand. Dazwischen zog sich die Grenze hin, in normalen Zeiten eine harmlose Trennungslinie, ein Mittel der internationalen Ordnung, und jetzt ein Riß von unheimlicher Art. »Die Grenzen aller Länder erscheinen übrigens auf der Karte so launisch und planlos, als ob ein Kind oder ein Geisteskranker sie gezeichnet hätte«, dachte er. »Sie sind erobert, erlistet, erkauft, sie stellen das Ergebnis von Vorgängen dar, die man nur im schlimmern Sinn als naturhaft bezeichnen kann. Romantische und nationale Dunkelmänner mögen sie ehrwürdig nennen, mit der Vernunft oder dem Geiste haben sie wenig zu tun. Damit stimmt die Tatsache ja vortrefflich überein, daß sie in barbarischen Zeiten eine unmenschliche Bedeutung erlangen, im Frieden aber verblassen. Es wäre in Europa doch endlich angebracht, sie auf ihren harmloseren Zweck zu beschränken, statt abermals um sie zu kämpfen oder sie mitten in der Nacht mit dem geladenen Gewehr zu bewachen.«

Solche Gedanken beschäftigten ihn, während er bald auf und ab ging, das Gewehr unter dem Arm oder auf der Schulter, bald vor dem bissigen Winde Schutz im Schildwachhüttchen suchte, in einem engen, gegen die Grenze hin offenen Bretterverschlag, den man mit frierenden Füßen aber gerne wieder verließ, um sich durch rasches Gehen zu erwärmen. Er litt nicht allzu sehr dabei, er war nun wenigstens körperlich abgehärtet.

»In barbarischen Zeiten...« Dazu rechnete er die gegenwärtige Zeit, deren Anbruch er wie eine Erlösung bejubelt hatte. Er war nun so weit, er hielt den Krieg für eine Schande der zivilisierten Menschheit und fand, daß er mit allen Mitteln verhindert werden müßte. »Und warum sollte er nicht verhindert werden können?« dachte er. »Früher haben bei uns Kantone oder konfessionelle Parteien gegeneinander Krieg geführt, und jetzt sind wir doch endgültig über diesen Unsinn hinaus. Warum sollte nicht eine ähnliche Entwicklung, eine zunehmende gegenseitige Duldung und Verträglichkeit wenigstens Europa zu einem friedlichen Staatenbunde machen? So bösartig sind zivilisierte Menschen auf die Dauer denn doch nicht, daß sie einen Zwist noch mit der Waffe austragen möchten, wenn ihnen ein unparteiisches, mit Autorität ausgestattetes Schiedsgericht zur Verfügung stände! Streitsüchtige wird es freilich immer geben, aber ist es denn gesagt, daß sie auch immer die Macht haben und die offizielle Meinung bestimmen sollen? Das ist durchaus nicht gesagt, die Vernünftigen und Friedfertigen sollten sich nur endlich regen, sie müßten mit einem Gedanken von solcher Kraft und Selbstverständlichkeit durchdringen. Warum tun sie es nicht? Warum überlassen sie das ein paar Schwärmern und Sonderlingen? Aber sie wußten von der wahren Natur des modernen Krieges wohl so wenig wie ich. Jetzt dürften ihnen die Augen aufgehen, künftig werden sie für ihr Stillschweigen keine Entschuldigung mehr haben. Ich auch nicht, natürlich! Ich werde... verdammt, ich sehe doch vollkommen klar ein, daß der Krieg ein Wahnsinn ist... Pfenninger, Burkhart, Kuhn und die andern sagen das auch, aber... ich könnte doch mehr Gehör finden als sie, wenn ich wollte... Ja, warum sollte ich das nicht wollen, warum sollte ich mich hier vorbeidrücken wie irgendeine eingeschüchterte Schreiberseele? Dann dürfte ich ruhig wieder über Kaminbrände und Diebstähle berichten, es wäre kaum mehr schade um mich...«

Indessen wurde er abgelöst, die Stunde war vorbei. Er ging zur Hütte, zog vor der Tür den Kaput aus und schüttelte ihn, blies den Schnee vom Käppi und trat ein. Es war dämmerig und still, seine Kameraden schliefen. Er mußte nun hier eine weitere Stunde wachen und dann den nächsten wecken, doch wäre er ohnehin nicht eingeschlafen, er fühlte sich mächtig angeregt und nahm die Fährte seiner Gedanken noch einmal gründlich auf. Es waren keine neuen Gedanken, aber er dachte sie zum erstenmal selber, und sie erwachten von dieser Zeit an denn auch überall, besonders in den Schützengräben und auf einsamen Grenzposten, um im Verlauf der nächsten Jahre die ganze gequälte Menschheit zu ergreifen.

Gegen zwei Uhr öffnete er die Ofenklappe und legte Scheite auf die Glut, dann blickte er, die Stirn an die Scheibe legend, zur verschneiten Schildwache hinaus, die ohne erkennbaren Zweck wie ein sanfter Irrsinniger einsam und schweigend im Schneetreiben der fahlweißen Nacht herumwandelte.

Am vierundzwanzigsten Dezember, abends nach dem Hauptverlesen, fuhr die Postordonnanz der Kompagnie Honegger einen hochbeladenen Handkarren auf den Schulhausplatz des kleinen Grenzdorfes und begann, von der Mannschaft umringt, Briefe und Pakete zu verteilen. Paul wartete neben Albin, wurde aufgerufen und schlug mit einem Kistchen unter dem Arm den Weg zum Kantonnement ein. Albin, der wie viele andere seine Weihnachtspost schon gestern empfangen hatte, war neugierig, ob sein Gruppenkamerad Wegmann auch diesmal leer ausgehen würde. Füsilier Wegmann, der Damenschneider, war in den letzten Tagen gegen seine Gewohnheit und übrigens ohne Erfolg auch dageblieben, bis der Mann mit der verheißungsvollen Armbinde die eingelaufene Post verteilt hatte. Er stand jetzt wieder dort, etwas abseits, um sich nicht zu verraten, bei zwei Füsilieren eines andern Zuges, mit denen er ein Gespräch anknüpfte. Indessen verließ ein Mann nach dem andern den Kreis, um im Kantonnement, in der Soldatenstube oder gleich hier auf dem Platze seinen Brief zu lesen, sein Paket zu öffnen; zuletzt warf der Pöstler die entleerten Säcke auf den Karren und hing sich die Tasche um. Da schlenderte Wegmann an ihm vorbei. »Nichts für mich gewesen?« fragte er beiläufig.

»Das weiß ich nicht mehr, ich habe alles verteilt«, antwortete der Gefragte gleichgültig und schob den Karren von dannen.

Wegmann mit seinem unschönen guten Gesicht und seinen großen leeren Händen ging weiter, betrat nach kurzem Herumschlendern das Kantonnement und legte sich auf den Rücken ins Stroh.

Paul und Albin gingen indessen als Abgeordnete ihres Zuges mit den Unteroffizieren in den nahen Gasthof zum »Kreuz«, wo alle für die Kompagnie bestimmten Geschenke im ersten Stock auf verschiedenen Tischen aufgestapelt waren. Der Wirt entfernte hier eben mit der Hilfe von Soldaten die Zwischenwand, die das Eßzimmer von einem andern Gemach getrennt hatte, so daß nun ein ansehnlicher Raum entstand, der sich als Festlokal für einen der vier Züge wohl eignete. In einer Ecke erhob sich vom Boden bis zur Decke eine schön gewachsene junge Rottanne.

»Die Zugsdelegierten hieher!« rief der Fourier geschäftig und erklärte, als sie eintraten: »Es müssen rund zweihundert Pakete gemacht werden. Jeder Angehörige der Kompagnie erhält ein Weihnachtspaket. Jetzt wollen wir den Bestand aufnehmen.«

Die Geschenke wurden sortiert, gezählt und abgeteilt, Unterkleider, Socken, Lismer, Handschuhe und ähnliche

Dinge, dann Eßwaren aller Art, Schokolade, Früchte, Backwerk, Dauerwürste, ferner Stumpen, Brissagos, Zigaretten, Briefpapier, Kalender, »Gute Schriften«, Bücher und am Ende auch Christbaumschmuck. Bei den Sammelstellen waren aus dem ganzen Lande so viele Geschenke für die Wehrmannschaft eingetroffen, daß jede Kompagnie ein reichhaltiges Lager davon anlegen konnte.

Paul betrachtete zuletzt, als das Lager gleichmäßig auf die vier Züge verteilt wurde, den Christbaumschmuck und sah sich einem Mann aus dem vierten Zug gegenüber, dem Füsilier Bolliger, der äußerst vorsichtig eine Schachtel mit sechs zerbrechlichen bunten Kugeln vom Tische hob.

»Würdest du mir tragen helfen und die Schachtel da nehmen?« fragte Bolliger. »Nur in unser Zugslokal hinüber. Ich hab' Angst, ich könnt' etwas zerbrechen.«

»Jaja, gern!« antwortete Paul.

Bolliger nickte dankbar und legte die Schachtel mit zögernder Sorgfalt in Pauls Hände, dann sagte er leise, vertraulich: »Du! Wer hätte das gedacht? Sie haben uns daheim nicht vergessen!«

Paul blickte ihn kurz an und bemerkte, daß der Mann feuchte Augen hatte. Er runzelte die Stirn und trug die Christbaumkugeln mit finsterer Miene behutsam hinaus.

Am folgenden Morgen marschierte die Kompagnie zu einem Feldgottesdienst, am späten Nachmittag hörte sie eine von Orgelvorträgen umrahmte Ansprache in der Dorfkirche, und abends versammelten sich die Züge in ihren Lokalen zur Bescherung.

Die Abendfeier im Gasthof zum »Kreuz« begann nicht verheißungsvoll. Die meisten Leute schwankten offenbar zwischen Übermut und Verlegenheit, sie verzerrten entweder die gemeinsam angestimmten Weihnachtslieder zu einer Art von Kneipgesängen, indem sie das Tempo übermäßig beschleunigten und die Melodie bald mit der Kopfstimme sangen, bald pfiffen, oder sie schwiegen überhaupt dazu und überließen das Lied den paar Eifrigen, die es angestimmt hatten. Erst als jeder Mann nach Belieben seine Gabe suchen durfte, schien der Zwiespalt überwunden. Der geschmückte Baum stand noch im warmen Glanz seiner goldenen Flämmchen, darunter lagen, zu einem breiten Halbkreis geordnet, die vielen Pakete, und die Leute traten erwartungsvoll lächelnd hinzu.

Paul betrachtete neugierig die Kameraden, die am Tisch ihre Pakete aufmachten, und erlebte jedesmal eine deutliche Genugtuung, wenn sich ein dankbares, gerührtes oder freudiges Gesicht über die Gaben beugte. Es gab auch Leute, die sich verstellten und entweder eine unangemessene Überraschung vorspiegelten oder die bescheidenen Dinge spöttisch nüchtern prüften.

Albin saß neben Wegmann und packte gleichzeitig mit ihm die Geschenke aus. Wegmann tat es wie ein leicht verstimmtes Kind, er wußte offenbar nicht, was er dazu sagen sollte, und begann schweigend von den Süßigkeiten zu essen.

»Du hast da ja eine ganze Winterausrüstung!« sagte Albin und betrachtete Wegmanns kleines Warenlager. »Das sind nicht üble Socken, die kann man brauchen... und Unterhosen, die sind auch recht. Handschuhe haben wohl alle bekommen... es sind gestrickte, Frauenarbeit. Nimmt mich wunder, wer meine gemacht hat... Vielleicht wären die Frauen auch neugierig, für wen sie gearbeitet haben.«

»Das ist ihnen wahrscheinlich wurscht«, entgegnete Wegmann kauend.

»Glaub' ich nicht! Ein bißchen Liebe haben sie doch hineingestrickt, sonst hätten sie gar nicht angefangen... Wie ist der Lebkuchen?«

Wegmann nickte gelassen anerkennend.

»Ich hab' einen ganzen Haufen Schleckzeug... ich bin

nicht so darauf versessen, du kannst von meinem nehmen... da, nimm das nur alles!«
»Dann hast ja du nichts mehr? Behalt's doch für dich, du wirst doch...«
»Nein, nein, nimm's nur, Wegmann... sicher, nimm's jetzt!«
»So, ja... dann... merci!«
Paul, der den beiden gegenübersaß, hatte Wein bestellt, nun schenkte er ihnen ein, aus einer offenen Literflasche.
»Prost!« sagte Wegmann und trank, dann setzte er nachdenklich ab, trank abermals und bemerkte endlich mit einem fragenden Blick auf Paul: »Das ist aber... Italiener ist das nicht...?«
Paul legte den Finger auf die Lippen, beugte sich über den Tisch und erklärte leise: »Es ist kein offener Wein, es ist Beaujolais. Ich hab' ihn in diese Flasche abfüllen lassen, damit die andern nicht das Maul aufreißen. Trink nur soviel du willst!«
Wegmann lächelte verständnisvoll, kostete den Wein noch einmal und nickte, dann barg er die größere Hälfte seiner Gaben vorsorglich wieder im Packpapier und ließ nur ein paar Eßwaren vor sich liegen. Unmerklich taute er auf.
Vor dem Baume stritten sich die Unteroffiziere freundschaftlich, ob man die Kerzenstümpchen abbrennen lassen oder sie löschen und später ein zweitesmal anzünden wolle. Schließlich wurden sie gelöscht.
Ein fröhlicher Betrieb hob an, an allen Tischen wurde geschwatzt, gelacht, gesungen, ein Gefreiter trug zur Laute Soldatenlieder vor, und zwei als Mädchen verkleidete Füsiliere führten eine Posse auf. Die Offiziere der Kompagnie machten die Runde durch die Zugslokale, sie kamen auch hieher und verbrachten eine ungezwungene Stunde mit der Mannschaft. Leutnant Tobler spendete seinem Zug fünf Doppelliter Walliser. Von Zeit zu Zeit erschien der Feldwei-

bel und verlas Telegramme. Die Regierung des Kantons Zürich versicherte, daß sie der Truppen von Stadt und Land in dieser Stunde besonders dankbar gedenke, und wünschte frohe Festtage und baldige Heimkehr. Hauptmann Honeggers Vorgänger, jetzt Major im Generalstab, telegrafierte von Bern: »Ein Hurra der zweiten Kompagnie!« Ein erkrankter Kamerad schickte aus dem Elternhaus ein paar Worte an seinen Zug.

Gegen Mitternacht, als die Leute nach dem reichlichen Genuß von Wein und Bier in eine schon wieder schwankende Stimmung geraten waren, und die noch einmal angezündeten Lichter des Christbaums eben zu Ende flackerten, verlas der Feldweibel das letzte Telegramm: »Wir wünschen euch allen von Herzen fröhliche Weihnacht! Die dankbaren Schweizer Frauen.« Den Worten folgte eine kurze Stille, dann setzte das Lachen und Schwatzen wieder ein, da und dort sehr lebhaft und offenbar mit Bezug auf den Glückwunsch der Frauen. Füsilier Bär gab einer angeregten Runde laute, sonderbare Erklärungen ab und stand mehrmals auf, damit alle ihn hören sollten. Paul und Albin beachteten ihn zuerst nur flüchtig, doch erregte er bald auch ihre Aufmerksamkeit.

Jemand hatte des dichten Rauches wegen die Tür geöffnet, die auf den schmalen Balkon hinausführte, und dorthin trat jetzt Bär, immer redend und gestikulierend, in den kalten Luftzug, der drinnen den Tabaksqualm auseinanderfegte, vor die Winternacht, die als bläulich dämmernder Ausschnitt sichtbar wurde. Er sprach mit erhöhter, hohler Stimme abwechselnd in die Nacht hinaus und in den Saal hinein, bald leidenschaftlich, bald elegisch, doch ohne rechten Zusammenhang. »Wir tun unsere Pflicht, jawohl, zum Schutz des Vaterlandes... aber das Vaterland kann uns gestohlen werden... es ist Nacht geworden, und es sollte Weihnacht sein... ich rufe es hinaus in diese Nacht. Ich bin ein Mensch, wir alle sind Menschen... warum sind wir hier, was tun wir hier... wo sind die Frauen, sie sollen sich zeigen... und nicht im Frieden und nicht im Krieg...«

Paul sah, wie der merkwürdige Redner auf unsichern Beinen mit einem fanatischen Ausdruck sein hageres Gesicht hin und her warf, und begann sich erstaunt zu fragen, ob dies noch Scherz sei oder nicht.

»Beruf, Familie und die Verantwortung!« rief Bär. »Die Verantwortung vor Gott und Vaterland... was, Gott und Vaterland...? Zu Hause liegt meine Alte und meine kleine Brut... wer ein Herz hat, der weiß... eine verfluchte Gaunerei... Weib, Kinder und Beruf zum Teufel...«

»Dem ist es ja ernst!« sagte Paul leise, betroffen.

»Natürlich!« bestätigte Kuhn. »Er ist im trunkenen Elend, ich hab ihn schon einmal so gesehen. Jetzt wird er dann bald heulen, paß auf!«

»... und ich habe ein Herz, hier schlägt es!« fuhr Bär heftig fort, riß unter dem offenen Waffenrock unversehens sein Hemd auf und schlug sich mit der Faust an die nackte Brust. »Ihr Sterne dort oben, da! Ihr Menschen, da!« schrie er heiser.

»Das ist peinlich!« sagte Paul gequält zu Albin und erhob sich. »Ich gehe.«

»Ich komme mit, es wird sowieso bald Schluß gemacht«, antwortete Albin und stand auch auf, zögerte aber einen Augenblick und rüttelte Wegmann an der Schulter. »He du, kommst du mit? Wir gehen!«

Wegmann hatte beide Arme auf dem Tische verschränkt und den Kopf darauf gelegt. Er gab keine Antwort, vielleicht schlief er, vielleicht auch nicht. In der Nähe sang eine Gruppe zum vierten- oder fünftenmal laut, falsch und schleppend ein kurzes, trauriges Volkslied. Ein paar Leute standen auf und versuchten Bär zu besänftigen.

Albin holte Paul auf der Treppe ein und trat mit ihm auf

die Straße. Der Schnee knirschte unter ihren Sohlen, die Nacht war kalt und klar. Sie hörten noch, wie droben die Balkontür zugeschlagen wurde, und sahen eine Wachpatrouille, die vor dem Gasthof beratend stehen blieb und dann weiterzog. Schweigend gingen sie in ihr Kantonnement.

11

Eines frühen Morgens Ende Januar 1915 marschierte die zweite Kompagnie des Bataillons Schmid von ihrem Sammelplatz in die frostige Dämmerung hinaus. Sie marschierte gleichgültig und stumm, obwohl sie an die Nordwesthänge des Hauensteins befohlen war, wo sie den Sappeuren bei der Befestigungsarbeit helfen sollte. Dies gehörte zu jener Abwechslung, die notwendig geworden und zuerst auch willkommen gewesen war, aber nun längst nicht mehr anregend genug wirkte, sondern immer wieder denselben geregelten täglichen Dienst erforderte, dasselbe Pflichtbewußtsein, dieselbe Haltung inmitten derselben Kameraden, die alle dasselbe taten. Im Tagesgrauen erschien unter einem schwach bewölktem Himmel ringsum das längst gewohnte öde Winterland. Ein kalter Biswind blies über die knietief verschneite Ebene.

Nach einem dreistündigen Marsch erreichte die Kompagnie den mäßig ansteigenden Berghang, dessen unterste Stufe befestigt wurde. Ein Sappeuroffizier wies den Zügen ihre Arbeit an.

Paul begann in der Reihe seiner Kameraden den hier etwa meterhoch liegenden Schnee nach rückwärts zu schaufeln, lockeren, leichten Pulverschnee, der sich mit dem kurzstieligen, flachen Spaten nur ungenügend erfassen ließ und beim Wurfe vollends zerstob. Diese Beschäftigung kam ihm läppisch vor, er ärgerte sich über den Schnee, über den Spaten, über die Tatsache, daß man ihm so etwas zutraute, und plötzlich, während er innehaltend aufblickte, ekelte ihn nicht nur dieser Arbeitsbeginn an, sondern das ganze Dasein, das er seit Wochen und Monaten geführt hatte und das kein Ende nehmen wollte. Er warf den Spaten hin und steckte die Hände in die Hosensäcke, komme was da wolle. Diesen Anfall erlebte er nicht zum erstenmal, und er wußte sogleich, daß es vernünftiger wäre, ihn rasch zu überwinden. Andere Leute des Zuges aber schienen sich über die unergiebige Arbeit auch zu ärgern und folgten schimpfend seinem Beispiel.

Da kam Leutnant Tobler angewatet. »So, so, was ist mit euch da?« rief er. »Wollt ihr schon Feierabend machen?«

Füsilier Bär meldete sich, sehr stramm übrigens, da der Anlaß denn doch etwas zweifelhaft war, und erklärte klipp und klar, daß mit dem kleinen Schanzwerkzeug in diesem Schnee nichts auszurichten sei.

»Machen Sie keine Sprüche!« erwiderte der Leutnant, verlangte einen Spaten, stellte sich mit weit gespreizten Beinen in die Reihe und schob den Schnee, statt ihn aufzuschaufeln, unter sich weg nach rückwärts, ein offensichtlich ergiebiges Verfahren, das die willigeren Leute freilich schon selber angewandt hatten. »So wird das gemacht!« rief er. »Stellen sich an wie neugeborene Kinder! In zehn Minuten putzt ihr doch hier alles weg!«

Schweigend machte der Zug sich wieder an die Arbeit.

Paul säuberte seine Strecke widerwillig, begann den gefrorenen Rasen aufzustechen und legte die ausgehobenen Stücke, die zur Verkleidung der Brustwehr dienen sollten, beiseite, doch er litt den ganzen Tag unter jenem merkwürdigen, allen Soldaten bekannten Zustand, in dem man aus den nichtigsten Gründen bald tief gereizt, bald völlig entmutigt war.

Mittags wurde eine Pause eingeschaltet, die Kompagnie trat bei der Fahrküche zur Verpflegung an und zerstreute sich dann über den Arbeitsplatz.

Hauptmann Honegger benützte die Pause, um jenen Leuten Bescheid zu geben, die ein Urlaubsgesuch eingereicht hatten. Aus dem zweiten Zug rief er den Füsilier Rüegg zu sich, der laut meldend auffuhr und hoffnungsvoll Laufschritt anschlug, von einem Schwarm scherzhaft giftiger Bemerkungen und höhnischer Ratschläge verfolgt. »Nur keine Illusionen, Rüegg! Die ›Großmutter im Sterben‹ zieht nicht mehr!«

Rüegg kam schon nach wenigen Minuten schimpfend zurück.

»Gott sei Dank, wir haben ihn wieder!« rief Bär. »Was hab' ich dir gestern gesagt? Bevor du nicht deinen Kopf nach Bern schickst, wirst du nicht beurlaubt.«

»Geht mich nichts an, das Gesuch hat mein Patron eingereicht«, erwiderte Rüegg und fügte in plötzlich aufwallendem Zorn drohend hinzu: »Aber wenn ich nach der Entlassung auf der Straße hocke, dann wird man vom Rüegg noch etwas hören, das kann ich euch sagen!«

Diese Worte fanden ein gemischtes Echo, hatten aber sofort ein ernsthaftes Gespräch zur Folge, das häufigste Gespräch dieser Wochen, das einzige, das noch allgemeine Anteilnahme erweckte.

»Entlassung? Wer sagt da etwas von Entlassung?«

»Ja, ewig können sie uns nicht im Dienst behalten, nicht wahr, einmal wird's genug sein...«

»In Zürich wird behauptet, daß wir bestimmt Ende Februar entlassen werden.«

»Havas! Zuerst schicken sie die erste Division heim, werdet schon sehen! Die welschen Zeitungen servieren den Herren in Bern ganz andern Pfeffer als...«

»Quatsch! Lies unsere Parteiblätter, da kannst du auch

etwas hören! Davon hängt gar nichts ab. Solang der Generalstab Kriegshalluzinationen hat, solang läßt man uns hier gähnen.«

»Der Generalstab weiß vielleicht mehr als wir. Es heißt ja, daß wir mit Haut und Haar aufgefressen würden, sobald wir nicht mehr genügend Truppen an der Grenze hätten.«

»Schön! Aber dann muß man nicht im November schon zwei Divisionen nach Hause schicken und uns dafür...«

»Wieso nicht? Diese Divisionen werden uns doch ablösen, die sind noch unsere einzige Hoffnung!«

Das Gespräch wurde unterbrochen durch den vielfältig schallenden Ruf: »Pfenninger! Pfenninger zum Herrn Hauptmann!«

»Hört! Hört!« rief Bär mit betontem Erstaunen, während der Gerufene sich entfernte. »Will der auch Urlaub haben? Und sagt uns kein Wort davon!« Die ganze Gruppe wunderte sich, weil der stille und vernünftige Pfenninger trotz seiner kameradschaftlichen Offenheit wirklich nichts von seinem Vorhaben verraten hatte.

Pfenninger blieb etwas länger beim Hauptmann als Rüegg, dann kam er gelassen zurück und gab mit offenbar gewolltem Gleichmut zu, daß er für zwei Tage nach Hause beurlaubt sei. »Wenn's nicht unbedingt notwendig wäre, hätt' ich ja nie daran gedacht«, fügte er hinzu, als ob er sich entschuldigen müßte.

»Was, unbedingt notwendig! Wir alle haben's unbedingt notwendig! Hat der Mann ein Schwein! Wie hast du denn das fertiggebracht, du Geheimdiplomat? Seht ihn an, das ist ein Mann, der morgen nach Hause fährt! Oder heut abend schon, du Gauner?«

Das waren die Worte, die der Begünstigte von allen Seiten zu hören bekam. Pfenninger wurde mit ganz andern Blicken angesehen als noch vor wenigen Minuten, ein Glorienschein umgab ihn; er war der Mann, der morgen früh nicht mehr ausrückte, sondern nach Zürich fuhr und achtundvierzig Stunden lang tun konnte, was er wollte, der sich gewiß ein erstklassiges Mittagessen leistete und beim schwarzen Kaffee mit einer Zigarre im Schnabel beliebig lang auf dem Sofa lag, der nachmittags in der Stadt herumschlenderte und abends ins Theater ging, der Mann vor allem, der sich in ein richtiges Bett legen und eine Frau liebhaben durfte. Dieser Mann gehörte nicht mehr zu ihnen, sie rückten unmerklich von ihm und seinen unerhörten Aussichten ab, um sich vernünftigerweise wieder an ihre eigene Welt zu halten, die nun freilich noch um einen Schatten trüber vor ihnen lag.

»Zweiter Zug! Bereitmachen!« schrie der Wachtmeister.

Füsilier Kuhn blieb sitzen, als ob ihn das nichts anginge, und schaute, die Ellbogen auf den Knien, verloren vor sich hin.

»He, Kuhn, wohin hast du Verbindung?« fragte ihn Burkhart.

Kuhn sah auf und erhob sich umständlich. »Zur Büroordonnanz«, antwortete er. »Die hockt jetzt in einer warmen Bude und braucht sich nicht hier herumzuschinden. Das ist immerhin allerhand. Nämlich... erinnerst du dich, daß damals im August, als wir einrückten, der Hauptmann mich fragte, ob ich Büroordonnanz werden wolle? Jawohl, das hat er mich gefragt, und ich Esel, ich Affe, ich lehnte ab... ich könnte mich ohrfeigen, wenn ich daran denke!«

»Zweiter Zug Sammlung!« rief der Wachtmeister. »Gruppenführer Rapport!«

»Erste Gruppe vollständig!« tönte es vom rechten Flügel.

Der Führer der zweiten Gruppe, Korporal Müller, sah sich unruhig um, dann meldete er ärgerlich, daß ein Mann fehle, Pfister Albin sei nicht da.

»Pfister!« schrie der Wachtmeister über den Arbeitsplatz hin. »Füsilier Pfister!«

Leutnant Tobler trat hinzu, nahm die Meldung des Wachtmeisters entgegen und führte den Zug an die Arbeit.

Albin hatte, wie andere Leute auch, einen Bummel zu den benachbarten Infanteriestellungen unternommen, doch weniger aus Neugier als aus dem Bedürfnis, allein zu sein und dem furchtbaren Überdruß, der ihn ernstlicher gefährdete als jeden andern, auf seine besondere Art zu begegnen. Er watete durch einen verschneiten Schützengraben, bis seine Kameraden zurückblieben, bog noch um eine Splitterwehr und kam zu einer schneefreien, durch Rundhölzer gedeckten Nische, wo er sich niederließ. Einen Augenblick verweilte er untätig und horchte, dann zog er einen Brief aus der Tasche, behutsam und fast verstohlen, einen Brief Gertruds, den er seit etlichen Tagen bei sich trug. Mit dem leidenden und zugleich begehrlich gespannten Ausdruck eines Verdurstenden, der sich zur Quelle schleppt, begann er ihn zu lesen, und je weiter er las, desto mehr entspannte sich seine Miene, bis er am Ende gestillt und glücklich die Augen vom Blatte hob.

Er kam zu spät auf den Arbeitsplatz, doch er beeilte sich nicht einmal, sondern wandelte dahin wie ein träumender Zivilist, und als er vom Leutnant zur Rede gestellt wurde, fand er keine Entschuldigung.

»Was fällt Ihnen eigentlich ein, Pfister...?« fragte Tobler hart, schwieg fünf Sekunden und fuhr dann zornig fort: »Lächeln Sie nicht so blöd! Ich werde dafür sorgen, daß Sie heute abend in aller Ruhe über Ihren Spaziergang nachdenken können.«

Die Kameraden wunderten sich über Albin. »Gott verdammi, kommt der Mann ins Loch!« sagte Rüegg. »Was hat das für einen Wert, du mußt ja doch ausrücken! Steht da und sagt kein Wort! Du bist doch sonst nicht auf den Kopf gefallen. Für so etwas weiß ich dir hundert Entschuldigungen. Mit Diarrhöe zum Beispiel wärest du fein herausgewesen!«

Um halb vier Uhr brach die Kompagnie wieder auf und marschierte zurück durch das öde Winterland, in die frostige Abenddämmerung hinein. Die »Abwechslung« war zu Ende, morgen begann das alte ewige Einerlei.

»Ich werde nicht mehr ausrücken!« dachte Paul verzweifelt. »Was dabei herauskommen wird, ist ganz gleichgültig... Morgen rücke ich nicht mehr aus!«

Bald nach der Heimkehr mußte Albin sich auf der Ortswache melden und wurde eingesperrt, in einen dunklen Nebenraum, den immerhin zwei fingerbreite, vom Wachtlokal her einfallende Lichtstreifen durchquerten. Er ruhte sich auf dem spärlichen Stroh eine Weile aus, dann änderte er seine Lage, legte ein Notizbuch auf den Lichtstreifen und begann an Gertrud zu schreiben.

»Geliebte! Ich schreibe dies Wort hin, und mir wird bewußt, wie unzulänglich es geworden ist, wie wenig es Dich in der wahren Sprache meines Herzens anzusprechen vermag. Dieses Wort müßte Zug für Zug erglühen, wenn es fassen könnte, was ich ihm anvertraue. In jeder Stunde, in jedem Augenblick von früh bis spät denke ich an Dich mit einer Kraft, von der ich manchmal nicht weiß, ob es die Kraft der Verzweiflung ist oder die reine Liebe.

Es ist mit mir eine stete Wandlung vorgegangen, meine Briefe haben sie Dir nicht verborgen. Daß Du doch vergessen könntest, wie plump ich im Urlaub vor Dich hintrat! Daß ich doch jedes Wort noch einmal auf die Waagschale legen, daß ich jede Ungeschicklichkeit zurücknehmen könnte, mit der ich Dich auch nur um Haaresbreite von mir abgestoßen habe!

Gertrud! Ich möchte Dir rufen können über Berge und Ebenen hin, ich möchte Deinen Namen singen mit einer übermenschlich innigen und gewaltigen Stimme. Es ist ein Gefühl wie ein unablässiger starker Sturm, ja manchmal scheint mir, daß es ein furchtbares Gefühl ist, weil es alles andere ausschließt und mich auf Gnade oder Ungnade überliefert. Ich müßte festen Boden unter mir haben, wenn ich nicht heimlich zittern wollte, aber ich habe keinen Boden unter mir, ich schreite wie von diesem Sturm in die Lüfte gehoben immerfort auf Dich zu, und ich würde hilflos zur Erde stürzen, wenn Du mir Deine Hand entzögest. Darum eben sollst Du alles von mir wissen, Gertrud! Ich juble ja über jeden Deiner Briefe, aber ich will jubeln können ohne diese bange Frage im Herzen, und Du sollst meine Worte empfangen, ohne dahinter auch nur den leisesten unbekannten Schatten vermuten zu müssen. Ich habe unter dem Dienste schwer gelitten, Du weißt es, aber je schwerer ich litt, desto mächtiger zogst Du mich an. Ich sah und liebte Dich ja schon lange, aber während ich immer einsamer und schon halb erschöpft dem täglichen Zwang gehorchte, da begannest Du nun vor mir aufzugehen wie ein Stern mit wachsendem Lichte und mich unbegreiflich über mich selber hinauszuheben. Ich kann jetzt mitten am Tag auf diesen Soldaten Pfister hinabsehen, der in der Hand seiner Vorgesetzten mechanisch handelt, fühllos duldet, während hoch darüber mein ganzes inneres Wesen nur von Dir, von Dir, von Dir erfüllt ist, Du Geliebte. Nimm mich so an! Ich bin es! Dein Albin.«

Am nächsten Morgen stand die Kompagnie zur gewohnten frühen Stunde auf dem Sammelplatz. Sie rückte aus wie jeden Tag, nicht weil sie Vergnügen daran fand oder eine dringende Aufgabe zu erfüllen hatte, sondern weil sie beschäftigt werden mußte und nicht in den Kantonnementen herumliegen durfte. Das Wetter hatte sich kaum geändert, es war noch ebenso kalt wie gestern, und der gleiche trübe

Himmel hing über dem winterlich öden Land. Ein paar Unteroffiziere schrieen gereizt nach säumigen Leuten, die Züge machten sich stumm und verdrossen bereit.

Die Kompagnie marschierte ab wie jeden Tag, irgendwohin, nach irgendeinem Übungsplatz, mit denselben Leuten wie gestern, die alle in der Marschkolonne denselben Platz einnahmen. Nur im Zug Tobler war eine unbedeutende Änderung eingetreten, dort fehlte ein Mann, Füsilier Pfenninger, und ein anderer war an seine Stelle gerückt; eine Lücke sah man nicht. Der Zug aber empfand die Lücke und spürte niedergeschlagen den unsagbaren Gegensatz zwischen dieser Stunde des täglichen Ausrückens und einer Heimfahrt in den Urlaub.

Albin war auch dabei, doch nur zur Hälfte, sein Körper rückte aus, um abends in den Arrest zurückzukehren, während sein Inneres auf den starken Schwingen der Liebe über den furchtbaren Alltag hinausflog. Auch Paul marschierte mit, Paul, der beschlossen hatte, heut nicht mehr auszurükken. Er folgte willenlos dem Beispiel seiner Kameraden und rückte aus wie jeden Tag. Das machte ihn mutlos, er begann die Achtung vor sich selber zu verlieren und wurde von Gefühlen heimgesucht, vor denen er sich längst sicher geglaubt hatte, von Schwermut, Lebensüberdruß und unbestimmtem Heimweh.

Die Kompagnie begann draußen ihre Tagesarbeit mit Einzelausbildung und unternahm darauf eine Übung, die den angewiderten Soldaten etwas auch schon längst Bekanntes neuerdings eintrichterte. Sie ging als Spitze einer größeren Kolonne gefechtsmäßig über das verschneite flache Feld in südlicher Richtung vor und mußte sich zum Zwecke der Belehrung mehrmals anhalten lassen. Paul stapfte in der Schützenlinie dahin, hielt an, stapfte weiter und hielt wiederum an, von einem Ekel gewürgt, den er nicht mehr beherrschte. Aus dem langgestreckten verschneiten Ufergehölz eines Baches erhielt die Kompagnie dann angeblich Feuer und hatte sich nun dieser Lage entsprechend zu benehmen. Paul warf sich in den Schnee und stand nicht mehr auf, während seine Kameraden rechts und links in kurzen Sprüngen einzeln vorzurücken begannen. Die Kompagnie griff das Gehölz an, warf die supponierten gegnerischen Schützen hinaus und setzte drüben den Marsch gefechtsmäßig fort.

Paul blieb unbemerkt liegen, die Rechte noch am Gewehr, den Tornister etwas seitlich abgerutscht, die Stirn auf dem linken Handgelenk. Er war allein auf dem weiten weißen Feld, der Tornister und ein Stück vom Käppi verrieten, wo er im Schnee lag wie ein gefallener Soldat. Er wollte endlich nichts mehr als hier liegenbleiben und elend verhungern oder erfrieren. Ein verbissenes, bitteres Weinen zuckte durch sein Gesicht.

Da tauchte ein Reiter auf und entdeckte ihn, ein Offizier, der den Spuren der Kompagnie folgte, der Bataillonsarzt Oberleutnant Junod. Er machte seine Runde bei der übenden Truppe und kam hier gerade recht. »He, was ist los mit Ihnen da?« rief er, und da er keine Antwort erhielt, stieg er vom Pferd und bückte sich über den Mann. »Wo fehlt's?« fragte er und versuchte ihm behutsam den Kopf zu heben.

Der Soldat leistete Widerstand, fuhr dann aber doch halbwegs auf, da er nicht erwarten konnte, unerkannt oder unbehelligt zu bleiben, und starrte, auf den Ellbogen gestützt, abweisend vor sich hin.

»Paul, du?« rief Junod überrascht und besorgt zugleich. »Bitte, was ist denn mit dir los...? Was fehlt dir...?« Er musterte das gequälte Gesicht seines Vetters aufmerksam. »Ist dir schlecht? Hast du Schmerzen...?«

Paul löste nach einigem Zögern die Arme aus den Tragriemen, setzte sich auf den Tornister und winkte schweigend ab.

»Ja, also... ich kann doch nicht weggehen und dich hier sitzen lassen, bevor ich weiß, was passiert ist?«

Paul schwieg noch eine Weile, dann riß er sich das Käppi ab und warf es heftig in den Schnee. »Genug hab' ich!« schrie er mit einer Miene voller Schmerz und Scham. »Ich mache nicht mehr mit, ich kann nicht mehr, ich bin fertig... ich habe genug, genug, genug!« Er stützte den Kopf in beide Hände und begann erregt zu schluchzen.

»Voilà!« sagte Junod und nickte. »Dann bin ich mir klar. Du bist nicht der Erste, dem das passiert, mein Lieber! Nur einen etwas sonderbaren Platz hast du dir ausgesucht... Deine Kompagnie rückt übrigens immer noch vor, soviel ich gesehen habe... vielleicht wirst du noch nicht einmal vermißt. Honegger ist zwar vernünftig, ein sehr netter Mann, aber... nicht alle Hauptleute haben das nötige Fingerspitzengefühl für solche Fälle, und manche wollen von dieser ganzen flauen Geschichte überhaupt nichts merken... Du brauchst dir nämlich nicht einzubilden, daß nur dir und sonst niemandem so hundsmiserabel zumute ist. Du hast nur etwas empfindlichere Organe, kultiviertere Voraussetzungen... Damit ist man unter den gegenwärtigen Umständen allerdings schlimm dran... Und jetzt hat's dich also erwischt, das begreife ich. Aber dein Zustand ist nur der besonders hohe Grad einer allgemeinen, unter den meisten Truppen verbreiteten Not. Den ›Verleider‹ nennt man's ja etwa, aber ich finde, das ist ein schwacher Ausdruck. Bei den Welschen sagt man ›le cafard‹ und versteht mehr darunter...«

Oberleutnant Junod plauderte ruhig, freundschaftlich, ja gemütlich, und beschränkte sich immer mehr auf den allgemeinen Zustand, als ob er nicht einen besonders gefährdeten Patienten vor sich hätte, sondern einen unbetroffen anteilnehmenden Zuhörer. Plaudernd zog er eine Zigarettenschachtel aus der Rocktasche, klopfte und strich mit behutsamen, fast zärtlichen Bewegungen seiner weichen Hände eine Zigarette und legte sie leicht zwischen die Lippen, fuhr mit der flachen Rechten seiner Stute über den Hals und öffnete die Satteltasche. »Langeweile, Überdruß, Dienstmüdigkeit können einer Armee offenbar gefährlicher werden als ernsthafte Kämpfe«, sagte er. »Übrigens weiß man aus der Geschichte, daß in untätig verharrenden Heeren die Disziplin früher zerfällt als in kriegerisch einigermaßen erfolgreich angespannten. Und nun gar bei der Miliz! Die nimmt den Dienst auf lange Dauer nicht so selbstverständlich hin wie eine Berufsarmee. Die Kriegstüchtigkeit hängt dann immer weniger von den Methoden der Ausbildung oder Behandlung ab, immer mehr aber von den Eigenschaften des einzelnen Soldaten...«

Er hatte die Satteltasche wieder geschlossen, befühlte nun auffällig suchend die Taschen seines blauen Waffenrocks und unterbrach sein Geplauder ärgerlich: »Hm... ich habe doch... merkwürdig... hast du vielleicht zufällig Feuer, Paul? Bevor ich wegritt, hatte ich noch eine ganze Schachtel Zündhölzer... jetzt sind sie verschwunden...«

Paul griff gleichgültig in die Tasche und streckte ihm, ohne aufzusehen, einen kleinen flachen Karton mit Zündhölzchen hin.

»Danke!« sagte Junod, brannte die Zigarette gelassen an, blies den Rauch behaglich zögernd in die frostige Luft und sah sich um. »Trostlose Gegend hier, im Winter! Das kommt auch noch dazu. Ohne vernünftige Beschäftigung muß man hier notwendig melancholisch werden... Aber weißt du, das Merkwürdige bei alledem ist, daß unsere Truppen in diesem Grenzdienst nie das faule Lagerleben geführt haben, das früher einem Heer gefährlich werden konnte. Sie sind immer beschäftigt worden... so, wie man eben Truppen beschäftigt, und das ist auf die Länge nicht weniger gefährlich, das zeigt sich jetzt. In unserem Bataillon steht's übrigens bei der dritten Kompagnie am schlimmsten. Ich habe kürzlich mit Fred gesprochen, der hat mir bedenkliche Dinge erzählt. Im Vergleich mit Hauptmann Brändli ist euer Honegger die Vernunft selber... mit ein paar Einschränkungen, natürlich. Der Überdruß kommt aber, wie man hört, in der ganzen Division zum Vorschein... in der Sündflut von Urlaubsgesuchen noch am harmlosesten. An der allerhöchsten Stelle hat man das merkwürdigerweise erfahren und mehr Abwechslung im Tagesprogramm befohlen. In gewissen Kompagnien wird jetzt gelegentlich ein Vortrag eingeschaltet, es wird etwas häufiger geturnt und sogar einmal Fußball gespielt. Das ist rührend! Selbstverständlich genügt es nicht. Die meisten Bataillons- und Kompagniekommandanten sind ja viel zu pflichtbewußt und zu phantasielos, um den gegenwärtigen Bedürfnissen der Mannschaft abzuhelfen, dringenden menschlichen Bedürfnissen, die man nicht ungestraft ein halbes Jahr lang vernachlässigt...«

Mit einem ärgerlichen Ausruf brach Junod hier abermals ab: er hatte die Zigarette in den Schnee fallen lassen und wollte sie rasch aufheben, ließ sie aber liegen und zertrat sie. »Imbécile!« brummte er und zog wieder die Schachtel hervor. »Jetzt muß ich dich noch einmal um Feuer bitten, Paul, sei so gut!«

Paul griff in die Tasche und stutzte. »Du hast ja die Zündhölzchen noch!« erwiderte er aufblickend.

»Ach so, Entschuldigung, natürlich... Ja, also was ich sagen wollte: Der Dienst verlangt angeblich einen ganzen Mann, nicht wahr, und in den ersten Monaten war man ja auch wirklich begeistert und ganz dabei...« Er brannte während des Sprechens die Zigarette an, gab Paul die Zündhölzchen zurück und hielt ihm, unbefangen weiterplaudernd, zugleich die offene Schachtel hin.

Paul, der noch immer auf seinem Tornister saß, zögerte einen Augenblick, dann nahm auch er eine Zigarette, ziemlich mürrisch, und begann mit verschlossener Miene zu rauchen.

»Heute aber«, fuhr Junod fort, »erfaßt der Dienst nicht mehr den ganzen Menschen. Eine große Summe von Kräften und Bedürfnissen läßt sich dem militärischen Zwecke nicht mehr dienstbar machen. Auch der allerbeste Soldat führt ein eintöniges, nur noch halbes Leben und braucht einen gewissen Stumpfsinn oder dann eine bedeutende persönliche Zucht, um sich gegen ein solches Leben nicht aufzulehnen oder seinen lähmenden Folgen nicht zu erliegen. Und bei den innerlich robustern Soldaten, die vielleicht weniger unter dem Dienste selber leiden, spielen noch andere Gründe eine Rolle. Viele von diesen Leuten sind aus dem Berufsleben gekommen, nicht wahr, sie haben ihren Unterhalt verdient, ihre Familien ernährt, sie haben gearbeitet, gestrebt, gehofft. Von alledem sind sie jetzt abgeschnitten, die ärmeren Leute werden mitsamt ihren Familien noch ärmer und manche verlieren ohne Schuld ihre Stellung. Statt daß sie nun aber endlich heimkehren, wieder anknüpfen, das Verlorene wieder einbringen könnten, rücken sie hier täglich in den kalten Morgen hinaus, zu einem Dienste, dessen Sinn sie kaum mehr einsehen, während die Geschäftsherren nach ihnen schreien und das halbe Hinterland die Grenzbesetzung überflüssig findet... Ah, mein Lieber! Das ist kein Spaß, unter solchen Umständen hört die Gemütlichkeit auf.«

Bei diesen letzten Sätzen hatte Junod sich ereifert, seine Miene war düster geworden. Nun brach er ab und sah sich um, dann sagte er, mit einem Blick auf Paul, in seinem üblichen Ton: »Ja, jetzt möchte ich doch noch zur Kompagnie... Aber was machen wir mit dir?«

Paul erhob sich gelassen und griff nach dem Tornister.

»Du könntest ja vorläufig ins Kantonnement«, schlug Junod leichthin vor. »Ich gebe dir einen Dispens...«

Paul hakte sich den Tragriemen ein und schüttelte den Kopf. »Nein, ich gehe jetzt zur Kompagnie zurück«, sagte er und hob auch das Gewehr auf.

12

Die Kompagnie Brändli marschierte eines späten Nachmittags im Februar unter der Führung des Feldweibels vom Hauenstein hinab in nordwestlicher Richtung nach ihrem Kantonnementsort. Sie hatte an einer Bataillonsübung teilgenommen und schlecht abgeschnitten wie immer. Die Offiziere waren zur Kritik auf irgendeinem Feldherrnhügel zurückgeblieben. Naßkaltes, windiges Wetter herrschte, es schneite und regnete durcheinander, die Schneedecke war zusammengesunken.

In einem Dörfchen, dessen Einwohner schon soviel Durchmärsche und Einquartierungen erlebt hatten, daß sie sich um die kleine Kolonne gar nicht kümmerten, befahl der Feldweibel den fälligen Stundenhalt. Mißgelaunt stellten die Leute ihre Gewehre und Säcke in den schmutzigen Schneebrei.

Da trat ein schlaffer, specknackiger Mann in einem Pelzkragenmantel aus dem Gasthof auf die kleine Freitreppe hinaus, legte die Hände auf das Geländer und musterte, eh er in den bereitstehenden Pferdeschlitten stieg, die rastende Kolonne von oben herab mit einem Anschein selbstzufriedener Kennerschaft. Er bekam aus den Reihen der Soldaten sogleich scherzhafte Bemerkungen zu hören, auf ihn gemünzte Anzüglichkeiten, die er unerwarteterweise nicht wie ein bedachter Zivilist in guter Laune erwiderte, sondern beleidigt zurückwies. Der gute Mann verstand keinen Spaß. Während eines kurzen, erregten Wortwechsels bestieg er den Schlitten, doch statt nun schweigend wegzufahren, versteifte er sich darauf, einen besonders gepfefferten Anwurf zu beantworten und das letzte Wort zu behalten. Er rief, indes der Kutscher vor ihm schon die Zügel ordnete, mit zugleich entrüsteter und salbungsvoller Miene: »Heutzutag hat jeder Mensch Opfer zu bringen. Wenn ihr euch beklagt und es harmlose Zivilpersonen entgelten laßt, daß ihr nicht zu Hause sitzen könnt, so ist das traurig und stellt euch ein schlechtes Zeugnis aus. Tausende und Tausende von Soldaten setzen jetzt auf den Schlachtfeldern ihr Leben ein, sie leiden und sterben, ohne zu murren, und im Vergleich damit ist euere Grenzbesetzung nur ein friedlicher Ferienaufenthalt. Wenn ihr wirklich gar keinen Opfersinn mehr habt...«

So weit kam der Mann. Die Soldaten, die ihn immer wieder gereizt unterbrochen hatten, drängten sich lärmend und drohend um den Schlitten zusammen.

Korporal Fred Ammann, der finster zugehört hatte, befürchtete ein Unglück und schob sich rasch vor den Bedrohten hin. »Sie verstehen einen Dreck von alledem!« schrie er ihm ins erschrockene Gesicht und machte sich damit zum Sprecher der Mannschaft, die für den Augenblick denn auch ihre handgreiflichen Absichten aufgab. »Wir sind bereit gewesen, das Leben einzusetzen, und sind es jetzt noch. Daß wir es nicht tun dürfen und trotzdem ausharren müssen, das verlangt von jedem Soldaten mehr Opfersinn als Sie in Ihrem ganzen beschissenen Leben aufgebracht haben. Lieber kämpfen und meinetwegen sogar sterben, als monatelang weder leben noch sterben können! Und übrigens sind wir immer noch da und sorgen dafür, daß Sie hier ruhig herumschlitteln können, Sie Maulaffe! Abfahren!«

Die Soldaten lärmten beifällig und versahen Freds Antwort mit kräftigen Nachsätzen, während der Kutscher dem unruhig gewordenen Pferd die Zügel lockerte und der

Schlitten mit einem Ruck anfuhr. Die erzürnte Mannschaft kehrte an die Gewehre zurück und und hörte nicht auf, den vorlauten Zivilisten zu verwünschen, sein glimpfliches Entkommen zu bedauern und den schlagfertigen Worten des Korporals Ammann heftig beizustimmen.

Die Kompagnie marschierte weiter durch das trübweiße, feuchte Land, über nassen Neuschnee, der an den Sohlen kleben blieb und immer wieder Leute veranlaßte, aus der Kolonne zu treten, um ihre Schuhe gegen einen Pfahl oder Stein zu schlagen. Bei einbrechender Dunkelheit erreichte sie ihren Kantonnementsort, ein elendes Kaff in ihren Augen, das keinen Menschen auch nur eine Stunde zum Aufenthalt verlocken konnte; in schlechter Haltung, müde, durchnäßt und schweigend marschierte sie auf den spärlich beleuchteten Sammelplatz, wo in diesem Augenblick auch Hauptmann Brändli dahergeritten kam.

Brändli hatte die Kolonne kurz vor der Ortschaft überholt und dem Einmarsch beigewohnt. Jetzt ritt er vor die Front, um sich vom Feldweibel die Kompagnie melden zu lassen, die indes eine derart schlaffe Stellung annahm, daß er sie in seiner wohl ohnehin schlimmen Laune gereizt zurechtwies: »Das ist keine Achtungstellung! Ich verlange, daß ihr euch zusammennehmt! Schon der Einmarsch war eine verfluchte Schlamperei. Kompagnie Achtung – steht!« Die Kompagnie nahm ebenso lässig Stellung an wie unter dem Befehl des Feldweibels, erhielt darauf einen noch schärferen Verweis und wurde zum drittenmal in die Stellung befohlen, die nicht besser ausfiel.

Das war »passive Resistenz«, verkappter Widerstand. Der Hauptmann geriet außer sich. »Die Kompagnie geht nicht vom Platz, bevor ich eine anständige Achtungstellung und einen flotten Gewehrgriff zu sehen bekomme!« erklärte er mit schneidender Stimme. Nun begann er Befehl um Befehl zu schreien, doch mit wachsendem Mißerfolg, was ihn für das Aussichtslose, ja Gefährliche seines Handelns gänzlich blind machte und jedes Maß vergessen ließ.

Die zweihundert Soldaten, die sich keineswegs verabredet hatten, sondern dem gemeinsamen, monatelang gestauten Mißmut folgten, führten den Gewehrgriff vorerst wohl noch aus, aber immer gleichgültiger, ungenauer, lahmer. Endlich schulterten viele Leute das Gewehr überhaupt nicht mehr, dafür begannen sie mit dem Gewehrkolben auf den Boden zu klopfen und vernehmlich zu murren. Dies nun war schon offene Gehorsamsverweigerung, ja es konnte als Aufruhr gelten, wofür in den Kriegsartikeln die Strafe auf Zuchthaus oder Gefängnis lautete.

Fred spürte zunächst ein Gemisch von Zorn und Genugtuung, dann begann er mit Unruhe und wachsendem Erstaunen den Hauptmann zu beobachten, der immer schärfer, immer wütender kommandierte, sein Pferd vor der Front herumtrieb, um Schuldige festzustellen, und zuletzt hilflos mit überschnappender Stimme ein Schimpfwort über die Kompagnie hinschrie. Dieser Mann hatte mit dem höchsten Eifer dem Vaterlande zu dienen gesucht, aber in merkwürdiger Verblendung das Menschentum seiner Untergebenen mißachtet und sich kraft seiner Befehlsgewalt auf äußere Erziehungsmittel versteift. Die Untergebenen hatten Beschwerden auf den Dienstweg geschickt, aber nun sprengte die Gärung der mißbrauchten Kompagnie dem Faß den Boden aus, eh ihr auf dem ordentlichen Wege Luft gemacht wurde.

Dem Hauptmann Brändli, der weder sich noch die Kompagnie mehr beherrschte, stand ein letztes Machtmittel zu Gebot, er konnte jene Leute, die zuerst den Gewehrgriff verweigert hatten, durch die Mannschaft der Ortswache festnehmen und einsperren lassen. Er verzichtete darauf, wohl eher aus Schwäche als aus Klugheit, denn nach jenem letzten Schimpfwort ging eine deutliche Veränderung mit ihm vor. In der furchtbarsten Aufregung wandte er ein paarmal ratlos den Kopf hin und her, als ob er von dieser oder jener Seite Hilfe erwartete, sein rundes Gesicht war blaß, seine Lippen stammelten unverständliche Worte. Plötzlich hob er das breite Gesäß aus dem Sattel, stieg ab, übergab das Pferd der Ordonnanz und wandte sich flüchtig an den Feldweibel. »Die Kompagnie hat keinen Ausgang, die Führer rechts übernehmen die Züge!« befahl er heiser. Damit drehte er seiner Kompagnie den Rücken, nahm noch umständlich mit zitternden Händen den Zwicker von der Nase, wischte sich mit dem Taschentuch über Stirn und Augen und stapfte eilig davon.

Fred blickte ihm nach und spürte bei aller Genugtuung einen Anflug von Mitleid mit diesem Mann, der sich sechs Monate lang unablässig mit der höchsten Willenskraft eingesetzt, aber dabei nichts gewonnen, sondern im Gegenteil alles verspielt hatte, und der sich jetzt kleinlaut an seine Vorgesetzten wenden mußte, an rücksichtslos urteilende Offiziere, die seinen guten Willen vielleicht übersehen und ihm nur die faule Frucht seiner Tätigkeit unter die Nase reiben würden.

Am nächsten Tage schon ordnete der Regimentskommandant eine Untersuchung an. Unteroffiziere und vertrauenswürdige Leute aus allen Zügen wurden verhört. Sie stritten die Gehorsamsverweigerung nicht geradezu ab, nannten aber keine Namen; dagegen häuften sie eine Schuldlast auf Brändlis Haupt, die den Vorfall begreiflich machen konnte und den eingereichten Beschwerden endlich Gewicht verlieh.

Die Kompagnie mußte darauf vor dem Oberstleutnant antreten und den schärfsten Verweis entgegennehmen. »Die Kompagnie hat sich eines schweren Vergehens schuldig gemacht, gleichgültig, was die Folge der Untersuchung sein wird«, rief Hartmann vom Pferde herab mit dem ganzen drohenden Ernst, dessen er fähig war. »Daß ihr euch aus Unzufriedenheit über eueren Hauptmann beschwert habt, war euer Recht. Daß ihr aber dem Bescheid eigenmächtig zuvorgekommen seid, ist eine Schweinerei ohnegleichen. Ihr habt im August geschworen oder gelobt, eueren Vorgesetzten zu gehorchen. Ihr habt das Wort gebrochen. Das ist eine Schande, eine Schande für euch, für das Bataillon, für das Regiment. Wenn wir in unserer Armee nur solche Soldaten hätten, könnten wir zusammenpacken und unser Land dem überlassen, der es haben will. Ohne unbedingten Gehorsam auch in der schwierigsten Lage gibt es keine Armee. Ihr werdet in Zukunft zu beweisen haben, ob ihr die Ehre noch verdient, Soldaten genannt zu werden.«

»Verdammt nochmal«, murrte Fred, nachdem Hartmann weggeritten war, »wenn gewisse Herren nicht eine so lange Leitung hätten, brauchten wir kaum um unsere Ehre besorgt zu sein!«

Ein großer, breitschultriger Füsilier rief dagegen gemütlich: »Nur keine Aufregung! Abwarten! Er hat ja der Ordnung halber so reden müssen, nicht wahr, das kennt man; deswegen reißt sich keiner von uns ein Haar aus. Es kommt alles darauf an, was der weise Rat beschlossen hat, erst dann wird sich zeigen, ob wir angeschmiert sind oder nicht.«

Die Mannschaft machte sich diesen Standpunkt rasch zu eigen und sah in den nächsten Tagen der Lösung mit einer Gelassenheit entgegen, die durchaus kein schlechtes Gewissen verriet.

Brändli verschwand denn auch mitsamt seinem Gepäck in den Urlaub, der älteste Zugführer vertrat ihn, und eines Morgens übernahm ein neuer Hauptmann das Kommando der Kompagnie, einer mustergültigen Kompagnie, wie sich unter seiner ruhigen Führung bald herausstellte. Die Leute waren erpicht darauf, durch ihren Eifer zu beweisen, daß sie nicht den Dienst, sondern einen unfähigen Vorgesetzten abgelehnt hatten.

Indessen erwies sich der neue Hauptmann auch nicht als Wundertäter. Er beschäftigte die Kompagnie schlecht und recht, weil sie eben beschäftigt werden mußte, und sie gewöhnte sich an ihn. Sie rückte Tag für Tag aus wie jede andere Kompagnie, unter denselben Umständen, die der gesamten Wehrmannschaft den Dienst so gründlich verleidet hatten, bedrohlichen Umständen für den inneren Halt jeder Armee. Nur zwei Möglichkeiten konnten dieser schlecht gelaunten, aber tüchtig geschulten Mannschaft einen frischen Antrieb verleihen, der kriegerische Ernstfall oder die Gewißheit einer nahen Ablösung. Weder das eine noch das andere stand bevor, soviel man wußte, und niemand wagte ernstlich daran zu glauben. Vor allen Augen lag nur der dienstliche Alltag wie eine unabsehbare Wüste vor den Augen ermüdeter Wanderer, und diese lähmende Aussicht verlangte von der Truppe eine moralische Widerstandskraft, die man nicht lernen konnte, sondern besaß oder nicht besaß. Die Tage folgten einander in aufreizender Einförmigkeit, naßkalte, farblose Wintertage, sie stiegen herauf und hinab wie die Schaufeln eines leerlaufenden, sinnlos klappernden Wasserrades im Seitenkanal, während dicht daneben ein gewaltiger Fluß von Ereignissen ununterbrochen vorbeizog.

13

Ende Februar verbrachte das Regiment Hartmann nach einem anstrengenden Marsch die Mittagspause am Rande der Ortschaft, die den Divisionsstab beherbergte. Die Kompagnien waren durch ihre Fahrküchen verpflegt worden und hockten oder standen lustlos bei den Gewehrpyramiden auf dem Allmendplatz herum. Von diesem Platz führte eine leicht ansteigende Straße in den Ort hinein. Eine Viertelstunde vor dem Aufbruch kam Füsilier Mäder diese Straße hinabgerannt, ein kleiner, diensteifriger Bursche aus dem Bataillon Schmid. Er hatte seinen Bruder besuchen dürfen, der als Ordonnanz im Divisionsbüro arbeitete, und kehrte nun zurück, rennend, als ob er in der letzten Minute daherkäme, das Käppi in der Rechten, die Linke an der Bajonettscheide, das rotbraune, spitze Gesicht überladen von Neuigkeiten. »Wir werden entlassen!« rief er der erstbesten Kompagnie zu, die an seinem Wege lag, oder vielmehr schrie er es, da die Leute ihn höhnisch lärmend anspornten.

»Was, du Spinnbruder?« wurde ihm geantwortet. »Den Kohl kannst du anderswo aufwärmen. Auf Havas beißen wir nicht mehr an.«

»Es ist Tatsache! Ich komme aus dem Divisionsbüro!« beteuerte Mäder atemlos und drängte sich durch die Mannschaft, die ihn ausfragen wollte. Auf dem Weg zu seiner Kompagnie teilte er jedem halbwegs Bekannten seine Nachricht hastig mit und hinterließ in der Masse des lagernden Regiments ein Kielwasser von aufgerührter Neugier. Mit den Worten »Wir werden entlassen! Heiri! Peter! Entlassung! Schluß!« stieß er zu den Kameraden seines Zuges, die sich um ihn sammelten, mißtrauisch zuerst, dann angesteckt von der Sicherheit und frohen Erregung des kleinen Mannes. »Die zweite Division löst uns ab, das ist Tatsache!« rief Mäder. »Anfangs März werden wir abgelöst. Der Divisionspark wird schon morgen zur Entlassung abgeschoben. Den Befehl dazu hat mein Bruder vervielfältigt, er hat ihn mir gezeigt, und ich habe ihn mit meinen eigenen Augen gelesen...«

Paul war mit vielen andern Leuten dem glücklichen Kundschafter zur vierten Kompagnie gefolgt und hörte ihm eine Weile begierig zu, dann kehrte er im Laufschritt um.

Jemand rief ihn an. »Paul! He! Holla!«

Paul blickte hin und sah einen langen, magern Korporal, der gemütlich suchend daherkam, seinen Bruder Fred.

»Wo ist der Havasreiter?« fragte Fred lächelnd.

»Dort, bei der Vierten, aber diesmal stimmt's, du, geh nur hin!« antwortete Paul eilig und lief weiter, um die Neuigkeit so rasch wie möglich seinen Kameraden mitzuteilen.

Die sichere Botschaft, die das umgehende Gerücht von der nahen Ablösung bestätigte, aber der dutzendmal enttäuschten, trüb gelaunten Truppe dennoch unverhofft genug erschien, durchlief in wenigen Minuten alle drei Bataillone. Das ganze Regiment, das eben noch mürrisch gerastet hatte, begann sich, wie nach langer, kühler Regenzeit ein Bienenvolk unter der Sonne, freudig belebt und kräftig summend zu regen.

In den nächsten Tagen wiederholte sich in den Kantonnementen, Wirtshäusern und Soldatenstuben ein scherzhafter Auftritt. Ein Füsilier kam zur Tür hereingestürzt oder stand inmitten seiner Kameraden vom Tische auf und verlangte gebieterisch Ruhe, dann hob er schmunzelnd die Faust vor das Gesicht und verkündete, indem er einen Finger nach dem andern ausbog, mit verheißungsvoll raunender Stimme wie ein Kind, das sich einem immer näher rückenden Freudentag entgegensehnt: »Noch einmal schlafen, noch zweimal schlafen, noch dreimal schlafen...« Die ganze Gesellschaft sah jeweilen mit innigem Verständnis zu, um nach der richtigen Zahl die Verheißung mit dem Rufe »Mir wänd au...!« laut und strahlend zu beantworten. Was sie denn wollten, blieb ungesagt, weil kein Wort ihre brennenden Wünsche und die unerhörte Tatsache der nahenden Erfüllung auszudrücken vermochte.

Nach der ersten Märzwoche übergab die Brigade Ammann ihre Kantonnemente und Wachtposten den Kameraden der wieder einberufenen zweiten Division und löste sich aus ihrem Grenzabschnitt, um von verschiedenen Punkten her wie Bäche im Quellgebiet eines Stromes die ersehnte Richtung einzuschlagen und immer größere Kolonnen zu bilden. Das Regiment Hartmann erreichte am Abend des zweiten Marschtages die Limmat, kurz vor ihrer Mündung in die Aare, und grüßte den vertrauten Fluß mit Rufen und freundlichen Blicken. Es verbrachte die Nacht in Baden, brach in der Frühe des nächsten Morgens wieder auf und marschierte das Tal der Limmat hinan, marschierte nach Zürich. Auf den Wiesen und Äckern lag in dünnen, wechselnden Schichten noch überall Reif oder körniger Schnee, von Norden her blies ein bissiger Wind, und aus dem leichten Gewölk, das da und dort eine fahle Bläue preisgab, stob oft unversehens ein hartes Schneegeriesel auf die Kolonne herab. Es war kalt wie im Januar. Die Soldaten wünschten sich kein anderes Wetter, sie schritten mit ihrer schweren Packung zur Musik, zur Trommel oder zum Marschgesange ganzer Kompagnien kräftig aus und ließen sich unter fröhlichen Scherzen von jedem Wegweiser ihre Richtung nach Zürich bestätigen.

Das Regiment rückte der Stadt immer näher, erreichte Dietikon, Schlieren, überholte eine Mitrailleur-Abteilung und ein Sappeur-Bataillon, die am Straßenrand haltgemacht hatten, und wurde von einer wachsenden Zuschauermenge begleitet, besonders von Kindern, die, den Soldaten ins Gesicht blickend, aufgeregt neben der Kolonne her marschierten oder sie ein Stück weit an sich vorbeiziehen ließen und dann wieder an die Spitze rannten. Nach dem letzten ordentlichen Stundenhalt bei Altstetten, als das Regiment zwischen vorstädtischen Häuserzeilen Tramgeleise und Asphalt unter die Nagelschuhe bekam, stimmte das vorderste Bataillonsspiel unerwartet den Sechseläutenmarsch an, den die Soldaten und Zuschauer freudig auflärmend begrüßten. Nichts anderes wäre in diesem Augenblick den Gefühlen der Heimkehrenden so im Innersten entgegengekommen wie dieser alte Marsch, der die Zürcher nicht nur an ihr Frühlingsfest erinnerte, sondern sie unmittelbar ansprach als Stimme eines lebendigen Wesens, ihrer Stadt eben, die ihre Heimat war.

Fred schauderte vor Begeisterung und spürte eine Hühnerhaut über Hals und Rücken hinab. Er geriet jetzt in jenen Zustand, in dem man sein gewohntes persönliches Urteil verliert und nicht mehr nüchtern beobachten kann, nicht mehr völlig sich selber gehört, in eine Art leichter Trunkenheit, die ihn während des ganzen Einzugs beherrschte. Er sah im Kreis Außersihl eine junge Frau, die unter den vorbeimarschierenden Soldaten ihren Mann entdeckt hatte, mit dem dringenden Rufe »Jakob!« ihm hastig zu folgen suchte und dabei das Kind an ihrer Rechten fast zu Boden riß, aber auf den lauten, herzlich frohen Gruß des Mannes stehenblieb und in Freudentränen ausbrach. Es war eine der hundert Wahrnehmungen dieser Stunde, sie erschien ihm wie das einzelne Bild eines zusammenhängenden langen Traumes, das notwendig vorkommen mußte und seine zustimmende Anteilnahme erweckte. Er warf einen verständnisvollen, freundlichen Blick auf die Frau, und genau so blickten auch die übrigen Soldaten, die den Vorgang bemerkt hatten, nach ihr hin. Das ganze Regiment befand sich in derselben Stimmung und im selben, vor Freude, Stolz und Rührung leicht benommenen Zustand.

Nach dem Marsch durch verschiedene Straßen zum

Bahnhof Enge schien die Spitze da und dort auf Hindernisse zu stoßen, in den Zugängen zum oberen Mythenquai tauchten marschierende oder wartende Truppen aller Gattungen auf, das Tempo wechselte, in der Kolonne entstanden bald Lücken, bald Stauungen, und überall trabten aufgeregte Adjutanten herum. Die Soldaten aber, die den Zweck der Ansammlung und die damit verbundenen Schwierigkeiten kannten, kümmerten sich wenig darum, ob sie auf der richtigen Straße waren und zur rechten Zeit bereit sein würden oder nicht, sie marschierten, schritten langsamer aus, rannten, hielten an, nahmen das Gewehr bei Fuß und traten nach rechts oder marschierten weiter. Sie wußten, daß dies alles so vor sich zu gehen pflegte und zum Ziele führen würde, es gehörte notwendig zu diesem Einmarsch und weckte sie nicht aus ihrer Stimmung.

Das Regiment stand denn auch endlich am richtigen Platze bereit, Kompagnie um Kompagnie pflanzte das Bajonett auf, und die Zugführer ermahnten ihre Leute, nun noch einmal allen Schneid und alle Kraft herzugeben, dabei aber auf den Rhythmus der Musik zu achten, die Gewehrhaltung nicht zu vergessen und auf das Säbelzeichen den Kopf nach rechts zu drehen. Es war punkt zwölf Uhr. Am Mythenquai begann ein Regimentsspiel den Defiliermarsch zu blasen.

Fred sah das braune, ein wenig erregte Gesicht des Hauptmanns und hörte seine Befehle, er nahm wie die ganze Kompagnie mechanisch Stellung an, schulterte das vom Bajonett beschwerte Gewehr und wartete regungslos, bis der Hauptmann in scharfem Tone »Kompagnie vorwärts – marsch!« befahl. Er marschierte in gemäßigtem Tempo eine Weile, dann bemerkte er, daß der vordere Zug nach links in die Linie schwenkte, und in der nächsten Sekunde tauchte vor seinem Blick die silberig grau zwischen kahlen Bäumen schimmernde, von der Bise gekräuselte Seefläche auf. Er hatte keine Zeit genauer hinzusehen, da er nun mit dem eigenen Zug die Schwenkung ausführen mußte, aber der flüchtige Eindruck genügte, das Bild erfüllte ihn sogleich mit inniger Genugtuung und fügte sich als notwendiges Glied in das Erlebnis dieser Heimkehr ein.

»Mit Gruppen links schwenkt – marsch! Gradaus – marsch!« befahl der Leutnant gespannt, während er rückwärts gehend zusah, wie die Marschkolonne des Zuges aus der bisherigen Richtung nach links in die Linie schwenkte, in zwei Glieder zu je fünfundzwanzig Mann, dann kurz aber taktmäßig vorwärts schreitend sich nach dem rechten Flügelmann auszurichten begann und auf das letzte »marsch!« wieder kräftig ausschritt. »Links – links – links!« befahl der Leutnant noch, den Takt der Musik betonend, dann warf er sich herum und schritt, den blanken Säbel in der Rechten, auf dem Asphalt des breiten Mythenquais dem Zug in der Mitte voran.

Fred blickte rasch dorthin, wo der General sein mußte, aber er sah nur undeutlich eine Gruppe Berittener vor der Volière, und ebenso undeutlich bemerkte er, wie der vordere Zug zum Taktschritt überging. Gleich darauf schrie der Leutnant, den Säbel in die Höhe reckend und herunterreißend: »Taktschritt – marsch!« Fred schlug in der straffsten Haltung Taktschritt an und drehte auf das zweite Säbelzeichen des Leutnants, dessen Stimme vor dem mächtig blasenden Regimentsspiel schon nicht mehr zu hören war, mit einem Ruck den Kopf nach rechts. Für wenige Sekunden war damit an ihn wie an jeden Mann des Zuges ein Anspruch gestellt, der eine hohe Stufe soldatischer Zucht und Schulung voraussetzt. Er hatte darauf zu achten, daß er in der geraden Linie blieb, das Gewehr auf die vorgeschriebene Art trug, die Zeichen des Leutnants nicht übersah, mit dem vollen Tornister am Rücken die straffe Haltung bewahrte, den schwierigen Schritt dem Takt der Musik anpaßte und dabei noch alle Kraft einsetzte; zudem mußte er, gradaus marschierend, nach rechts blicken. Er brachte dies alles zustande und gewahrte nun inmitten einer Gruppe berittener Offiziere die gedrungene Gestalt und das massige Gesicht des Generals, wieder nur undeutlich und flüchtig, doch gepackt vom Sinn dieses Augenblicks und unweigerlich zu der kraftvollsten, genauesten Anstrengung herausgefordert, deren er fähig war. Ähnlich erging es den übrigen Leuten des Zuges; sie strengten sich mitgerissen bis zur Grenze des Möglichen an, und sie hatten dabei das dunkle Gefühl, daß sie den General zufriedenstellten, ja daß sie mit ihrem Schneid, ihrer Kraft und Genauigkeit sogar auffallen müßten.

General Wille saß, die rotweiße Schärpe um den schweren Leib, zwischen hohen Truppenkommandanten, Stabsoffizieren, städtischen und kantonalen Behörden auf einem dunklen Fuchs und beobachtete den Zug, in dem Fred defilierte. Er verfolgte diese fünfzig Soldaten mit derselben aufmerksam gespannten, scheinbar mürrischen Miene wie jeden andern Zug, und sie fielen ihm nicht auf; sie wären ihm aufgefallen, wenn sie weniger flott defiliert hätten. Er beurteilte ihre Leistung als Fachmann, der weiß, was sie voraussetzt, und überzeugt ist, daß eine schlecht ausgebildete, eine unwillige oder verdorbene Truppe nicht defilieren kann, ohne sich auf Schritt und Tritt zu verraten. Diese scheinbar besondere Leistung drückte für ihn nur den allgemeinen Grad der soldatischen Zucht aus, den die ganze Brigade, die ganze Division bezeugte.

Der Zug schwenkte, von der Linie im Feldschritt zur Marschkolonne übergehend, nach rechts in den Alpenquai ein, schloß sich dem vordern Zug an und marschierte im geschlossenen Verband zum Bürkliplatz. Fred kam auch jetzt nicht zum nüchternen Bewußtsein des eben Erlebten, da ihn schon neue Eindrücke bestürmten. Er hatte seinem Gefühle nach soeben einen mit hoher Spannung geladenen, allen müßigen Zuschauern verschlossenen Raum durchschritten, der als letzte Prüfung unmittelbar vor der heimatlichen Schwelle lag. Jetzt brandete wieder zu beiden Seiten der Kolonne in zwei mächtigen Wellen das Volk auf, zu dem sie heimkehrten und das sie begeistert empfing. Über den lachenden, lärmenden, winkenden Zuschauern klangen aus dem Geäst der kahlen Bäume helle Bubenstimmen, und drüben auf den beiden Türmen des Großmünsters flogen hoch im frischen Wind zwei Flaggen.

Die Kolonne marschierte beim Bürkliplatz in die Bahnhofsstraße, die Bataillonsspiele begannen zu blasen. Von allen Dächern wehten Flaggen und Fahnen, jedes Fenster umrahmte ein halbes Dutzend Zuschauerköpfe, in den Bäumen hockten auch hier wieder Schulbuben, und auf beiden Straßenseiten standen bis zum Hauptbahnhof hinunter die Menschen dicht gedrängt Schulter an Schulter, unbegreiflich viele Menschen, die in freudiger Aufregung rastlos winkend und rufend ihre Wehrmannschaft begrüßten.

Die Soldaten wurden durch diesen Empfang noch tiefer in jene Trunkenheit versetzt, die sie von Anfang an beherrscht hatte, doch sie wahrten stramme Haltung, obwohl ihre linke Schulter unter dem Gewehr zu schmerzen begann und der volle Tornister schwer auf ihnen lastete. Sie sahen ihren opfervollen langen Dienst auf unerwartete Weise anerkannt und vergaßen, was sie bedrückt und geärgert hatte, sie wurden wieder stolz auf ihre kräftige Wehrgemeinschaft und empfanden über ihre sieben harten Monate eine heimliche, aber lebhafte Genugtuung. Dabei waren sie sich jeden Augenblick der märchenhaften Tatsache bewußt, daß sie jetzt heimkehrten, ihre braunen Gesichter strahlten vor beherrschter Freude, und der Jubel des Volkes rührte mächtig an ihr ausgehungertes Herz.

Meinrad Inglin

Gesammelte Werke

In zehn Bänden

Band 1   Die Welt in Ingoldau

Band 2   Grandhotel Excelsior

Band 3   Jugend eines Volkes
Ehrenhafter Untergang

Band 4   Die graue March

Band 5   Schweizerspiegel

Band 6   Werner Amberg

Band 7   Urwang

Band 8   Erlenbüel · Wendel von Euw

Band 9   Erzählungen

Band 10   Notizen des Jägers
Nachgelassene Schriften und Briefe

Ammann Verlag